Gramática
de Silveira Bueno
Revista e atualizada

global
editora

© **Editora Meca, 2009**
20ª Edição, Global Editora, São Paulo 2014
2ª Reimpressão, 2019

Richard A. Alves – diretor geral
Jefferson L. Alves – diretor editorial
Dulce S. Seabra – gerente editorial
Flávio Samuel – gerente de produção
Alexandre Faccioli – coordenação editorial
Ana Paula Enes– edição e preparação
Selma Pahlsson Muller– revisão técnica
Adriana Tullio, Alexandra Resende, Enymilia Guimarães, Orlinda Teruya e Fabiana Camargo Pellegrini – revisão
Victor Burton – capa
Estudo Gráfico Design – projeto gráfico e editoração eletrônica

Obra atualizada conforme o
NOVO ACORDO ORTOGRÁFICO DA LÍNGUA PORTUGUESA.

DADOS INTERNACIONAIS DE CATALOGAÇÃO NA PUBLICAÇÃO (CIP)
(CÂMARA BRASILEIRA DO LIVRO, SP, BRASIL)

B944g

  Bueno, Francisco da Silveira, 1898-1989
  Gramática de Silveira Bueno / Francisco da Silveira Bueno. - 20ª ed. rev. e atualizada.-São Paulo : Global, 2014.
  656 p. : il. ; 24 cm.

  Inclui bibliografia
  ISBN 978-85-260-2006-1

1. Língua portuguesa - Gramática. I. Título.

14-09110   CDD: 469.5
                                      CDU: 811.134.3'36

Direitos Reservados

global editora e distribuidora ltda.
Rua Pirapitingui, 111 – Liberdade
CEP 01508-020 – São Paulo – SP
Tel.: (11) 3277-7999
e-mail: global@globaleditora.com.br
www.globaleditora.com.br

Colabore com a produção científica e cultural.
Proibida a reprodução total ou parcial desta obra sem a autorização do editor.

Nº de Catálogo: **3079**

Apresentação

A *Gramática de Silveira Bueno* é um manual que oferece um amplo repertório direcionado à consulta e ao aprendizado das normas gramaticais vigentes na língua portuguesa. Esta obra é destinada às pessoas que têm como objetivo falar e escrever de maneira adequada, em relação à norma culta, no seu dia a dia.

O conteúdo programático gramatical é exposto por meio de conceitos bem definidos, claros, objetivos e esquematizados, portanto, de fácil compreensão e aplicabilidade.

Cada uma das partes da obra – Fonética, Fonologia e Ortografia; Morfologia; Sintaxe; Semântica; e Estilística – contempla aspectos teóricos e práticos, que são dispostos gradualmente, a fim de solucionar dúvidas decorrentes do aprendizado e da utilização dos conceitos.

Caso professores e alunos queiram testar seus conhecimentos após a leitura dos conteúdos, este manual oferece uma ampla variedade de exercícios ao término de cada conjunto de assuntos trabalhados. Testes e questões dos principais vestibulares do país também são apresentados a fim de preparar os futuros universitários.

O objetivo mais importante deste manual de gramática normativa é contribuir para que o usuário da língua portuguesa adquira um bom domínio do idioma para redigir e expressar-se clara e adequadamente e, desse modo, comunicar-se plenamente na esfera social.

Sumário

Introdução 13

Fonética, Fonologia e Ortografia

   Produção dos sons e classificação dos fonemas 16
      Fonema 16
      Representação dos fonemas ... 16
          Alofone 17
      Produção dos fonemas 18
          Produção de fonemas sonoros e surdos / orais e nasais 19
      Classificação dos fonemas 19
          Vogal 19
          Semivogal 21
          Encontros vocálicos: ditongo, tritongo, hiato 22
          Consoante 23
          Encontro consonantal 26
          Dígrafo 26
   Exercícios 26
   Questões de vestibulares 28

   Sílaba 30
      Classificação das palavras de acordo com a quantidade de sílabas 30
          Divisão silábica 30

      Tonicidade 32
      Classificação das palavras quanto à posição da sílaba tônica 32
   Exercícios 34
   Questões de vestibulares 35

   Ortofonia 36
      Ortoépia 36
      Prosódia 38
   Exercícios 40
   Questões de vestibulares 41

   Ortografia 43
      Representação gráfica dos fonemas – Alfabeto 43
      Orientações ortográficas 44
          Uso da letra H 44
          Uso das letras O ou U e E ou I ... 45
          Uso das letras C, Ç, S, SS, SC, (SÇ), XC, X 47
          Uso das letras S, Z, X 48
          Uso das letras X e CH 49
          Uso das letras CC, CÇ e X do grupo sonoro /ks/ 49
          Uso das letras G ou J 50
          Uso das letras CC, CÇ, RR, SS 50
          Uso das letras K, W e Y .. 51
          Formas variantes 51

Letras iniciais maiúsculas e minúsculas ... 51
    Letra inicial maiúscula ... 52
    Letra inicial minúscula ... 55
    Casos opcionais – maiúsculas ou minúsculas ... 55

Abreviatura, símbolos e siglas ... 55
    Abreviatura ... 56
    Símbolos ... 56
    Sigla ... 57
Exercícios ... 60
Questões de vestibulares ... 62

Acentuação gráfica ... 64
    Principais regras de acentuação gráfica ... 64
Exercícios ... 68
Questões de vestibulares ... 69

Notações léxicas ... 72
    Til (~) ... 72
    Cedilha (ç) ... 72
    Apóstrofo (') ... 72
    Hífen (-) ... 72
    Trema (¨) ... 75
Exercícios ... 75
Questões de vestibulares ... 76

Morfologia

Estrutura e formação das palavras ... 78
    Morfema ... 78
    Classificação dos morfemas ... 78
        Radical ... 78
        Vogal temática ... 79
        Desinências ... 79
        Afixos ... 80
        Vogal e consoante de ligação ... 81

Palavras de origem grega e latina ... 81
    Radicais gregos e latinos ... 81
    Prefixos gregos e latinos ... 84
    Correspondência entre prefixos gregos e latinos ... 87
    Sufixos ... 87
Exercícios ... 90
Questões de vestibulares ... 93

Processos de formação das palavras ... 96
    Derivação ... 96
    Composição ... 97
    Hibridismo ... 98
    Onomatopeia ... 98
    Abreviação ou redução ... 99
    Sigla ... 99
    Estrangeirismo ... 100
    Criação vocabular ... 100
Exercícios ... 101
Questões de vestibulares ... 103

Classificação e flexão das palavras ... 106
    Classes de palavras ... 106

Substantivo ... 108
    Classificação do substantivo ... 108
    Flexão do substantivo ... 111
        Gênero ... 111
        Número ... 116
        Grau ... 121
Exercícios ... 123
Questões de vestibulares ... 127

Artigo ... 131
    Classificação do artigo ... 131
    Flexão do artigo ... 131
    Características do artigo ... 132
        Emprego do artigo definido ... 133
        Emprego do artigo indefinido ... 134
Exercícios ... 135
Questões de vestibulares ... 136

Adjetivo ... 137
    Classificação do adjetivo ... 138

Locução adjetiva	140		**Verbo**	184
Flexão do adjetivo	142		Flexões do verbo	185
Gênero	142		Pessoa e número	185
Número	144		Tempo	185
Grau	145		Modo	186
Exercícios	149		Formas nominais	187
Questões de vestibulares	150		Voz	188
			Voz ativa	188
Numeral	153		Voz passiva	188
Classificação do numeral	153		Conversão do verbo da voz ativa para voz passiva e vice-versa	189
Flexão do numeral	155		Voz reflexiva	190
Emprego do numeral	156		Aspecto	190
Como ler e escrever o numeral	157		Verbo auxiliar e locução verbal	191
Exercícios	160		Conjugações do verbo	191
Questões de vestibulares	161		Elementos estruturais do verbo	192
Pronome	163		Classificação do verbo	193
Classificação do pronome	164		Quanto à formação	193
Pronome pessoal	164		Quanto à flexão	194
Emprego do pronome pessoal do caso reto	165		Formação dos tempos verbais	198
Emprego do pronome pessoal oblíquo	166		Formação dos tempos simples	199
Pronome de tratamento	168		Tempos derivados do presente do indicativo	199
Emprego do pronome de tratamento	169		Tempos derivados do pretérito perfeito do indicativo	201
Pronome possessivo	169		Tempos derivados do infinitivo impessoal	202
Emprego do pronome possessivo	170		Formação dos tempos compostos	204
Pronome demonstrativo	171		Modo indicativo	204
Emprego do pronome demonstrativo	172		Modo subjuntivo	206
Pronome indefinido	173		Formas nominais	207
Emprego do pronome indefinido	174		Emprego dos tempos verbais	208
Pronome interrogativo	176		Modo indicativo	208
Emprego do pronome interrogativo	177		Modo subjuntivo	211
Pronome relativo	177		Modo imperativo	212
Emprego do pronome relativo	177		Formas nominais	212
Exercícios	179		Modelos de conjugação verbal	215
Questões de vestibulares	181		Verbos regulares	215
			Verbos irregulares	223

Verbos auxiliares	238
Verbos pronominais	242
Conjugação de um verbo com os pronomes oblíquos o, a, os, as	244
Verbo na voz passiva	246
Exercícios	248
Questões de vestibulares	254
Advérbio	**259**
Locução adverbial	259
Classificação dos advérbios	260
Flexão de grau	261
Grau comparativo	261
Grau superlativo	261
Emprego do advérbio	262
Palavras e locuções denotativas	262
Exercícios	263
Questões de vestibulares	264
Preposição	**266**
Classificação das preposições	266
Locução prepositiva	267
Combinação e contração	268
Emprego das preposições	269
Exercícios	270
Questões de vestibulares	271
Ocorrência da crase	273
É obrigatório o uso do acento indicativo da crase	274
Não se usa o acento indicativo da crase	275
O uso do acento indicativo da crase é facultativo	277
Exercícios	277
Questões de vestibulares	279
Conjunção	**283**
Locução conjuntiva	283
Classificação das conjunções	284
Conjunções e locuções conjuntivas coordenativas	284
Conjunções e locuções conjuntivas subordinativas	285
Exercícios	287
Questões de vestibulares	288
Interjeição	**291**
Classificação das interjeições	292
Exercícios	293
Questões de vestibulares	294

Sintaxe

Análise sintática	**296**
Frase	296
Frases nominais	297
Frases verbais	298
Estrutura da frase	298
Tipos de frase	299
Oração	299
Período	300
Os termos da oração	300
Exercícios	301
Questões de vestibulares	302
Termos essenciais da oração	**304**
Sujeito	304
Sujeito determinado	306
Sujeito indeterminado	306
Oração sem sujeito	307
Sujeito e agente da oração na voz passiva	309
Predicado	309
Predicado verbal	310
Predicado nominal	314
Predicado verbo-nominal	316
Predicativo	316
Exercícios	318
Questões de vestibulares	324
Termos integrantes da oração	**329**
Objeto direto (OD)	329
Objeto direto preposicionado	331

- Objeto direto pleonástico **332**
- Objeto indireto (OI) **332**
  - Objeto indireto pleonástico . **334**
- Agente da passiva **335**
- Complemento nominal **336**

Exercícios **337**
Questões de vestibulares **340**

Termos acessórios da oração **345**

- Adjunto adnominal **345**
- Adjunto adverbial **347**
  - Classificação dos adjuntos adverbiais **348**
- Aposto **349**
  - Características do aposto **349**
- Vocativo **350**

Exercícios **351**
Questões de vestibulares **356**

Período **360**

- Período simples **360**
- Período composto **360**
  - Período composto por coordenação **361**
  - Período composto por subordinação **361**
  - Período composto por coordenação e subordinação **362**

Orações coordenadas **363**

- Orações coordenadas assindéticas **363**
- Orações coordenadas sindéticas **363**
  - Aditivas **363**
  - Adversativas **364**
  - Alternativas **364**
  - Conclusivas **364**
  - Explicativas **365**

Exercícios **365**
Questões de vestibulares **368**

Orações subordinadas **373**

- Orações subordinadas substantivas **374**
  - Subjetivas **374**
  - Objetivas diretas **375**
  - Objetivas indiretas **376**
  - Completivas nominais **377**
  - Predicativas **378**
  - Apositivas **378**

Exercícios **379**

- Orações subordinadas adjetivas **381**
  - Restritivas **383**
  - Explicativas **383**

Exercícios **385**

- Orações subordinadas adverbiais **387**
  - Causais **388**
  - Condicionais **389**
  - Comparativas **390**
  - Concessivas **390**
  - Consecutivas **391**
  - Conformativas **391**
  - Finais **392**
  - Proporcionais **392**
  - Temporais **393**

Exercícios **395**

Orações reduzidas **397**

- Orações reduzidas de infinitivo **398**
  - Subordinadas substantivas .. **398**
  - Subordinadas adverbiais **399**
  - Subordinadas adjetivas **399**
- Orações reduzidas de gerúndio **399**
  - Subordinadas adverbiais **400**
  - Subordinadas adjetivas **400**
- Orações reduzidas de particípio **400**
  - Subordinadas adjetivas **400**
  - Subordinadas adverbiais **401**

Oração intercalada ou interferente **402**

Exercícios **403**
Questões de vestibulares **406**

Período composto por coordenação e subordinação **410**
Exercícios **412**
Questões de vestibulares **413**

Pontuação **419**

Vírgula **420**
    Emprego da vírgula **420**
    Não se emprega a vírgula **423**

Ponto **423**

Ponto e vírgula **424**

Ponto de interrogação **424**

Ponto de exclamação **425**

Dois-pontos **425**

Aspas **426**

Reticências **427**

Travessão **428**

Parênteses **428**

Colchetes **429**

Exercícios **429**
Questões de vestibulares **432**

Sintaxe de concordância **437**

Concordância nominal **437**
    Quando o adjetivo se refere a mais de um substantivo **438**
    Quando dois ou mais adjetivos se referem a um substantivo **438**
    Quando o adjetivo é um predicativo do sujeito **439**
    Quando o adjetivo é um predicativo do objeto **439**
    Outros casos de concordância nominal **440**
    Concordância de determinadas palavras e expressões **442**

Exercícios **445**
Questões de vestibulares **448**

Concordância verbal **451**
    Regras gerais: **452**
    Casos especiais de concordância com sujeito simples **453**
    Casos especiais de concordância com sujeito composto **456**
    Concordância com o verbo ser **458**
    Verbos impessoais **459**
    Outros casos de concordância verbal **461**

Exercícios **464**
Questões de vestibulares **468**

Sintaxe de regência **475**

Regência nominal **475**
Exercícios **478**
Questões de vestibulares **479**

Regência verbal **481**
Exercícios **492**
Questões de vestibulares **496**

Sintaxe de colocação **502**

Colocação dos termos na oração **502**

Colocação dos pronomes pessoais oblíquos átonos **503**
    Próclise **504**
    Mesóclise **505**
    Ênclise **506**
    Verbo auxiliar seguido de infinitivo ou de gerúndio **507**
    Verbo auxiliar seguido de particípio **508**

Exercícios **509**
Questões de vestibulares **512**

Emprego das palavras que, se e como **516**

Que **516**
    Classes gramaticais **516**
    Funções sintáticas do pronome relativo **que** **517**

Se 518
    Classes gramaticais 518
    Funções sintáticas do
    pronome reflexivo **se** 519
Como 519
    Classes gramaticais 519
    Funções sintáticas
    da palavra **como** 520
Exercícios 520
Questões de vestibulares 523

Emprego de mais algumas palavras e expressões 529

    Por que 529
    Porque 529
    Por quê 530
    Porquê 530
    Onde 530
    Aonde 530
    Mas 530
    Mais 530
    Mal 531
    Mau 531
    Senão 531
    Se não 531
    Há 531
    A 532
    Ao invés de 532
    Em vez de 532
    Ao encontro de 532
    De encontro de 532
    A fim de 533
    Afim de 533
    Demais 533
    De mais 533
    A par 533
    Ao par 534
    Acerca de 534
    Há cerca de 534
    Cerca de 534
    Meio 534
    Meia 534
Exercícios 534
Questões de vestibulares 537

Semântica

Relação de significado entre as palavras 540

    Denotação e conotação 540
    Sinonímia 541
    Antonímia 541
    Homonímia 542
    Hiperonímia e hiponímia 543
    Paronímia 544
    Polissemia 545
Exercícios 545
Questões de vestibulares 547

Estilística

Linguagem e comunicação .. 552
    A comunicação oral e escrita .. 552

Funções da linguagem 554
    Função emotiva ou expressiva 554
    Função conativa ou apelativa .. 555
    Função poética 555
    Função metalinguística 556
    Função fática 557
    Função referencial 557
Exercícios 559
Questões de vestibulares 561

Figuras de linguagem 564
    Figuras de palavras ou tropos . 564
        Comparação 564

Metáfora	565
Catacrese	565
Sinestesia	566
Metonímia	567
Antonomásia	569
Perífrase	569
Alegoria	569

Figuras de construção ou de sintaxe ... 570
- Elipse ... 570
- Zeugma ... 570
- Silepse ... 570
- Pleonasmo ... 571
- Assíndeto ... 571
- Polissíndeto ... 571
- Repetição ou iteração ... 571
- Hiperbato ou inversão ... 572
- Anáfora ... 573
- Anacoluto ... 573

Figuras de Pensamento ... 573
- Antítese ... 573
- Paradoxo ... 573
- Apóstrofe ... 574
- Eufemismo ... 574
- Gradação ... 574
- Hipérbole ... 575
- Personificação ... 575
- Ironia ... 575
- Reticências ... 576

Figuras de harmonia ou de som ... 576
- Aliteração ... 576
- Assonância ... 576
- Paronomásia ... 577
- Onomatopeia ... 577

Vícios de linguagem ... 578
- Ambiguidade ... 578
- Barbarismo ... 578
- Cacofonia ... 578
- Colisão ... 579
- Eco ... 579
- Hiato ... 579
- Estrangeirismo ... 579
- Pleonasmo vicioso ... 580
- Solecismo ... 580
- Plebeísmo ... 580
- Arcaísmo ... 581

Exercícios ... 581
Questões de vestibulares ... 586

Noções de versificação ... 589
- Verso ... 590
- Estrofe ... 591
- Metro ... 592
- Poemas de forma fixa ... 594
- Ritmo ... 595
- Rima ... 595

Exercícios ... 598
Questões de vestibulares ... 599

Caderno de respostas ... 601

Bibliografia ... 655

Introdução

A língua portuguesa

A língua portuguesa faz parte das chamadas línguas neolatinas e foi trazida ao Brasil pelos navegadores portugueses. Em contato com o povo indígena que aqui se encontrava, sofreu diversas transformações. Algumas transformações também ocorreram em razão do contato com outros povos que foram chegando e trazendo para esta terra sua cultura e língua.

O português, atualmente, é falado por milhões de pessoas dos países denominados lusófonos, espalhados pelos cinco continentes. Dialetos provenientes do português também são falados nas ex-colônias portuguesas, tanto na África como na Ásia.

A língua é um código social e simbólico que o ser humano aprende no decorrer das etapas de sua vida, com o objetivo de assimilar conhecimentos e conviver em grupos.

A linguagem é o meio pelo qual o ser humano se comunica. Para isso, utiliza os signos de determinada língua, seja por meio da escrita, de gestos, seja por meio de desenhos etc. Assim, o ser humano transmite sua cultura e as transformações que ocorrem ao seu redor por meio da linguagem.

A realização concreta de uma língua também acontece por intermédio da fala, ou seja, quando o falante emite determinados sons combinados a fim de transmitir mensagens para um ouvinte. A fala é um ato individual; logo, cada indivíduo tem uma maneira própria de se expressar, selecionando formas que melhor demonstrem seu pensamento, suas emoções e vontades. Ao realizar a comunicação social, o indivíduo produz seu discurso e nele marca sua ideologia, importante para garantir sua participação no convívio com os outros. Para comunicar-se de maneira efetiva nos diversos grupos de que participa, apropria-se de variedades linguísticas e julga qual é a mais adequada em determinada situação social.

Todo idioma contém estruturas básicas que os falantes de uma comunidade conhecem e utilizam, mas que sofre variações no decorrer do tempo.

A língua é dinâmica, principalmente a fala. Seu falante pertence a um grupo social, nasce e vive em local e época determinados, e essas variações socioculturais, geográficas e históricas contribuem para o surgimento das variações linguísticas.

O Brasil apresenta uma variação geográfica muito grande, e ela pode ser percebida na diversidade de pronúncias e sotaques, no emprego do vocabulário, na estrutura das frases ou no significado que certas palavras adquirem nas diferentes regiões.

A passagem do tempo proporciona a variação histórica, isto é, mudam-se a maneira de falar, o sentido, o significado e a grafia de algumas palavras. E assim essa dinâmica da língua oferece um panorama de transformações infindáveis.

As condições sociais também influenciam de maneira significativa o modo de falar das pessoas que utilizam uma mesma língua. Esta é uma variação sociocultural. A escolaridade permite que uma pessoa conheça mais variedades linguísticas do que aquela que não teve oportunidade de conhecer essas variantes, inclusive a variedade culta. Todos os falantes da língua têm contato com a linguagem coloquial; portanto, todos têm possibilidade de se comunicar. A situação de uso de uma língua depende do contexto em que a pessoa se encontra. Pode-se usar a linguagem coloquial ou uma linguagem padronizada por regras formalizadas e sistematizadas na escola.

Esta obra registra e sistematiza os conteúdos gramaticais que compõem os ensinamentos da Língua Portuguesa, e permite aos seus leitores entender melhor a norma-padrão contemporânea para aplicá-la de maneira coerente em seu cotidiano.

Fonética, Fonologia e Ortografia

A Fonética estuda a produção e a classificação dos sons vocais. A Fonologia estuda a estruturação desses sons em um sistema linguístico. A Ortografia é o estudo da grafia correta das palavras, segundo os padrões cultos da língua.

Produção dos sons e classificação dos fonemas

Fonema

O som da fala é o objeto de estudo tanto da Fonética como da Fonologia.

Para entender a distinção entre uma e outra, é importante saber qual é a definição de fonema.

Fonema é a menor unidade sonora capaz de permitir a distinção de significados.

A **Fonética** estuda como esses fonemas são produzidos sob o aspecto fisiológico, ocupando-se da maneira como os sons da fala são articulados no aparelho fonador, ou seja, revela a propriedade do fonema na produção e recepção desses sons. Já a **Fonologia** caracteriza-se pelo estudo dos fonemas que, isolados ou agrupados, formam as palavras e permitem a comunicação entre os falantes de uma mesma língua.

> ❖ Nos estudos linguísticos, as transcrições fonológicas (os fonemas da língua) são representadas entre barras oblíquas (//), e as transcrições fonéticas (o registro da pronúncia do falante) serão representadas por colchetes ([ ]). Exemplo: na palavra **leve**, os fonemas são: /l/, /e/, /v/, /e/. Uma das possibilidades de transcrição fonética dessa palavra é: [lévi].

Representação dos fonemas

Assim como são utilizados os símbolos (letras e traços) para representar a linguagem por escrito, é possível utilizá-los para representar os sons da fala. O ideal seria que tanto para a fala como para a escrita houvesse o mesmo símbolo que as representasse, mas existem algumas diferenças.

Por exemplo: na escrita há cinco vogais: a, e, i, o, u. Entretanto, na fala, existem sete vogais orais tônicas: /a/, /e/, /é/, /i/, /o/, /ó/, /u/. Isso porque há palavras em que se pronuncia o /é/ e o /ó/ de maneira aberta, acentuada; em outras, se pronuncia o /e/ e o /o/ de maneira fechada.

Há situações em que o número de fonemas e de letras coincide, por exemplo: árvore – /a/ /r/ /v/ /o/ /r/ /e/.

No entanto, nem sempre o número de letras e fonemas coincide.

+ Um fonema pode ser representado por duas letras juntas.

   Por exemplo, em pa**ss**arinho, **gu**izo, ca**rr**o.

+ Mais de uma letra pode representar um mesmo fonema.

   O fonema /**z**/ nas palavras: a**z**edo, ca**s**a, e**x**aminar.

+ Mais de um fonema pode ser representado pela mesma letra.

   A letra (**x**) nas palavras: e**x**ato (fonema /**z**/), en**x**ada (fonema /**x**/), pró**x**imo (fonema /**s**/), se**x**ual (fonema do grupo dos sons **ks**).

+ Letras como (**m**) e (**n**) não representam fonemas em certas palavras, mas revelam a nasalização da vogal que as antecede: c**am**po, l**en**te.

+ Outras letras permanecem nas palavras por razões etimológicas, embora não representem qualquer som: (**s**) em na**s**cimento, (**x**) em e**x**ceder, (**h**) em **h**oje, (**u**) nos grupos **gu**, **qu**, seguidos de **e** ou **i** em g**u**indaste e q**u**eijo.

❖ É importante não confundir fonema com letra. Fonema é a representação sonora da fala; letra é a representação gráfica; ou seja, usam-se as letras exclusivamente para a escrita e os fonemas para a fala.

Alofone

O português que se fala no Brasil sofre grande variação de um lugar para outro. De norte a sul do país, é possível pronunciar um mesmo fonema de diversas maneiras. A essa variedade de pronúncia de um fonema damos o nome de **alofone**. Além dos fatores sociais e regionais, essa variação também ocorre em função da vizinhança fonética do fonema pronunciado.

São exemplos:

+ a consoante /t/ é pronunciada de formas diferentes nas palavras "tatu" e "titia", pelo contato com a vogal /i/.

+ a pronúncia do /s/ do plural em "olhos verdes", antes da consoante /v/, difere da sua pronúncia em "olhos azuis", antes da vogal /a/.

Produção dos fonemas

Os sons emitidos no exercício da linguagem humana são produzidos e articulados pelo aparelho fonador. Os seres humanos não possuem um aparelho especial para a fala. Os órgãos do corpo humano que desempenham papel na produção da fala são os seguintes: o sistema respiratório (pulmões, músculos pulmonares, brônquios, traqueia), que fornece a corrente de ar; o sistema fonatório (laringe, onde se localizam as cordas vocais, separadas por um espaço chamado glote); o sistema articulatório (faringe, palato, úvula, língua, nariz, dentes, lábios).

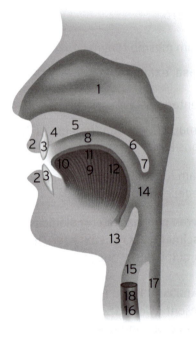

(1) cavidade nasal
(2) lábios (superior e inferior)
(3) dentes (superiores e inferiores)
(4) alvéolos (dentais)
(5) palato duro
(6) véu palatino
(7) úvula
(8) cavidade bucal
(9) língua
(10) ápice da língua
(11) dorso da língua
(12) raiz da língua
(13) epiglote
(14) faringe
(15) laringe
(16) traqueia
(17) esôfago
(18) cordas vocais (glote)

Os sons emitidos são vibrações produzidas por uma coluna de ar em movimento que se inicia nos pulmões, na fase expiratória do processo de respiração, e percorre o aparelho fonador. Quando o aparelho fonador encontra-se em repouso, no momento da respiração, a corrente respiratória não encontra obstáculos ao passar. Entretanto, no instante em que uma pessoa se prepara para falar, os órgãos da fonação sofrem algumas transformações. Isso ocorre da seguinte maneira:

1. a corrente de ar vem dos pulmões; passa pelos brônquios e pela traqueia, que a conduzem até a laringe;

2. passa pela laringe, órgão mais importante da fonação. Nela encontram-se uma pequena abertura, chamada glote, e duas membranas elásticas, que são as cordas vocais;

3. a corrente de ar pode vibrar ou não as cordas vocais, produzindo o ruído que pode se constituir no som vocal;

4. a corrente de ar (sonora ou não) passa pela glote e é direcionada para a faringe;

5. finalmente essa corrente de ar chega totalmente à boca ou em parte à boca e em parte ao nariz, dependendo do som que será emitido.

Os fonemas sonoros e surdos, orais e nasais resultam da passagem da corrente de ar por esses órgãos e da ação de articuladores ativos (como a língua, o lábio inferior, o véu palatino e as cordas vocais), estruturas que se movem em direção a outros articuladores passivos (como o lábio superior, os dentes superiores, os alvéolos) com os quais estabelecem articulação.

Produção de fonemas sonoros e surdos / orais e nasais

+ Se a glote estiver fechada, o fluxo de ar forçará sua passagem fazendo vibrar as cordas vocais. Dessa forma, produzem-se os fonemas sonoros. Todas as vogais são sonoras e algumas consoantes, como /b/, /d/, /g/, /j/, /v/, /z/ etc.
+ Se a glote estiver aberta, a passagem do fluxo de ar é livre e as cordas vocais não vibrarão. Dessa forma, produzem-se os fonemas surdos: /f/, /k/, /s/, /t/, /x/ etc.
+ Se a úvula ou campainha se levanta com a chegada da corrente respiratória, a passagem do ar pelas fossas nasais é impedida e, consequentemente, o ar sai apenas pela boca: /a/, /b/, /k/, /t/ etc.
+ Se a úvula ou campainha se abaixa com a chegada da corrente respiratória, uma parte do ar deixa-se escapar pelas fossas nasais: /ã/, /ẽ/, /õ/, /m/, /n/.

Classificação dos fonemas

Os fonemas são classificados em **vogal**, **semivogal** e **consoante**.

Vogal

É o fonema resultante da livre passagem de ar pela boca entreaberta ou pela boca e pelas cavidades nasais sem encontrar obstáculos. É representada pelas letras **a, e, i, o, u**, pelos dígrafos vocálicos (**am, an, em, en, im, in, om, on, um, un**) e faz parte integrante da sílaba. A vogal é fundamental na formação da sílaba e não existe na língua portuguesa mais de uma vogal em uma sílaba.

Grafia	Fonemas	Exemplo
a/á	/a/	m**a**ta
ã	/ã/	manh**ã**
am	/ã/	m**am**bo

Grafia	Fonemas	Exemplo
an	/ã/	**an**tes
e/ê	/e/	**e**le
e/é	/é/	t**e**rra

em	/ẽ/	sempre
en	/ẽ/	gente
i	/i/	livro
im	/ĩ/	assim
in	/ĩ/	pingo
o/ô	/o/	lobo
o/ó	/ó/	porta

õ	/õ/	tostões
om	/õ/	ombro
on	/õ/	conta
u	/u/	uva
um	/ũ/	cumprir
un	/ũ/	corcunda

Classificação das vogais

Segundo a Nomenclatura Gramatical Brasileira (NGB), as vogais são classificadas sob quatro critérios: **quanto à zona de articulação; quanto à intensidade; quanto ao timbre; quanto ao papel das cavidades bucal e nasal.**

+ Quanto à **zona de articulação**, as vogais podem ser *médias*, *anteriores* e *posteriores*.

Médias	A língua permanece quase em repouso.	/a/, /ã/ mata, maçã
Anteriores	A língua se eleva gradativamente em direção ao palato duro (parte anterior do céu da boca).	/e/, /é/, /ẽ/, /i/, /ĩ/ medo, pele, pente, rio, pingo
Posteriores	A língua se eleva gradativamente em direção ao palato mole (parte posterior do céu da boca).	/ó/, /o/, /õ/, /u/, /ũ/ roda, avô, tostões, bula, fundo

+ Quanto à **intensidade**, as vogais podem ser *tônicas* ou *átonas*.

A **vogal tônica** é pronunciada com mais intensidade, ou seja, é nela que recai o acento tônico: b**a**la, p**o**te.

A **vogal átona** é pronunciada com menos intensidade, pois não tem acento: bal**a**, pot**e**.

Existe também em vocábulos maiores (geralmente nos derivados) a **vogal subtônica**, que é pronunciada com intensidade secundária, além da tônica: s**o**mente, caf**e**zinho, p**o**lidamente.

Fonética, Fonologia e Ortografia

✦ Quanto ao **papel das cavidades bucal e nasal**, as vogais podem ser *orais* ou *nasais*.

Orais	A corrente de ar ressoa somente na cavidade bucal.	/a/, /é/, /e/, [i], /ó/, /o/, /u/ l**a**ta, cr**e**do, p**e**rigo, p**i**a, l**o**ja, f**o**go, **u**va
Nasais	A corrente de ar, ao encontrar o véu palatino abaixado, ressoa também na cavidade nasal.	/ã/, /ẽ/, /ĩ/, /õ/, /ũ/ c**an**to, v**en**do, l**in**do, p**on**te, j**un**ta

A distinção entre os fonemas orais e nasais está na ressonância e não na saída de ar.

✦ Quanto ao **timbre**, as vogais podem ser *abertas* e *fechadas*.

Abertas	Pronunciada com a cavidade bucal mais aberta.	/a/, /é/, /ó/ c**a**da, caf**é**, cip**ó**
Fechadas	Pronunciada com a cavidade bucal mais fechada.	/e/, /o/, /i/, /u/ e todas as nasais m**e**sa, cal**o**r, s**i**no, l**u**va, t**en**da, **on**tem etc.

Classificação das vogais		
Quanto à zona de articulação	médias anteriores posteriores	/a/ **a**ve /é/ p**e**le – /e/ l**ê** – /i/ r**i**o /o/ av**ô** – /ó/ r**o**da – /u/ b**u**la
Quanto à intensidade	átonas tônicas	b**a**la, p**o**te bal**a**, pot**e**
Quanto ao papel da cavidade bucal	orais	/a/ l**a**ta – /é/ cr**e**do – /e/ p**e**rigo /i/ p**i**a – /ó/ l**o**ja – /o/ f**o**go /u/ **u**va
	nasais	/ã/ c**an**to – /ẽ/ v**en**do – /ĩ/ l**in**do /õ/ p**on**te – /ũ/ j**un**ta
Quanto ao timbre	abertas	/a/ p**a**ta – /é/ caf**é** – /ó/ cip**ó**
	fechadas	/o/ com**e**r – /e/ cr**ê** /i/ s**i**no – /u/ l**u**va

Semivogal

Quando as vogais **i** e **u** são fonemas átonos e aparecem apoiadas em uma vogal, são classificadas como semivogais, pois, juntas com a vogal, formam uma só sílaba. São representadas da seguinte forma: **i** por /y/ e **u** por /w/.

mais   mau   ateu   boi

Da mesma forma, as vogais **e** e **o** podem assumir o valor de semivogais, como em **mãe**, **põe** e **mão**.

Encontros vocálicos: ditongo, tritongo, hiato

A junção de uma vogal com uma semivogal origina um encontro vocálico, que pode ser um *ditongo*, um *tritongo* ou um *hiato*.

a) **Ditongo**: forma-se com a junção de vogal + semivogal ou semivogal + vogal em uma mesma sílaba e pode ser:

- crescente: quando a semivogal vem antes da vogal: sér**ie**, rég**ua**, infânc**ia**.
- decrescente: quando a vogal vem antes da semivogal: chap**éu**, j**ei**to, n**oi**te.
- oral: quando é formado por uma vogal oral: silênc**io**, ág**ua**, mág**oa**.
- nasal: quando é formado por uma vogal nasal: l**ição**, b**em**, m**ãe**.

b) **Tritongo**: forma-se com a junção de semivogal + vogal + semivogal em uma mesma sílaba e pode ser:

- oral: quando o ar sai totalmente pela boca: Parag**uai**, enxag**uou**, q**uais**.
- nasal: quando parte do ar sai pelas cavidades nasais: sag**uão**, ág**uam**, q**uão**.

c) **Hiato**: forma-se na sequência de duas vogais pertencentes a sílabas diferentes, como em: s**a**-**ú**-de.

É possível ocorrer hiato também entre:

- duas vogais átonas: r**e**-**a**-ção.
- entre uma vogal tônica e outra átona: r**u**-**a**.

❖ Os encontros vocálicos **ia**, **ie**, **ao**, **ua**, **io**, e **uo** no final de sílaba são, geralmente, considerados ditongos crescentes; no entanto, conforme a Nomenclatura Gramatical Brasileira (NGB), podem também ser considerados como hiatos, pois ambas as pronúncias existem na língua portuguesa nesses casos:

    glór**ia**   glóri-a
    ↓   ↓
  semivogal + vogal   vogal + vogal.

Principais ditongos crescentes					
Orais			Nasais		
Grafia	Fonemas	Exemplos	Grafia	Fonemas	Exemplos
ea, ia	/ya/	orquíd**ea**, glór**ia**	uan	/wã/	q**uan**do
eo, io	/yo/	áur**eo**, méd**io**	uen	/wẽ/	freq**uen**te
ie	/ye/	espéc**ie**	uim, uin	/wĩ/	ping**uim**
io	/yo/	méd**io**, rós**eo**	ian	/yã/	cr**ian**ça
iu	/yu/	m**iú**do			
oa, ua	/wa/	nód**oa**, q**ua**dra			
ue, ui	/wi/	eq**ue**stre, sang**ui**nário			
uo	/wo/	vác**uo**			

Principais ditongos decrescentes

Orais

Grafia	Fonemas	Exemplos
ai	/ay/	p**ai**
au	/aw/	degr**au**
ei	/ey/	r**ei**
éi	/éy/	coron**éis**
éu	/éw/	v**éu**
eu	/ew/	viv**eu**
iu	/iw/	part**iu**
ói	/óy/	her**óis**
oi	/oy/	f**oi**
ou	/ow/	r**ou**bo
ui	/uy/	r**ui**vo

Nasais

Grafia	Fonemas	Exemplos
ãe, ãi	/ãy/	p**ães**, c**ãi**bra
ão, am	/ãw/	m**ão**, amar**am**
em, en	/ẽy/	t**em**, híf**en**
õe	/õy/	aç**ões**
ui	/ũy/	m**ui**ta

Tritongos

Orais

Grafia	Fonemas	Exemplos
uai	/way/	ig**uais**
uei	/wey/	averig**uei**
uiu	/wiw/	delinq**uiu**
uou	/wow/	ag**uou**

Nasais

Grafia	Fonemas	Exemplos
uão, uam	/wãw/	sag**uão**, ming**uam**
uem	/wẽy/	deság**uem**
uõe	/wõy/	sag**uões**

Consoante

É o fonema que, quando emitido, a corrente de ar encontra algum obstáculo total ou parcial na cavidade bucal. Por isso, na língua portuguesa, para formar a sílaba é preciso apoiar-se em uma vogal. As consoantes são representadas pelas letras: **b, c, d, f, g, j, l, m, n, p, q, r, s, t, v, x, z**.

Grafia	Fonemas	Exemplo
b	/b/	**b**ota
d	/d/	**d**ado
f	/f/	**f**aca
g	/g/	**g**ata
gu	/g/	jo**gu**ete
lh	/lh/	ma**lh**a

Grafia	Fonemas	Exemplo
j	/j/	**j**eito
g	/j/	**g**elo
c	/k/	**c**asal
qu	/k/	**qu**ero
l	/l/	co**l**ina
c	/s/	**c**erto

Produção dos sons e classificação dos fonemas

m	/m/	**m**enina
n	/n/	**n**ada
nh	/nh/	le**nh**a
p	/p/	**p**ote
rr	/R/	ga**rr**a
r	/R/	**r**ota
r	/r/	pa**r**ado
s	/s/	**s**ala
ss	/s/	pá**ss**aro
ç	/s/	a**ç**ude

sc	/s/	pi**sc**ina
x	/s/	pró**x**imo
xc	/s/	ex**c**eção
t	/t/	**t**elha
v	/v/	**v**ida
ch	/ch/	**ch**ama
x	/ch/	**x**arope
z	/z/	**z**ebra
s	/z/	a**s**a
x	/z/	e**x**emplo

Classificação das consoantes

Segundo a Nomenclatura Gramatical Brasileira (NGB), as consoantes são classificadas sob quatro critérios: quanto ao **modo de articulação**; quanto ao **ponto de articulação**; quanto ao **papel das cordas vocais**; quanto ao **papel das cavidades bucal e nasal**.

+ Quanto ao **modo de articulação**, as consoantes podem ser *oclusivas* ou *constritivas*. As constritivas ainda dividem-se em: *fricativas*, *vibrantes* e *laterais*.

Oclusivas	Obstáculo total para a corrente de ar ao passar pela cavidade bucal.	/b/, /d/, /g/, /k/, /p/, /t/ **b**ata, **d**ado, **g**ago, **c**ada, **p**ato, **t**atu
Constritivas	Obstáculo parcial para a corrente de ar ao passar pela cavidade bucal. Dividem-se em:	
	Fricativas: emitem um ruído comparável a uma fricção.	/f/, /ch/, /j/, /v/, /s/, /z/ **f**ato, **ch**apéu, **j**eito, **c**ebola, **v**eto, **z**ero
	Vibrantes: quando emitidas, realizam um movimento vibratório da língua ou do véu palatino.	/r/, /R/ ca**r**o, ca**rr**o
	Laterais: quando emitidas, encontram um obstáculo formado pela língua no centro da boca e o ar sai pelas laterais da cavidade bucal.	/l/, /lh/ **l**eite, fa**lh**a

+ Quanto ao **ponto de articulação**, as consoantes podem ser articuladas em diferentes locais da cavidade bucal.

Bilabiais	Contato dos lábios.	/p/, /b/, /m/ ca**p**a, **b**ala, **m**ata
Labiodentais	Contato do lábio inferior com os dentes superiores.	/f/, /v/ **f**aca, **v**oto

Fonética, Fonologia e Ortografia

Linguodentais	Contato da língua com os dentes superiores.	/t/, /d/, /n/ **t**ela, **d**ado, **n**inho
Alveolares	Contato ou aproximação da língua com os alvéolos.	/l/, /r/, /s/, /z/ **l**eite, a**r**ara, **s**ete, ca**s**a
Palatais	Contato ou aproximação do dorso da língua com o palato duro.	/ch/, /lh/, /j/, /nh/ fe**ch**o, pa**lh**a, **j**ogo, ma**nh**ã
Velares	Aproximação da parte posterior da língua com o palato mole.	/k/, /g/, /R/ **qu**ero, fi**g**o, **r**ato

+ Quanto ao **papel das cordas vocais**, as consoantes podem ser *surdas* ou *sonoras* durante a passagem do ar pela laringe.

Surdas	A corrente de ar passa sem fazer vibrar as cordas vocais.	/p/, /t/, /k/, /s/, /f/, /ch/ **p**aca, **t**ela, **c**asa, **c**edo, **f**aca, pi**ch**e
Sonoras	A corrente de ar encontra obstáculo e faz vibrar as cordas vocais ao forçar a passagem.	/b/, /d/, /g/, /v/, /j/, /l/, /lh/, /r/, /R/, /m/, /n/, /nh/, /z/ **b**ala, **d**ado, **g**amão, **v**ela, **j**ogo, **l**ado, fa**lh**a, a**m**ora, **r**oda, **m**ato, **n**eve, so**nh**o, a**z**edo

+ Quanto ao **papel das cavidades bucal e nasal**, as consoantes podem ser *orais* ou *nasais*; ou seja, a predominância do local por onde passa a corrente de ar pode ser a boca ou a cavidade nasal.

Orais	O ar sai somente pela boca – todas as consoantes (não nasais).	fo**g**ueira, **g**elado, **p**ista, ro**d**ada
Nasais	O ar ressoa pela cavidade nasal.	/m/, /n/, /nh/ **m**edo, **n**ota, ba**nh**a

Classificação das consoantes

Papel das cavidades bucal e nasal	orais						nasais
Modo de articulação	oclusivas		constritivas				
			fricativas		laterais	vibrantes	
Papel das cordas vocais	surdas	sonoras	surdas	sonoras	sonoras	sonoras	sonoras
Ponto de articulação — bilabiais	/p/	/b/					/m/
labiodentais			/f/	/v/			
linguodentais	/t/	/d/					/n/
alveolares			/s/	/z/	/l/	/r/	
palatais			/ch/	/j/	/lh/		/nh/
velares	/k/	/g/				/R/	

Produção dos sons e classificação dos fonemas

Encontro consonantal

É a sequência de duas ou mais consoantes em uma mesma palavra. Os encontros consonantais mais frequentes na língua portuguesa são inseparáveis, ou seja, permanecem na mesma sílaba: es-**cre**-ver, **prin**-cí-pio, a-**bra**-ço.

Eles podem ser:

+ perfeitos: quando o encontro pertence à mesma sílaba (normalmente a segunda consoante é **l** ou **r**): **gli**-co-se, **prá**-ti-co, **tris**-te-za, **clas**-si-fi-car.

+ imperfeitos: quando a sequência de consoantes está em sílabas diferentes (sempre ocorrem no interior da palavra): a**b**-**s**ol-vi-ção, as-pe**c**-**t**o, ri**t**-**m**o.

Outros encontros consonantais, menos frequentes, são: **pn**eu-mo-ni-a, **ps**i-co-se, **gn**o-mo, a**f**-**t**a.

Dígrafo

Diferente do encontro consonantal, em que duas consoantes equivalem a dois fonemas, o **dígrafo** é o encontro de duas letras que equivalem a um só fonema.

Ele pode ser:

+ dígrafo consonantal: **ch, nh, lh, rr, ss, gu, qu, sc, sç, xc, xs**: **ch**aleira, fro**nh**a, i**lh**a, fe**rr**o, cla**ss**e, açou**gu**e, **qu**eijo, cre**sc**er, cre**sç**a, e**xc**elência, e**xs**udar (transpirar).

> ❖ Os grupos **gu** e **qu** são considerados dígrafos quando o **u** não é pronunciado antes de **e** ou **i**, como em **gu**indaste e **qu**eijo. Eles são considerados ditongos quando o **u** é pronunciado como em ling**u**iça e cinq**u**enta.

+ dígrafo vocálico: vogais nasais considerados dígrafos: **am, an, em, en, im, in, om, on, um, um**: c**am**panha, d**an**ça, **em**barcar, t**en**tação, l**im**peza, l**in**do, **om**bro, c**on**to, jej**um**, def**un**to.

> ❖ A combinação de dois fonemas que são representados por apenas uma letra é chamada **dífono**. Na língua portuguesa, essa representação ocorre com a letra **x**. Nas palavras: **tóxico, fixo, táxi**, a letra **x** representa dois fonemas diferentes: **ks**.

Exercícios

1. Indique o número de fonemas e o número de letras das palavras.
   a) esguichar
   b) carro
   c) ambivalência
   d) manhã
   e) exceção
   f) labirinto

2. Relacione as colunas informando quais palavras têm o mesmo número de fonemas.

   (a) lâmpada   ( ) cheque
   (b) rouxinol   ( ) calor
   (c) lixo   ( ) laranja
   (d) exato   ( ) cachorrinha

3. Assinale com V (verdadeira) ou F (falsa) as afirmações abaixo.

   a) ( ) Os alofones permitem que se identifique se o falante vive no Sul ou no Norte do Brasil, em uma região urbana ou rural.
   b) ( ) O grupo **sc** na palavra **descentralização** não apresenta dígrafo porque cada letra representa um fonema e ambas devem ser pronunciadas.
   c) ( ) Letra é a representação fonética dos sons da fala.
   d) ( ) Existem letras decorativas em algumas palavras, pois não representam fonemas e permanecem apenas por razão etimológica, como nas palavras hoje (**h**), exceção (**x**), quitanda (**u**) e piscina (**s**).
   e) ( ) Os sons resultantes da passagem da corrente de ar vão produzir os fonemas surdos, vogais, orais e nasais.

4. Classifique o tipo de ditongo encontrado nas palavras abaixo.

   (a) ditongo oral crescente.
   (b) ditongo oral decrescente.
   (c) ditongo nasal crescente.
   (d) ditongo nasal decrescente.

   1. ( ) herói   4. ( ) mão
   2. ( ) pinguim   5. ( ) mágoa
   3. ( ) lírio   6. ( ) cinquenta

5. Leia as palavras abaixo e separe as que apresentam encontro consonantal e as que apresentam dígrafo.

   pobreza, gramatical, adolescente, plano, limpeza, pneu, reflexão, guitarra, assunto, letra, palavra, queda, tempo, exceto, claridade, galho, ninho, crédito, floresta, cachimbo.

6. Assinale a alternativa em que existe **hiato** em toda a relação de palavras.

   a) repouso, profissão, fiasco, régua
   b) existência, saguão, doido, luar
   c) duas, assobio, distraída, lagoa
   d) viagem, solteiro, rua, tranquilo
   e) dinheiro, pouco, triângulo, baía

7. Separe as palavras abaixo em quatro colunas, identificando o valor fonético da letra (x):

I. [zê] = exame
II. [chê] = enxame
III. [sê] = próximo
IV. [ks] = sexual

oxigênio, máximo, caxumba, exausto, extensão, boxe, exaltado, enxurrada, executar, fixar, texto, exato, expectativa, nexo, auxílio, táxi, enxame, exagero, flexão, xale.

Questões de vestibulares

1. (Unisa-SP) Identifique a alternativa em que ocorre um ditongo decrescente em todas as palavras.
   a) traidor, país, água
   b) baú, quatro, oblíqua
   c) quase, carnaval, beato
   d) seixo, crueldade, igual
   e) ideia, cauteloso, pai

2. (Mackenzie-SP) As palavras **demarcação**, **juízo**, **interpenetram** e **iguais** apresentam diferentes encontros vocálicos. Dê a classificação de cada encontro vocálico.

3. (PUC-SP) Nas palavras **nesta**, **manhã**, **lisonjeada**, **rompe** e **arrasta**, temos a seguinte sequência de letras e fonemas:
   a) 5-5, 6-5, 9-10, 5-5, 6-7
   b) 5-5, 5-4, 10-9, 5-4, 7-7
   c) 4-4, 4-2, 10-8, 4-3, 7-5
   d) 5-5, 5-4, 10-9, 5-4, 7-6
   e) 4-5, 5-2, 10-9, 4-5, 7-7

4. (UFSC-SC) A única alternativa que apresenta palavra com encontro consonantal e dígrafo é:
   a) graciosa
   b) prognosticava
   c) carrinhos
   d) cadeirinha
   e) trabalhava

5. (PUC-SP) Indique a alternativa em que constatamos, oralmente, em todas as palavras, pelo menos uma consoante oclusiva bilabial.
   a) ambição, empevesada, destemida, com
   b) rompe, soberba, enfim, mas
   c) Fábio, púrpuras, planta, bandeira
   d) planta, ufana, navega, nau
   e) aguarda, defesa, tarde, destemida

6. (UFSM-RS) Na língua portuguesa escrita, quando duas letras são empregadas para representar um único fonema (ou som, na fala) tem-se um dígrafo. O dígrafo só está presente em todos os vocábulos de:
   a) pai, minha, tua, esse, tragar
   b) afasta, vinho, dessa, dor, seria
   c) queres, vinho, sangue, dessa, filho
   d) esse, amargo, silêncio, escuta, filho
   e) queres, feita, tinto, melhor, bruta

Sílaba

A sílaba é formada por um fonema ou grupo de fonemas falado em uma só emissão de voz. A estrutura da sílaba é composta de uma vogal, a qual se unem, ou não, semivogais e/ou consoantes.

Classificação das palavras de acordo com a quantidade de sílabas

Dependendo do número de sílabas das palavras, elas podem ser:

- **monossílabas** – palavras que têm apenas uma sílaba: pão, quem, sol, pó, trem, de, quem.
- **dissílabas** – palavras que têm duas sílabas: den-te, li-vro, bo-la, lu-a, pau-ta, so-fá, ca-fé.
- **trissílabas** – palavras que têm três sílabas: ca-ne-ta, mo-chi-la, sa-ú-de, sí-la-ba.
- **polissílabas** – palavras que têm quatro ou mais sílabas: gra-má-ti-ca, co-la-bo-ra-ção, pseu-dô-ni-mo, mas-ca-ra-do, o-bri-ga-tó-rio.

Divisão silábica

Ao pronunciar uma palavra pausadamente, é realizada a silabação, ou seja, a divisão silábica. Na escrita, as palavras são separadas por hífen, que representam as sílabas:

fe-li-ci-da-de.

❖ Na língua falada, é possível que uma mesma palavra seja dividida de forma diferente. Por exemplo: uma pessoa pode silabar a palavra espécie: es-pé-**cie** (ditongo crescente) e outra pode pronunciar es-pé-**ci-e** (estabelecendo um hiato). De qualquer forma, na escrita, existem regras que padronizam essas divisões e que devem ser seguidas.

Algumas normas que regem a divisão silábica:

a) as letras dos dígrafos **rr, ss, sc, sç, xc** devem estar em sílabas diferentes: ca**r-r**o, pá**s-s**a-ro, de**s-c**er, cre**s-ç**a, e**x-c**e-der etc.;

b) as letras dos dígrafos **ch, lh, nh, gu, qu** devem permanecer na mesma sílaba: ni-**nh**o, **ch**a-lei-ra, **qu**er-mes-se etc.;

c) as vogais dos hiatos devem estar em sílabas separadas: s**a-ú**-de, e-g**o-í**s-mo, d**i-á**-ria etc.;

d) os ditongos e os tritongos devem permanecer na mesma sílaba: es-pé-c**ie**, sé-r**ie**, his-tó-r**ia**, i-g**uai**s etc.;

e) os encontros consonantais formados por consoante mais a letra **l** ou **r** devem permanecer na mesma sílaba: **pl**e-beu, a-**tr**a-so, **bl**as-fê-mia, **pr**e-mo-ni-ção, a-**tl**ân-ti-co etc. Mas, se as letras **l** ou **r** dos grupos consonantais **bl** e **br** forem pronunciadas distintamente, devem estar em sílabas separadas: su**b-l**i-mi-nar, a**b-r**up-to etc.;

f) os outros encontros consonantais devem estar em sílabas separadas: a**b-s**o-lu-to, ca**n-s**ei-ra, co**ns-t**e-la-ção etc.;

g) a consoante que não for seguida de vogal deve ficar na sílaba antecedente: a**d-m**i-tir, ca-ra**c-t**e-rís-tica, a**p-t**o, cor-ru**p-t**o etc.;

h) os **prefixos bis, cis,** e **trans**, seguidos de vogal, devem permanecer em sílabas separadas: **bi**-sar, **ci**-san-di-no, **tran**-sa-ma-zô-ni-co etc. Mas, se forem seguidos de consoante, devem permanecer na mesma sílaba, pois não será formada uma nova sílaba: **bis**-ne-ta, **cis**-pla-ti-na, **trans**-gre-dir etc.

❖ Quando uma palavra não cabe no final de uma linha, ela pode ser dividida seguindo alguns critérios:

- nas palavras compostas ligadas por hífen ou preposicionadas (regida de preposição) repete-se o hífen no final de um dos componentes do vocábulo composto:

  guarda-   couve-   bem-te-
  -roupa   -flor   -vi

- na separação de palavras de duas ou mais sílabas, não se deixa isolada uma sílaba formada por vogal:

  ideo-   e não   i-
  logia   deologia

Sílaba

| abor-recido | e não | a-borrecido |

- algumas palavras dissílabas não podem ser partidas no final da linha, para não deixar uma letra isolada:

| rua | e não | ru-a |
| caí | e não | ca-í |

Tonicidade

Ao pronunciar qualquer palavra de duas ou mais sílabas, uma delas será sempre proferida com mais intensidade sonora que as outras: ca-**fé**, **bo**-ca, es-**co**-la, **mú**-si-ca.

A ela dá-se o nome de **sílaba tônica**. As demais sílabas da mesma palavra são classificadas como **átonas**, posicionadas antes (pretônicas) ou depois (postônicas) da sílaba tônica.

❖ Existe uma sílaba intermediária classificada como **subtônica** (item já abordado na página 20), que não é pronunciada com a intensidade da sílaba tônica, nem tão fraca como a átona. Geralmente, ocorre em palavras derivadas e polissílabas:

| ca | **fe** | zi | nho |
| átona | **subtônica** | tônica | átona |

É essencial distinguir o **acento tônico**, que indica o ponto pronunciado com maior intensidade na fala, do **acento gráfico**, que é utilizado para indicar, em algumas palavras, a sílaba tônica grafada.

Classificação das palavras quanto à posição da sílaba tônica

As palavras de duas ou mais sílabas classificam-se em:

+ **oxítonas**: quando a sílaba tônica é a última sílaba da palavra: car-**taz**, ar-ma-**zém**, ba-**ú** etc.

+ **paroxítonas**: quando a sílaba tônica é a penúltima sílaba da palavra: **bô**-nus, mi-**la**-gre, a-**má**-vel etc.

+ **proparoxítona**: quando a sílaba tônica é a antepenúltima sílaba da palavra: **lâm**-pa-da, ma-te-**má**-ti-ca, **sím**-bo-lo etc.

❖ O acento tônico permite, muitas vezes, identificar a categoria gramatical de algumas palavras:

édito – **substantivo**   e**di**to – **verbo**

Ou distinguir palavras de mesma grafia:

sábia – **adjetivo**   sabi**á** – **substantivo**

❖ O chamado **acento de insistência** caracteriza-se pela necessidade de o falante enfatizar, em uma palavra, a duração da vogal ou da consoante para expressar sentimentos fortes como alegria, raiva, medo, surpresa etc.

— Foi uma noite l**iii**nda.

— Que **óóó**dio!

O acento de insistência não precisa coincidir com a sílaba tônica.

— Ela é in**te**ligente.

— Aconteceu uma **bar**baridade.

Monossílabos átonos e tônicos

Os monossílabos são considerados átonos ou tônicos conforme a intensidade com que são pronunciados em uma frase. O **monossílabo átono** é aquele que não tem acento próprio, por isso necessita apoiar-se na palavra que vem antes ou depois dele; é pronunciado fracamente, soando como uma sílaba da palavra mais próxima. Já o **monossílabo tônico** tem acento próprio, é articulado distintamente e não necessita apoiar-se na palavra que o antecede ou segue.

São **átonos**:

+ artigos: o, a, os, as, um, uns, uma, umas;
+ pronomes pessoais oblíquos: me, te, se, o, a, os, as, lhe, lhes, nos, vos;
+ pronomes relativos: que, qual;
+ preposições: a, com, de, em, por, sem, sob;
+ conjunções: e, ou, que, se, mas, nem.

São **tônicos** os monossílabos que têm autonomia fonética na frase:

+ substantivos ou adjetivos: lar, fé, sol, bom, mau, só;
+ pronomes pessoais retos: eu, tu, nós, vós;
+ pronomes possessivos: meu, teu, seu;
+ advérbios: não, sim, tão;
+ formas verbais: é, há, vou, quis, põe.

Em relação à pronúncia, a diferença está na entonação.

Gostaria de encontrá-**lo lá** mais tarde.

lo: átono / **lá**: tônico

Dê-lhe aquele brinquedo novo.

Dê: tônico / **lhe**: átono

Os monossílabos átonos o, a, me, lhe, com etc. são vazios de significado e só adquirem sentido no contexto de uma frase. Os monossílabos tônicos: mar, nós, já, é, fez etc. mesmo isolados na frase, têm significado.

Aquelas pessoas são muito **más**.

más: tônico

(o adjetivo **má** indica a característica do substantivo – pessoas)

Eu quero, **mas** ele não quer.

mas: átono

(a conjunção **mas** indica oposição, adversidade)

❖ Um mesmo monossílabo, mantendo ou não sua autonomia, pode aparecer como tônico ou átono em uma frase.

Você pensou em **quê**? (tônico)
Que é isso? (átono)

❖ **Os monossílabos não são classificados como oxítonos**, já que essa classificação se refere a palavras com duas ou mais sílabas.

Exercícios

1. Separe as sílabas das palavras de cada grupo obedecendo às normas estabelecidas.
   a) Palavras que apresentam ditongos crescentes e decrescentes:
      espécie, jornais, trégua, leite, caminhão, loira
   b) Palavras que apresentam tritongos e hiatos:
      saguão, saúva, raízes, boato, desiguais, caatinga
   c) Palavras que apresentam dígrafos:
      quermesse, consciente, interruptor, excelente, língua, chaleira.
   d) Palavras que apresentam encontro consonantal:
      aplauso, advogado, telhado, decepção, técnico, brasileiro

2. **Classifique as palavras quanto ao número de sílabas.**
cabeleireiro, idealizar, baixo, poeira, noite, gaiola

3. **Grife a sílaba tônica das palavras e, em seguida, classifique-as quanto à posição da sílaba tônica.**
ruim, gratuito, lanche, médico, autor, pesado

4. **Separe os monossílabos em átonos e tônicos.**
sob, teu, pôr, sem, mim, se, mas, nem, pó, mal

Questões de vestibulares

1. **(UFCE-CE)** Assinale as alternativas em que a separação silábica está correta.
   a) go-ia-na   c) sor-ri-so   e) con-ti-nu-a   g) De-us
   b) cor-ru-pção   d) ma-is   f) ir-mãos

2. **(UFSM-RS)** Identifique a alternativa que **não** apresenta todas as palavras separadas corretamente.
   a) de-se-nho, po-vo-ou, fan-ta-si-a, mi-lhões
   b) di-á-rio, a-dul-tos, can-tos, pla-ne-ta
   c) per-so-na-gens, po-lí-cia, ma-gia, mu-ni-ci-ou
   d) con-se-guir, di-nhei-ro, en-con-trei, ar-gu-men-tou
   e) pais, li-ga-ção, a-pre-sen-ta-do, au-tên-ti-co

3. **(Ufac-AC)** Todas as palavras recebem a mesma classificação no que diz respeito ao número de sílabas, na alternativa:
   a) oram / rugiam / ruim / tia
   b) roído / saudade / ainda / bainha
   c) orgia / podiam / cãibra / saíam
   d) Coimbra / atchim / mosaico / dueto
   e) cambraia / caíam / cãibra / querias

4. **(Fafeod-MG-Adaptada)** Indique a alternativa que apresenta as duas sequências que contêm divisão silábica incorreta.
   I. pres-cin-dir, pneu-má-ti-co, nu-pci-al, sub-ju-gar
   II. ac-ne, cir-cui-to, sub-scre-ver, ab-di-car
   III. subs-ta-be-le-cer, fu-giu, op-ção, doi-do
   IV. oc-ci-pi-tal, pa-ra-í-so, e-gíp-cio, gló-ria
   a) I e II   b) I e III   c) II e IV   d) II e III

Ortofonia

A área da fonologia é bastante abrangente, e a parte que trata da correção dos traços fonológicos, ou seja, da pronúncia correta dos fonemas (quanto ao acento, à articulação, à ligação entre os fonemas), tomando como modelo a norma culta ou padrão da língua portuguesa, chama-se **ortofonia** (do grego *orthós* – correto e *phoné* – som).

Ortofonia não se confunde com ortografia, pois uma trata da língua falada e a outra, da língua escrita.

Ortoépia

Do grego *orthós* – correto e *hepós* – fala, a ortoépia (ou ortoepia) é uma das subdivisões da ortofonia. Ela trata da **pronúncia correta dos fonemas**. Pronunciar as palavras de maneira incorreta seria cacoépia (do grego *caco* – feio).

É importante enfatizar que é considerada **incorreta** a pronúncia que foge à norma culta ou padrão da língua. No entanto, é preciso atentar para o fato de que, dependendo do contexto social em que um falante se encontra, nem sempre usar a norma culta é a maneira mais adequada de se comunicar.

É comum encontrar desvios de **ortoépia** na linguagem coloquial, já que os falantes se expressam de acordo com o contexto social em que se encontram. É comum, por exemplo, pessoas dizerem mend**in**go em vez de mend**i**go; **in**guinorante em vez de **ig**norante; **b**ass**o**ra em vez de **v**ass**ou**ra.

A norma denominada culta requer a pronúncia nítida das vogais e dos grupos vocálicos, conforme o timbre aberto ou fechado; também requer a articulação perfeita das consoantes sem omissão ou alteração dos fonemas, como em r**ou**bo e não r**ô**bo; band**eja** e não band**eija**; ch**o**ver e não ch**u**ver.

Os desvios mais comuns de pronúncia, em desacordo à norma culta, referem-se:

a) à vogal tônica **e**.
- O timbre do **e** é fechado (**ê**) em palavras como almejo (v.), aparelho, badejo, bocejo, farejo (v.), festejo (v.), manejo (v.), acervo etc.
- O timbre do **e** é aberto (**é**) em palavras como groselha, flechar, febre etc.

b) à vogal tônica **o**.
- O timbre do **o** é fechado (**ô**) em palavras como bodas, controle, crosta, desporto, filantropo, torpe etc.
- O timbre do **o** é aberto (**ó**) em palavras como dolo, inodoro, moda, poda etc.

c) à supressão de fonemas:

Adequado	cabeleireiro, mesmo, meteorologia, problema, reivindicar, superstição, tireoide
Inadequado	cabelereiro, memo, meterologia, poblema, revindicar, supertição, tiroide

d) a acréscimo de fonemas:

Adequado	absurdo, beneficência, caranguejo, freada, optar, pneu, ritmo
Inadequado	abissurdo, beneficiência, carangueijo, freiada, opitar, peneu, rítimo

e) à substituição de fonemas:

Adequado	abóbada, balde, bueiro, caramanchão, eletricista, privilégio, tóxico
Inadequado	abóboda, barde, boeiro, carramanchão, eletrecista, previlégio, tóchico

f) à troca de posição de fonema:

Adequado	caderneta, faculdade, lagarto, meteorologia
Inadequado	cardeneta, falcudade, largato, metereologia

g) à nasalização de fonemas:

Adequado	bugiganga, mendigo, mortadela, sobrancelha, traslado
Inadequado	buginganga, mendingo, mortandela, sombrancelha, translado

h) aos grupos **gu** e **qu**:
- **gu/qu** + **a/o** – o **u** é sempre pronunciado: aguado, quase, aguardar, aquoso etc.
- **gu/qu** + **e/i**:

u pronunciado	u não pronunciado	u pronúncia optativa
aguentar	distinguir	antiguidade
bilíngue	exangue	sanguinário
ensanguentado		sanguíneo

Ortofonia

✦ **qu + e/i:**

u pronunciado	u não pronunciado	u pronúncia optativa
cinquenta	adquirir	equivalente
consequência	aniquilar	liquidação
frequência	inquérito	liquidar
sequela	questão	líquido
tranquilo		

i) ao **plural metafônico** – refere-se a algumas palavras do gênero masculino, que no singular apresentam o fonema /o/ com timbre fechado (ô), mas, quando passam para o plural, o mesmo fonema terá timbre aberto (ó):

Singular (ô)	aeroporto, corpo, destroço, fogo, forno, imposto, jogo, miolo, osso, posto, socorro, tijolo
Plural (ó)	aeroportos, corpos, destroços, fogos, fornos, impostos, jogos, miolos, ossos, postos, socorros, tijolos

- Também apresentam plural metafônico os adjetivos terminados em **oso**: gostoso (ô) – gostosos (ó).
- Palavras femininas mantêm o mesmo timbre no singular e no plural: folha (ô) – folhas (ô).
- Em nomes próprios não aparece o plural metafônico: o Veloso, (ô), os Velosos (ô).

Prosódia

A outra subdivisão da ortofonia, que trata da correta acentuação e entonação dos fonemas, chama-se prosódia.

Falantes não familiarizados com a norma-padrão da língua portuguesa em vigência podem cometer **desvios de prosódia**. Transformar uma palavra oxítona em paroxítona ou paroxítona em proparoxítona acarreta esse tipo de desvio. Essa inadequação da acentuação tônica em uma palavra recebe o nome de **silabada**.

Alguns equívocos comuns, cometidos com frequência pelos falantes, são ouvidos diariamente nos mais diversos ambientes sociais. As palavras "ruim" e "recorde", por exemplo, são ditas, na maioria das vezes, de maneira inadequada: ruim é oxítona (ru**im**) e não paroxítona (**ru**im); recorde é paroxítona (re**cor**de) e não proparoxítona (**re**corde).

Segue a relação de algumas palavras que oferecem dúvidas quanto à acentuação correta.

a) São oxítonas as palavras:

cate**ter**	con**dor**	Gibral**tar**	han**gar**	mis**ter**	No**bel**
re**cém**	re**fém**	ru**im**	sut**il**	ure**ter**	

b) São paroxítonas as palavras:

al**cá**cer	**clí**max	for**tui**to	Norman**dia**	sino**ní**mia
aus**te**ro	de**ca**no	gra**tui**to	**ô**nix	**só**tão
a**va**ro	e**di**to (lei)	i**be**ro	pe**ga**da	**tác**til
a**zia**go	esta**li**do	**ím**pio (cruel)	pe**ri**to	**têx**til
bar**bá**rie	estra**té**gia	**ín**dex	pri**ma**ta	tu**li**pa
ba**ta**vo	filan**tro**po	maqui**na**ria	pu**di**co	
bo**ê**mia (adj.)	fila**te**lia	meteo**ri**to	quiroman**cia**	
carac**te**res	**flui**do (s.)	misan**tro**po	re**cor**de	
cartoman**cia**	**fór**ceps	necro**psia**	ru**bri**ca	

c) São proparoxítonas as palavras:

ae**ró**dromo	**brâ**mane	**ím**pio	**pé**riplo
ágape	**chá**vena	**ím**probo	**plêi**ade
alco**ó**latra	cri**sân**temo	**ín**greme	**pó**lipo
álibi	**é**dito (ordem judicial)	**ín**terim	pro**tó**tipo
âmago	**êm**bolo	in**vó**lucro	qua**drú**mano
a**ná**tema	e**pí**teto (s.)	leu**có**cito	**Tâ**misa
an**tí**doto	es**pé**cime	**Lú**cifer	**trâns**fuga
a**rí**ete	**ê**xodo	mu**ní**cipe	ver**mí**fugo
ar**qué**tipo	fa**gó**cito	**Niá**gara	**zê**nite
a**zá**fama	**gá**rrulo	no**tí**vago	
bígamo	hie**ró**glifo	**ô**mega	
bólido	i**dó**latra	**Pé**gaso	

d) Palavras que apresentam pronúncia oscilante:

acro**ba**ta	a**cró**bata
au**tóp**sia	autop**sia**
ne**cróp**sia	necrop**sia**
pro**jé**til	proje**til**
réptil	rep**til**
sóror	so**ror**

Ortofonia 39

e) Palavras com significado diferente se forem paroxítonas ou proparoxítonas:

Cupido – deus do amor	cúpido – ambicioso
valido – particípio do verbo valer	válido – que tem valor, valoroso
vivido – particípio de verbo viver	vívido – que tem vivacidade, expressivo

Exercícios

1. Leia as palavras abaixo e pronuncie-as em voz alta, atentando-se à emissão correta das vogais e dos grupos vocálicos. Depois, faça o que se pede.

a) Classifique as vogais tônicas das palavras em abertas ou fechadas.

fogos	fornos	postos	crosta
lateja	assemelha	bocejo	coleta
caroços	corpos	destroços	poça

b) Separe as sílabas das palavras abaixo e grife os ditongos, classificando-os em crescentes ou decrescentes.

estouram	mágoa	água
afrouxo	feixe	poupam
glória	ouro	queijo
roubam	couro	frequente
coelho	traidor	diabo

2. Complete as palavras com as vogais **i** ou **e** / **o** ou **u**, de modo que estejam de acordo com a norma-padrão da língua portuguesa.

pr ___ vilégio   pir ___ lito   eng ___ lir   jab ___ ti
d ___ sperdício   búss ___ la   ch ___ ver   f ___ cinho
___ mpecilho   escárn ___ o   m ___ leque   s ___ ar (transpirar)

3. Responda se são verdadeiras (V) ou falsas (F) as afirmações a seguir.

a) ( ) O **e** tônico fechado está presente nas pessoas verbais: rasteja, gagueja, veleja, planeja.
b) ( ) A pronúncia da vogal **o** é fechada nos plurais: bodas, folhas, modas, bolhas.
c) ( ) São paroxítonas estas palavras: gratuito, têxtil, cateter, rubrica.
d) ( ) São oxítonas estas palavras: condor, ruim, Nobel, mister.
e) ( ) A letra **u** não é pronunciada nas palavras: equitação, quase, inquérito, aguado.

4. Em cada sequência há uma palavra incorreta. Grife-a e corrija-a.
   a) beneficente, desiguinar, asterisco, fachada
   b) aterrissagem, garage, prazerosamente, tireoide
   c) sutil, refém, recem, amém
   d) freada, mendigo, inflingir, distinguir
   e) reivindicar, caranguejo, eletrecista, adivinhar

Questões de vestibulares

1. (ITA-SP) Para a presente questão, observar que:
   a) a acentuação gráfica foi eliminada.
   b) as sílabas tônicas propostas são representadas por letras maiúsculas.
   Ex: caTAStrofe (a sílaba proposta é TAS).
   Ao escutar, então,
   ruBRIca, aVAro, proTOtipo, gratuIto, verifica-se que:
   a) apenas uma palavra foi pronunciada corretamente.
   b) apenas duas foram pronunciadas corretamente.
   c) três foram pronunciadas corretamente.
   d) todas foram pronunciadas corretamente.
   e) nenhuma foi pronunciada corretamente.

2. (UFPI-PI) Assinale a alternativa que contém os termos que preenchem corretamente, na sequência, os espaços em branco da frase:
   (1) _____ por natureza, a mulher tinha certeza de que o seu lindo (2) _____ não (3) _____ mais o caminho de casa.
   a) 1 – Sábia   2 – sabia   3 – sabiá
   b) 1 – Sábia   2 – sabiá   3 – sabia
   c) 1 – Sabiá   2 – sabiá   3 – sabia
   d) 1 – Sábia   2 – sábia   3 – sabiá
   e) 1 – Sabia   2 – sabia   3 – sabiá

3. (Enem) Diante da visão de um prédio com uma placa indicando SAPATARIA PAPALIA, um jovem com a dúvida: como pronunciar a palavra PAPALIA? Levado o problema à sua sala de aula, a discussão girou em torno da utilidade de conhecer as regras de acentuação e, especialmente, do auxílio que elas podem dar à correta pronúncia das palavras.

   Após discutirem pronúncia, regras de acentuação e escrita, três alunos apresentaram as seguintes conclusões a respeito da palavra PAPALIA:

I. Se a sílaba tônica for o segundo PA, a escrita deveria ser PAPÁ-LIA, pois a palavra seria paroxítona terminada em ditongo crescente.
II. Se a sílaba tônica for LI, a escrita deveria ser PAPALÍA, pois o "í" e "a" estariam formando hiato.
III. Se a sílaba tônica for LI, a escrita deveria ser PAPALIA, pois não haveria razão para o uso do acento gráfico.

A conclusão está correta apenas em:

a) I
b) II
c) III
d) I e II
e) I e III

4. (ITA-SP) Assinale a opção que preenche correta e respectivamente as lacunas.

I. _____ os amigos, jamais _____ sua atenção e confiança.
II. _____ dos políticos que dizem que os recursos públicos não _____ do povo.

I	II
a) Destratando; se granjeiam	Divirjamos; provêm
b) Distratando; se granjeiam	Divirjamos; provêm
c) Distratando; granjeamos	Diverjamos; proveem
d) Destratando; grangeamos	Divirjamos; proveem
e) Distratando; se granjeia	Diverjamos; provêm

5. (ITA-SP) Dadas as palavras:

1) esforços
2) portos
3) impostos

Verificamos que o timbre da vogal tônica é aberto:

a) apenas na palavra 1.
b) apenas na palavra 2.
c) apenas na palavra 3.
d) apenas nas palavras 1 e 3.
e) em todas as palavras.

Ortografia

Do grego *orthós* – correto e *graphia* – escrita, a **ortografia** é a parte da gramática que trata da escrita correta das palavras e que define normas para que os sinais diacríticos e de pontuação sejam empregados corretamente em sua escrita.

Representação gráfica dos fonemas – Alfabeto

O conjunto de letras que representam graficamente os sons da fala chama-se **alfabeto** (*alfa* – primeira letra do alfabeto grego e *beta* – segunda letra do alfabeto grego). O alfabeto da língua portuguesa é composto de 26 letras. Elas, sozinhas ou combinadas com outras letras, formam a grande variedade dos fonemas e, consequentemente, das palavras.

A a	E e	I i	M m	Q q	U u	Y y
B b	F f	J j	N n	R r	V v	Z z
C c	G g	K k	O o	S s	W w	
D d	H h	L l	P p	T t	X x	

 A letra **c** com cedilha (**ç**) também é utilizada para formar palavras; está localizada sempre antes das vogais **a**, **o** e **u** e representa o fonema /s/.

A variedade de fonemas formada pelas letras, que formam as palavras, também comporta diferentes sinais diacríticos, que são os chamados sinais gráficos: acentos, cedilha, til. Esses sinais propiciam as corretas grafia e pronúncia dos vocábulos.

O sistema ortográfico da língua portuguesa não é totalmente fonético, já que, como foi dito antes, a pronúncia e a grafia nem sempre são equivalentes. Em razão dessa não correspondência, grande parte dos usuários do português tem dúvidas no momento de escrever ou dizer determinada palavra.

Foi aprovado em 1990, pela Academia das Ciências de Lisboa, Academia Brasileira de Letras e delegações de Angola, Cabo Verde, Guiné-Bissau, Moçambique e São Tomé e Príncipe, o Acordo Ortográfico da Língua Portuguesa. O objetivo desse novo acordo é unificar a ortografia nos países que escrevem a língua portuguesa. Considerando que o modo que se fala nem sempre corresponde ao modo como se escreve, é conveniente que se consultem dicionários e manuais de gramática a fim de se escrever conforme as normas do sistema ortográfico brasileiro.

Outro meio de consulta para saber como as palavras são escritas é o *Volp* (Vocabulário Ortográfico da Língua Portuguesa), que pode ser encontrado no *site* da Academia Brasileira de Letras: <http://www.academia.org.br>.

❖ Sistemas ortográficos podem ter sido elaborados sob uma base histórica, ao considerar a origem das palavras; sob uma base fonética, ao considerar os sons da fala; ou sob uma base mista, considerando as normas históricas e fonéticas. O sistema ortográfico brasileiro é misto. Já o sistema francês é predominantemente histórico e o espanhol, fonético.

Orientações ortográficas

No intuito de facilitar a escrita das palavras, conforme a norma-padrão da língua, seguem algumas orientações úteis, ainda que não eliminem todos os problemas e algumas dúvidas que se tenha ao escrever.

Uso da letra H

A letra **h** não tem valor fonético nem pode ser considerada uma consoante. Quando aparece no início ou no fim das palavras, não representa um fonema. Sua existência está relacionada a questões etimológicas e tradicionais da língua. Portanto, ela é utilizada:

a) no início de palavras por razões etimológicas:

hoje – do latim *hodie*; **h**erói – do grego *héros*; **h**abitar – do latim *habitare*; **h**orizonte – do grego *horizon* etc.

Em algumas palavras, o **h** etimológico foi eliminado. É o caso de: **i**nverno – do latim *hibernum*; **e**rva – do latim *herba*; e **E**spanha – do latim *Hispania*, por exemplo. No entanto, o **h** aparece nos derivados dessas palavras: **h**ibernar, **h**ibernação; **h**erbívoro, **h**erbicida; **h**ispano, **h**ispânico.

b) no final ou no começo de algumas interjeições:

ah!, **ih**!, **oh**!, **h**ein! **h**um etc.

c) como parte integrante dos dígrafos **ch**, **lh**, **nh**:

chamar, ol**h**ar, gan**h**ar, re**ch**ear, camin**h**onete, fal**h**a etc.

d) para manter a tradição:

Ba**h**ia (estado brasileiro)

Entretanto, nas palavras derivadas de Bahia, não se usa o **h**: baiano, baião, laranja--baía, coco-da-baía.

e) em palavras compostas unidas por hífen, quando o **h** inicial do segundo vocábulo tiver origem etimológica:

super-**h**omem, anti-**h**igiênico, pré-**h**istória.

Em palavras compostas sem hífen e em palavras derivadas, o **h** desaparece:

lobisomem, reabilitar, desonesto, desumano.

> ❖ Uma orientação ortográfica importante e útil é atentar para a **derivação** das palavras. A palavra derivada mantém a grafia inicial da palavra primitiva.
>
> pesqui**s**a – pesqui**s**ar / en**ch**er – en**ch**ente / **j**eito – a**j**eitar

Uso das letras O ou U e E ou I

A distinção entre as vogais **o** e **u** e entre as vogais **e** e **i**, quando átonas, não é bem nítida na ocasião da pronúncia. Segue a relação de algumas palavras que oferecem dúvida na grafia.

Escrevem-se com o	
ab**o**lir	m**o**chila
amênd**o**a	m**o**leque
b**o**tequim	név**o**a
búss**o**la	nód**o**a
ch**o**ver	p**o**leiro
eng**o**lir	p**o**lenta
expl**o**dir	p**o**lir
f**o**cinho	t**o**pete
g**o**ela	t**o**ssir
l**o**mbriga	trib**o**
mág**o**a	z**o**ada

Escrevem-se com u	
ac**u**dir	lób**u**lo
b**u**eiro	lo**u**co
cam**u**ndongo	pir**u**lito
cúp**u**la	reb**u**liço
c**u**ringa	reg**u**rgitar
c**u**rtume	táb**u**a
c**u**tucar	tab**u**ada
emb**u**tir	tab**u**leiro
ent**u**pir	tab**u**leta
jab**u**ti	**u**rticária
jab**u**ticaba	**u**rtiga

Algumas palavras parônimas (que têm grafia e pronúncia parecidas e significados diferentes):

comprimento – extensão   soar – emitir som   sortir – abastecer

cumprimento – saudação   suar – transpirar   surtir – produzir efeito

Escrevem-se com e	
aéreo	engolir
área	estrear
arrepiar	irrequieto
beneficente	lacrimogêneo
cadeado	mexerica
carestia	mexerico
catecismo	náusea
confete	paletó
creolina	páreo
desperdiçar	periquito
destilar	quepe
disenteria	recreativo
embutir	seringa
empecilho	umedecer

Escrevem-se com i	
adiantar	escárnio
adivinhar	esquisito
ansiar	incinerar
artimanha	inclinar
caleidoscópio	inigualável
cerimônia	labirinto
cimento	pátio
corrimão	penicilina
crânio	pontiagudo
crioulo	privilégio
dilatar	requisito
disfarce	silvícola
displicente	terebintina
erisipela	vizinho

a) Nas formas dos verbos terminados em **uar** e **oar**, no presente do subjuntivo, usa-se **e**:

continuar (que eu continue); atuar (que ele atue); averiguar (que ele averigue); perdoar (que nós perdoemos); abençoar (que eu abençoe); doar (que eles doem) etc.

b) Nas palavras com prefixo **ante**, **des**, **em**, emprega-se o **e**:

antecipar, **des**perdício, **em**poeirar

c) Na terceira pessoa do singular, do presente do indicativo, dos verbos terminados em **air**, **oer**, e **uir**, usa-se **i**

sair (ele sai), doer (isso dói), possuir (ele possui)

d) Nas palavras com prefixo **anti**, **dis**, **im**, emprega-se o **i**:

antitetânico, **dis**cordância, **im**próprio

Outras palavras parônimas:

delatar: denunciar	descrição: ato de descrever	despensa: compartimento para guardar mantimentos
dilatar: aumentar	discrição: modéstia, reserva	dispensa: desobrigação

emigrante: que sai do seu país de origem	enformar: colocar na forma	peão: homem do campo, servente de obras (construção civil)
imigrante: que entra em um país estranho	informar: prestar informação	pião: tipo de brinquedo

Uso das letras C, Ç, S, SS, SC, (SÇ), XC, X

Um único fonema /s/ pode ser representado pelas letras **c, ç, s, ss, sc, (sç), xc** e **x**, por isso é comum que haja dúvidas no momento de escrever palavras que as utilizam.

a) Empregam-se as letras **c** e **ç**:

+ nas palavras de origens tupi e africana:

  açaí, Araçá, caiçara, caçula, cacimba, miçanga, Iguaçu, Piracicaba etc.

+ depois de ditongo:

  b**eiç**o, calab**ouç**o, c**oic**e, f**eiç**ão, f**oic**e, l**ouç**a, ref**eiç**ão, tr**aiç**ão etc.

b) Emprega-se a letra **s**:

+ em substantivos derivados de verbos terminados em **nder, ndir** e **pelir**:

  prete**nder** – preten**s**ão; expa**ndir** – expan**s**ão; exp**elir** – expul**s**ão etc.

+ nas formas dos verbos **pôr** (e seus compostos) e **querer**:

  pu**s**, compu**s** e qui**s**.

+ nos sufixos **ês** e **ense**:

  holand**ês**, campon**ês**, canad**ense**, palmeir**ense**

c) Empregam-se as letras **ss**:

+ nos substantivos derivados de verbos terminados em **eder** e **edir**:

  conc**eder** – conce**ss**ão; retroc**eder** – retroce**ss**o; progr**edir** – progre**ss**o; transgr**edir** – transgre**ss**ão etc.

+ nas palavras que tenham prefixo terminado em vogal e a palavra seguinte iniciada em **s**:

  a + segurar – a**ss**egurar; de + semelhante – de**ss**emelhante; pre + supor – pre**ss**upor etc.

d) Empregam-se as letras **sc, (sç), xc**:

+ entre vogais de algumas palavras por questão etimológica:

  di**sc**iplina, cre**sc**er, cre**sç**o, fa**sc**inar, e**xc**eção, e**xc**elente, e**xc**epcional etc.

e) Emprega-se o **x**:

+ em certas palavras por questão etimológica:

  au**xí**lio, pro**xi**midade, te**x**to, trou**xe**ram etc.

Uso das letras S, Z, X

O fonema /**z**/ pode ser representado pelas letras **s**, **z** e **x**.

a) Emprega-se a letra **s**:

- nos adjetivos com sufixo **oso** e **osa**:

    ansi**oso**, horror**oso**, nerv**osa**, delici**osa** etc.

- nas derivações de palavras primitivas com **s**:

    atrá**s** – atra**s**ado; cortê**s** – corte**s**ia; pesqui**s**a – pesqui**s**ador etc.

    (Exceção para cateque**s**e – catequi**z**ar)

- nos substantivos e adjetivos que terminam em **ês**, no gênero masculino, e **esa**, no feminino:

    freguê**s** – fregu**esa**; camponê**s** – campon**esa**; burguê**s** – burgu**esa** etc.

- em adjetivos que indicam título de nobreza, profissão ou origem:

    baron**esa**, profet**isa**, japon**esa**, poet**isa**, portugu**esa** etc.

- nos verbos terminados pelo sufixo **isar** derivados de palavra primitiva com **s**:

    parali**sar** (de parali**s**ia); exta**s**iar (de êxta**s**e); ali**sar** (de li**s**o) etc.

- depois de ditongos:

    apl**au**so, l**ou**sa, c**oi**sa, p**ai**sagismo, p**ou**sada etc.

- nos diminutivos com sufixo **inho** de palavras primitivas com **s**:

    casa – ca**s**inha; blusa – blu**s**inha; rosa – ro**s**inha etc.

- nas formas do verbo **pôr** (e seus compostos) e **querer**:

    pu**s**emos, compu**s**emos, qui**s**emos etc.

b) Emprega-se a letra **z**:

- em derivações de palavras primitivas escritas com **z**:

    ajui**z**ado (de jui**z**); cru**z**eiro (de cru**z**); esva**z**iar (va**z**io) etc.

- nos sufixos **ez** e **eza** que formam, a partir de adjetivos, substantivos abstratos:

    belo – bel**eza**; estúpido – estupid**ez**; grande – grand**eza**; macio – maci**ez** etc.

- em verbos formados pelo sufixo **izar**, a partir de substantivo ou adjetivo, quando a palavra primitiva não tem **s**:

    canal – canal**izar**; atual – atual**izar**; real – real**izar**; hospital – hospital**izar** etc.

- nos diminutivos com sufixo **zinho** quando a palavra primitiva não tem **s**:

    pé – pe**zinho**; pó – po**zinho**; pão – pão**zinho**; anão – anão**zinho** etc.

- nos verbos terminados em **uzir**:

    cond**uzir** – condu**z**o; ded**uzir** – dedu**z**imos; sed**uzir** – sedu**z**iram etc.

c) Emprega-se a letra **x**:

- nas palavras especialmente iniciadas pela letra **e** e seus derivados:

    e**x**emplo – e**x**emplar; e**x**ato – e**x**atamente; e**x**ibir – e**x**ibição; e**x**ame – e**x**aminado etc.

Uso das letras X e CH

O fonema **/ch/** é representado pelas letras **x** e **ch**.

a) Emprega-se a letra **x**:

- normalmente depois de um ditongo:

    c**ai**xa, f**ai**xa, **ei**xo, p**ei**xe, desl**ei**xado, r**ou**xinol etc.

- geralmente depois da sílaba inicial **en**:

    enxada, **en**xaguar, **en**xaqueca, **en**xergar, **en**xoval, **en**xugar etc.

    (Exceções: en**ch**arcar, en**ch**er e seus derivados, en**ch**ova).

- depois da sílaba inicial **me**:

    mexer, **me**xerica, **me**xicano etc.

    (Exceção: me**ch**a e seus derivados)

- nas palavras de origem africana ou indígena:

    abaca**x**i, ma**x**i**x**e, ori**x**á, **x**ará, **x**angô etc.

- em algumas palavras por razões etimológicas ou por convenção:

    bru**x**a, fa**x**ina, gra**x**a, lagarti**x**a, li**x**o, ve**x**ame, **x**ícara, **x**ingar, **x**ampu etc.

b) Emprega-se o dígrafo **ch**:

- em algumas palavras por questão etimológica:

    chu**ch**u, fle**ch**a, ma**ch**ucado, mo**ch**ila, pe**ch**in**ch**a, salsi**ch**a etc.

Uso das letras CC, CÇ e X do grupo sonoro /ks/

O fonema **/ks/** pode ser representado pelas letras **cc**, **cç** e **x**.

cc	confe**cc**ionar, fri**cc**ionar, infe**cc**ionar
cç	confe**cç**ão, fri**cç**ão, infe**cç**ão, convi**cç**ão, fa**cç**ão, fri**cç**ão, su**cç**ão
x	ane**x**o, asfi**x**ia, cone**x**ão, into**x**icar, lé**x**ico, parado**x**o, refle**x**ão, se**x**o, tó**x**ico

Uso das letras G ou J

O fonema /j/ pode ser representado tanto pela letra **g** como pela letra **j**. As palavras são escritas com uma ou outra dessas letras de acordo com sua origem: gesso – do grego *gypsos*; jeito – do latim *jactu*.

Escrevem-se com g	
al**g**ema	here**g**e
au**g**e	mon**g**e
estran**g**eiro	rabu**g**ento
gen**g**iva	su**g**estão
gesto	tan**g**erina
gíria	ti**g**ela
he**g**emonia	

Escrevem-se com j	
berin**j**ela	man**j**edoura
cafa**j**este	man**j**ericão
cere**j**eira	o**j**eriza
jegue	su**j**eira
jérsei	tra**j**e
jiu-**j**ítsu	ultra**j**e
ma**j**estade	vare**j**ista

a) Emprega-se a letra **g**:

+ nas palavras derivadas de outras já escritas com **g**:

a**g**iota (ágio); en**g**essar (gesso); farin**g**ite (faringe); massa**g**ista (massagem) etc.

+ nas palavras terminadas com **ágio, égio, ígio, ógio, úgio**:

ped**ágio**, egr**égio**, prod**ígio**, rel**ógio**, ref**úgio**

+ nos substantivos terminados em **agem, igem, ugem**:

gara**gem**, ori**gem**, ferru**gem** etc.

b) Emprega-se a letra **j**:

+ nas palavras derivadas de outras já escritas com **j**:

a**j**eitar, tre**j**eito, (jeito); vare**j**ista (varejo); no**j**ento (nojo)

+ nas palavras de origem tupi:

jerimum, **j**iboia, **j**iló, pa**j**é etc.

+ nas formas dos verbos terminados em **jar** ou **jear**:

arran**j**ar (arran**j**e); encora**j**ar (encora**j**emos); despe**j**ar (despe**j**ei) etc.

Uso das letras CC, CÇ, RR, SS

Na língua portuguesa duplicam-se apenas as consoantes **c**, **r**, **s**.

a) Empregam-se as letras **cc** ou **cç** quando soam distintamente uma da outra:

convi**cç**ão, fi**cç**ão, fri**cc**ionar, introspe**cç**ão, su**cç**ão etc.

Fonética, Fonologia e Ortografia

b) Empregam-se as letras **rr** ou **ss**:

- quando há a junção de uma palavra começada por **r** ou **s** e um prefixo terminado em vogal:

    de + redor – de**rr**edor; re + soar – re**ss**oar; bi + semanal – bi**ss**emanal etc.

- quando são intervocálicos:

    ba**rr**o, fe**rr**adura, ma**ss**agem, pá**ss**aro etc.

Uso das letras K, W e Y

Empregam-se as letras **k**, **w** e **y**:

a) em abreviaturas e símbolos de uso internacional:

kg – quilograma; **km** – quilômetro; **w** – watt; **Y** – incógnita em matemática etc.

b) em palavras estrangeiras não aportuguesadas:

smoking, marketing, show, hobby etc.

c) em nomes próprios não aportuguesados:

Sha**k**espeare, Dar**w**in, Mic**k**e**y** etc.

Formas variantes

As palavras grafadas e pronunciadas de modo diferente, sem mudança de significado, representam formas variantes, ou seja, qualquer uma das formas é considerada correta.

Alguns exemplos de palavras que variam quanto à grafia:

asso**b**iar e asso**v**iar	**i**nfarto e **e**nfarto ou enfart**e**
c**ã**ibra e c**â**imbra	laj**e** e laj**em**
catorze e **qu**atorze	**p**orcentagem e **p**ercentagem
cotidiano e **quo**tidiano	ta**b**erna e ta**v**erna

Letras iniciais maiúsculas e minúsculas

Existem normas para o uso de iniciais maiúsculas e minúsculas, mas vale ressaltar que algumas obras de instituições renomadas estabelecem regras próprias, padrões que acabam sendo usados por muitas pessoas.

Serão destacadas aqui as normas que regem o emprego das letras iniciais maiúsculas e minúsculas no padrão considerado culto da língua portuguesa vigente.

Letra inicial maiúscula

Emprega-se letra inicial maiúscula:

a) na designação de substantivos próprios de qualquer espécie:

- nome de pessoas: João, Antônio, Letícia, Carmem, Lucas etc.

- nome de lugares – regiões do Brasil e do mundo, rua, cidade, vila, estado, país, rio, logradouro público ou particular: região Sul, rua América Central, São José dos Campos, Amazonas, Estados Unidos, rio Tietê, Torre Eiffel etc.

- nomes sagrados: Deus, Jeová, Jesus Cristo, Alá, Espírito Santo etc.

- nomes mitológicos: Afrodite, Baco, Vênus, Zeus etc.

- nome de astros, constelações, galáxias e corpos celestes: Terra, Sol, Cruzeiro do Sul, Sistema Solar, Via Láctea etc.

- nome de eras históricas: Antiguidade, Idade Média, Renascimento etc.

- nomes de tribos e castas: Ianomâmi, Guarani, Tupi, Kamaiurá, Brâmane, Sudra etc.

- nome de altos conceitos religiosos, políticos ou nacionalistas: Igreja Ortodoxa, Presidência da República, Exército, Ministério da Educação etc.

- nome das espécies de seres vivos: *Homo sapiens*, *Canis lupus*, *Anthus hodgsoni* etc.

- cognomes: Ricardo Coração de Leão; Ivã, o Terrível; Catarina, a Grande etc.

❖ Costuma-se usar a inicial maiúscula quando a designação de edifícios, monumentos, estabelecimentos públicos ou particulares está incorporada ao nome próprio: **G**inásio do Ibirapuera, **E**stádio do Pacaembu, **I**greja da Candelária, **E**difício Itália etc., porém não está errado usá-las com inicial minúscula.

❖ A designação de regiões pode ser grafada com inicial minúscula quando indica localização geográfica ou direção: "o *tsunami* atingiu o **norte** do Japão"; "o trem vai para o **sul** do estado de Minas".

❖ Escreve-se com inicial minúscula a designação de corpos celestes quando não tiver conotação de nome próprio: "hoje o sol está quente"; "essa terra é fértil para o plantio de café"; lua minguante, lua nova, lua crescente, lua cheia etc.

❖ Escrevem-se com inicial minúscula as designações de conceitos religiosos, políticos ou nacionalistas quando são empregados em sentido geral ou indeterminado: "houve tempestade em todo o **e**stado de São Paulo"; "furtaram as imagens sagradas da **i**greja"; "a investigação chegou à **p**residência".

❖ A designação do nome de uma espécie de ser vivo é chamada de **nomenclatura binominal** e determina a seguinte regra para ser escrita: o primeiro nome da espécie é sempre grafado com inicial maiúscula; o segundo nome é sempre grafado com inicial minúscula. A nomenclatura binominal deve estar sempre em itálico ou sublinhada: *Homo sapiens* ou Homo sapiens.

b) no início de frases, orações ou períodos; citações e depois do ponto final:

Todos acreditavam na sabedoria do major. Com efeito, seu Ribeiro não era inocente: decorava leis, antigas, relia jornais, antigos, e, à luz da candeia de azeite, queimava as pestanas sobre livros que encerravam palavras misteriosas de pronúncia difícil. Se se divulgava uma dessas palavras esquisitas, seu Ribeiro explicava a significação dela e aumentava o vocabulário da povoação.

RAMOS, Graciliano. *S. Bernardo*. Rio de Janeiro: Record, 2003. p. 44.

Candido Portinari afirmou: "Eu sempre parto de uma composição abstrata para chegar a uma arte figurativa".

BENTO, Antônio. *Portinari*. Rio de Janeiro: Léo Christiano Editorial, 2003.

❖ Em início de verso de um poema, geralmente usa-se a letra maiúscula, porém é importante destacar que o poema, assim como alguns textos em prosa, é uma manifestação artística, possibilitando ao autor uma "licença poética", ou seja, a liberdade de contrariar as regras gramaticais para alcançar seu objetivo de expressão.

[...]
Não te esqueças de mim, meu verso insano,
meu verso solitário,
minha terra, meu céu, meu vasto oceano,
meu templo, meu sacrário.
[...]

CRUZ e SOUSA. Esquecimento. In: RODRIGUES,
A. Medina et al. *Antologia da literatura brasileira* – do
Classicismo ao Pré-Modernismo. São Paulo: Marco
Editorial, 1979. p. 219.

o buraco do espelho está fechado
agora eu tenho que ficar aqui
com um olho aberto, outro acordado
no lado de lá onde eu caí
[...]

ANTUNES, Arnaldo. *Os buracos do espelho*.
Disponível em: <http//:www.arnaldoantunes.com.br>.
Acesso em: 12 jan. 2012.

> **20 anos recolhidos**
>
> *chegou a hora de amar desesperadamente*
> *apaixonadamente*
> *descontroladamente*
> *chegou a hora de mudar o estilo*
> *de mudar o vestido*
> *chegou atrasada como um trem atrasado*
> *mas que chega*
>
> CHACAL. *Belvedere*. São Paulo: Cosac Naify, 2007.

c) na designação de títulos de livros, jornais, revistas, leis, decretos, partidos políticos e instituições:

Memórias póstumas de **B**rás **C**ubas; **A** disciplina do amor; **F**olha de **S**.**P**aulo; **D**ecreto-**L**ei; **PT** etc.

d) na designação de nomes de festas solenes e eventos importantes:

Natal, **A**no-**N**ovo, **P**aixão de **C**risto, **F**inados, **P**áscoa etc.

e) na designação de expressões de tratamento e nos títulos:

Sr. e **S**r.ª, **D**r., **E**xcelentíssimo **S**enhor **R**eitor, **V.Ex**.ª **P**apa **J**oão **P**aulo **II** etc.

> ❖ Admite-se o emprego de letra minúscula nas expressões de tratamento **senhor**, **senhora**, **doutor**, quando essas designações não forem reverenciais.

f) nos nomes dos pontos cardeais, quando designam regiões:

Viajamos a Portugal; primeiro fomos ao **N**orte; depois, ao **S**ul.

> ❖ Emprega-se letra minúscula nos nomes dos pontos cardeais quando ele não estiver determinado e se referir a direções, assim como acontece na designação de regiões: "o ônibus segue sentido oeste"; "a chuva está a caminho do leste"; "percorreu o Brasil de norte a sul".

g) na designação dos biomas:

Amazônia, **C**errado, **M**ata **A**tlântica, **P**antanal, **C**aatinga, **P**ampa.

h) na designação de guerras, revoltas, revoluções:

Guerra do **P**araguai, **R**evolta da **V**acina, **R**evolução **F**rancesa etc.

i) na designação de torneios e campeonatos:

Campeonato **P**aulista de **F**utebol, **J**ogos **O**límpicos, **T**roféu **B**rasil, **J**ogos **P**an-**A**mericanos etc.

j) na designação das instituições governamentais:

Presidência da **R**epública, **M**inistério da **J**ustiça, **C**hefia de **G**abinete, **C**omissão de **I**nvestigação etc.

Letra inicial minúscula

Emprega-se letra inicial minúscula:

- na designação de dias da semana, meses e estações do ano:

   sexta-feira, **f**evereiro, **o**utono etc.

- na designação de festas populares:

   carnaval, **f**esta junina, **m**icareta etc.

- nas palavras após os dois-pontos, quando não for uma citação direta:

   O garoto deixou em cima da mesa: **l**ápis, **c**aderno, **b**orracha, **m**ochila e saiu correndo.

- na designação de personagens ou entidades do folclore:

   saci, **c**urupira, **c**aipora, **c**uca, **l**obisomem etc.

- na designação de grupos ou movimentos políticos e religiosos:

   católicos, **p**rotestantes, **j**acobinos etc.

- na designação das profissões e dos ocupantes de cargos:

   diretor, **p**rofessor, **p**residente, **m**inistro, **g**overnador, **p**refeito, **r**ei, **r**ainha etc.

Casos opcionais – maiúsculas ou minúsculas

Emprega-se letra inicial maiúscula ou minúscula:

- na designação de disciplinas: **H**istória ou **h**istória, **Q**uímica ou **q**uímica, **L**iteratura ou **l**iteratura etc.
- na designação de acidentes geográficos: **R**io ou **r**io Tietê, **S**erra ou **s**erra do Mar, **I**lha ou **i**lha do Bananal, **P**ico ou **p**ico do Everest etc.

Abreviatura, símbolos e siglas

Na escrita também é possível utilizar recursos que permitam um melhor aproveitamento do tempo e do espaço. As expressões simplificadas, como a utilização de **abreviaturas**, **símbolos** e **siglas**, podem facilitar o entendimento da mensagem, sem que haja a necessidade de escrever determinadas palavras por inteiro. Nem todos os vocábulos podem ser abreviados, por isso há regras que unificam essa prática, que serão demonstradas a seguir.

Abreviatura

Abreviar uma palavra ou expressão é usar parte dela como equivalente ao todo, de maneira que não comprometa o entendimento da mensagem a ser transmitida. Para que todos os usuários da língua portuguesa possam se utilizar da abreviatura adequadamente, seguem algumas regras importantes.

> ❖ Abreviatura não é o mesmo que abreviação. A abreviação é a redução da palavra com eliminação de sílabas, como na palavra **foto**, que vem de fotografia; **cine**, que vem de cinema. A redução é aceita, em alguns gêneros textuais, se não comprometer o entendimento da palavra.

Algumas características da abreviatura são:

a) geralmente a palavra é interrompida em uma consoante, seguida de ponto:
   av. – avenida; pl. – plural; m. – masculino; v. – verbo etc.

> ❖ É raro, mas há algumas abreviaturas que terminam na vogal:
> ago. – agosto; memo. – memorando

b) pode aparecer contraída, suprimindo as letras no meio do vocábulo:
   cia. – companhia; dr. – doutor; sr. – senhor

c) pode servir a mais de uma palavra, de acordo com o contexto em que for escrita:
   nasc. – nascimento, nascido
   Ou mais de uma abreviatura pode servir à mesma palavra:
   f., fl., fol. – folha

d) mesmo abreviada, a palavra conserva sua acentuação:
   p., pág. – página; gên. – gênero

e) quando a palavra for plural, em algumas delas acrescenta-se o **s** no final da abreviatura:
   fls. – folhas; caps. – capítulos

> ❖ Algumas abreviaturas podem fugir ao padrão porque consistem em escolhas pessoais como nos nomes de indústrias, empresas, agências publicitárias etc.

Símbolos

Geralmente, os **símbolos** são usados para expressar as unidades de medida. O símbolo não leva ponto.

Algumas características dos símbolos são:

a) a maioria deles é grafada com letra minúscula, sem a letra **s** para indicar o plural:

cm, km, h, m

> ❖ O símbolo que representa o litro é a letra **L** maiúscula ou **l** minúscula.
>
> ❖ Algumas unidades de medida têm seu símbolo com inicial maiúscula: hertz – Hz; giga-hertz – GHz; gigabytes – GB etc.

b) quando o símbolo se origina de nome próprio (nome do cientista que criou a medida), é grafado com letra maiúscula, sem o ponto e sem o **s** no plural:

W – Watt; A – Ampère; K – Kelvin; N – Newton etc.

> ❖ Os símbolos que se originam de nome próprio são grafados com letra minúscula se as medidas estiverem escritas por extenso e/ou no plural: watt(s), ampére(s); joule(s) etc.

Sigla

O conjunto das letras iniciais das palavras que formam o nome de uma instituição, empresa, programa, organização etc. chama-se **sigla**. Da mesma forma que o símbolo, a sigla não leva ponto.

Algumas características das siglas:

a) são formadas pelas letras iniciais maiúsculas do nome componente e não constituem uma palavra, devendo ser pronunciadas letra por letra:

PUC – **P**ontifícia **U**niversidade **C**atólica; **EF** – **E**nsino **F**undamental; **EM** – **E**nsino **M**édio; **FGTS** – Fundo de Garantia do Tempo de Serviço; **DNER** – Departamento Nacional de Estradas de Rodagem; **IBGE** – Instituto Brasileiro de Geografia e Estatística etc.

b) podem ser compostas de letras iniciais e não iniciais; algumas apresentam em minúscula a letra que não constitui inicial de um dos elementos componentes:

UnB – Universidade de Brasília

c) as constituídas por quatro letras ou mais devem ser escritas somente com a inicial maiúscula, quando for possível pronunciá-las como palavras:

Aids, **Enem**, **Petrobras**, **Incra** etc.

d) algumas são compostas das letras iniciais maiúsculas e de sílabas ou partes iniciais dos elementos componentes:

Embrapa – Empresa Brasileira de Pesquisa Agropecuária

e) podem ser compostas das letras iniciais maiúsculas, omitindo a letra inicial de alguma palavra da locução:

DSV – **D**epartamento de **O**perações do **S**istema **V**iário; **ECT** – Empresa Brasileira de Correios e Telégrafos

f) na indicação de plural, acrescenta-se a letra **s** minúscula no final da sigla, sem apóstrofo:

CD**s**, DVD**s**, ONG**s** etc.

Algumas abreviaturas, símbolos e siglas mais usuais:

A	
Abifarma – Associação Brasileira da Indústria Farmacêutica	
ABL – Academia Brasileira de Letras	
ABNT – Associação Brasileira de Normas Técnicas	
a.C. – antes de Cristo	
al. – alameda	
Alca – Área de Livre Comércio das Américas	
a.m. – *ante meridiem* (antes do meio-dia)	
Anac – Agência Nacional de Aviação Civil	
Anatel – Agência Nacional de Telecomunicações	
Anvisa – Agência Nacional de Vigilância Sanitária	
ap., apto. – apartamento	
art. – artigo	
ass. – assinatura	
av. – avenida	

B
BB – Banco do Brasil
bibl. – biblioteca
BNDES – Banco Nacional de Desenvolvimento Econômico e Social
bras. – brasileiro

C
C – carbono
Ca – cálcio
cal – caloria
c/c – conta corrente
cap. – capítulo
CBF – Confederação Brasileira de Futebol
CEP – Código de Endereçamento Postal
CET – Companhia de Engenharia e Tráfego
Cia. – companhia
CLT – Consolidação das Leis do Trabalho
cm – centímetro
CNBB – Conferência Nacional dos Bispos do Brasil
CNPq – Conselho Nacional de Desenvolvimento Científico e Tecnológico
COB – Comitê Olímpico Brasileiro
COI – Comitê Olímpico Internacional
CPF – Cadastro de Pessoa Física

D
d. – dom
d.C. – depois de Cristo
DDD – Discagem Direta a Distância
DDI – Discagem Direta Internacional
dec. – decreto; depto. – departamento
DER – Departamento de Estradas de Rodagem
Detran – Departamento Estadual de Trânsito
dic. – dicionário
dr. – doutor
dra. – doutora
dz. – dúzia

E
ed. – edição
E.M. – em mãos
Embrapa – Empresa Brasileira de Pesquisa Agropecuária
Embratel – Empresa Brasileira de Telecomunicações
est. – estado
etc. – *et cetera* (e outras coisas)
ex. – exemplo

Fonética, Fonologia e Ortografia

F

FAB – Força Aérea Brasileira
FGTS – Fundo de Garantia do Tempo de Serviço
FIA – Federação Internacional de Automobilismo
Fifa – Federação Internacional de Futebol (*Fédération Internationale de Football Association*)
fl., fls. – folha, folhas
FMI – Fundo Monetário Internacional
Funai – Fundação Nacional do Índio

G

g – grama
Gen. – general
GMT – Hora do Meridiano de Greenwich (*Greenwich Meridian Time*)
gov. – governo

H

h – hora
hab. – habitante(s)
HIV – vírus da imunodeficiência humana (*human immunodeficiency virus*)

I

i.e. – *id est* (isto é)
ib., ibid. – *ibidem* (no mesmo lugar)
IBGE – Instituto Brasileiro de Geografia e Estatística
ICMS – Imposto sobre Circulação de Mercadorias e Serviços
id. – *idem* (o mesmo, a mesma coisa)
ilma., ilmo. – ilustríssima, ilustríssimo
Infraero – Empresa Brasileira de Infraestrutura Aeroportuária
Inpe – Instituto Nacional de Pesquisas Espaciais
INSS – Instituto Nacional do Seguro Social
ISO – Organização Internacional de Normatização (*International Organization for Standardization*)

K

kg – quilograma
kHz – quilohertz
km – quilômetro
kW – quilowatt
kWh – quilowatt-hora

L

L – Leste
L ou l – litro
Ltda. – limitada

M

m – metro
ml – mililitro
mm – milímetro
min – minuto
MST – Movimento dos Trabalhadores Rurais Sem-Terra
mun. – município

N

n., nº – número
N – Norte
NGB – Nomenclatura Gramatical Brasileira

O

O – Oeste
OAB – Ordem dos Advogados do Brasil
obs. – observação
OEA – Organização dos Estados Americanos
ONG – Organização Não Governamental
ONU – Organização das Nações Unidas
op. cit. – *opus citatum* (obra citada)
org. – organização, organizado

P

p., pág. – página
pça. – praça
p. ex. – por exemplo
pg. – pago
pgto. – pagamento
PIS – Programa de Integração Social
p.m. – *post meridiem* (depois do meio-dia)
Procon – Fundação de Proteção e Defesa do Consumidor
prof., profa. – professor, professora
P.S. – *post scriptum* (depois de escrito)

Q	T
Q.G. – Quartel-General ql – quilate	tb. – também tel. – telefone TSE – Tribunal Superior Eleitoral

R	U
r. – rua ref. – referência, referente reg. – registro Remte. – remetente res. – residência	UE – União Europeia UF – União da Federação un. – unidade Unesco – Organização das Nações Unidas para a Educação, Ciência e Cultura (*United Nations Educational, Scientific and Cultural Organization*) USP – Universidade de São Paulo

S	V
s – segundo S – Sul S. – Santo, Santa, São S.A. – Sociedade Anônima S.C. – Sociedade Comercial s/d – sem data séc. – século SPC – Sistema de Proteção ao Crédito SUS – Sistema Único de Saúde	V – volt vol. – volume

	W
	W – watt WC – banheiro (*water closet*) WWF – Fundo Mundial para a Natureza (*World Wildlife Fund*)

Exercícios

1. Grife as palavras que apresentam erros de grafia e reescreva-as corretamente.

   enchada   sinusite   vertigem
   enxaqueca   cachumba   gesticular
   encher   decizão   dispençado
   enxugar   beringela   extrangeiro
   coxichar   tijela   expectativa
   imerção   jeitoso   presunçoso
   ascensorista   analizar

2. Complete as palavras escolhendo as letras corretas.

   a) **o** ou **u**:
   t__sse b__eiro eng__lir cap__eira ch__visco
   mág__a cam__ndongo p__lido táb__a eng__lir

60 Fonética, Fonologia e Ortografia

b) **e** ou **i**:

pát __ o   antec __ pação   requ __ sito   recr __ ação
arr __ pio   d __ sfarce   d __ senteria   irr __ quieto
lab __ rinto   s __ ringa

c) **g** ou **j**:

tra __ etória   ti __ ela   tra __ eto   ter __ eito   tra __ e
re __ eição   farin __ ite   va __ em   rabu __ ento   sar __ eta

d) **x** ou **ch**:

en __ ente   en __ urrada   me __ er   pi __ ado   __ ingar
la __ ante   col __ a   en __ erido   ri __ a   fle __ a

e) **s** ou **z**:

atravé __   escasse __   bali __ a   desli __ ar   pesqui __ ar
fu __ ível   marqui __ e   va __ ar   jeito __ a   pobre __ a

f) **c, ç, s** ou **ss**:

dan __ ar   descan __ ar   ultrapa __ ar   remor __ o
ma __ iez   mu __ ulmano   pa __ oca   fraca __ o
fluminen __ e   progre __ o

g) **sc, ss, x** ou **xc**:

con __ iência   suce __ ão   e __ eção   flore __ imento
e __ entricidade   adole __ ente   au __ iliar   agre __ ão
e __ epcional   acré __ imo

3. Indique a forma correta (C) de cada par de palavras.

Exemplo: misto (C)   mixto   ( )

a) beneficiente ( )   beneficente ( )
b) disenteria   ( )   desinteria ( )
c) derrepente   ( )   de repente ( )
d) previlégio   ( )   privilégio ( )
e) cabeleireiro ( )   cabelereiro ( )

4. Complete as palavras utilizando o sufixo correto.

a) **esa** ou **eza**:

cert ____   delicad ____   surpr ____   campon ____
firm ____   espert ____   gentil ____   consul ____
turqu ____   grand ____

b) **isar** ou **izar**:

canal ____   traumat ____   anal ____   cicatr ____
improv ____   simbol ____   al ____   paral ____
escrav ____   pesqu ____

Ortografia

5. **Transforme o verbo em substantivo abstrato. Observe o exemplo.**
   corrigir – verbo / correção – substantivo abstrato

   exprimir, expulsar, deter, converter, conceder, reprimir, demitir, reter, imprimir, inverter

6. **Forme o antônimo das palavras com h inicial empregando os prefixos des ou in.**
   a) honesto
   b) hábil
   c) herdar
   d) habitado
   e) hidratar
   f) harmonia

7. **Indique a alternativa em que todas as palavras estão grafadas corretamente.**
   a) xadrez, xarope, xícara, xampu, xaleira.
   b) chaminé, inchado, cachimbo, chicote, piche.
   c) exausto, exaltado, exilado, pixado, despaxado.
   d) laranja, rabujice, nojo, logista, gorgeta.

Questões de vestibulares

1. **(UFRGS-RS)** Sem _____, a criança _____ os comandos do jogo eletrônico, em que _____ eram perseguidos.

   As lacunas serão corretamente preenchidas com:
   a) exitar – compulsava – animaisinhos
   b) exitar – compulçava – animaizinhos
   c) hesitar – compulçava – animaizinhos
   d) hesitar – compulsava – animaisinhos
   e) hesitar – compulsava – animaizinhos

2. **(UFPI-PI)** Assinale a alternativa em que todas as palavras devem ser grafadas com a letra **x**.
   a) e___ceto   be___iga   e___ame
   b) en___ada   ca___aça   ve___ame
   c) ___ícara   ta___ista   ___arme
   d) en___ugar   ___umaço   ___oalho
   e) ___uveiro   a___ava   acon___ego

3. **(ESPM-SP)** Estão corretamente grafados os sinônimos, respectivamente, de exótico, ensanduichado e disputar, em:

Fonética, Fonologia e Ortografia

a) esdrúxulo – imprensado – pleitear
b) esdrúchulo – imprensado – divergir
c) exquisito – emprensado – preitear
d) esdrúxulo – emprençado – diverjir
e) esquisito – imprensado – pleitear

4. **(FEI-SP)** Identifique a alternativa que preenche corretamente as lacunas do seguinte período:

A _____ da obrigação e a _____ não permitiam que ele percebesse a _____ do _____ .

a) consciência – passiência – estenção – cançaço
b) consciência – paciência – extensão – cansaço
c) conciência – paciênssia – extenção – cançasso
d) conciência – passiênssia – estenção – cansaço
e) consciência – passiência – extenção – canssaço

5. **(FGV-SP)** Assinale a alternativa em que **não** haja erro de grafia.

a) Não tinha feito a prova no dia regular nem tão pouco a substitutiva.
b) Afim de que as soluções pudessem ser adotadas por todos, José de Arimateia havia distribuído cópias do relatório no dia anterior.
c) Porventura, meu Deus, estarei louco?
d) Assinalou com um asterístico a necessidade de notas informativas adicionais.
e) Com frequência, os médicos falam de AVC, Acidente Vascular Cerebral. Porisso, os próprios pacientes já estão familiarizados com esse termo.

6. **(FGV-SP)** Assinale a alternativa em que a grafia de todas as palavras seja prestigiada pela norma culta.

a) auto-falante, bandeija, degladiar, eletrecista.
b) advogado, frustado, estrupo, desinteria.
c) embigo, mendingo, meretíssimo, salchicha.
d) estouro, cataclismo, prazeiroso, privilégio.
e) aterrissagem, babadouro, lagarto, manteigueira.

7. **(Fuvest-SP)**

a) Forme substantivos femininos a partir das palavras dadas, empregando, **s** ou **z**, convenientemente: limpo, defender, barão, surdo, freguês.
b) Forme verbos a partir de: análise, síntese, paralisia, civil, liso.

8. (Unisinos-RS) A alternativa em que aparece uma palavra incorretamente grafada é:

a) puseram – quiseste – análise
b) duquesa – aridez – prazeroso
c) estrangeiro – enxada – mexerico
d) ascensão – sucinto – suscitar
e) pretencioso – exceção – excesso

9. (Acafe-SC) Corrija as frases se necessário.

a) Derrepente Deodoro saiu do baile e foi atraz do irmão.
b) Os terrenos baldios usados como depósitos de lixo causam mau cheiro.

10. (PUCCamp-SP) Observe: o verbo atrair produz atração. Usando esse modelo, aponte os substantivos para:

a) aspergir
b) conseguir
c) mudar
d) isentar

Acentuação gráfica

Conforme estudado anteriormente, todas as palavras da língua portuguesa, de duas ou mais sílabas, ao serem pronunciadas, recebem o acento tônico em uma delas. A acentuação empregada nessa sílaba tônica caracteriza-se como acento prosódico, que representa o acento da fala, ou acento gráfico (quando existe), que representa o acento da escrita.

As palavras que apresentam dúvidas quanto à pronúncia recebem os acentos gráficos: agudo (´), grave (`) ou circunflexo (^).

Geralmente, aplica-se o **acento agudo** quando a vogal da sílaba tônica for **a, e, o** (**abertas**), **i** e **u**: cajá, até, jiló, biquíni, música etc. Já o **acento circunflexo** é aplicado quando a vogal da sílaba tônica for **a, e, o** (**fechadas**): câmera, esplêndido, avô etc.

Além dessas duas regras, existem outras importantes para orientar o uso da acentuação gráfica.

Principais regras de acentuação gráfica

a) As palavras **monossílabas tônicas** são acentuadas quando terminadas:

+ em **a, e, o** seguidos ou não de **s**:

cá, pás, fé, pés, mês, só, nós, pôs (verbo), dê (verbo) etc.

Estão incluídas também as formas verbais seguidas de pronome:

dá-lo, lê-las, pô-la etc.

b) As palavras **oxítonas** são acentuadas graficamente quando terminadas:

- em **a**, **e**, **o**, seguidos ou não de **s**:

  maracuj**á**, voc**ê**, at**é**, palet**ó**, av**ô**, caf**és**, vov**ós** etc.

  Estão incluídas também as formas verbais seguidas de pronome:

  enfrent**á**-lo, escond**ê**-la, encontr**á**-los, escrev**ê**-las etc.

- em **em** e **ens** nas palavras com duas ou mais sílabas:

  tamb**ém**, por**ém**, armaz**éns**, parab**éns** etc.

  São acentuadas também as formas **em** e **ens** dos verbos compostos de ter:

  ele cont**ém**; eles cont**êm**; tu mant**éns**; eles mant**êm**; ele interv**ém**; eles interv**êm** etc.

- pelos **ditongos abertos**: **éis**, **éu(s)**, **ói(s)** quando são tônicos:

  an**éis**, pap**éis**, c**éu**, chap**éu**, chap**éus**, anz**óis** etc.

> ❖ Esses ditongos não são acentuados se tiverem pronúncia fechada como em s**ei**, at**eu**, morr**eu**, aç**oi**te, e quando subtônicos, como em chap**eu**zinho, her**oi**camente etc.
>
> ❖ Não é acentuada a vogal tônica dos ditongos **iu** e **ui** se vier precedida de vogal: atra**iu**, distra**iu**, pa**ui**s etc.

c) As palavras **paroxítonas** recebem o acento gráfico quando terminadas:

- em **l**, **n**, **r**, **x**, **on**, **ons**, **ps**:

  difíc**il**, híf**en**, açúc**ar**, tóra**x**, cân**on**, elétr**ons**, bíce**ps** etc.

- em ditongo crescente, seguido ou não de **s**:

  infânc**ia**, lég**ua**, mág**oa**, ingên**uo**, cár**ies** etc.

- em **ei**, **eis**:

  jóqu**ei**, pôn**ei**, út**eis**, fác**eis** etc.

- em **i**, **is**, **us**, **um**, **uns**:

  júr**i**, láp**is**, vír**us**, fór**um**, álb**uns** etc.

- em **ã**, **ãs**, **ão**, **ãos**:

  órf**ã**, ím**ãs**, órg**ão**, bênç**ãos** etc.

- nas formas verbais: **guam** e **guem**:

  enxág**uam**, enxág**uem**

- Não são acentuadas as palavras paroxítonas terminadas em **ens**: jo**vens**, hom**ens**, hif**ens**, it**ens** etc.

- Não são acentuados os prefixos paroxítonos terminados em **i** e **r**, como **inter**, **semi**, **super**, **anti**, por serem considerados átonos: **semi**-interno, **super**-homem, **anti**-higiênico etc.

- Não se acentuam os ditongos abertos **ei** e **oi** de palavras paroxítonas: id**ei**a, estr**ei**a, gel**ei**a, jib**oi**a, her**oi**co etc. Mesmo incluídas nessa regra, devem receber acento gráfico as palavras que se enquadram na regra geral de acentuação, como ocorre com **contêiner**, **destróier**, porque são paroxítonas terminadas em **r**.

- Não se acentuam as vogais tônicas **i** e **u** das palavras paroxítonas, quando essas vogais são precedidas de ditongo decrescente: fei**u**ra, Sau**i**pe, tao**i**smo etc.

d) Todas as palavras **proparoxítonas** são acentuadas graficamente:

+ com o acento agudo se a vogal tônica for **i**, **u**, e **a**, **e**, **o** abertos:

   límpido, **ú**mido, **lá**grima, **sá**bado, **ló**gica etc.

+ com o acento circunflexo se a vogal tônica for fechada ou nasal:

   lâmpada, **pê**ssego, ômega etc.

e) Acentuam-se o **i** e o **u** tônicos quando formam **hiato** com a vogal anterior, caracterizando uma sílaba sozinha ou formando uma sílaba com **s**:

sa-**ú**-de, tra-**í**-da, ba-**ú**, e-go-**ís**-ta, u-**ís**-que etc.

Utiliza-se o acento agudo para demonstrar o hiato (do-**í**-do) e a grafia sem acento para caracterizar o encontro vocálico (d**oi**-do)

- O **i** ou o **u** tônico do hiato não recebem o acento gráfico se vierem acompanhados de outra letra que não a **s** na mesma sílaba: ru-**im**, Ra--**ul**, ca-**ir**-mos etc. Nesse caso, não existe possibilidade de um encontro vocálico.

- O **i** e o **u** tônicos não são acentuados quando seguidos de **nh**: cam-pa--**i**-nha, ra-**i**-nha, mo-**i**-nho, ta-**i**-nha etc.

- Não se coloca o acento circunflexo na primeira vogal dos hiatos **oo** e **ee**: en-j**o**-o, v**o**-o, per-d**o**-o, cr**e**-em, l**e**-em, v**e**-em etc.

- Não são acentuados os outros hiatos, como os dos seguintes vocábulos: la-g**o**-a, mo-**e**-da, pes-s**o**-a, po-**e**-ta etc.

- Nos grupos **gue**, **gui** e **que**, **qui**, mesmo quando o **u** é proferido e ele seja tônico, não leva o acento agudo: averigue, apazigue, oblique etc.

Acentuação gráfica de alguns verbos

a) Os verbos **ter** e **vir** recebem o acento circunflexo na 3ª pessoa do plural do presente do modo indicativo:

ele tem (3ª pessoa do singular) – eles t**ê**m (3ª pessoa do plural)

ele vem (3ª pessoa do singular) – eles v**ê**m (3ª pessoa do plural)

b) Os verbos derivados de ter e vir (**conter, deter, manter, reter, convir, intervir** etc.) recebem o acento agudo na 3ª pessoa do singular e o acento circunflexo na 3ª pessoa do plural do presente do modo indicativo:

ele cont**é**m (3ª pessoa do singular) – eles cont**ê**m (3ª pessoa do plural)

ele interv**é**m (3ª pessoa do singular) – eles interv**ê**m (3ª pessoa do plural)

c) Os verbos **crer, dar, ler,** e **ver** recebem o acento circunflexo na 3ª pessoa do singular:

ele cr**ê**   que ele d**ê**   ele l**ê**   ele v**ê**

Acento grave

Na língua portuguesa, o acento grave é utilizado para marcar a fusão da preposição **a** com os artigos definidos femininos **a** e **as** e com os pronomes demonstrativos **aquele(s), aquela(s), aquilo**. O acento grave representa a ocorrência da crase (do grego *krasis* – mistura, fusão) de duas vogais idênticas (**aa**) em uma só (**a**).

Fui **à** (a + a) praia.

Referia-me **àquele** (a + aquele) assunto.

Dirigiu-se **àquelas** (a + aquelas) pessoas.

Esse assunto será abordado detalhadamente na parte de Morfologia, no capítulo "Preposição", página 273.

Acento diferencial

a) Usa-se o acento diferencial (agudo ou circunflexo) para distinguir palavras homógrafas.

pôr (verbo)	por (preposição)
pôde (pretérito perfeito)	pode (presente)
vêm (3ª pessoa do plural)	vem (3ª pessoa do singular)
têm (3ª pessoa do plural)	tem (3ª pessoa do singular)

❖ O Acordo Ortográfico de 1990 aboliu o acento diferencial em algumas palavras homógrafas, como: para (que pode ser verbo ou preposição); pelo (que pode ser verbo, substantivo ou preposição); polo (que pode ser substantivo ou preposição). No entanto, elas são facilmente distinguidas quando inseridas em um contexto.

b) O acento diferencial é opcional para distinguir:

fôrma (modelo de assadeira)   forma (feitio, modo)

A forma (fôrma) do bolo estava queimada.

Ela estava em forma para a caminhada.

Exercícios

1. Leia as palavras e justifique o acento gráfico de cada uma delas. Consulte, se necessário, as regras de acentuação.

a) possível
b) após
c) fórum
d) ruído
e) série
f) bônus
g) lençóis
h) órgão
i) ínterim
j) má

2. Acentue o **i** ou **u** das palavras quando necessário. Depois, justifique cada caso.

a) juizes
b) cair
c) rainha
d) saida
e) ciume
f) amendoim

3. Copie as frases colocando o acento gráfico onde for necessário.

a) *O cerebro eletronico faz tudo / Faz quase tudo.* (Gilberto Gil)
b) *Art.1º A Republica Federativa do Brasil, formada pela união indissoluvel dos Estados e Municipios e do Distrito Federal, constitui-se em Estado Democratico de Direito e [...].* (Constituição da Republica Federativa do Brasil)
c) *E os que leem o que escreve, / Na dor lida sentem bem, / Não as duas que ele teve, / Mas só a que eles não tem.* (Autopsicografia, Fernando Pessoa)
d) *O dominio do ser humano sobre as coisas se apoia nas ciencias e nas artes. A unica maneira de dominar a natureza e obedecendo a ela.* (Novum organum, Francis Bacon)
e) *Entende-se por "fabula" uma narração alegorica, cujas personagens são animais, apresentando no final uma lição de etica comportamental.* (Pequena enciclopédia da cultura ocidental, Salvatore D'Onofrio)

4. **Complete as orações com os verbos solicitados no presente do indicativo. Observe a acentuação gráfica correta.**

   a) Ela _____ (manter) a calma, mas as outras pessoas não _____ (manter).
   b) A proposta não _____ (convir) a todos, pois _____ (conter) muitos itens discutíveis.
   c) Eles não _____ (ler) as questões como deveriam.
   d) Os professores _____ (intervir) na hora da prova para auxiliar os alunos.
   e) Algumas pessoas não _____ (reter) as informações como meu irmão _____ (reter).

5. **Indique, na relação abaixo, a alternativa em que todas as palavras estão acentuadas corretamente.**

   a) anéis, cafézinho, aquário, vôo.
   b) pântano, ósculo, vermífugo, anzóis.
   c) recém, lagôa, mausoléu, alcoól.
   d) régua, chapéu, protótipo, rúbrica.
   e) ínterim, hífens, ítens, amém.

6. **Indique, na série de palavras abaixo, a alternativa cuja acentuação seja justificada pela mesma regra seguida por: herói, heroína, nós, mártir.**

   a) fiéis, saída, mês, revólver.
   b) heróis, egoísta, día, dólar.
   c) ninguém, ruím, há, pólen.
   d) chapéu, país, sóis, planície.
   e) vintém, amendoím, pás, heróico.

7. **Escreva as frases no plural.**

   a) Espero que a professora dê aula amanhã.
   b) Ela sempre me mantém informada.
   c) Meu amigo não crê em milagre nem em duende.
   d) Nem sempre o juiz intervém na hora certa.
   e) A questão contém um erro gramatical.

Questões de vestibulares

1. **(UFRGS-RS)** Assinale a alternativa em que os dois vocábulos obedecem à mesma regra de acentuação gráfica do vocábulo várzea.

Ortografia 69

a) incluído – sandália
b) límpido – vôo
c) cândido – armário
d) exímio – vírus
e) supérfluo – incêndio

2. (Fuvest-SP) Assinale a alternativa em que todas as palavras estejam corretamente acentuadas.

a) caíra, enjoo, bárbaro, veloz.
b) jurití, automóvel, samambáia, jiló.
c) algoz, cauím, lençol, fácil.
d) pernalta, Tatuí, armazém, geleia.
e) pernalta, heroico, chapéuzinho, Tietê.

3. (Mackenzie-SP) As palavras **aí**, **Ceará** e **vá** são acentuadas por serem, respectivamente:

a) monossílabo, trissílabo e monossílabo.
b) ditongo tônico, trissílabo tônico e monossílabo tônico.
c) ditongo tônico, oxítona terminada em **a** e monossílabo tônico terminado em **a**.
d) hiato, oxítona terminada em **a** e monossílabo tônico terminado em **a**.
e) oxítona terminada em **i**, oxítona terminada em **a** e monossílabo tônico terminado em **a**.

4. (UFPA-PA) Na pronúncia do grupo de palavras

sábia/sabiá   fábrica/fabrica
secretária/secretaria

a mudança de significado é condicionada:

a) pela nasalidade.
b) pelo deslocamento do acento tônico.
c) pela alternância do timbre vocálico.
d) pelo ambiente sonoro.
e) pelas consoantes oclusivas.

5. (UCDB-MT) Assinale a alternativa em que ambos os vocábulos não são acentuados.

a) apoio, ceu
b) rubrica, gratuito
c) ausencia, melancia
d) hifen, item
e) raiz, raizes

6. (Fuvest-SP) No texto abaixo, há palavras em que se omitiu o acento gráfico. Destaque-as e justifique a acentuação.

"As pessoas presentes na assembleia receberam varios itens do programa e a incumbencia de analisa-los e difundi-los junto aos orgãos publicos."

7. (Cesgranrio-RJ) Assinale a opção cujos vocábulos estão relacionados segundo a mesma norma de acentuação gráfica.
   a) delírio, persistência, mistério
   b) paraíso, miúdo, flexível
   c) irresistível, mágico, afrodisíaca
   d) só, cipó, demônio
   e) açúcar, artérias, cantárida

8. (ITA-SP) Dado o texto:
   Ele caminhava calado, de cabeça baixa, com seu vasto _____ venerável exposto ao sol. Vinha distraído, esquecera-se de _____ o chapéu; e eu não quis _____ o seu recolhimento, lembrando-o. (Lima Barreto)

   Preencher as lacunas com a alternativa abaixo que seja gramaticalmente correta ou estilisticamente aceita.

   a) crânio   pôr   perturbar
   b) crâneo   pôr   perturbar
   c) crânio   por   pertubar
   d) crânio   por   perturbar
   e) crâneo   por   pertubar

9. (UPF-RS) A alternativa cujas palavras não são acentuadas pela mesma razão é:
   a) lá / aí
   b) séria / exercício
   c) últimos / público
   d) está / envelhecerá
   e) intransferível / compreensível

10. (Fafeod-MG) Indique a alternativa que contém duas palavras oxítonas, duas paroxítonas e duas proparoxítonas:
    a) anil, zebu, rubrica, vicio, ibero, infância
    b) metro, rapidez, nobel, vende, espontâneo, carbônico
    c) rosa, funil, avaro, régua, remédio, capítulo
    d) talvez, melhor, reles, meteoro, bêbado, coágulo

Ortografia 71

Notações léxicas

Os sinais gráficos diacríticos têm a função de caracterizar o valor fonético, ortográfico ou prosódico de algumas palavras. Os sinais que indicam determinado som às palavras são os acentos agudo, circunflexo, o til e a cedilha. Os sinais que não indicam som são o acento grave, o apóstrofo, o hífen e o trema.

Til (~)

É o sinal colocado sobre as letras **a** e **o** para indicar a nasalização das vogais.

rom**ã** (fruta); Roma (cidade)

a) É válido como acento tônico, se não houver outra sílaba tônica na palavra.

irm**ã**, pag**ão**, perd**ão**, manh**ãs**, cora**ções** etc.

b) É apresentado em sílabas átonas ou pretônicas, se houver outra sílaba tônica.

órfã, **bên**ção, **í**mã, coraçõe**z**inhos etc.

Cedilha (ç)

A cedilha é colocada sob a letra **c** antes das vogais **a, o, u** e caracteriza-se pelo som do fonema /**s**/.

lou**ç**a, almo**ç**o, a**ç**úcar, carro**ç**a, caro**ç**o, a**ç**ude etc.

Apóstrofo (')

Esse sinal é utilizado para demonstrar a supressão de uma letra, geralmente uma vogal, em versos ou expressões populares. Aparece também para indicar a supressão da vogal da preposição **de** em algumas palavras compostas.

minh'alma, estrela-d'alva, galinha d'angola, copo d'água etc.

Hífen (-)

Na língua portuguesa, o emprego do hífen na grafia das palavras apresenta questões polêmicas.

No sistema ortográfico vigente, é determinado o emprego do hífen:

a) para ligar os elementos das palavras compostas por justaposição que mantêm tonicidade própria e conservam a unidade semântica:

arco-íris, beija-flor, bem-te-vi, conta-gotas, cirurgião-dentista, couve-flor, abaixo--assinado, decreto-lei, guarda-chuva, guarda-noturno, água-de-colônia, primeiro--ministro, sexta-feira, vitória-régia etc.

b) para separar os elementos dos adjetivos compostos:

azul-turquesa, cor-de-rosa, greco-romano, verde-amarelo, latino-americano, histórico-geográfico etc.

c) para ligar os pronomes oblíquos aos verbos (caso de mesóclise e ênclise):

esperá-lo-ei, encontrei-a, dediquei-lhe, realizar-se-á, ei-los etc.

d) para separar as sílabas das palavras ou dividir as sílabas na passagem de uma linha para outra:

te-sou-ro; a-ma-nhe-ci-do; con-se-quên-cia etc.

pacifica-

mente

e) nas palavras iniciadas pelos prefixos tônicos: **além**, **aquém**, **pós**, **pré**, **pró**, **recém**, **sem**, **vice**:

além-mar, pós-graduação, pré-nupcial, pró-palestino, recém-formado, sem-teto, vice-rei etc.

> ❖ Nas formações com prefixos átonos, não se usa hífen: **premeditar**, **prever**, **pospor** etc.

f) para grafar os vocábulos com os prefixos **circum**, **mal** e **pan**, antes de palavras iniciadas por **vogal**, pelas consoantes **m**, **n** e pela letra **h**:

circum-navegação, pan-americano, pan-islamismo, mal-assombrado, mal-educado, mal-humorado etc.

> ❖ Não se emprega hífen se a letra inicial for outra: malfeito, panteísta etc.

g) nas palavras em que o primeiro elemento termina por vogal, pelas consoantes **r** ou **b** e o segundo elemento se inicia pela letra **h**:

anti-higiênico, super-homem etc.

h) para grafar vocábulos derivados por prefixação, cujo prefixo termine por vogal igual à vogal inicial do segundo elemento:

anti-inflacionário, arqui-inimigo, contra-ataque, micro-ondas, semi-interno etc.

i) nas palavras com os prefixos **hiper**, **inter** e **super** se o segundo elemento iniciar pela letra **r**:

hiper-realismo, inter-regional, inter-racial, super-requintado etc.

j) para grafar palavras com o prefixo **sub** antes das letras **b** e **r**:

sub-bibliotecário, sub-raça etc.

> ❖ Algumas expressões apresentam diferentes significados se forem grafadas como palavras compostas empregadas com hífen (um único vocábulo) e se não estiverem ligadas pelo hífen.
>
> Ele é um **pão-duro**. (sovina, avarento)
>
> Ela nos serviu um **pão duro**. (endurecido)
>
> Chegarei ao **meio-dia**. (às 12:00 horas)
>
> Levou **meio dia** para terminar o serviço.

Não é empregado o hífen:

a) em palavras compostas cuja ideia de composição e de autonomia semânticas perdeu-se:

girassol, benquisto, madressilva, malmequer, mandachuva, paralama, paraquedas, pontapé etc.

b) nas palavras cujo prefixo ou elemento de composição termina em vogal e o segundo elemento começa por consoante diferente de **r** ou **s**:

audiovisual, bioquímico, fotocópia, ferrovia etc.

c) em vocábulos derivados de prefixação quando o prefixo terminar em vogal e o segundo elemento começar pelas consoantes **r** ou **s**, devendo estas consoantes duplicar-se:

antirracismo, antissocial, contrarregra, minissaia, ultrassom, ultrassonografia etc.

d) nas palavras com os prefixos **des** e **in**, quando o segundo elemento tenha perdido o **h** inicial:

desarmonia, desumano, inábil etc.

e) em vocábulos derivados por prefixação, quando a vogal no final do prefixo for diferente da vogal inicial do segundo elemento:

antiaéreo, autoajuda, autoescola, contraindicação, extraoficial, socioeconômica etc.

f) nos vocábulos iniciados pelo prefixo **co** e unidos ao segundo elemento pela letra **c**:

cooperação, coordenação etc.

g) em palavras compostas nas quais o **h** inicial no segundo elemento e a vogal final do primeiro elemento desaparecem:

turboélice (hélice), hidrelétrica (hidro), radiativo (radio).

Existem os termos: hidroelétrica e radioativo.

h) em locuções: de vez em quando, de repente, a fim de, por enquanto etc.

❖ São palavras compostas utilizadas com hífen e não locuções: de mão-
-cheia, sem-cerimônia, vice-versa.

i) em determinadas expressões: anjo da guarda, dona de casa, estrada de ferro etc.

Trema (¨)

O trema é utilizado apenas em nomes estrangeiros e palavras deles derivadas: Müller – mülleriano; Björk, Staël etc.

Exercícios

1. Reescreva as palavras compostas utilizando o hífen ou unindo--as quando necessário.

   super homem   ex ministro
   mal educado   sub solo
   super interessante   ultra som
   micro ondas   sem terra
   para quedas   guarda chuva
   anti aéreo   co operação
   tetra campeão   bio química
   auto escola   vitória régia
   anti social   pré história
   recém nascido   pós operatório

2. Assinale as alternativas **erradas** quanto ao emprego do hífen e corrija-as.
   a) Ela disse **bem-humorada** que faria um cursinho **pré-vestibular**.
   b) O **meia-direita** do São Paulo começou um **contra-ataque**.
   c) O **contra-regra** cinematográfico fez um trabalho **superinteressante**.
   d) A casa **mal-assombrada** seria a residência do **vice-rei**.
   e) O **ex-aluno** saiu-se bem na **autoavaliação**.
   f) Nossos **ante-passados** não conheceram **micro-ondas** e outras invenções.
   g) Comportava-se como um **sem-vergonha** e um **mau-caráter**.
   h) O **recém-chegado** foi entrando e abrindo o **guarda-roupa**.
   i) Um **extra-terrestre** teria invadido um **super-mercado** na **segunda-feira**.
   j) A rodovia **interestadual** foi fechada pelos **manda-chuvas** locais.

Ortografia

Questões de vestibulares

1. (UFSCar-SP) Fez um esforço _____ para vencer o campeonato _____ .
   a) sobre-humano, inter-regional
   b) sobrehumano, interregional
   c) sobreumano, interregional
   d) sobrehumano, inter-regional
   e) sobre-humano, interegional

2. (UM-SP) Nas frases que seguem, indique a única que apresenta a expressão **incorreta** levando em conta o emprego do hífen.
   a) Aqueles frágeis recém-nascidos bebiam o ar com aflição.
   b) Nunca mais hei-de dizer os meus segredos.
   c) Era tão sem ternura aquele afago, que ele saiu mal-humorado.
   d) Havia uma super-relação entre aquela região deserta e essa cidade enorme.
   e) Este silêncio imperturbável, amá-lo-emos como uma alegria que não deixa de ser triste.

3. (ITA-SP) Dadas as palavras: 1. pão duro; 2. copo de leite; 3. sub raça, constatamos que o hífen é obrigatório:
   a) apenas na palavra 1.
   b) apenas na palavra 2.
   c) apenas na palavra 3.
   d) em todas as palavras.
   e) em nenhuma delas.

Morfologia

A parte da gramática que estuda a estrutura das palavras e as classifica chama-se Morfologia.

Estrutura e formação das palavras

Morfema

O morfema é a menor unidade linguística significativa que forma uma palavra; portanto, é parte dos estudos dessa área.

Para identificar os morfemas, realiza-se a análise dos **elementos mórficos**, ou seja, um estudo detalhado de cada unidade significativa da palavra.

- ❖ O morfema pode ser constituído por uma única palavra, que é indivisível em unidades menores de significado, como em fé, lã, rã, pó, luz, mar etc.
- ❖ No entanto, é preciso atenção para não confundir **morfema** com **palavra**. O morfema não ocorre sozinho, ele é parte de uma palavra; já a palavra, sozinha, pode constituir um enunciado.

Classificação dos morfemas

O morfema é constituído por elementos mórficos, que exercem uma função na estrutura da palavra. São eles: radical, vogal temática, desinências e afixos.

Radical

É o elemento mórfico que contém o significado básico da palavra. É também chamado de **semantema** ou **lexema**.

cas – a   **cas** – inha   **cas** – ebre   **cas** – arão   **cas** – inhola

Nos exemplos anteriores, há um elemento comum a todas as palavras (**cas**), ao qual se anexam outros morfemas. É essa parte permanente, invariável, da palavra que recebe o nome de radical.

Palavras cognatas

As palavras que apresentam o mesmo radical pertencem à mesma **família etimológica** ou **lexical** e recebem o nome de **cognatas**. Essas palavras são originárias de uma mesma **raiz**, a menor unidade, e podem permanecer inalteradas ou ser modificadas.

A partir do radical de uma palavra primitiva, formam-se outras derivadas dela:

radical inalterado	**pedr** + a	**pedr** + eira	**pedr** + ada
radical modificado	**reg** + ido	**regr** + ado	**regu** + lado

As palavras que têm um só radical são chamadas simples e as que têm mais de um são consideradas compostas.

simples	**cas**amento, des**centr**alizar, **vend**edor, in**aceit**ável
compostas	**gira**s**sol**, **pont**apé, **guard**a-**chuv**a

Vogal temática

É o elemento mórfico que se une ao radical da palavra para que ela receba outros elementos.

brinc + **a** + r
↓   ↓
raiz vogal
      temática

ros + **a**
↓   ↓
raiz vogal
      temática

A **vogal temática** pode ser **nominal**, constituindo parte de um substantivo ou adjetivo, ou **verbal**, determinando se um verbo é de 1ª (**ar**), 2ª (**er**) ou 3ª (**ir**) conjugação.

A junção do **radical** com a **vogal temática** recebe o nome de **tema**, ou seja, essa junção representa o **tema da palavra**.

Desinências

São os elementos mórficos que indicam a flexão das palavras e podem ser:

+ **nominais** – que indicam gênero (masculino e feminino) e o número (singular e plural):

garotas

garot   +   a   +   s
↓   ↓   ↓
radical   desinência de   desinência de
           gênero (f.)   **número** (pl.)

Estrutura e formação das palavras   **79**

❖ Em algumas palavras, os elementos mórficos não indicam flexão de gênero ou número. Por exemplo, nas palavras **caneta** e **livro**, as terminações **a** e **o** são vogais temáticas; não é concretizada uma relação de gênero masculino ou feminino, como nas palavras **menina** e **menino**. O **s** final nas palavras lápis e ônibus fazem parte do tema e também não caracterizam plural como em menin**as** e menin**os**.

+ **verbais** – que indicam a pessoa, o número, o tempo e o modo nos verbos:

    brincávamos

❖ As 1ᵃˢ pessoas do singular do presente do indicativo e do presente do subjuntivo não contêm vogal temática, ou seja, a desinência adere imediatamente ao radical:

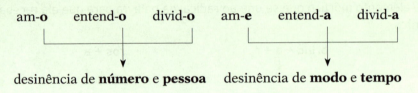

Afixos

São os elementos mórficos que se acrescentam ao radical ou ao tema para formar palavras derivadas e são classificados como:

+ prefixos – localizados antes do radical:

+ sufixos – localizados depois do radical:

- Os afixos podem:
  - mudar a classificação de uma palavra: feliz / felici**dade**;
  - mudar o sentido da palavra: feliz / **in**feliz;
  - acrescentar uma ideia: lugar / lugar**ejo**.

Vogal e consoante de ligação

As vogais e as consoantes de ligação intercalam-se aos elementos mórficos para facilitar a pronúncia das palavras. Elas são desprovidas de significação e não representam um morfema.

+ Vogal de ligação – paris + **i** + ense = parisiense
+ Consoante de ligação – café + **t** + eira = cafeteira

Palavras de origem grega e latina

Grande parte das palavras da língua portuguesa é constituída por **radicais**, **prefixos** e **sufixos gregos** e **latinos**.

É importante conhecer alguns desses radicais e afixos a fim de auxiliar a compreensão do significado de algumas palavras.

O radical, como já foi visto, é o elemento mórfico que possibilita conhecer a base significativa dos vocábulos, para que o falante saiba como empregar corretamente os termos nos diversos momentos de comunicação oral e escrita.

Radicais gregos e latinos

Relação dos principais radicais gregos usados na língua portuguesa					
Radical	Significado	Exemplo	Radical	Significado	Exemplo
acro	alto	acrópole	**arquia**	governo	monarquia
aero	ar	aeroporto	**astro**	corpo celeste	astrologia
agogo	que conduz	demagogo	**auto**	por si mesmo	autobiografia, automóvel
agro	campo	agronomia	**baro**	pressão	barômetro
algia	dor	nevralgia	**biblio**	livro	biblioteca
antropo	ser humano	antropologia	**bio**	vida	biologia
arqueo	antigo	arqueologia	**caco**	mau, ruim	cacofonia

cali	bonito	caligrafia	hetero	diferente	heterossexual
cardio	coração	cardiologia	hidro	água	hidromassagem
cefalo	cabeça	cefaleia	hipno	sono	hipnose
cito	célula	citologia	hipo	cavalo	hipódromo
cloro	verde	clorofila	homo	semelhante	homossexual
cosmo	mundo, universo	cosmonauta	iatria	tratamento	pediatria
cracia	poder	democracia	icono	imagem	iconoclasta
cromo	cor	cromático	iso	igual	isósceles
crono	tempo	cronômetro	latria	culto, adoração	idolatria
datilo	dedo	datilografia	macro	grande	macrobiótica
deca	dez	década	mega	grande	megalomaníaco
demo	povo	demagogia	meso	meio	Mesopotâmia
derma	pele	dermatologia	metro	que mede	cronômetro
dico	em duas partes	dicotomia	micro	pequeno	micróbio
dromo	correr	autódromo	miso	que tem aversão	misógino
eco	casa	ecologia	mono	único	monogamia
etimo	origem	etimologia	morfo	forma	morfologia
etno	raça	etnologia	necro	morto	necrotério
fagia	ato de comer	antropofagia	neo	novo	neologismo
filo	amigo	filosofia	neuro, nevro	nervo	neurologia
fito	vegetal	fitoterapia	odonto	dente	odontologia
flebo	veia	flebite	oftalmo	olho	oftalmologia
fobia	temor	claustrofobia	oligo	em pequeno número	oligarquia
fono	som, voz	telefone	oniro	sonho	onírico
foto	luz	fotografia	ornito	pássaro	ornitólogo
gamia	casamento	bigamia	orto	correto	ortopédico
gastro	estômago	gastrite	pan	tudo	pan-americano
gene	origem	genética	pato	doença	patologia
geo	terra	geografia	peda	criança	pedagogia
gino	mulher	ginecologista	pneumo	pulmão	pneumonia
gono	ângulo	hexagonal	piro	fogo	pirotécnico
grafia	escrita	ortografia	pluto	riqueza	plutocracia
helio	sol	heliocêntrico	poli	muito	poliglota
hemo	sangue	hemorragia	polis	cidade	metrópole
hemi	metade	hemisfério	pseudo	falso	pseudônimo
hepato	fígado	hepatite	psico	alma	psicanálise

quilo	mil	quilômetro	tele	distante	telefonia
quiro	mão	quiromancia	teo	deus	teologia
rino	nariz	rinite	terapia	tratamento	fisioterapia
scopia	olhar atentamente	endoscopia	termo	calor	termômetro
sofia	sabedoria	filosofia	topo	lugar	topologia
taqui	rápido	taquicardia	trofia	desenvolvimento	atrofia
teca	local onde se guarda	videoteca	xeno	estrangeiro	xenofobia
tecno	arte manual, indústria	tecnologia	zoo	animal	zoológico

Relação dos principais radicais latinos usados na língua portuguesa

Radical	Significado	Exemplo	Radical	Significado	Exemplo
agri	campo	agricultura	equi	igual	equivalente
alter	outro	alterar	fero	que produz ou contém	sonífero, aurífero
ambi	duplicidade, ao redor	ambiente	fico	que faz ou produz	frigorífico
api	abelha	apicultor	fide	fé	fidelidade
arbori	árvore	arborizar	forme	forma	uniforme
audio	ouvir	audiência	frater	irmão	fraternal
avi	ave	avícola	gero	produzir, gerar	beligerância, lanígero
beli	guerra	bélico	herbi	erva	herbicida
bene	bem	benfeitor	homin	homem	homicídio
bi, bis	dois	bienal	igni	fogo	ígneo
caput	cabeça	decapitar	lac	leite	lactante, laticínio
cida	que mata	inseticida	lego	ler	legível, leitura
cola	cultivar, habitar	agrícola, colônia	loco	lugar	localizar
cruci	cruz	crucifixo	ludo	jogo	lúdico
deci	décimo	decímetro	mater	mãe	materno
dico	dizer	dicionário	mini	muito pequeno	minissaia
docere	ensinar	docente	morti	morte	mortífero
duco	guiar, dirigir	educação, conduzir	multi	muito	multinacional
ego	eu	egocêntrico	omni, oni	todo, tudo	onisciente

Estrutura e formação das palavras

opus	obra	cooperar, operário	sapo	sabão	sapólio
pari	igual	paridade	semi	metade	semicírculo
pater	pai	paternidade	sider	astro	sideral
pedi, pede	pé	pedicuro	silva	floresta	silvícola
petri	pedra	petrificado	solvo	desunir, decompor	solução, resolver
pisci	peixe	piscoso	sono	que soa	sonorizado
pluri	vários	pluralidade	sui	a si mesmo	suicídio
pluvi	chuva	pluvial	sumo	tomar, apoderar-se	assumir, sumidade
puer	criança	pueril	toxic	veneno	toxicômano
pulvis	pó	pulverizar	tri	três	triângulo
quadri	quatro	quadrilátero	uxor	esposa	uxoricida
rapis	roubar	raptar	vermi	verme	vermífugo
rego	dirigir	reitor, regime	video	ver	evidência
reti	reto	retilíneo	vini	vinho	vinicultura
retro	movimento para trás	retrovisor	vitri	vidro	vitrificado
sacar	açúcar	sacarina	voro	que come	carnívoro

Prefixos gregos e latinos

Os principais prefixos que entram na formação do léxico português provêm do grego e do latim. Eles funcionavam, nessas línguas, como preposições ou advérbios. Na língua portuguesa, esses prefixos participam da criação de palavras, dando ao radical um novo significado.

Principais prefixos gregos

Prefixo	Significado	Exemplo	Prefixo	Significado	Exemplo
an, a	negação, ausência	analfabeto, ateu	arqui, arc	superioridade, primazia	arquibancada, arquipélago
aná	decomposição, inversão	analisar	catá	movimento de cima para baixo	catástrofe
anfi	em torno de, duplicidade	anfiteatro, anfíbio	di	dois, duplicidade	dissílabo, dilema
anti	ação contrária	antibiótico	dia, di	movimento através de, por meio de	diálogo, diagnóstico
apó	separação	apócrifo	dis	dificuldade, privação	dispneia, disenteria

endo	dentro, movimento para dentro	endoscopia	**pará**	proximidade, ao lado de		paradigma, parábola, parasita
epi	sobre, posição superior	epiderme, epitáfio	**peri**	em torno de		perímetro, período, periferia
eu, ev	perfeição, bem, bondade	euforia, evangelho	**poli**	coleção, multiplicidade		polígono
ex, exo, ec	movimento para fora	exterior, êxodo, eclipse	**pró**	antes, anterioridade		prognóstico, programa
hemi	metade	hemisfério	**proto**	anterioridade, o primeiro		protótipo
hiper	excesso, posição superior	hipertensão, hipérbole	**sin, sim, si**	reunião, companhia, conjunto		sintonizar, simpatia, sistema
meta	mudança, além de, depois de	metamorfose, metabolismo				

Principais prefixos latinos

Prefixo	Significado	Exemplo
a, ad	aproximação, direção	aguentar, atrair, adjunto
ab, abs	afastamento, separação	abdicar, abstenção, abuso
ambi	exprime duplicidade	ambivalente, ambíguo
ante	antes, anterioridade, antecedência	antever, antebraço
bene, bem, be	bem, excelência, fazer bem	beneficente, benfeitor
bis, bi	repetição, dois	binóculo, bisneto, bissexual
circum,	em torno de, em redor	circunferência, círculo
cis	ao lado de, aquém	cisplatino, cisandino
com, con, co	companhia, concomitância	compadre, condomínio, cooperar, colaborar, coautor
contra	oposição, direção contrária	contraindicado, contraofensiva
de	movimento de cima para baixo	declínio, decompor, decair
des, dis	separação, negação	desarmonia, desonesto
em, en, e	movimento para dentro	embarcar, enterrar
ex, es, e	movimento para fora, separação	expulsar, esgotar, evaporar
extra	fora de, posição exterior	extraordinário, extraviar
im, in, i	negação, carência, privação	imberbe, infeliz, ilegal, impossível, incapaz
in, i (en)	para dentro, tornar	ingerir, inalar, engolir
infra	posição inferior, abaixo	infraestrutura

Estrutura e formação das palavras

inter, entre	posição ou ação intermediária	intercalar, entreter
intra, intro	posição interior, para dentro	introduzir, introvertido, intravenoso, intramuscular
justa	posição ao lado, proximidade	justaposição
mal, male	mal, oposição a bem	mal-educado, malcriado, mal-estar, maldizer
ob, o	posição em frente, oposição	obstáculo, opor
pene, pen	quase	penúltimo, penumbra
per	movimento através de, ação completa	percorrer, perfeito, perfazer
pos, post	ação posterior, depois	póstumo, pós-operatório, postergar, posteridade
pré	anterioridade, antecedência	preconceito, predestinada, pré-estreia, pré-datado
pro	movimento para a frente, adiante	projetar, progresso, pronome
re	movimento para trás, repetição	regressão, refazer, reaver, remarcação, reler
retro	movimento mais para trás	retroceder, retroativo
satis	suficiente	satisfazer
semi	metade de	semicírculo
sesqui	um e meio	sesquicentenário
so, sob, sub	de baixo para cima, ação incompleta	subprefeito, submarino, subestimar, soterrar, supor
super, supra, sobre	posição superior, em cima	super-homem, superlotado, sobrecarga, suprapartidário
tra, tres	através de	tradição, tresloucado
trans, tras,	posição além de	transatlântico, trasladar,
tri, tris	três	trigêmeo, tricampeão
ultra	excesso de, além do	ultrapassado, ultrassom
uni	um	unicelular
vice, vis	no lugar de, substituição	vice-presidente, vice-versa, visconde

❖ Também é possível que alguns prefixos sejam usados com sentido autônomo: **pró** e **contra**: "Precisamos analisar os **prós** e os **contras** deste contrato"; **micro**: "Você viu o preço daquele **micro**?" (micro = computador); **ex**: "Não saio mais com meu **ex**" (ex = ex-marido, ex-namorado); **extra**: "O departamento está convocado a fazer **horas extras**"; "Vou fazer um **extra** se aceitar aquele trabalho". Na primeira frase o vocábulo caracteriza-se como adjetivo e na segunda, como substantivo: extra = dinheiro.

* O prefixo **sem** pode se unir a substantivos: sem-terra, sem-teto; ou pode dar às palavras caráter de adjetivo: "Os **trabalhadores sem-terra** reivindicam a reforma agrária"; "**Eles** são **sem-vergonha**".

Correspondência entre prefixos gregos e latinos

Existe uma relação de semelhança entre os prefixos gregos e latinos. Eles apresentam grafia diferente, mas seu significado é o mesmo.

\multicolumn{4}{c}{Relação de semelhança entre os prefixos}
Grego	Latino	Significado	Exemplo
a, an	de, in	negação	amoral, descontente
anfi	ambi	duplicidade, de um e outro	anfiteatro, ambivalência
anti	contra	contrário	antiaéreo, contradizer
apo	ab	afastamento, separação	apóstata, abster,
di	bi	dois	diplopia, bicentenário
en	in	para dentro, interna	emplastro, ingerido
endo	intra	movimento para dentro	endoscopia, intravenoso
epi	supra	posição superior	epitáfio, suprassumo
eu	bene	ser perfeito	eufórico, beneficente
hemi	semi	metade	hemisfério, semicolcheia
hiper	super	posição acima de	hipertermia, superlotado
hipo	sub	posição abaixo de	hipotermia, subdesenvolvido
para	ad	aproximação, ao lado de	parasita, adjunto
peri	circu	em torno de	perímetro, circunferência
poli	multi, pluri	multiplicidade	policlínica, multicultural
pro	pre	posição em frente	prognóstico, predisposição
sin	com, con	sintonia, companhia	sincronismo, concomitante

Sufixos

O sufixo, normalmente, não traz significação, mas altera o significado da palavra original, ou seja, ele pode modificar a classe gramatical, alterar o gênero e até o grau.

Radical – noit + sufixo – **ada** = noitada – uma nova palavra.

Radical – dentad(o) + sufixo – **ura** = dentadura – alteração de significado.

Radical – real + sufixo – **izar** = realizar – mudança de classe gramatical.

Estrutura e formação das palavras

Radical – livr(o) + sufixo – **aria** = livraria – mudança de gênero.

Radical – pe + sufixo – **zinho** = pezinho – mudança de grau.

Grande parte dos sufixos provém do grego e do latim e eles podem ser classificados como:

+ nominais: aqueles que formam os substantivos e os adjetivos;
+ verbais: aqueles que formam os verbos;
+ adverbiais: sufixo específico **mente** para formar os advérbios.

Sufixos nominais

Substantivos

a) sufixos que formam aumentativo: **aça, aço, arra, orra, aréu, ázio, alha, alho, ão, alhão, anzil, az, uça.**

barcaça, ricaço, bocarra, cabeçorra, povaréu, copázio, muralha, comilão, grandalhão, corpanzil, dentuça.

> ❖ Palavras primitivas femininas que se tornam derivadas pelo sufixo aumentativo **ão** passam a pertencer ao gênero masculino: **a** sala / **o** salão.
>
> ❖ Palavras como portão e cartão, por exemplo, apesar de apresentarem sufixos de aumentativo (ão), não simbolizam a ideia de aumento.

b) sufixos que formam diminutivo: **acho, ebre, eco, ela, ejo, eta, ete, eto, ico, icha, iço, im, (z)inho, isco, (z)ito, ota, ote, ula, ulo, ucho.**

riacho, casebre, livreco, viela, vilarejo, saleta, foguete, poemeto, burrico, barbicha, caniço, folhetim, pezinho, chuvisco, cabrito, ilhota, velhote, partícula, homúnculo, populacho.

Os sufixos indicam a noção de aumentativo ou diminutivo, mas também podem sugerir um sentido de afetividade ou desprezo, de acordo com o contexto:

Sinto falta daquele pestinha. (sentido de afetividade)

Não falo mais com aquela mulherzinha. (sentido pejorativo)

> ❖ Palavras como **folhinha**, por exemplo, apesar de apresentarem sufixo de diminutivo (**inha**), não simbolizam obrigatoriamente a ideia de diminuição, pois pode-se ler tanto a "folha pequena" como a "folhinha", calendário de uma folha ou folhas pequenas descartáveis.

c) sufixos que indicam a noção de quantidade: **ada, agem, ama, al, alha, aria, edo, eiro, io.**

gentarada, ramagem, dinheirama, milharal, gentalha, livraria, arvoredo, formigueiro, mulherio.

d) sufixos que informam ação, resultado de ação, estado, qualidade: **ada, dade, dão, ança, ância, ção, ença, ência, ez, eza, ice, ície, ismo, mento, ude, ura, vel**.

paulada, lealdade, solidão, mudança, tolerância, traição, esperança, competência, avidez, magreza, velhice, imundície, profissionalismo, acabamento, atitude, frescura, perecível

e) sufixos que indicam profissão, ofício: **ário, dor, eiro, ente, ista, nte, sor, tor**.

operário, vendedor, sapateiro, servente, jornalista, professor, escultor

f) sufixos que indicam lugar: **ário, douro, eiro, ório**.

vestiário, ancoradouro, canteiro, laboratório

g) sufixos que se referem aos termos científicos: **áceo, ácea, ato, ina, ite, oide, ose**.

rosáceo, violácea, sulfato, penicilina, vaselina, apendicite, rinite, celulose

h) sufixos que estão relacionados ao sistema político, religioso, educacional, científico: **ia, ismo**.

filosofia, psicologia, pedagogia, socialismo, cristianismo, modernismo

i) sufixos que formam substantivos femininos relacionados a características e títulos: **esa, essa, isa**.

duquesa, condessa, poetisa, sacerdotisa

j) sufixos que se referem a doenças e inflamações: **ose, ite**.

tuberculose, virose, esclerose, apendicite, gastrite

Adjetivos

a) sufixos que indicam origem ou nacionalidade: **ano, ão, eiro, eno, ense, ês, esa, eu, ino, ista, ol**.

curitibano, alemão, brasileiro, chileno, fluminense, inglês, francesa, europeu, florentino, paulista, espanhol

b) sufixos que apresentam o grau superlativo dos adjetivos: **imo, érrimo, íssimo**.

dificílimo, magérrimo, interessantíssimo

c) sufixos que formam adjetivos representativos de qualificação, excesso: **oso, udo**.

corajoso, medroso, gorduroso, feioso, cabeludo, peludo

Relação de mais alguns sufixos nominais					
ado: controlado	**ardo**: felizardo	**engo**: molengo	**il**: viril		**ugem**: ferrugem
aico: arcaico	**ático**: fanático	**esco**: burlesco	**ivo**: descritivo		**usco**: velhusco
âneo: cutâneo	**ato**: patronato	**ício**: vitalício	**onho**: medonho		**vel**: sociável

Sufixos verbais

a) aqueles que estão mais presentes na formação dos verbos da língua portuguesa: **ar**, **ear**, **ecer**, **izar**.

andar, falar, rezar, passear, acontecer, agradecer, priorizar etc.

b) aqueles que registram o momento em que a ação verbal acontece. Esse momento é chamado de **aspecto verbal** e indica:

+ a ação verbal que se inicia (verbos incoativos) – **ecer**, **escer**: amanhecer, florescer etc.

+ a ação verbal que se repete (verbos frequentativos) – **ear**, **ejar**: balancear, gotejar etc.

+ a ação verbal que exprime ação de pouca intensidade – **icar**, **iscar**, **itar**: bebericar, chuviscar, petiscar, saltitar etc.

❖ Na língua portuguesa, não existem desinências apropriadas ou específicas para demonstrar o aspecto verbal. Sufixos ou locuções verbais são utilizados para essa função.

Sufixo adverbial

Na língua portuguesa, existe somente um sufixo adverbial (**mente**), que pode se acrescentar:

+ a adjetivos, quando na forma feminina. Esse sufixo expressa circunstâncias, particularmente às de modo:

atent**a**mente, delicad**a**mente, franc**a**mente, delicios**a**mente etc.

+ a palavras terminadas em **or** e **ês**, geralmente no masculino, porque no português antigo só tinham uma forma para os dois gêneros:

portugu**es**mente, anteri**or**mente etc.

Exercícios

1. Separe o radical da relação de palavras abaixo.
   a) livro, livraria, livreiro
   b) fumaça, fumatório, esfumaçado
   c) fogão, fogueira, fogaréu
   d) renovar, novidade, inovação
   e) legalizar, ilegal, legalmente

2. **Informe dois cognatos para cada palavra dada.**
   a) mar   c) garota   e) café   g) honesto
   b) povo   d) ferro   f) branco   h) novo

3. **Indique a vogal temática e o tema de cada uma das formas verbais.**
   a) olhando   c) vencendo
   b) assistido   d) sonhado

4. **Dê a classificação das desinências nominais (gênero e número) e verbais (tempo, modo, pessoa e número) das palavras que seguem.**
   a) menin/a/s   c) adult/o/s
   b) pens/á/sse/mos   d) entr/a/ria/m

5. **Separe e classifique os afixos (prefixos e sufixos).**
   a) desmentido   d) hipótese   g) perímetro
   b) felizmente   e) caridade   h) gatinho
   c) empobrecer   f) anterioridade

6. **Observe a estrutura das palavras e nomeie cada um dos elementos mórficos: radical, vogal temática, tema, desinência, afixo.**
   a) cheg/á/va/mos   c) nad/a/dor/es
   b) in/feliz/mente   d) vend/e/ria/m

7. **Leia o seguinte trecho atentamente e responda ao que for solicitado.**

   Milhões de pessoas conhecem Leonardo da Vinci como o artista italiano que pintou a Mona Lisa, o quadro mais famoso do mundo. Milhões de outras pessoas o veem como um gênio, muitos anos-luz à frente do seu tempo em matéria de ciência, matemática e engenharia. Leo imaginou helicópteros, tanques de guerra e submarinos (sem falar no banheiro incrivelmente organizado que desenhou) alguns séculos antes de esses inventos se tornarem realidade.

   COX, Michael. *Leonardo da Vinci e seu supercérebro.* São Paulo: Companhia das Letras, 2004. p. 5.

   a) Retire desse trecho duas palavras que tenham sufixo formador de substantivo e uma palavra com sufixo de advérbio.
   b) Separe e identifique as desinências das formas verbais.
      buscou   tornarem   conhecem

c) Pesquise no trecho uma palavra que apresente prefixo e outra que apresente sufixo.
d) Separe e classifique os elementos mórficos das palavras **inventos** e **pintou**.

8. Relacione as palavras ao seu significado.
   a) micróbio
   b) pluviômetro
   c) sanitarista
   d) anfíbio
   e) nefrite
   f) neurose
   g) manuscrito
   h) astrólogo
   i) claustrofobia
   j) geólogo

   ( ) doença do sistema nervoso
   ( ) aversão a lugares fechados
   ( ) quem estuda os astros
   ( ) escrita de próprio punho
   ( ) quem estuda a Terra
   ( ) instrumento que mede a quantidade de chuva
   ( ) ambivalência (terra/água)
   ( ) vida pequena
   ( ) inflamação dos rins
   ( ) quem cuida da saúde pública

9. Numere conforme o significado dos sufixos.
   ( ) observat**ório**
   ( ) afric**ana**
   ( ) honesta**mente**
   ( ) sort**udo**
   ( ) serie**dade**

   (1) sufixo que denota excesso
   (2) ação, estado ou qualidade
   (3) sufixo formador de advérbios
   (4) sufixo que indica lugar
   (5) origem, naturalidade

10. Numere conforme o significado do radical destacado.
    ( ) demo**cracia**
    ( ) agrí**cola**
    ( ) petrolí**fero**
    ( ) insetí**voro**
    ( ) biblio**teca**

    (1) que cultiva
    (2) que produz
    (3) poder
    (4) local onde se guarda
    (5) que come

11. Numere conforme o significado dos prefixos.
    ( ) **sin**tonia
    ( ) **hipo**dérmico
    ( ) **des**lealdade
    ( ) **supra**citado
    ( ) **pro**gnóstico

    (1) posição abaixo de
    (2) posição acima de
    (3) reunião, companhia
    (4) negação
    (5) movimento para a frente

12. Substitua as expressões entre parênteses por uma palavra derivada de sentido equivalente, usando sempre um prefixo.
    a) Maria não queria tomar a injeção (dentro do músculo).
    b) Você deve (ver novamente) seu texto para corrigir seus erros.
    c) O susto foi tão grande que ele (ficou mudo).
    d) Ele toma medicamentos para controlar a (pressão alta).
    e) Apesar de jovem, ela escreveu a sua (história da própria vida).
    f) Ele já está no final da adolescência, mas seu rosto continua (sem barba).
    g) A garagem do prédio fica no (embaixo do solo).
    h) A seleção brasileira foi (três vezes campeã) do mundo.

Questões de vestibulares

1. (PUC-PR) Na palavra **infelizmente** temos três partes com um significado próprio: in, feliz e mente. Assinale a alternativa em que todos os elementos constituem partes significativas da palavra desigualdades.
    a) de-si-gual-da-des.
    b) des-igual-dade-s.
    c) desi-gual-da-des.
    d) des-i-gula-da-des.
    e) desigual-dades.

2. (Ufam-AM) Comente corrigindo a única afirmação errada quanto à análise mórfica da palavra **rejubilássemos**.
    a) **re** é prefixo.
    b) **jubi** é o radical primário.
    c) **a** é a vogal temática da 1ª conjugação.
    d) **sse** é a desinência número-temporal.
    e) **mos** é a desinência número-pessoal.

3. (Fatec-SP) Nas palavras **poliglota, tecnocracia, acrópole, demagogo** e **geografia**, encontramos elementos gregos que têm as seguintes significações, respectivamente:
    a) garganta, ciência, cidade, conduzo, terra.
    b) língua, governo, civilização, enganar, terra.
    c) muitas, deus, alto, povo, atleta.
    d) língua, governo, alto, povo, terra.
    e) muitas, poder, cidade, diabo, tratado.

4. (FMU-SP) Observe os prefixos latinos (à esquerda) e gregos (à direita) dos vocábulos abaixo.

1) transparente   ( ) hipertrófico
2) circunferência   ( ) parasita
3) benemérito   ( ) hipodérmico
4) supermercado   ( ) peripatético
5) subtítulo   ( ) diáfano
6) advogado   ( ) eugenia

Numere a segunda coluna em correspondência com a primeira e assinale a alternativa em que a sequência dos números está correta.
a) 4,6,5,1,2,3
b) 4,6,5,2,1,3
c) 4,6,2,5,1,3
d) 4,6,5,3,2,1
e) 6,4,2,1,3,5

5. (Fuvest-SP) O prefixo presente em semideia tem o mesmo valor semântico do prefixo que há em:

a) hipotensão
b) perífrase
c) anfiteatro
d) subalterno
e) hemisfério

6. (Fuvest-SP) Texto:
Sinhá Vitória falou assim, mas Fabiano resmungou, franziu a testa, achando a frase extravagante. Aves matarem bois e cabras, que lembrança! Olhou a mulher, desconfiado, julgou que ela estivesse tresvariando.

RAMOS, Graciliano. *Vidas secas*.

O prefixo assinalado em "TRESvariando" traduz a ideia de:
a) substituição
b) contiguidade
c) privação
d) interioridade
e) intensidade

7. (Cesgranrio-RJ) Assinale a opção em que se faz a análise CORRETA dos elementos mórficos, em destaque.

a) sentimento, emancipação
   -MENTO, -ÇÃO: sufixos formadores de substantivos a partir de adjetivos;
b) minuciosa, empresarial
   -OSA, -AL: sufixos formadores de adjetivos a partir de substantivos;
c) irreversível, desprotegidas
   -I, -DES: prefixos expressando afastamento, separação

d) pesquisa, americana
-A: desinência de gênero feminino;
e) psicanalista, masculinizar
vocábulos formados por dois radicais.

8. (Fuvest-SP) As palavras adivinhar, adivinho, adivinhação têm a mesma raiz, por isso são cognatas. Assinale a alternativa em que **não** ocorrem três cognatos.
a) alguém, algo, algum
b) ler, leitura, lição
c) ensinar, ensino, ensinamento
d) candura, cândido, incandescência
e) viver, vida, vidente

9. (Cesgranrio-RJ) O prefixo de **irregular** difere semanticamente do prefixo de:
a) desumano
b) imigrante
c) ilimitado
d) anormalidade
e) intolerância

10. (UFPE-PE) Estabeleça a combinação dos radicais latinos das colunas I e II, de forma a construir terminações que signifiquem: "quem vaga pela noite", "o que traz sono", "quem assassina o irmão", "quem quer o bem", "o que é relativo ao campo".
1) frati   vago
2) agri   fero
3) bene   cida
4) nocti   volo
5) soni   cola

A sequência correta é:
a) 5, 2, 3, 4 e 1
b) 4, 5, 1, 3 e 2
c) 1, 2, 3, 4 e 5
d) 2, 4, 5, 1 e 3
e) 2, 5, 1, 3, e 4

Processos de formação das palavras

A língua portuguesa, assim como todas as línguas modernas, é dinâmica. Isso quer dizer que o tempo todo palavras caem em desuso e novas surgem para suprir a necessidade de classificar novos objetos, novos procedimentos etc., que estão relacionados ao mundo social, da Ciência, da Arte, da Política. Fenômenos como o neologismo (formação de palavras novas), o estrangeirismo (empréstimo de expressões de outra língua) e a gíria (atribuição de novos significados a palavras ou expressões já existentes) mantêm o dinamismo da língua. Portanto, é impossível englobar todas as palavras de uma língua nos dicionários, e os verbetes relativos a uma palavra provavelmente não serão capazes de abranger todos os significados possíveis para essa palavra.

Diante dessa constante mudança, os dois processos básicos para a formação das palavras são a **derivação** e a **composição**. O **neologismo** também contribui para essa dinâmica, pois trata das palavras novas, criadas a partir de qualquer processo de formação de palavras.

Derivação

O processo pelo qual uma palavra é formada a partir de outra já existente chama-se **derivação**. A palavra que dá origem a outra é chamada **primitiva**. Ou seja, a palavra originária da palavra primitiva é a **derivada**, sem que haja alteração marcante em seu significado:

pasto – pastagem

A derivação acontece geralmente pelo acréscimo de afixos (prefixo e sufixo) e realiza-se das seguintes maneiras:

a) **derivação prefixal** ou **prefixação**: anteposição de um prefixo a uma palavra:

re + ver – rever; super + mercado – supermercado; des + ligar – desligar

b) **derivação sufixal** ou **sufixação**: acréscimo de um sufixo a um radical:

pedr + ada – pedrada; menin + inho – menininho; cert + eza – certeza

c) **derivação parassintética** ou **parassíntese**: acréscimo ao mesmo tempo de um prefixo e de um sufixo a uma palavra já existente:

a + noit + ecer – anoitecer; in + feliz + mente – infelizmente

> ❖ Se os acréscimos do sufixo e do prefixo não forem simultâneos, ou seja, caso existam as palavras derivadas isoladamente, ocorre a derivação por prefixação e sufixação, e não parassíntese.
>
> deslealdade = des + leal + dade (as palavras **desleal** e **lealdade** existem separadamente.)

d) **derivação regressiva**: redução de elementos da palavra primitiva.

brigar – briga; estudar – estudo; botequim – boteco

> ❖ A derivação regressiva ocorre com mais frequência na formação de substantivos a partir de verbos: sonhar – sonho; falar – fala; chorar – choro. São chamados substantivos deverbais.

e) **derivação imprópria**: mudança da classe gramatical de uma palavra sem sofrer alteração na sua forma:

Nossa resposta ao pedido foi um **não**. (O advérbio **não** é classificado como **substantivo**.)

Composição

O processo de formação de palavras a partir da junção de duas ou mais palavras ou de dois ou mais radicais já existentes chama-se **composição**. Ela pode ser realizada por:

a) **justaposição**: união de duas ou mais palavras (ou radicais) sem alterações na sua estrutura:

passatempo, girassol, televisão, guarda-roupa, bem-te-vi etc.

> ❖ Cada elemento da palavra mantém sua pronúncia e faz uso ou não do hífen. (Ver emprego do hífen na parte de Fonética.)

b) **aglutinação**: união de dois ou mais vocábulos (ou radicais) com alterações de pronúncia em um ou mais elementos:

plano + alto – planalto; boca + aberta – boquiaberto; em + boa + hora – embora

❖ Na derivação por aglutinação, acontece a supressão de elementos fonéticos.

Além da derivação e da composição, existem outros processos de formação de palavras.

Hibridismo

Quando uma palavra é formada por derivação ou composição utilizando-se de elementos mórficos de línguas diferentes, acontece o **hibridismo**.

São palavras híbridas:

do grego e do latim – automóvel, televisão, monocultura

do latim e do grego – sociologia, decímetro

do português e do grego – abreugrafia, Fernandópolis

do árabe e do grego – alcoômetro, alcaloide

do francês e do grego – burocracia

do português e do latim – asmático

do grego e do português – micro-ondas

do tupi e do português – goiabeira

❖ O dicionário etimológico é indicado para a consulta da origem e da formação das palavras híbridas.

Onomatopeia

A formação de palavras por meio da reprodução aproximada de sons e ruídos existentes na natureza é chamada **onomatopeia**.

No intuito de facilitar o entendimento ou as explicações em um momento de interlocução, as pessoas tendem a imitar vozes de animais ou sons característicos de determinadas situações para que a comunicação aconteça com mais fluidez.

Os vocábulos criados a partir dessas situações são geralmente monossilábicos ou pronunciados duas vezes:

toc-toc, tic-tac, zum-zum, zigue-zague, fonfom, tchibum, au-au, miau, piu etc.

Alguns verbos e substantivos imitativos	
cacarejar – cacarejo	miar – miado
ciciar – cicio	piar – pio
coaxar – coaxo	rugir – rugido
ladrar – latir – ganir	zumbir – zoar – chiar

Abreviação ou redução

Como já foi estudado na parte sobre Fonética, abreviatura é diferente de abreviação ou redução. Nesse caso, a **abreviação vocabular** caracteriza-se pela redução fonética de palavras ou expressões, que assumem o sentido da palavra original. Nesse processo de **redução**, eliminam-se sílabas de determinada palavra, desde que não prejudique sua compreensão.

foto (de fotografia)
moto (de motocicleta)
cine (de cinema)
quilo (de quilograma)
pneu (de pneumático)
seu (de senhor)

Existem casos de abreviação em que o prefixo ou um dos elementos da palavra composta assume autonomia para designá-los:

micro (de microcomputador)
vídeo (de videocassete)

Alguns vocábulos aparecem como exemplos de economia linguística mais complexas:

metrô (do vocábulo francês *métro*, que é a redução da expressão significativa "estrada de ferro metropolitana")

zoo (de zoológico)

> ❖ O radical grego **auto** (si mesmo) uniu-se ao radical latino *moveo* (mover) ao formar a palavra automóvel. O termo "auto" adquiriu um significado próprio (auto = carro). É do vocábulo **automóvel** que se retira o prefixo **auto** para formar **autoescola, autopeça, autoestrada**. Pode-se considerar que houve processo semelhante com a palavra **televisão**, pois da palavra híbrida provêm palavras novas, como **telejornal, telecurso, telenovela**.

Sigla

Como já foi visto na parte sobre Fonética, Fonologia e Ortografia, as **siglas** são formadas pelas letras ou sílabas iniciais das palavras que constituem entidades: USP – Universidade de São Paulo; Embratur – Empresa Brasileira de Turismo; CLT – Consolidação das Leis do Trabalho.

A partir das siglas, outras palavras podem ser formadas:

uspiano (de USP – Universidade de São Paulo); celetista (quem tem vínculo empregatício regido pela CLT).

Algumas siglas comuns na língua portuguesa originaram-se de palavras estrangeiras:

Aids – sigla em inglês para Síndrome da Imunodeficiência Adquirida.

HIV – sigla em inglês para Vírus da Imunodeficiência.

Estrangeirismo

O emprego de expressões estrangeiras na língua portuguesa é chamado **estrangeirismo**. Dada a frequência de sua utilização, alguns termos estrangeiros acabam por ser incorporados à língua, seja com uma nova ortografia (aportuguesada), seja simplesmente com sua grafia original.

stress – estresse; shampoo – xampu; surf – surfe; skate – esqueite etc.

site, on-line, e-mail, shorts etc.

❖ As palavras estrangeiras que mantêm a grafia original devem ser grafadas entre aspas ou grifadas em itálico.

Criação vocabular

A comunicação entre as pessoas por meio da linguagem, usando termos já existentes com novos significados ou criando termos para melhor expressar o que estão sentindo em determinado momento, torna a língua um organismo vivo, pois sofre modificações e se recria constantemente.

Na língua portuguesa atual, há exemplos relevantes de palavras existentes que acrescentaram ao seu rol de significados novos significados. Bons exemplos são as palavras:

+ **vírus**, que tinha como significação principal: agente infeccioso diminuto, que se replica somente no interior de células vivas hospedeiras. Atualmente, também significa: programa executado independentemente da vontade do usuário que se autocopia e danifica, corrompe e destrói informações armazenadas no computador.

+ **rede**, que pode ser desde tecido para se deitar ou pescar até um sistema constituído pela interligação de dois ou mais computadores e seus periféricos, com o objetivo de comunicação, compartilhamento e intercâmbio de dados.

Há novas palavras que ainda não foram incorporadas aos dicionários ou entraram há pouco, como **deletar**, **ecoturismo** etc.

Na língua portuguesa do Brasil, inúmeras palavras passaram a integrar e a enriquecer o léxico por meio da criatividade e da oportunidade dos falantes desse idioma. À maioria de termos gregos e latinos agregaram-se vocábulos de diversas partes do mundo em razão da comunicação entre os povos no decorrer dos acontecimentos históricos.

São também exemplos, além dos acima mencionados:

do alemão: guerra, Ricardo, norte, sul etc.

do árabe: algodão, azeite, muçulmano etc.

do chinês: chá, pequinês, nanquim etc.

do espanhol: cavalheiro, ninharia, ojeriza etc.

do francês: avenida, grave, elite, pose etc.

do hebraico: Páscoa, aleluia, Jesus, sábado etc.

do inglês: esporte, futebol, clube, bife etc.

do italiano: pastel, lasanha, maestro, piano etc.

das línguas africanas: marimbondo, macumba, vatapá etc.

do japonês: judô, biombo, quimono etc.

do russo: vodca, esputinique etc.

do tupi: saci, pitanga, jiboia, pajé etc.

do turco: algoz, horda, lacaio etc.

Atualmente, o inglês é o idioma mais influente na comunicação, e são inúmeros os termos utilizados ou recriados pelas pessoas que os veem veiculados na televisão, na internet, nas propagandas estampadas em revistas e jornais.

Exercícios

1. Indique o tipo de derivação das palavras grifadas nas frases abaixo.

    a) O <u>ataque</u> feriu <u>mortalmente</u> várias pessoas.
    b) O <u>policiamento</u> cercou o <u>supermercado</u>.
    c) A escova ficou <u>despedaçada</u>.
    d) Não entendo o <u>porquê</u> de sua recusa.
    e) O <u>estudo</u> de nossos jovens é deficiente.
    f) Ficamos <u>enlouquecidos</u> com o trânsito.
    g) A <u>coexistência</u> pacífica entre os povos é <u>delicada</u>.
    h) A <u>liberdade</u> é um direito <u>inquestionável</u>.
    i) Todo o seu <u>trabalho</u> foi <u>desperdiçado</u>.
    j) Ele chegou atrasado para o <u>jantar</u>.

Processos de formação das palavras

2. **Forme palavras novas utilizando prefixos.**

   a) iludir
   b) normal
   c) urbano
   d) decente
   e) sensível
   f) legal
   g) voar
   h) partilhar
   i) mentir
   j) dizer
   k) legível
   l) ler

3. **Empregando a sufixação, forme substantivos derivados a partir dos seguintes verbos.**

   a) divulgar
   b) investir
   c) poupar
   d) corrigir
   e) jurar
   f) absolver
   g) captar
   h) alterar
   i) render
   j) frustrar
   k) tolerar
   l) lembrar

4. **Forme palavras derivadas empregando a parassíntese.**

   a) alma
   b) louco
   c) doce
   d) buraco
   e) raiz
   f) terra
   g) pedaço
   h) tarde
   i) manhã
   j) noite
   k) frio
   l) fraco

5. **Por meio da derivação regressiva, forme substantivos a partir de cada verbo.**

   a) atacar
   b) castigar
   c) atrasar
   d) chorar
   e) pescar
   f) saltar
   g) vender
   h) brigar
   i) fugir
   j) censurar
   k) apelar
   l) sacar

6. **Identifique se as palavras foram compostas por justaposição ou por aglutinação.**

   a) petróleo
   b) beija-flor
   c) lobisomem
   d) passatempo
   e) pernilongo
   f) arco-íris
   g) vinagre
   h) pontapé
   i) girassol
   j) cabisbaixo
   k) malmequer
   l) embora

7. **Forme palavras por meio da união de elementos apresentados e indique o processo originário.**

   a) outra + hora
   b) es + claro + ecer
   c) filho + de + algo
   d) com + terra + neo
   e) água + ardente

8. **Reescreva as frases substituindo as expressões grifadas por adjetivos equivalentes. Faça os ajustes necessários.**

   a) O material daqueles uniformes <u>pode ser lavado</u>.
   b) Nós fomos <u>quase os últimos</u> a chegar.
   c) A região <u>dos lagos</u> será muito valorizada.
   d) O horário <u>da tarde</u> pode ser cancelado.
   e) Os problemas <u>no casamento</u> trazem tristeza e decepção.

Morfologia

9. Dê o significado dos radicais formadores das palavras grifadas nas frases abaixo. (Consulte a relação dos radicais se necessário.)

   a) Aquele país não é mais uma <u>democracia</u>.
   demos/kratós
   b) Ficou <u>afônico</u> de tanto gritar o nome do seu time.
   fono
   c) Os <u>termômetros</u> foram às alturas naquela tarde.
   termo/metro
   d) Aquela <u>nevralgia</u> não a deixou dormir.
   neuro/algia
   e) Os diferentes grupos <u>étnicos</u> precisam ser respeitados.
   etno

10. Procure o significado das expressões grifadas na relação de radicais.

    a) Existem pessoas <u>megalomaníacas</u>.
    b) O professor é <u>poliglota</u>.
    c) A <u>autobiografia</u> do cantor não será publicada.
    d) Os <u>cronômetros</u> ficaram danificados.
    e) Adoro pesquisar sobre <u>mitologia</u>.

Questões de vestibulares

1. **(FGV-SP) Modelo: nobre – enobrecer**

   Observe que o termo *enobrecer* formou-se a partir de nobre com o auxílio de um prefixo e de um sufixo.
   Abaixo, apresentamos pares de palavras. Em apenas um caso não se seguiu o modelo apresentado. Assinale a alternativa correspondente.

   a) triste – entristecer
   b) escuro – escurecer
   c) gordo – engordar
   d) duro – endurecer
   e) rico – enriquecer

2. **(PUC-RJ)** Assinale a alternativa em que todos os itens são formados a partir de um verbo.

   a) sentimento, ventania, extinção, mofino.
   b) resistência, regressar, cerebral, preocupação.

c) facilidade, pacificar, regularmente, alimentício.
d) fumaça, intimidade, prática, inexplorado.
e) explicável, sabedor, sofrimento, contemplação.

3. **(Umesp-SP)**

[...] *para que os*
justos e bons ganhem dinheiro,
sobretudo eu mesmo, porque, de outro jeito a vida não
vale a pena, para ver e mostrar o nunca
visto, o bem e o mal, o feio e o bonito.

(Adriana Calcanhoto e Joaquim Pedro de Andrade)

Observando o fragmento da música acima, percebe-se o emprego das palavras *feio* e *bonito* fora da classe gramatical que o dicionário apresenta: passam de adjetivo para substantivo.
Assinale a alternativa que também apresenta uma alteração de classe gramatical, de acordo com o texto.
a) bem – de adjetivo para substantivo
b) nunca visto – de advérbio e verbo para substantivo
c) bem – de substantivo para advérbio
d) mal – de pronome indefinido para adjetivo
e) nunca visto – de pronome indefinido e verbo para adjetivo

4. **(Fuvest-SP)** Assinale a alternativa em que uma das palavras não é formada por prefixação.

a) readquirir, predestinado, propor
b) irregular, amoral, demover
c) remeter, conter, antegozar
d) irrestrito, antípoda, prever
e) dever, deter, antever

5. **(Fesp-SP)** Considerando o processo de formação de palavras, relacione a segunda coluna com a primeira.

1) derivação imprópria   ( ) desencanto
2) prefixação   ( ) narrador
3) prefixação e sufixação   ( ) o andar
4) sufixação   ( ) infinitamente
5) composição por justaposição   ( ) pão de mel

Assinale a alternativa que contenha a numeração em sequência correta.
a) 2,4,3,5,1
b) 4,1,5,2,3
c) 3,4,2,1,5
d) 2,4,1,3,5
e) 4,1,5,3,2

6. **(Faap-SP)** "Vou-me embora pra Pasárgada."
   Embora (em+boa+hora) – processo de formação de palavras a que chamamos:
   a) derivação prefixal
   b) derivação sufixal
   c) composição por justaposição
   d) composição por aglutinação
   e) derivação regressiva

7. **(UFSC-SC)** Separe as correspondências verdadeiras das falsas.
   a) maluquice: derivação prefixal e sufixal ( )
   b) ensalmouradas: composição por aglutinação ( )
   c) extra: derivação regressiva ( )
   d) o porquê: derivação imprópria ( )
   e) subterrâneo: derivação parassintética ( )
   f) desencaminhar: derivação prefixal e sufixal ( )
   g) vaivém: composição por justaposição ( )
   h) ingrato: redução ( )
   i) monocultura: hibridismo ( )

8. **(Fuvest-SP) Leia os versos abaixo, pertencentes a uma cantiga de amigo, do trovadorismo português.**
   Ai, flores, ai flores do verde ramo
   se saberdes novas do meu amado?
   Ai, Deus, e u é
   (sabedes = sabeis; u = onde)
   Encontre no trecho acima um exemplo de derivação imprópria.

9. **(UFPB-PB)** O processo de formação das palavras beleza, envelhecer e girassol é, respectivamente, o mesmo de:
   a) terreiro, anoitecer e buscapé
   b) livraria, ancorar e super-homem
   c) aguardente, nacionalizar e janta
   d) bondade, enjaular e francamente
   e) abalo, adoçar e passatempo

10. **(CPCAR-MG) Leia atentamente as afirmações abaixo.**
    I – No vocábulo **surradíssimo**, observa-se a derivação sufixal.
    II – Os vocábulos **sorriso**, **arterial** e **ironizar** são formados por sufixos nominais.
    III – **Patologia** é formado por hibridismo.

    Estão corretas apenas a(s) afirmativa(s):
    a) I e II   b) I   c) II   d) I, II, III

Classificação e flexão das palavras

Classes de palavras

Para se comunicar, os brasileiros se utilizam de um código comum, que é a língua portuguesa. As palavras são organizadas para formar frases, que se tornam períodos e, por fim, um discurso a ser pronunciado ou um texto a ser escrito ou lido.

Cada palavra desse conjunto textual adquire uma função no momento da comunicação verbal ou escrita.

Para definir essa função, organizou-se uma **classificação** que obedece a certos critérios semânticos, sintáticos e formais. Se o critério for semântico, considera-se o sentido, a significação da palavra; se a escolha for baseada em um critério sintático, leva-se em conta a função que a palavra desempenha em uma oração; se for estabelecido o critério formal, considera-se sua forma.

Leia a seguinte frase:

"A editora vai publicar uma coletânea de poemas inéditos."

As palavras editora, coletânea e poemas pertencem a uma mesma classe gramatical (substantivos: designam objetos; critério semântico), indicam a flexão de gênero e número – poemas inéditos (masculino plural; critério formal) – e exercem determinada função sintática na oração (sujeito e objeto direto; critério sintático).

As palavras na língua portuguesa admitem variações em sua forma, isto é, podem mudar sua terminação a fim de determinar a alteração de significado. Essa variação é chamada **flexão**. As que se flexionam são **variáveis** e as que não se flexionam são **invariáveis**.

As variações na forma aparecem por meio das desinências que indicam a flexão dos nomes (nominais) e a dos verbos (verbais).

As palavras em português apresentam flexões de gênero, número, grau, tempo, modo e pessoa.

As palavras da língua portuguesa são divididas e classificadas em dez classes.

Variáveis	Invariáveis
1. Substantivo	7. Advérbio
2. Artigo	8. Preposição
3. Adjetivo	9. Conjunção
4. Numeral	10. Interjeição
5. Pronome	
6. Verbo	

+ Os substantivos, artigos, adjetivos, numerais e pronomes são agrupados como nomes, pois caracterizam e determinam seres, objetos, fatos etc.
+ Os verbos e advérbios definem a circunstância em que ocorre a ação.
+ As preposições e conjunções fazem a ligação entre as palavras e os termos da oração.
+ A interjeição transmite emoção.

O estudo das classes de palavras será feito atendendo ao **aspecto morfológico**.

❖ As **locuções** fazem parte dessa classificação gramatical, pois são expressões compostas de duas ou mais palavras que se comportam como uma única palavra.

Exemplos: **ali** é advérbio; **por ali** é locução adverbial; **fazer** é verbo; **estou fazendo** é locução verbal.

❖ Uma mesma palavra pode pertencer a diferentes classes gramaticais.

Exemplos: Aquele sapato está velho. (velho – adjetivo)
Aquele velho foi maltratado no meio da rua. (velho – substantivo)
Vou olhar as vitrines. (olhar – verbo)
O olhar dela demonstrava tristeza. (olhar – substantivo)

Substantivo

O substantivo é a palavra variável em gênero, número e grau que dá nome aos seres.

Seres, objetos, fatos, sentimentos, emoções, enfim, tudo o que se vê, se ouve, se sente ou imagina tem um nome, e esse nome é classificado como substantivo.

Na sintaxe, são núcleos, em funções sintáticas essenciais e integrantes, como sujeito e objeto.

Classificação do substantivo

O substantivo é classificado da seguinte maneira:

+ quanto ao seu significado: pode ser **próprio** ou **comum**; **concreto** ou **abstrato**.
+ quanto à sua formação: pode ser **simples** ou **composto**; **primitivo** ou **derivado**.
+ quanto à formação e ao significado, simultaneamente, pode ser um substantivo **coletivo**.

a) **Substantivo próprio** – nomeia especificamente um só ser dentre os demais. É grafado com letra inicial maiúscula: Brasil, Paris, Maria, Eurico, José, Deus, Rio de Janeiro etc.

b) **Substantivo comum** – nomeia genericamente qualquer ser da espécie. É grafado com letra inicial minúscula, exceto em circunstâncias especiais ou no início de frase: pessoa, criança, mesa, apartamento, luz, oceano etc.

c) **Substantivo concreto** – nomeia seres reais ou não, independentes de outros seres: casa, homem, país, rua, caneta, fantasma etc.

d) **Substantivo abstrato** – nomeia ação, qualidade, sentimento ou emoção e só existe na dependência de outros seres: corrida, beijo, beleza, inteligência, saudade, ciúme etc.

e) **Substantivo simples** – é constituído de um radical ou uma palavra: amor, maçã, gato, pão, tempo, chuva etc.

f) **Substantivo composto** – é constituído de duas ou mais palavras: amor-perfeito, passatempo, guarda-chuva, pão de ló, malmequer, bem-te-vi etc.

g) **Substantivo primitivo** – não deriva de nenhuma outra palavra da língua portuguesa e seu radical pode originar outros vocábulos: terra, sol, dia, pedra, flor, casa etc.

h) **Substantivo derivado** – deriva de outra palavra, pois afixos são acrescidos ao seu radical: terreno, ensolarado, diariamente, pedreira, florescer, casebre etc.

i) **Substantivo coletivo** – designa um conjunto de seres da mesma espécie. Está classificado como substantivo comum e apresenta-se no singular.

Relação dos substantivos coletivos mais comuns na língua portuguesa	
academia: de escritores, de artistas	**câmara**: de deputados, de senadores
acervo: de obras artísticas	**cambada**: de malfeitores, de ladrões
álbum: de fotografias, de figurinhas	**cancioneiro**: de canções, de poesia
alcateia: de lobos	**caravana**: de viajantes, de peregrinos
antologia (seleta, coletânea): de textos selecionados	**cardume**: de peixes
armada: de navios de guerra	**casario**: de casas
arquipélago: de ilhas	**chusma**: de criados, de populares
arsenal: de armas e munições	**clero**: de sacerdotes
assembleia: de parlamentares, de membros associados	**clientela**: de clientes de médicos, de advogados, de um estabelecimento comercial etc.
atlas: de mapas	**código**: de leis
bagagem: de objetos de viagem	**colégio**: de eleitores, de alunos
baixela: de utensílios de mesa	**colmeia**: de abelhas
banca: de examinadores	**companhia**: de soldados, de artistas teatrais
banda: de músicos	**concílio**: de bispos
bando: de aves, de pessoas	**conclave**: de cardeais (para eleger o papa)
batalhão: de soldados	**congregação**: de religiosos, de professores
biblioteca: de livros	**constelação**: de estrelas
boiada: de bois	**cordilheira**: de montanhas
cacho: de uvas, de cabelos	**corja**: de vadios, de malandros
cáfila: de camelos	**década**: de dez anos

discoteca: de discos	**monte**: de coisas
elenco: de artistas, de atores	**multidão**: de pessoas
enxame: de abelhas	**ninhada**: de filhotes
enxoval: de roupas e acessórios	**nuvem**: de mosquitos, de gafanhotos
esquadra: de navios de guerra	**ordem**: de advogados, de religiosos
falange: de soldados, de tropas	**orquestra**: de músicos
fato: de cabras	**pelotão**: de soldados
fauna: de animais de uma região	**penca**: de frutas, de bananas, de filhos
feixe: de lenha, de raios de luz	**pinacoteca**: de quadros
fileira: de pessoas, de coisas	**piquete**: de grevistas
filmoteca: de filmes	**plantel**: de atletas de ponta, de animais de raça
flora: de plantas de uma região	**plateia**: de espectadores, de ouvintes
fornada: de pães	**plêiade**: de sábios, poetas, de notáveis
frota: de veículos, de navios	**pomar**: de árvores frutíferas
gado: de animais em pastos no campo	**prole**: de filhos e filhas
galeria: de obras de arte em exposição, de quadros	**quadrilha**: de assaltantes, de malfeitores
hemeroteca: de recortes de jornais, de revistas	**ramalhete**: de flores
herbário: de plantas para estudo	**rebanho**: de reses, de gado em geral
hinário: de hinos	**repertório**: de peças musicais ou teatrais
horda: de desordeiros, de invasores	**resma**: de quinhentas folhas de papel
irmandade: de membros de associação religiosa	**réstia**: de cebolas, de alhos
junta: de médicos, de examinadores	**revoada**: de pássaros
júri: de jurados	**rol (ou ror)**: de coisas ou pessoas
legião: de soldados, de anjos ou demônios	**ronda**: de sentinelas, de patrulhas
leva: de coisas ou de pessoas	**século**: de cem anos
lote: de coisas	**súcia**: de malandros, de desonestos
malta: de bandidos	**tríade**: de três pessoas ou coisas
manada: de animais de grande porte	**tripulação**: de pessoas em trabalho de direção (avião ou navio)
maquinaria: de máquinas	**tropa**: de soldados, de animais
matilha: de cães de caça	**turma**: de amigos, de alunos, de trabalhadores
milênio: de mil anos	**vara**: de porcos
miríade: de quantidade de coisas, de estrelas	**vocabulário**: de palavras
molho: de chaves	

Flexão do substantivo

O substantivo flexiona-se em **gênero**, **número** e **grau**.

Gênero

Há dois gêneros na língua portuguesa: o **masculino** e o **feminino**. Não apenas o substantivo, mas também outras classes de palavras apresentam flexão de gênero: adjetivo, artigo, numeral e pronome.

São considerados masculinos os substantivos que admitem o artigo **o** e femininos os que admitem o artigo **a**: **o** homem, **o** livro, **o** carro, **o** computador; **a** mulher, **a** escritora, **a** mesa, **a** agenda etc.

De maneira geral, o gênero está relacionado ao sexo dos seres animados: **o** menin**o**, **a** garot**a**, **o** índi**o**, **a** enfermeir**a**. Nos inanimados, a distinção é somente convencional, baseada na tradição do uso e da norma. Os objetos lápis, faca, sapato, carteira não têm sexo, no entanto, podem ser caracterizados como substantivos masculinos ou femininos quando se antepõe a eles o artigo **o** ou **a**.

❖ É importante não confundir gênero com sexo. O gênero refere-se a uma classificação gramatical e sexo caracteriza o ser racional ou irracional.

Os substantivos que apresentam uma só forma para indicar o gênero são chamados **uniformes** (a vítima, a criança, a pessoa, o cônjuge etc.). Os que têm duas formas são os **biformes** (professor/professora; médico/médica; aluno/aluna etc.).

❖ A terminação do substantivo em **o** ou **a** não é regra para determinar se a palavra pertence ao gênero masculino ou feminino. As palavras: a cidad**e**, o pape**l**, a do**r**, o ônibu**s** são alguns exemplos de que essa regra nem sempre funciona.

Substantivos biformes

Formação do substantivo feminino

O processo de formação do substantivo feminino pode ocorrer de diversas maneiras.

Por meio de morfema (desinências e sufixos):

+ troca-se a terminação **o** para **a**:

garot**o**/garot**a**; advogad**o**/advogad**a**; pat**o**/pat**a** etc.

+ acrescenta-se **a** aos substantivos terminados em **ês**, **or**, **l** e **z**:

ingl**ês**/ingles**a**; escrit**or**/escrit**ora**; genera**l**/genera**la**; jui**z**/juí**za** etc.

Substantivo 111

- troca-se a terminação **ão** para **ã**, **oa**, **ona**:

    irm**ão**/irm**ã**; patr**ão**/patr**oa**; foli**ão**/foli**ona** etc.

- troca-se a terminação **or** por **eira** ou **triz**:

    namorad**or**/namorad**eira**; at**or**/a**triz** etc.

> ❖ Para o feminino do cargo de embaixador, o correto é embaixadora. Embaixatriz é a esposa do embaixador.

- trocam-se as terminações **e** e **a** para **essa**, **esa** ou **isa**:

    cond**e**/cond**essa**; príncip**e**/princ**esa**; sacerdot**e**/sacerdot**isa**; profet**a**/profet**isa** etc.

> ❖ Para a palavra **poeta**, são aceitos os femininos **poetisa** e **poeta**.

- muda-se para diferentes terminações:

    her**ói**/hero**ína**; maestr**o**/maestr**ina**; r**éu**/r**é**; av**ô**/av**ó**; mon**ge**/mon**ja** etc.

    Por meio da mudança de radical:

- utiliza-se um substantivo proveniente de outro radical, pois o feminino não é formado pela flexão do substantivo masculino.

    Os substantivos femininos resultantes dessa formação são chamados **heterônimos**:

    homem/mulher; cavalo/égua; carneiro/ovelha; cavaleiro/amazona; cavalheiro/dama etc.

    Seguem alguns exemplos de formação de substantivos femininos:

anfitrião/anfitriã, anfitrioa	píton/pitonisa
cerzidor/cerzideira	prior/prioresa
cônsul/consulesa	rajá/rani
deus/deusa, deia	sandeu/sandia
ermitão/ermitã, ermitoa	tecelão/tecelã, teceloa
frei/sóror, soror	tigre/tigresa
tabaréu/tabaroa	touro, boi/vaca
perdigão/perdiz	varão/matrona

Substantivos uniformes

Epiceno

Esse substantivo apresenta uma só forma para designar os dois gêneros em nomes de animais e insetos. Para especificar o sexo, acrescentam-se os adjetivos **macho** ou **fêmea**:

o crocodilo macho/o crocodilo fêmea   a onça macho/a onça fêmea
o jacaré macho/o jacaré fêmea   a cobra macho/a cobra fêmea

Outros exemplos de epicenos:

o besouro	a águia
o gavião	a borboleta
o jaguar	a mosca
o pernilongo	a pulga
o rinoceronte	a rã
o sapo	a tartaruga
o tatu	a zebra

❖ Há algumas exceções em nomes de animais. Por exemplo, o feminino de **leão** é **leoa** e pode-se considerar **tigresa** o feminino de **tigre**.

Sobrecomum

Apresenta um só gênero para referir-se ao masculino ou ao feminino.

o sujeito   **a** pessoa
o indivíduo   a testemunha
o cônjuge   a criança
o guia   a vítima
o animal   a criatura
o membro   a presa
o ser
o cadáver
o monstro

Comum de dois

Apresenta uma só forma para o masculino ou para o feminino e distinguem-se os gêneros pelo artigo, pelo adjetivo ou pelo pronome adjetivo que o acompanha.

o artista/**a** artista   **o** fã ardoros**o**/**a** fã ardoros**a**
o colega/a colega   o pianista famoso/a pianista famosa
o cliente/a cliente   o bom motorista/a má motorista
o imigrante/a imigrante   aquele jovem/aquela jovem
o dentista/a dentista   este estudante/esta estudante

Substantivo

o indígena/a indígena esse rival/essa rival

o intérprete/a intérprete o repórter estrangeiro/a repórter estrangeira

o selvagem/a selvagem aquele mártir/aquela mártir

o manequim/a manequim aquele modelo fotográfico/aquela modelo fotográfica

❖ O substantivo **sósia** é masculino em razão de sua origem, mas, em alguns dicionários atuais, o termo aparece como comum de dois gêneros. Exemplos:

Minha namorada tem uma sósia na empresa em que trabalha.

Meu irmão parece ser o sósia daquele famoso cantor.

Casos especiais de gênero

Substantivos que causam dúvida quanto ao gênero:

São **masculinos** os substantivos:	
o alvará	o lança-perfume
o apêndice	o magazine
o champanhe(a)	o maracujá
o clã	o mármore
o dó	o milhar
o eclipse	o pernoite
o espécime	o praça (soldado, pracinha)
o formicida	o sabiá
o gengibre	o sanduíche
o guaraná	o somatório
o herpes	o suéter

São **masculinos** a maioria dos substantivos terminados em **ma**, de origem grega:		
o aneurisma	o edema	o hematoma
o axioma	o emblema	o magma
o diadema	o estigma	o plasma
o diagrama	o estratagema	o quilograma
o dilema	o fonema	o telefonema
o eczema	o glaucoma	o teorema

São **femininos** os substantivos:		
a aguardente	a elipse	a musse
a alcunha	a entorse	a nuance
a análise	a faringe	a omoplata
a cal	a fênix	a pane
a cataplasma	a gênese	a rês
a cólera (raiva, ira)	a hélice	a sentinela
a comichão	a juriti	a sucuri
a derme	a libido	a tíbia
a dinamite	a mascote	a ubá (canoa)

São indiferentemente **masculinos** ou **femininos** os substantivos:	
acne	laringe
ágape	personagem
caudal	sabiá
crisma	soprano
dengue	sósia
diabete(s)	suéter
hélice	trama
íris	usucapião

❖ Alguns substantivos de mesmo significado são utilizados ora no masculino, ora no feminino. E há também exemplos em um só gênero, conforme a preferência dos autores.

A palavra **personagem**, em português, pode ser tanto masculina como feminina:

> O enredo existe através **das** personagens; **as** personagens vivem no enredo.
>
> CÂNDIDO, Antônio. *A personagem de ficção*. São Paulo: Perspectiva, 1987.

No entanto, se a personagem for feminina, sugere-se optar pelo gênero feminino:

A personagem Capitu é uma das mais importantes da literatura brasileira.

Substantivo 115

Substantivos iguais na forma e diferentes no significado

Há substantivos que são **masculinos** ou **femininos**, de acordo com o significado em que são empregados:	
o cabeça – o líder a cabeça – parte do corpo humano	o estepe – pneu sobressalente a estepe – planície com vegetação
o caixa – funcionário do setor de pagamento a caixa – recipiente para guardar objetos	o grama – unidade de massa, peso a grama – vegetação rasteira
o capital – o dinheiro a capital – cidade-sede de governo	o guia – publicação contendo instruções a guia – documento para fazer pagamento
o cisma – discordância, opinião contrária a cisma – receio, temor	o lotação – veículo a lotação – capacidade de um local
o cobra – indivíduo esperto, inteligente a cobra – serpente	o moral – ânimo, vontade a moral – regras de conduta
o cura – o vigário a cura – recuperação da saúde	o rádio – aparelho receptor a rádio – estação ou emissora de rádio

❖ Alguns substantivos têm os dois gêneros, mas um deles é o mais empregado: **o** chinelo/**a** chinela, **o** jarro/**a** jarra, **o** ramo/**a** rama.

Número

Ao considerar o número do substantivo, ele pode se apresentar no **singular** ou no **plural**. O número indica um ou mais elementos em um grupo.

Estarão no singular os substantivos que indicarem um elemento ou um grupo de elementos: menino, motocicleta, multidão, colégio etc.

Estarão no plural os substantivos que indicarem mais de um elemento ou mais de um grupo de elementos: meninos, motocicletas, multidões, colégios etc. A regra geral para flexionar um substantivo singular para o plural é acrescentar a ele a desinência **s**.

Formação do plural dos substantivos

O plural dos substantivos pode ser formado de diversas maneiras. Seguem as principais maneiras de fazê-lo.

Plural dos substantivos simples

+ substantivos terminados em **vogal** ou **ditongo oral** – acréscimo de **s** à forma singular:

casa/casas, vestido/vestidos, parente/parentes, pai/pais, régua/réguas etc.

- substantivos terminados pela letra **m** – troca-se o **m** final por **ns**:

  armazém/armazéns, jovem/jovens, refém/reféns, bombom/bombons, álbum/álbuns etc.

- substantivos terminados em **ão** – três maneiras possíveis de se formar o plural:
  - troca-se o **ão** por **ãos**: irmão/irmãos, cidadão/cidadãos, mão/mãos etc.

    (E em todos os vocábulos paroxítonos terminados em ão: órgão/órgãos, sótão/sótãos, órfão/órfãos etc.)
  - troca-se o **ão** por **ões**: espião/espiões, caixão/caixões, anão/anões, limão/limões, leão/leões etc.
  - troca-se o **ão** por **ães**: cão/cães, alemão/alemães, pão/pães, capitão/capitães etc.

> ❖ Alguns substantivos terminados em **ão** admitem mais de um plural:
>
> verão – verões/verãos
> vilão – vilões/vilãos
> corrimão – corrimões/corrimãos
> charlatão – charlatões/charlatães
> vulcão – vulcões/vulcãos
> aldeão – aldeões/aldeãos/aldeães
>
> Porém, há preferência pela terminação **ões** na linguagem habitual.

- substantivos terminados em **al**, **el**, **ol**, **ul** – troca-se o **l** final por **is** na forma plural:

  jornal/jornais, papel/papéis, álcool/álcoois, túnel/túneis etc.

> ❖ As palavras mal e cônsul fazem a terminação do plural em **es**: males, cônsules.
>
> ❖ A palavra mel aceita duas formas de plural: méis ou meles.

- substantivos terminados em **il** – duas maneiras possíveis de se formar o plural:
  - troca-se o **il** por **is** nos vocábulos oxítonos: fuzil/fuzis, barril/barris, canil/canis etc.
  - troca-se o **il** por **eis** nos vocábulos paroxítonos: réptil/répteis, fóssil/fósseis etc.

> ❖ As palavras **réptil** e **projétil** são paroxítonas, mas podem aparecer também como oxítonas (reptil e projetil). Há, portanto, duas formas de plural possíveis: répteis/projéteis e reptis/projetis.

- substantivos terminados em **r**, **z** e **n** – acréscimo de **es** à forma singular:

  mulher/mulheres, colher/colheres, cruz/cruzes, luz/luzes, abdômen/abdômenes etc.

Substantivo

Para as palavras terminadas em **n** é mais comum receber o **s** no plural: abdomens, polens, hifens.

+ substantivos terminados pela letra **s** – duas maneiras possíveis de se formar o plural:
    - acréscimo de **es** nos monossílabos tônicos e nas palavras oxítonas:
    mês/meses, gás/gases, deus/deuses, português/portugueses etc.
    - **invariável** nas palavras paroxítonas e nas proparoxítonas:
    o tênis/os tênis, o atlas/os atlas, o lápis/os lápis, o ônibus/os ônibus etc.
+ substantivos terminados pela letra **x** – **invariável**:
o tórax/os tórax, a fênix/as fênix etc.
+ substantivos nos diminutivos – acréscimo do sufixo plural **zinho** à palavra primitiva no plural e troca do **s** pelo **z**:
pão/pães/pãezinhos   farol/faróis/faroizinhos
limão/limões/limõezinhos   animal/animais/animaizinhos

❖ Na passagem para o plural de substantivos terminados em **r**, a **sílaba tônica** se desloca: ca**rá**ter/carac**te**res, **jú**nior/juni**o**res, **sê**nior/seni**o**res.

❖ **Nomes próprios**, **letras** e **números** recebem o plural com **s** no final: a Maria/as **Marias**, o sete/os **setes**, o a/os **as**, o agá/os **agás**, o erre/os **erres** etc.

❖ Os numerais **dois**, **três**, **seis** e **dez** não flexionam no plural: o seis/**os seis**.

❖ As **siglas** fazem o plural acrescentando um **s** (minúsculo) no final: as ONGs, os PMs, os CDs etc.

❖ As **palavras substantivadas** (aquelas de outras classes gramaticais que assumem características de substantivos) flexionam no plural como os substantivos: os prós e os contras, os sins e os nãos.

❖ Os **substantivos estrangeiros** são escritos na forma original quando ainda não receberam uma forma aportuguesada, e fazem o plural com **s** final (com **z** em algumas exceções): *shows, deficits, watts, pizzas, habitats* etc. Os substantivos aportuguesados fazem o plural de acordo com a regra geral: clubes, esportes, garçons, times etc.

Alguns substantivos apresentam mudança de sentido quando flexionados no plural:	
bem – virtude	bens – propriedades
copa – ramagem superior da árvore	copas – naipe de baralho
costa – litoral	costas – parte posterior do corpo humano
féria – salário dos trabalhadores	férias – descanso merecido
ouro – metal	ouros – naipe de baralho

Há substantivos que admitem mais de uma forma de **plural**:
padre-nosso – padre-nossos – padres-nossos
salário-família – salários-família – salários-famílias
salvo-conduto – salvo-condutos – salvos-condutos

Alguns substantivos só aparecem na forma de **plural**:	
os afazeres	os óculos
os arredores	as olheiras
as condolências	os parabéns
as férias	os pêsames
as fezes	os picles
as núpcias	

Alguns substantivos geralmente só são usados no **singular**:	
o cristianismo	o oxigênio
a fome	a plebe
a fumaça	o pó
a gente	a sede
a neve	a sinceridade

Plural metafônico

Em certos substantivos, a passagem para o plural acarreta a mudança de timbre da vogal tônica. Esse fenômeno é chamado **metafonia**: o tônico fechado (**ô**) altera-se para o tônico aberto (**ó**).

singular (ô)/plural (ó)	singular (ô)/plural (ó)
aeroporto/aeroportos	osso/ossos
caroço/caroços	ovo/ovos
corpo/corpos	poço/poços
destroço/destroços	porco/porcos
esforço/esforços	porto/portos
fogo/fogos	posto/postos
forno/fornos	povo/povos
imposto/impostos	socorro/socorros
jogo/jogos	tijolo/tijolos
miolo/miolos	torto/tortos
olho/olhos	troço/troços

Substantivo

Em alguns substantivos, porém, o timbre permanece inalterado – tônico fechado (ô) – na passagem para o plural.

singular (ô)/plural (ô)	singular (ô)/plural (ô)
acordo/acordos	estojo/estojos
almoço/almoços	globo/globos
arroto/arrotos	gosto/gostos
boda/bodas	gozo/gozos
bolo/bolos	morro/morros
bolso/bolsos	pescoço/pescoços
cachorro/cachorros	polvo/polvos
coco/cocos	repolho/repolhos
encosto/encostos	rolo/rolos
esgoto/esgotos	toldo/toldos

Plural dos substantivos compostos

Na sistematização do plural dos substantivos compostos, são flexionados os substantivos e os adjetivos, enquanto verbos e advérbios não variam.

Seguem algumas regras:

+ os dois elementos variam, unidos por hífen, quando o plural for formado por:

substantivo + substantivo; **substantivo + adjetivo**; **adjetivo + substantivo**; **numeral + substantivo**: couves-flores, cirurgiões-dentistas, tios-avós, cachorros-quentes, guardas-noturnos, boas-vidas, más-línguas, sextas-feiras etc.

+ apenas o segundo elemento varia quando o plural for formado por:
    - elementos sem hífen: pontapés, girassóis, passatempos, ultrassons etc.
    - **verbo + substantivo**: guarda-roupas, beija-flores, bate-bocas etc.
    - palavras repetidas ou onomatopeias: tique-taques, bem-te-vis, pingue-pongues, toque-toques, corre-corres, pisca-piscas etc.

❖ Algumas gramáticas admitem também o plural dos dois elementos, por considerá-los dois verbos iguais e não duas palavras repetidas: corres-corres, piscas-piscas.

    - primeiro elemento invariável: ex-alunos, bem-amados, recém-nascidos, vice-presidentes, abaixo-assinados etc.
    - substantivos cuja primeira palavra seja grão, grã ou bel: grão-duques, grã-duquesas, bel-prazeres.

❖ Se a palavra **guarda** fizer referência à pessoa que está vigilante, trata-se de um substantivo e, nesse caso, é flexionado: os guardas-noturnos, os guardas-florestais.

✦ apenas o primeiro elemento varia quando o plural for formado por:
- **substantivo** + **preposição** + **substantivo**: pés de moleque, pães de ló, mulas sem cabeça etc.

❖ O plural do substantivo composto pôr do sol é pores do sol, pois o verbo pôr está substantivado.

- **substantivo** + **substantivo** e indicar tipo ou finalidade: bananas-prata, carros-pipa, salários-família, peixes-boi etc.

✦ os dois elementos ficam invariáveis quando o plural for formado por:
- **verbo** + **palavra invariável**: bota-fora, pisa-mansinho.
- **verbo** + **substantivo na forma plural**: saca-rolhas, guarda-vidas etc.

Exceções	
o arco-íris	os arco-íris
o bem-me-quer	os bem-me-queres
o bumba meu boi	os bumba meu boi
o diz que diz	os diz que diz
o fora da lei	os fora da lei
o joão-ninguém	os joões-ninguém
o maria vai com as outras	os maria vai com as outras
o mico-leão-dourado	os micos-leões-dourados
o ponto e vírgula	os ponto e vírgulas
o sem-terra	os sem-terra

Grau

Alguns substantivos podem apresentar uma relação de tamanho entre seres e objetos para expressar ideias e sentimentos. Além do sentido usual, que pode ser caracterizado como normal, o substantivo admite o grau **aumentativo** e o grau **diminutivo**.

A indicação de grau pode ser expressa de duas formas: **analítica** e **sintética**.

Forma analítica

A indicação do aumentativo ou diminutivo é dado pelo **adjetivo**:

homem **alto**   apartamento **grande**

O sucesso **estrondoso** daquela banda levou milhares de jovens a permanecer horas e horas à espera do *show*.

O pagamento **mínimo** das parcelas de uma compra pode acarretar dívidas **imensas**.

Forma sintética

A indicação do aumentativo ou diminutivo é dada pelos sufixos:

casa – cas**arão**   mulher – mulher**ona**

casa – cas**ebre**   mulher – mulher**zinha**

Relação de sufixos aumentativos mais comuns	
aça: barcaça	**aréu**: povaréu
aço: balaço	**arra**: bocarra
alha: muralha	**ázio**: copázio
alhão: dramalhão	**eirão**: vozeirão
ança: festança	**ona**: mãezona
anzil: corpanzil	**orra**: cabeçorra
ão: buracão	**uça**: dentuça
arão: casarão	**zarrão**: canzarrão

Relação de sufixos diminutivos mais comuns	
acho: riacho	**im**: camarim
ebre: casebre	**inha**: janelinha
eco: jornaleco	**inho**: banquinho
ejo: lugarejo	**isco**: chuvisco
ela: ruela	**ito**: mosquito
elho: grupelho	**ola**: bandeirola
eta: saleta	**ote**: velhote
ete: filete	**ucho**: papelucho
eto: folheto	**(c)ulo**: homúnculo
ico: namorico	**zinho/zinha**: irmãozinho/irmãzinha

- O grau do substantivo não é um caso de flexão, mas de derivação sufixal. A flexão de grau não implica uma alteração de concordância como no caso de gênero e de número dos substantivos.

  Exemplos: garot**o** espert**o**   garot**a** espert**a**   garot**os** espert**os**
  garot**o** espert**o**   garot**ão** espert**o**   garot**inho** espert**o**

- O diminutivo plural é feito por meio dos sufixos **zinho** ou **zito**, mas, inicialmente, o substantivo recebe a flexão de número no grau normal.

  Exemplos: animalzinho – animais + zinho = animaizinhos
  cão – cães + zito = cãezitos

- As formas sintéticas de aumentativo e diminutivo podem também expressar afetividade, crítica, desprezo ou zombaria: amorzinho, amigão, gentalha, padreco, porcalhão, povinho etc.

- Existem substantivos que, no decorrer do tempo, perderam a característica de gradação e assumiram novos significados: colchão, folhinha, papelão, cartilha etc.

- O processo de derivação prefixal está registrado na formação de aumentativos e diminutivos de algumas palavras: **super**mercado, **mini**saia etc.

Exercícios

1. Grife todos os substantivos encontrados no texto abaixo.

Nunca vi bicho mais feroz do que o homem, animal que vive armado. Alguém já viu um cachorro de faca, de metralhadora ou de bomba? O cão, quando luta, sempre em legítima defesa, ou na defesa de seus amigos humanos, é na garra, é no dente. O homem, pouco confiado nos seus braços e dentes (a maior parte usa dentadura), inventou os meios mais terríveis de destruição. [...]

LESSA, Orígenes. *Confissões de um vira-lata.*
8. ed. Rio de Janeiro: Ediouro, 1979.

2. Forme substantivos abstratos com os seguintes verbos.

abrir   cobrar
admitir   colher
armar   destruir
advertir   deter
beijar   digerir
capacitar   escrever

exceder
iludir
interpretar
inverter
manter
operar

punir
recear
recuperar
rescindir
restringir
sortear

3. Forme substantivos compostos relacionando as palavras das colunas. Use o hífen quando necessário.

água
ponta
guarda
amor
obra
passa
bate
ferro

perfeito
tempo
boca
velho
ardente
roupa
pé
prima

4. Substitua a expressão grifada pelo coletivo correspondente, fazendo as adaptações necessárias.

a) Os <u>cães de caça</u> atacaram um animal indefeso.
b) A <u>fileira de táxis</u> em frente ao aeroporto era grande.
c) Um <u>grande número de lobos</u> rondava pela mata.
d) Os <u>clientes</u> daquele médico famoso cancelaram todas as consultas.
e) O <u>grupo de atores</u> foi muito aplaudido depois da peça.
f) A preservação da natureza é tema de discussão para os próximos <u>cem anos</u>.
g) O <u>conjunto de ilhas</u> situava-se próximo à costa litorânea.
h) As <u>plantas de uma região</u> devem ser bem pesquisadas.

5. Classifique os substantivos destacados em simples ou compostos e primitivos ou derivados.

a) <u>Lobisomem</u> e <u>mula sem cabeça</u> assustam a <u>criançada</u>.
b) Parecia <u>infeliz</u> e <u>desesperançada</u> naquela <u>noite</u>.
c) Os <u>guarda-chuvas</u> foram esquecidos na <u>salinha</u> de espera.
d) A cidade <u>amanheceu</u> deserta, foi <u>abandonada</u> por todos.

6. Nas frases a seguir, estão grifadas palavras de diversas classes gramaticais. Indique apenas as que funcionam como substantivos.

a) O <u>olhar</u> das pessoas era de espanto e temor.
b) O homem <u>velho</u> parecia cansado e <u>doente</u>.
c) Aquele <u>velho</u> doente foi operado ontem.

d) Recebeu um não como resposta e se desesperou.
e) Eles não viram o bastante para testemunhar.
f) Choveu bastante naquele lugar deserto.

7. Existe mais de um substantivo para nomear coisas e seres. Encontre substantivos que apresentem conceitos semelhantes.

    Exemplo: roupa – vestimenta
    a) rio
    b) menino
    c) casa
    d) lugar

8. Dê o feminino dos seguintes substantivos.

    cavaleiro
    anfitrião
    freguês
    cavalheiro
    monge
    maestro
    padrinho
    ladrão
    réu
    cônsul

    campeão
    solteirão
    espião
    ator
    padre
    hebreu
    frade
    barão
    carneiro
    bode

9. Separe os substantivos uniformes de acordo com a seguinte classificação: epicenos, sobrecomuns e comuns de dois.

    fã   zebra   jacaré   jovem
    criança   animal   criatura   gavião
    artista   cliente   colega   ídolo
    tartaruga   vítima   paciente   onça
    rival   imigrante   testemunha indivíduo

10. Coloque o artigo definido feminino ou masculino antes do substantivo.

    dó   telefonema   apendicite
    cal   alface   eczema
    derme   entorse   eclipse
    estratagema   sentinela   apêndice
    champanha   dinamite   pampa

11. Dê o significado do substantivo conforme a flexão de gênero.

    o capital   o grama   o cabeça
    a capital   a grama   a cabeça
    o moral   o guia   o estepe
    a moral   a guia   a estepe

12. Flexione os seguintes substantivos no plural.

    álbum   réptil
    degrau   ás
    mês   túnel
    sol   sal
    giz   mal
    adeus   canil
    hífen   rã
    raiz   nuvem
    dólar   tribunal
    éter   refém

13. Explique o significado dos substantivos grifados.
    a) Não vejo a hora de dizer: chegaram as <u>férias</u>.
    b) Aquela senhora vivia com dor nas <u>costas</u>.
    c) A data de validade está próxima do <u>vencimento</u>.
    d) Os operários não receberam a <u>féria</u> conforme o prometido.
    e) A <u>costa</u> brasileira é bastante extensa.
    f) Gostaria de aumentar os meus <u>vencimentos</u>.

14. Passe para o plural os substantivos a seguir.

    pão   vulcão   anão   órfão
    coração   capitão   bênção   capelão
    cidadão   cirurgião   folião   peão
    órgão   mão   alemão   escrivão
    corrimão   vilão   mãe   afegão

15. Passe as frases para o plural e indique as que apresentam o plural metafônico.
    a) Ele não pagou o imposto devido.
    b) O jogo do campeonato foi adiado.
    c) O meu cachorro ficou doente.
    d) Esqueceu o forno ligado.
    e) O posto de gasolina foi lacrado porque estava irregular.

16. Flexione os substantivos compostos.

    beija-flor   amor-perfeito   bom-dia   cana-de-açúcar
    cachorro-quente   vice-presidente   guarda-roupa   carro-pipa
    guarda-noturno   decreto-lei   corre-corre   subgerente
    curto-circuito   pé de moleque   banana-maçã   boia-fria
    sexta-feira   alto-falante   má-língua   peixe-boi

17. Forme o aumentativo sintético dos seguintes substantivos.

barca	rapaz	mão
voz	fogo	dente
animal	febre	copo
homem	cabeça	casa
corpo	nariz	mulher

18. Forme o diminutivo sintético dos seguintes substantivos.

cão	mala	rua
rio	pele	sala
porta	namoro	bandeira
lugar	velho	gota
jornal	ilha	verso

19. Flexione no diminutivo plural.

papel	flor
pastel	animal
chapéu	colher
irmão	trem
coração	pá

20. Classifique os substantivos grifados conforme indicado a seguir.

(1) aumentativo pejorativo (3) aumentativo exaltado
(2) diminutivo afetivo   (4) diminutivo irônico

a) ( ) Que gracinha que vocês fizeram! Desmancharam o que já estava pronto.
b) ( ) Detesto aquela gentalha da rua.
c) ( ) Você sempre é um amorzinho.
d) ( ) O seu filho transformou-se num rapagão sensacional.

Questões de vestibulares

1. (F.Objetivo-SP) Assinale a alternativa em que todas as palavras são do gênero feminino.

a) omoplata, apendicite, cal, ferrugem
b) cal, faringe, dó, alface, telefonema
c) criança, cônjuge, champanha, dó, afã
d) cólera, agente, pianista, guaraná, vitrina
e) jacaré, ordenança, sofisma, análise, nauta

2. (PUC-SP) Observe: o verbo **atrair** produz **atração**. Usando esse modelo, aponte substantivos para:

   a) aspergir   b) mudar   c) isentar

3. (UM-SP) Aponte a alternativa que contém algum erro.

   a) No choque, quebra-se-lhe a omoplata.
   b) A sentinela saiu da guarita e o enxotou sem nenhum dó.
   c) Reclinado à sombra da velha árvore, tomou sossegadamente seu champanha.
   d) Qual não foi a surpresa do noivo, quando, à pergunta do padre se queria casar-se, sua cônjuge respondeu solenemente que não.
   e) O pedreiro, sacolejando o balde, enquanto andava, ia marcando com a cal derramada em seu caminho.

4. (ESPM-SP) Passe para o plural a frase abaixo, fazendo as devidas concordâncias.

   O livre-docente, em seu abaixo-assinado, pediu demissão do cargo.

5. (Cesgranrio-RJ) Assinale o substantivo que, como CRIANÇA e PESSOA, tem apenas um gênero.

   a) estudante
   b) indígena
   c) jornalista
   d) mártir
   e) testemunha

6. (Vunesp-SP) O gênero dos substantivos está correto em:

   a) É comum que as eclipses da lua coincidam com as piores tormentas e cataclismos.
   b) A guia dos turistas não falava japonês e teve de usar uma estratagema para comunicar-se com eles.
   c) Vamos dar um ênfase todo especial ao trabalho de prevenção do diabetes.
   d) Não obteve, até agora, a alvará de funcionamento e deve enviar à prefeitura uma xerox de inscrição da firma.
   e) A personagem vivida por ele tem um comportamento que é um verdadeiro modelo da moral vitoriana.

7. (UFPR-PR) Nas frases a seguir, não está claro se é homem ou mulher:

   1. O cônjuge se aproximou.
   2. O servente veio atender-nos.

3. O gerente chegou cedo.
a) no primeiro período;
b) no segundo período;
c) no terceiro período;
d) no primeiro e no segundo períodos;
e) no segundo e no terceiro períodos.

8. (FEI-SP) Siga o modelo:
difícil – dificuldade
a) magro   b) semelhante   c) autêntico

9. (UEPG-PR) A série de palavras que, no plural, mudam o timbre do (o) tônico é:
a) acordo, transtorno, sogro, morro, repolho.
b) imposto, povo, corpo, esforço, tijolo.
c) logro, toco, soldo, gorro, fofo.
d) gafanhoto, globo, bolso, coco, bolo.
e) forro, esposo, rolo, sopro, topo.

10. (Fuvest-SP) Assinale a alternativa em que está correta a forma plural.
a) júnior – júniors
b) mal – maus
c) fuzil – fuzíveis
d) gavião – gaviães
e) atlas – atlas

11. (FGV-SP) Das alternativas abaixo, assinale aquela em que ao menos um plural não está correto.
a) mão, mãos; demão, demãos
b) capitão, capitães; ladrão, ladrões
c) pistão, pistões; encontrão, encontrões
d) portão, portões; cidadão, cidadães
e) capelão, capelães; escrivão, escrivães

12. (UFSM-RS) Identifique a alternativa em que o plural do diminutivo das palavras escritor, informações, ligação e material está de acordo com a língua-padrão.
a) escritorezinhos, informaçãozinhas, ligaçãozinhas, materialzinhos
b) escritorzinhos, informaçãozinhas, ligaçãozinhas, materiaizinhos

c) escritorezinhos, informaçõezinhas, ligaçõezinhas, materiaizinhos
d) escritorezinhos, informaçãozinhas, ligaçõezinhas, materiaizinhos
e) escritorzinhos, informaçõezinhas, ligaçõezinhas, materiaizinhos

13. (UEPG-PR) Palavras que, originalmente diminutivas ou aumentativas, perderam essa acepção e se constituem hoje em formas normais, independentes do termo derivante:
    a) pratinho, papelzinho, livreco, barcaça.
    b) tampinha, cigarrilha, estantezinha, elefantão.
    c) cartão, flautim, lingueta, cavalete.
    d) chapelão, bocarra, vidrinho, martelinho.
    e) palhacinho, narigão, beiçorra, boquinha.

14. (Fuvest-SP) *O diminutivo é uma maneira ao mesmo tempo afetuosa e precavida de usar a linguagem. Afetuosa porque geralmente a usamos para designar o que é agradável, aquelas coisas tão afáveis que se deixam diminuir sem perder o sentido. E precavida porque também o usamos para desarmar certas palavras que, por forma original, são ameaçadoras demais.*

    VERISSIMO, Luis Fernando. *Diminutivos*.

    A alternativa inteiramente de acordo com a definição do autor de *Diminutivos* é:
    a) O iogurtinho que vale por um bifinho.
    b) Ser brotinho é sorrir dos homens e rir interminavelmente das mulheres.
    c) Gosto muito de te ver, Leãozinho.
    d) Essa menininha é terrível.
    e) Vamos bater um papinho.

Artigo

O artigo é a palavra que determina ou indetermina o substantivo. É variável em gênero e número, por isso também determina o gênero e o número do substantivo.

Na sintaxe, acompanhado do substantivo, exerce a função sintática de adjunto adnominal.

Classificação do artigo

O artigo é classificado da seguinte maneira:

- **artigo definido** – determina o substantivo: **o**, **a**, **os**, **as**.

    João pegou **o(s)** livro(s) da estante.

    João pegou **a(s)** caneta(s) do estojo.

    Nesses casos, os substantivos **livro** e **caneta** estão determinados, ou seja, João pegou um livro e uma caneta específicos.

- **artigo indefinido** – indetermina o substantivo: **um**, **uma**, **uns**, **umas**.

    João pegou **um(ns)** livro(s) da estante.

    João pegou **uma(s)** caneta(s) do estojo.

    Nesses casos, os substantivos **livro** e **caneta** estão indeterminados, ou seja, João pegou qualquer livro, qualquer caneta, sem uma preferência específica.

Flexão do artigo

Como é possível observar nos exemplos acima, o artigo pertence à classe de palavras variáveis. Concorda com o substantivo a que se refere em **gênero** e **número**:

o menin**o** educad**o**/**a** menin**a** educad**a**/**um** menin**o** educad**o**/**uma** menin**a** educad**a**

os menin**os** educad**os**/**as** menin**as** educad**as**/**uns** menin**os** educad**os**/**umas** menin**as** educad**as**

Características do artigo

a) Antecede outras palavras, além do substantivo:

O renomado professor.   **Uma** simpática senhora de meia-idade.

b) Identifica e distingue gênero e número no caso das palavras homônimas:

o champanha   **a** libido **um** pires   **uns** lápis   **os** parabéns

as férias   **o** cabeça (o líder)   **a** cabeça (parte do corpo humano)

c) Substantiva palavras ou expressões que se posponham a ele:

Não entendi **o porquê** da discussão.

Analise bem **os prós** e **os contras** antes de se decidir.

d) Une-se às preposições **a**, **de**, **em**, **por**, realizando **combinações** e **contrações** antes de substantivos.

+ Na combinação, o artigo não sofre mudança, mas a preposição pode ser alterada:

Preposição	Artigo definido			
	o	a	os	as
a	ao	--	aos	--
de	do	da	dos	das
em	no	na	nos	nas
por (per)	pelo	pela	pelos	pelas
	Artigo indefinido			
	um	uma	uns	umas
em	num	numa	nuns	numas
de	dum	duma	duns	dumas

+ Na contração, a preposição **a** e o artigo definido feminino **a** se juntam. A essa ocorrência, dá-se o nome de **crase**, que é representada pelo **acento grave**:

Preposição	Artigo	Contração
a	a	à
a	as	às

Morfologia

Emprego do artigo definido

O uso é **obrigatório**:

a) antes de nomes de países, regiões, continentes, acidentes geográficos:

o Brasil, o Sudeste, a Europa, o Amazonas, o Nilo, as Ilhas Maurício etc.

> Alguns nomes de países e regiões não admitem o artigo: Angola, Cabo Verde, Portugal, São Salvador etc.

b) entre o numeral **ambos** e o substantivo a que se refere:

O empregado cumprimentou ambos **os** diretores.

c) com o superlativo relativo:

Decidiu acompanhar **o** mais rápido dos atletas.

d) para não repetir o substantivo anteriormente mencionado:

Comprei ingressos para o *show* de sábado e para **o** de domingo. (**o** refere-se ao *show*.)

e) depois das palavras **todo** (**todos**), **todas** (**todas**) se estiver implícita a ideia de totalidade:

Toda **a** turma B não foi bem na avaliação de Matemática.

Todos **os** jovens estavam ansiosos aguardando a saída da banda.

> ❖ Se **todos** e **todas** vierem seguidos de numeral e o numeral não vier seguido de substantivo, não se deve usar o artigo.
>
> **Todos seis** estavam quebrados.
>
> **Todas cinco** estiveram presentes.
>
> ❖ Se o artigo depois das palavras **todo** e **toda** for omitido, elas passam a ter o significado de qualquer.
>
> **Todo mundo** faz isso. (Nesse caso, **todo mundo** refere-se a qualquer pessoa.)

O uso é **facultativo**:

a) diante de pronomes adjetivos possessivos:

Emprestei minha bicicleta para meu irmão.

Emprestei **a** minha bicicleta para **o** meu irmão.

> ❖ É aconselhável evitar o uso exagerado de artigo antes de pronomes possessivos, para não deixar o texto cansativo e sem fluidez.

Artigo

b) antes de nome próprio de pessoa no singular:

Carla é minha grande amiga. **A** Carla é minha grande amiga.

> ❖ A utilização do artigo, nesse caso, implica um tom de familiaridade:
>
> **A** Carla, minha amiga, adora uma fofoca.

O uso é **proibido**:

a) antes de pronome de tratamento:

Por favor, Vossa Excelência gostaria de iniciar a solenidade.

> ❖ Os termos senhor, senhora, senhorita e dona podem admitir artigo:
>
> **O** senhor deveria acalmar-se.
> **A** dona Maria não chegou ainda.

b) após o pronome relativo **cujo** e suas flexões:

Este é o livro cujo autor foi premiado.

c) antes de substantivos empregados no sentido geral:

O professor tinha **influência** sobre os alunos.

d) antes das palavras **casa** e **terra**, a menos que estejam especificadas:

Costumavam ficar em casa todo sábado.

Naquele sábado, foram à casa de uns primos que há muito não viam.

e) antes da maior parte de nomes cidades:

São Paulo é uma cidade muito agitada.

Nova York está sempre na moda.

> ❖ Se o nome da cidade vier seguido de adjetivo ou locução adjetiva, usa-
> -se o artigo: Visitaram a Roma da Antiguidade.

f) antes de datas, quando não se usa a palavra dia:

Nasceu em 25 de dezembro./Nasceu no dia 25 de dezembro.

Emprego do artigo indefinido

a) antes de numerais, a fim de demonstrar noção geral ou aproximada.

Aquele vestido parece ter **uns** vinte anos.

Esperou **umas** quatro horas para encontrá-la.

b) antes do pronome indefinido **certo**, o uso é facultativo.

Não gosto de falar com **certas** pessoas.

Estou aguardando **uma certa** pessoa para decidirmos o que fazer.

c) antes de expressões que valorizem características de pessoa ou objeto, na linguagem popular.

Ele é **um** cara incrível.

Ela é **uma** maravilha de pessoa.

Minha tia faz **uma** lasanha para ninguém botar defeito.

Exercícios

1. Empregue o artigo definido antes das palavras em destaque se necessário.

a) As pessoas cujos _____ **nomes** forem chamados devem se dirigir à entrada.
b) Elas não concordaram com _____ **minha** proposta.
c) _____ **aluno** leu todo _____ **livro**.
d) Toda _____ **cidade** deveria ter serviço de coleta seletiva de lixo.
e) Ambos _____ **candidatos** são talentosos.

2. Leia o texto abaixo e grife as palavras que aparecem como artigo definido ou indefinido (combinações e contrações também).

Era uma lojinha estreita, não muito bem iluminada, e a sineta da porta tiniu uma segunda vez em um tom lamentoso quando a fechamos atrás de nós. Por um momento, ficamos sozinhos e pudemos dar uma olhada à nossa volta.

WELLS, H. G. *No país das fadas*. São Paulo: Pauliceia, 1993. p. 124-125.

3. Sublinhe os artigos e indique a que substantivos eles se referem.

a) Hoje a temperatura não deve passar dos quinze graus.
b) Por um instante, pensei que tivesse esquecido o celular na escola.
c) Eles a encontraram escondida embaixo da mesa.
d) Se o pai estivesse em casa, encontraria uma saída para a questão.

4. Explique a diferença de sentido nas frases.

a) Esta bolsa não é a minha./Esta bolsa não é minha.
b) Discutiu com uma professora./Discutiu com a professora.

Questões de vestibulares

1. (Fatec-SP) Identifique em qual alternativa é errado colocar, após a palavra destacada, o artigo definido.

   a) Afundou na lama **ambos** pés.
   b) **Todos** dias passava por lá sem vê-la.
   c) A **todo** passante perguntei, nenhum me informou.
   d) **Toda** noite gotejou a torneira.

2. (Fuvest-SP) Em qual dos versos abaixo, extraídos do *Soneto da perdida esperança* de Carlos Drummond de Andrade, o autor utiliza-se da substantivação como recurso estilístico?

   a) "Perdi o boné e a esperança."
   b) "Volto pálido para casa."
   c) "Vou subir a ladeira lenta."
   d) "com um insolúvel flautim"
   e) "nós gritamos: sim! ao eterno."

3. (Unisa-SP) A preposição **de** combina com os artigos definidos: de + o = do; de + as = das etc. Justifique a grafia **de os** neste período: "Não há, santo Deus, possibilidade de os homens se unirem?"

4. (EEM-SP) Qual a diferença de sentido da palavra homem na frase: *"Suponho que nunca teria visto um homem e não sabia, portanto, o que era o homem"*? (Machado de Assis)

5. (ITA-SP) Determine o caso em que o artigo tem valor de qualificativo.

   a) Estes são os candidatos de que lhe falei.
   b) Procure-o, ele é o médico! Ninguém o supera.
   c) Certeza e exatidão, essas qualidades não as tenho.
   d) Os problemas que o afligem não me deixam descuidado.
   e) Muita é a procura; pouca é a oferta.

Adjetivo

O adjetivo é a palavra variável em gênero, número e grau que modifica o substantivo, ou seja, caracteriza os seres e os objetos. Portanto, adjetivo e substantivo estão diretamente ligados na construção de um texto.

Na sintaxe, o adjetivo desempenha a função sintática de predicativo e de adjunto adnominal.

Ele é um garoto **esperto**.

Comprou uma geladeira **novinha**.

Pareciam pessoas **honestas**.

Tivemos uma manhã **chuvosa**.

- ❖ Uma mesma palavra pode ser classificada como substantivo ou adjetivo. Isso acontece porque, dependendo do contexto em que a palavra se encontre, assumirá a função de um ou outro.

   O homem **idoso** foi atropelado na esquina por uma motocicleta. (**idoso** é a caracterização do **homem: adjetivo**)

   O **idoso** sentiu-se mal e desmaiou próximo ao hospital. (**idoso** é o **homem: substantivo**)

- ❖ Normalmente, é possível distinguir o substantivo do adjetivo por meio da posição do artigo. No primeiro exemplo, o artigo masculino singular **o** antecede o **substantivo homem**; portanto, **idoso é adjetivo**. No segundo exemplo, o artigo masculino singular **o** antecede o **substantivo idoso**, que **não vem acompanhado de adjetivo**.

❖ O adjetivo pode assumir o papel de advérbio ao lado de uma forma verbal.

O rapaz **andava rápido**.

Na frase, o adjetivo **rápido** caracteriza o modo como o rapaz **andava** e tem, portanto, o valor de um **advérbio de modo**.

Classificação do adjetivo

Assim como o substantivo, o adjetivo é classificado de acordo com sua formação.

a) **Adjetivo simples** – formado apenas por um radical.

garota **esperta**; céu **azul**; beco **escuro** etc.

b) **Adjetivo composto** – formado por mais de um radical.

vestido **cor-de-rosa**; crianças **recém-nascidas**; política **socioeducativa** etc.

c) **Adjetivo primitivo** – não deriva de nenhuma palavra e dá origem a outras palavras, adjetivos ou não.

amigo **fiel**; sinal **verde**; mulheres **pobres** etc.

adjetivo primitivo	adjetivo derivado	substantivo derivado	verbo derivado
quente	aquecido	quentura	aquecer

d) **Adjetivo derivado** – que deriva de outra palavra.

casaco **azulado**; pele **escurecida**; crianças **pobrezinhas** etc.

Como já foi estudado, de uma palavra primitiva podem ser formadas outras palavras derivadas. No caso do adjetivo, a derivação ocorre a partir de substantivos, verbos ou outros adjetivos.

adjetivo derivado	palavra primitiva
barulhento	barulho (substantivo)
contribuinte	contribuir (verbo)
esbranquiçado	branco (adjetivo)

Dentre os derivados de substantivos, destacam-se os **adjetivos pátrios**, que se referem à nacionalidade ou ao lugar de origem (cidades, estados e países). Utiliza-se também o termo **gentílico** para se referir ao grupo étnico ou à raça.

Relação de alguns adjetivos pátrios

África	africano	Inglaterra	inglês
Alemanha	alemão	Irã	iraniano
Amazonas	amazonense	Israel	israelense/israelita
América	americano	Japão	japonês
Angola	angolano	Lisboa	lisboeta
Ásia	asiático	Londres	londrino
Áustria	austríaco	Madri	madrileno/madrilense
Bahia	baiano	Manaus	manauense
Belo Horizonte	belo-horizontino	Maranhão	maranhense
Brasil	brasileiro	Mato Grosso	mato-grossense
Brasília	brasiliense	Minas Gerais	mineiro
Buenos Aires	portenho	Moscou	moscovita
Cairo	cairota	Nápoles	napolitano
Ceará	cearense	Oceania	oceânico
China	chinês	Paraná	paranaense
Curitiba	curitibano	Pequim	pequinês
Egito	egípcio	Pernambuco	pernambucano
El Salvador	salvadorenho	Porto Alegre	porto-alegrense
Equador	equatoriano	Portugal	português
Espírito Santo	capixaba/espírito--santense	Rio Grande do Norte	potiguar/rio-grandense--do-norte
Estados Unidos	norte-americano/ianque/estadunidense	Rio Grande do Sul	gaúcho/rio-grandense--do-sul
Europa	europeu	Rio de Janeiro	carioca (referente à cidade)
Florença	florentino	Rio de Janeiro	fluminense (referente ao estado)
Florianópolis	florianopolitano	Rússia	russo
França	francês	Salvador	soteropolitano
Goiânia	goianiense	São Paulo	paulistano (referente à cidade)
Goiás	goiano	São Paulo	paulista (referente ao estado)
Grécia	grego	Suécia	sueco
Guatemala	guatemalteco	Suíça	suíço
Honduras	hondurenho	Tibete	tibetano
Índia	indiano	Veneza	veneziano

Adjetivo

Alguns adjetivos pátrios compostos (forma reduzida e invariável do primeiro elemento + adjetivo na forma normal)	
afro (africano)	cultura afro-brasileira
anglo (inglês)	escola anglo-americana
euro (europeu)	contrato euro-americano
franco (francês)	comércio franco-brasileiro
greco (grego)	cultura greco-romana
hispano (espanhol)	tratado hispano-americano
ibero (ibérico)	cultura ibero-americana
ítalo (italiano)	contrato ítalo-brasileiro
luso (portuguesa/lusitana)	comércio luso-brasileiro
nipo (japonês/nipônico)	cultura nipo-brasileira
sino (chinês)	comércio sino-americano

Locução adjetiva

A locução adjetiva é a expressão que equivale a um adjetivo, e que caracteriza o substantivo por meio de mais de uma palavra.

casa **de madeira**   amor **de mãe**   sessão **da tarde**

A locução adjetiva pode ser formada por:

- **preposição** (de) **+ substantivo**: de madeira, de mãe
- **preposição** (de) **+ advérbio**: da tarde

Em grande parte dos casos, existe um adjetivo correspondente à locução adjetiva, mas não é uma regra.

amor **de mãe** – amor **materno**; sessão **da tarde** – sessão **vespertina**

No caso de "casa **de madeira**", a locução adjetiva não tem um adjetivo correspondente.

Relação das locuções adjetivas e adjetivos correspondentes			
de abdômen	abdominal	de boca	bucal, oral
de açúcar	sacarino	de boi	bovino
de aluno	discente	de cabeça	capital, cefálico
de anel	anular	de cabelo	capilar
de anjo	angelical	de campo	campestre, rural
de ano	anual	de cão	canino
de astro	sideral	de caos	caótico

de cavalo	equino, hípico	de gato	felino
de céu	celeste	de guerra	bélico
de chumbo	plúmbeo	de homem	humano, viril
de chuva	pluvial	de idade	etário
de cidade	citadino, urbano	de igreja	eclesiástico
de circo	circense	de ilha	insular
de cobra	ofídico	de inferno	infernal
de coração	cardíaco, cordial	de inverno	invernal
de correio	postal	de irmão	fraterno, fraternal
de crânio	craniano	de jovem	juvenil
de criança	infantil, pueril	de junho	junino
de dança	coreográfico	de lado	lateral
de dedo	digital	de lago	lacustre
de dia	diurno	de leão	leonino
de dieta	dietético	de lebre	leporino
de dinheiro	pecuniário	de leite	lácteo
de direito	jurídico	de lua	lunar
de domingo	dominical	de macaco	simiesco
de embriaguês	ébrio	de madeira	lígneo
de enxofre	sulfúrico	de mãe	materno, maternal
de erva	herbáceo	de manhã	matinal, matutino
de escola	escolar	de mar	marinho, marítimo
de espaço	espacial	de margem	marginal
de estômago	estomacal, gástrico	de mestre	magistral
de estrela	estrelar	de moeda	monetário
de fábrica	fabril	de monstro	monstruoso
de face	facial	de morte	letal, mortal
de fantasma	espectral	de nádegas	glúteo
de farinha	farináceo	de nariz	nasal
de fêmur	femoral	de navio	naval
de fera	ferino, feroz	de neve	níveo
de ferro	férreo	de noite	noturno
de fígado	hepático	de norte	setentrional, boreal
de filho	filial	de olho	ocular, óptico
de fogo	ígneo	de orelha	auricular
de frente	frontal	de osso	ósseo
de gado	pecuário	de ouro	áureo
de garganta	gutural	de ouvido	auditivo, ótico

Adjetivo

de pai	paterno	de tarde	vespertino, vesperal
de paixão	passional	de tecido	têxtil
de paraíso	paradisíaco	de terra	terrestre, telúrico
de pedra	pétreo	de terremoto	sísmico
de pele	cutâneo, epidérmico	de tórax	torácico
de pelve	pélvico	de touro	taurino
de pesca	pesqueiro	de trás	traseiro
de pescoço	cervical	de umbigo	umbilical
de plebe	plebeu	de útero	uterino
de pombo	columbino	de vasos	vascular
de porco	suíno	de veias	venoso
de prata	argênteo	de velho	senil
de professor	docente	de vento	eólico, eólio
de prosa	prosaico	de verão	estival
de proteína	proteico	de verme	vermicular
de pulmão	pulmonar	de víbora	viperino
de rei	real	de vida	vital
de rim	renal	de vidro	vítreo
de rio	fluvial	de vinagre	acético
de rocha	rupestre	de virgem	virginal
de romance	romanesco	de violeta	violáceo
de sabão	saponáceo	de virilha	inguinal
de selo	filatélico	de visão	óptico, ótico
de selva	silvestre, selvagem	de voz	vocal, oral
de sintaxe	sintático	de vulcão	vulcânico
de sol	solar	sem cheiro	inodoro
de sonho	onírico	sem freio	desenfreado
de sul	meridional, austral	sem gosto	insípido

Flexão do adjetivo

O adjetivo, assim como o substantivo, varia em gênero, número e grau.

Gênero

O adjetivo flexiona-se para concordar com o substantivo a que se refere, no masculino ou feminino.

menin**o** educad**o** / menin**a** educad**a**

Quanto ao gênero, o adjetivo pode ser:

a) **uniforme** – apresenta uma única forma para os gêneros masculino e feminino:

amig**o** leal/amig**a** leal   menin**o** **inteligente**/menin**a** **inteligente**

Adjetivos terminados em **a**, **e**, **l**, **m** e **z** são geralmente uniformes: paulista, doce, fácil, jovem, feliz etc.

> ❖ Adjetivos pátrios terminados em **ense** são uniformes quanto ao gênero.
>
> professor flumin**ense**/professora flumin**ense**
>
> estádio mato-gross**ense**/capital mato-gross**ense**

Alguns adjetivos uniformes:

azul	gentil	inferior	regular	ruim	posterior
cruel	comum	incolor	verde	difícil	otimista
fiel	cortês	simples	veloz	anterior	nômade

b) **biforme** – apresenta duas formas, uma para o masculino e outra para o feminino:

rapaz **bonito**/moça **bonita**   homem **bondoso**/mulher **bondosa**

O processo de formação do adjetivo feminino segue regras semelhantes às dos substantivos:

+ troca-se a terminação **o** para **a**:

    clar**o**/clar**a**; praian**o**/praian**a** etc.

+ acrescenta-se **a** aos adjetivos terminados em **ês**, **or** e **u**:

    ingl**ês**/ingl**esa**; ganhad**or**/ganhad**ora**; cr**u**/cr**ua** etc.

> ❖ Alguns adjetivos terminados em **or** podem exigir o final **eira** para o feminino: homem trabalhad**or**/mulher trabalhad**eira**; homem lavad**or**/mulher lavad**eira** etc.

+ troca-se a terminação **ão** para **ã** ou **ona**:

    crist**ão**/crist**ã**; brincalh**ão**/brincalh**ona** etc.

+ troca-se a terminação **eu** para **eia**:

    europ**eu**/europ**eia**; at**eu**/at**eia** etc.

> ❖ Há uma exceção para o feminino de **judeu**, que é **judia**.

+ troca-se a terminação **éu** para **oa**:

    ilh**éu**/ilh**oa**; tabar**éu**/tabar**oa** etc.

- O adjetivo composto no gênero feminino flexiona apenas o segundo elemento: encontro angl**o**-brasileir**o**/reunião angl**o**-brasileir**a**.
- Ao passar para o feminino, a vogal tônica fechada do adjetivo masculino terminado em **oso** transforma-se em vogal tônica aberta: chocolate gostoso(**ô**)/comida gostosa (**ó**).

Número

O adjetivo assume a forma do substantivo, ou seja, se o substantivo estiver no singular, o adjetivo assumirá essa forma e o mesmo acontecerá se o substantivo estiver no plural.

Adjetivo simples

O adjetivo simples flexiona-se no singular e no plural de acordo com as mesmas regras do substantivo:

criança feliz/crianças felizes   pessoa gentil/pessoas gentis

homem cruel/homens cruéis   automóvel veloz/automóveis velozes

- O plural metafônico acontece em alguns adjetivos terminados em **oso**. No plural, a colocação do **s** final transforma a vogal tônica fechada **o** (**ô**) em aberta (**ó**): doce gost**o**so/doces gost**o**sos.
- Os substantivos, se empregados como adjetivos, são invariáveis.

funcionário fantasma/funcionários fantasma

aparição relâmpago/aparições relâmpago

criança prodígio/crianças prodígio

Adjetivo composto

O adjetivo composto geralmente flexiona apenas o último elemento no plural:

tratado nipo-brasileir**o**/tratados nipo-brasileir**os**

medida socioeducativ**a**/medidas socioeducativ**as**

Algumas exceções

+ O adjetivo composto **surdo-mudo** varia nos dois elementos:

homem surd**o**-mud**o**/homens surd**os**-mud**os**

- Os adjetivos **azul-marinho** e **azul-celeste** são invariáveis:

  terno azul-marinho/ternos azul-marinho; saia azul-celeste/saias azul-celeste

- O adjetivo composto (**adjetivo + substantivo**) permanece o mesmo, no singular e no plural:

  casaco marrom-café/casacos marrom-café; carro branco-gelo/carros branco-gelo

  toalha amarelo-ouro/toalhas amarelo-ouro; blusa verde-oliva/blusas verde-oliva

- A locução adjetiva formada pela expressão **cor + de + substantivo** é invariável:

  biquíni cor-de-rosa/biquínis cor-de-rosa

Grau

O adjetivo apresenta-se no grau comparativo e no grau superlativo.

Grau comparativo

Para comparar qualidades entre dois seres expressas por meio de adjetivos, utiliza-se o grau comparativo.

O grau comparativo pode ser:

- **de igualdade** – comparam-se qualidades com a mesma intensidade: **tão + adjetivo + quanto (ou como)**:

  O doce é **tão** calórico **quanto** (**como**) o sorvete.

  Podem-se comparar também duas características de um mesmo ser ou objeto:

  O sorvete é **tão** calórico **quanto** gostoso.

- **de superioridade** – a qualidade expressa pelo adjetivo aparece com maior intensidade no primeiro elemento da comparação: **mais + adjetivo + (do) que**:

  O sorvete estava **mais** gostoso **(do) que** o doce de leite.

- **de inferioridade** – a qualidade expressa pelo adjetivo aparece com menor intensidade no primeiro elemento da comparação: **menos + adjetivo + (do) que**:

  O sorvete parecia **menos** calórico **(do) que** o doce de leite.

> ❖ Expressões adverbiais como **muito pouco** ou **bem mal** intensificam a noção de superioridade ou inferioridade em uma oração.
>
> O aluno novo estava se saindo **bem mal** nas provas.
>
> Aquele senhor parecia **muito menos** cansado do que a senhora ao seu lado.

- Na comparação entre dois elementos, não se usam as expressões **mais bom, mais mau, mais grande** e **mais pequeno**. As formas corretas são **melhor, pior, maior** e **menor**:

    O café está **melhor** do que o chá.

    A colocação dele na prova foi **pior** do que a da irmã.

    A sua bolsa é **maior** do que a minha.

    O tênis do pai é **menor** do que o do filho.

- As expressões **mais bom, mais mau, mais grande** e **mais pequeno** só podem ser usadas para comparar qualidades de um mesmo ser ou objeto:

    A bolsa dela é **maior** do que a minha. (qualidade de dois objetos)

    O sofá da sala é **mais grande** que **confortável**. (qualidades de um mesmo objeto)

Grau superlativo

As qualidades expressas pelo adjetivo, em um grau muito alto ou no grau máximo, estão no **superlativo relativo** ou **absoluto**.

a) **Superlativo relativo** – a qualidade expressa pelo adjetivo é considerada em relação a outro ser ou objeto. Essa relação pode ser de **superioridade** ou **inferioridade**.

- **Superioridade** – expressa a qualidade em seu grau superior mais elevado:

    O seu projeto era o **mais** completo de todos já analisados.

- **Inferioridade** – expressa a qualidade em seu grau inferior mais elevado:

    Achava-se a **menos** estudiosa de toda a classe.

b) **Superlativo absoluto** – a qualidade expressa pelo adjetivo é intensificada sem comparação com nenhum outro ser ou objeto. Encontra-se na forma **analítica** e **sintética**.

- **Forma analítica** – o adjetivo intensifica-se por meio de um advérbio: muito, extremamente, demasiadamente, excessivamente etc.:

    Os problemas de matemática estavam **muito** difíceis.

    Ele é **excessivamente** possessivo.

- **Forma sintética** – o adjetivo intensifica-se pelo acréscimo do sufixo.

    Ficou felic**íssima** com a aprovação no concurso.

O superlativo absoluto sintético forma-se a partir do radical de um adjetivo seguido dos sufixos **íssimo, imo** ou **érrimo**, entre outros.

Seguem algumas regras de aplicação desses sufixos:

- O adjetivo que não estiver flexionado receberá o sufixo **íssimo**:

    popular/popularíssimo; atual/atualíssmo; normal/normalíssimo etc.

- O adjetivo terminado em vogal **e** ou **o** terá a letra final substituída pelo sufixo **íssimo**:

    forte/fortíssimo; belo/belíssimo; quente/quentíssimo; caro/caríssimo etc.

- O adjetivo terminado em **il** receberá o sufixo **imo**:

    difícil/dificílimo; fácil/facílimo; dócil/docílimo etc.

- O adjetivo terminado em **r**, no latim, receberá o sufixo **érrimo**:

    pobre – do latim *pauper* – paupérrimo

    magro – do latim *macer* – macérrimo

❖ A forma **magérrimo**, apesar de popular, não é aceita pela norma-padrão.

- O adjetivo terminado em **m** receberá a terminação **níssimo**:

    bom/boníssimo; comum/comuníssimo etc.

- O adjetivo terminado em **z** terá a letra final substituída pelo sufixo **císsimo**:

    feliz/felicíssimo; feroz/ferocíssimo etc.

- O adjetivo terminado em **vel** terá sua terminação substituída pelo sufixo **bilíssimo**:

    confortável/confortabilíssimo; amável/amabilíssimo; terrível/terribilíssimo etc.

Diversos adjetivos, na formação do superlativo absoluto sintético, apresentam uma forma chamada **erudita** ou **literária**. Essa formação, de origem latina, é pouco utilizada na linguagem coloquial, mas merece atenção na linguagem-padrão.

Relação de alguns superlativos absolutos sintéticos eruditos			
acre	acérrimo	atroz	atrocíssimo
ágil	agílimo	baixo	ínfimo
agudo	acutíssimo	bélico	belicíssimo
alto	supremo	benéfico	beneficentíssimo
amargo	amaríssimo	bom	boníssimo
amigo	amicíssimo	capaz	capacíssimo
antigo	antiquíssimo	célebre	celebérrimo
áspero	aspérrimo	cristão	cristianíssimo

cruel	crudelíssimo	pequeno	mínimo
doce	dulcíssimo	pessoal	personalíssimo
fácil	facílimo	pio	piíssimo
feliz	felicíssimo	pobre	paupérrimo
feroz	ferocíssimo	próspero	prospérrimo
fiel	fidelíssimo	provável	probabilíssimo
frágil	fragílimo	público	publicíssimo
frio	frigidíssimo	pudico	pudicíssimo
geral	generalíssimo	respeitável	respeitabilíssimo
grande	máximo	sábio	sapientíssimo
humilde	humílimo	sagrado	sacratíssimo
incrível	incredibilíssimo	salubre	salubérrimo
inimigo	inimicíssimo	são	saníssimo
íntegro	integérrimo	sério	seriíssimo
livre	libérrimo	simpático	simpaticíssimo
magnífico	magnificentíssimo	simples	simplicíssimo
magro	macérrimo	soberbo	superbíssimo
maléfico	malevolentíssimo	tenaz	tenacíssimo
mau	péssimo	terrível	terribilíssimo
mísero	misérrimo	veloz	velocíssimo
negro	nigérrimo	volúvel	volubilíssimo
nobre	nobilíssimo	voraz	voracíssimo
notável	notabilíssimo		

Os adjetivos **bom**, **mau**, **grande** e **pequeno**, do mesmo modo que no comparativo, são formados por uma só palavra no superlativo:

Adjetivo	Absoluto	Relativo
bom	ótimo	o melhor
mau	péssimo	o pior
grande	máximo	o maior
pequeno	mínimo	o menor

❖ Existem expressões utilizadas em determinados contextos, geralmente em linguagem coloquial, para realçar a ideia contida no adjetivo.

Seguem alguns exemplos, por meio de comparações, aumentativos, diminutivos, prefixos etc.

Ele é **feio como o diabo**.
Ela é **linda de morrer**.
A fruta está **doce como mel**.
A casa ficou **superlotada**.
A criança é uma **gracinha**.
Aquele cara é um perfeito **bobalhão**.
Ela chegou **elegantérrima** à festa.
Você é um **grandessíssimo** trapalhão!

Exercícios

1. Grife os adjetivos nas orações abaixo e indique se são uniformes ou biformes.
   a) A má distribuição de terras é um aspecto grave neste país.
   b) A bela garota tinha os cabelos castanhos e os olhos verdes.
   c) Ninguém podia andar descalço naquelas ruas esburacadas e escuras.
   d) Era uma pessoa gentil, mas parecia sempre triste.
   e) Sonhava ser um cantor famoso e ter uma carreira promissora.

2. Substitua as locuções adjetivas pelos adjetivos correspondentes.
   a) período da manhã
   b) armas de guerra
   c) região dos lagos
   d) ambição sem limite
   e) líquido sem cheiro
   f) fases da lua
   g) trabalho de mestre
   h) comida sem sabor
   i) problemas da cidade
   j) doença do coração

3. Indique os adjetivos a partir dos substantivos e forme uma frase com cada um.
   a) dia   b) flor   c) povo   d) lua   e) escola

4. Explique as diferenças entre as frases.
   a) Precisava fazer um simples exame.
      Precisava fazer um exame simples.
   b) Trabalhou com um falso médico.
      Trabalhou com um médico falso.

c) O reitor era um grande homem.
O reitor era um homem grande.
d) Recebemos um único prêmio.
Recebemos um prêmio único.

5. **Reescreva as frases, passando-as para o plural.**
a) O aparelho azul-marinho era para a menina surda-muda.
b) O tapete verde-oliva não combinava com a cortina amarelo-ouro.
c) O acordo luso-brasileiro será celebrado com entusiasmo.
d) O guarda-noturno usava uma capa verde-escura.
e) O novo programa sociocultural da empresa foi adiado.

6. **Classifique o grau dos adjetivos em comparativo ou superlativo nas frases abaixo.**
a) Chegou felicíssima da viagem.
b) Ela parecia mais triste do que preocupada.
c) Meu cãozinho é menos travesso do que o dela.
d) O rapaz ficou tão decepcionado quanto eu.
e) Aquele atleta chinês era o melhor em todas as modalidades.

7. **Indique o grau superlativo absoluto ou relativo.**
a) O priminho era o mais baixo da família.
b) Fizemos um ótimo treinamento.
c) A espera foi muito demorada.
d) O novo funcionário parecia simpaticíssimo.
e) Revelou-se o menos bagunceiro da turma.

8. **Passe as expressões para o feminino.**
a) jogador inglês
b) amigo judeu
c) pastor cristão
d) trabalhador europeu
e) escritor japonês
f) menininho chorão

Questões de vestibulares

1. **(FGV-Eaesp)** Assinale a alternativa em que a palavra sublinhada não tem valor de adjetivo.
a) A malha azul estava molhada.
b) O sol desbotou o verde da bandeira.
c) Tinha os cabelos branco-amarelados.
d) As nuvens tornavam-se cinzentas.
e) O mendigo carregava um fardo amarelado.

2. **(UFRJ-RJ)** Aponte a alternativa que apresenta um grau superlativo fora dos padrões normalmente utilizados.
   a) Esta é uma questão atualíssima.
   b) Vai ser dificílimo conseguirmos lugar.
   c) Coitada! Ficou muito doida a moça.
   d) É bem feiosinha essa moça.
   e) Nada como um supremo ar de superioridade.

3. **(UFPI-PI)** Assinale a alternativa em que a posição do adjetivo em relação ao substantivo a que se refere altera a ideia expressa.
   a) rude vaqueiro/vaqueiro rude
   b) discreto pastor/pastor discreto
   c) velho homem/homem velho
   d) certo homem/homem certo
   e) mulher elegante/elegante mulher

4. **(ESPM-SP)** Dê os adjetivos equivalentes às expressões em destaque.
   a) programa **da tarde**
   b) ciclo **da vida**
   c) representante **dos alunos**

5. **(FSJT-SP)** Leia as orações abaixo.
   I. Ele é grande e inteligente: mais grande do que inteligente.
   II. Ele é bom e trabalhador: mais bom do que trabalhador.
   III. As minhas lembranças são mais boas do que as suas.
   Quanto ao grau dos adjetivos, percebe-se que:
   a) nenhuma oração está correta.
   b) apenas a oração I está correta.
   c) apenas a oração II está correta.
   d) apenas a oração III está correta.
   e) as orações I e II estão corretas.

6. **(Fesp-SP)** Numa das alternativas abaixo uma das locuções está incorretamente ligada com o adjetivo. Assinale-a.
   a) digital (de dedo)
   b) hepático (de estômago)
   c) capital (de cabeça)
   d) plúmbeo (de chumbo)
   e) pétreo (de pedra)

7. **(ESPM-SP)** Coloque no plural os segmentos destacados.
   "Compareci àquela solenidade *cívico-religiosa*, onde predomina um tom *azul-marinho*."

8. (Unirio-RJ) Assinale o item em que houve erro na flexão do nome composto.
    a) As touceiras verde-amarelas enfeitavam a campina.
    b) Os guarda-roupas são de boa madeira.
    c) Na fazenda, havia muitos tatus-bola.
    d) No jogo de contra-ataques, vence a melhor equipe.
    e) Os livros iberos-americanos são de fácil importação.

9. (UFU-MG) O autor de *D. Casmurro* afirma que *"José Dias amava os superlativos. Era um modo de dar feição monumental às ideias."*

    Dentre os vários superlativos empregados por José Dias, assinale a única alternativa em que ocorre o emprego não previsto pela gramática normativa.
    a) "Se soubesse, não teria falado, mas falei pela veneração, pela estima, pelo afeto, para cumprir um dever amargo, **amaríssimo**..."
    b) "Que ideia é essa? O estado dela é **gravíssimo**, mas não é mal de morte, e Deus pode tudo..."
    c) "Sua mãe é uma santa, seu tio é um cavalheiro **perfeitíssimo**."
    d) "... porque ela é um anjo, **anjíssimo**..."
    e) "Oh! As leis são **belíssimas**."

10. (Fuvest-SP) No trecho: "Consequentemente (os homens trabalham com a máquina) devem estar muito mais contentes que os bisavós", indique o grau da palavra que é um adjetivo.

11. (FGV-SP) Observe a seguinte frase: *Recorrendo a elas, arrisco-me a usar expressões técnicas desconhecidas do público, e a ser tido por **pedante***. Das alternativas abaixo, assinale aquela em que a palavra sublinhada exerça a mesma função sintática de pedante nessa frase.
    a) As estações tinham passado rápido, sem que tivesse sido possível vê-las direito.
    b) Fui julgado culpado, embora não houvesse provas decisivas a respeito do crime.
    c) Ele era difícil de convencer, mas concordou quando a quantia foi oferecida.
    d) Caminhou depressa por entre os coqueiros.
    e) Ele passeou demasiado ontem; hoje, doem-lhe as pernas. Vai ser obrigado a deitar-se mais cedo.

Numeral

O numeral é a palavra que indica a ideia numérica dos seres ou o local que ocupam em uma sequência. Normalmente, liga-se ao substantivo e pode ser variável em gênero e número.

Classificação do numeral

O numeral é classificado da seguinte maneira:

+ **numeral cardinal** – indica determinada quantidade: um, quatro, quarenta e três, dois mil etc.

    Os recém-casados viajaram por **três** meses.

+ **numeral ordinal** – indica a ordem que o ser ocupa em determinada série: primeiro, terceiro, décimo, sexagésimo oitavo etc.

    Ele quer ser sempre o **primeiro** a ser servido.

+ **numeral multiplicativo** – indica a multiplicação, ou seja, quantas vezes é aumentada determinada quantidade: dobro, triplo, quíntuplo etc.

    Os grevistas esperam que o salário seja **duplicado**.

+ **numeral fracionário** – indica a divisão, ou seja, em quantas partes é dividida determinada quantidade: metade, meio, um quarto, um sexto etc.

    Espero que a inflação caia pela **metade** até o fim do ano.

Relação de alguns numerais

Cardinais	Ordinais	Multiplicativos	Fracionários
um	primeiro	–	–
dois	segundo	dobro, duplo	meio, metade
três	terceiro	triplo, tríplice	terço
quatro	quarto	quádruplo	quarto
cinco	quinto	quíntuplo	quinto
seis	sexto	sêxtuplo	sexto
sete	sétimo	sétuplo	sétimo
oito	oitavo	óctuplo	oitavo
nove	nono	nônuplo	nono
dez	décimo	décuplo	décimo
onze	undécimo (décimo primeiro)	undécuplo	onze avos
doze	duodécimo (décimo segundo)	duodécuplo	doze avos
treze	décimo terceiro	–	treze avos
quatorze, catorze	décimo quarto	–	catorze avos
quinze	décimo quinto	–	quinze avos
dezesseis	décimo sexto	–	dezesseis avos
dezessete	décimo sétimo	–	dezessete avos
dezoito	décimo oitavo	–	dezoito avos
dezenove	décimo nono	–	dezenove avos
vinte	vigésimo	–	vinte avos
trinta	trigésimo	–	trinta avos
quarenta	quadragésimo	–	quarenta avos
cinquenta	quinquagésimo	–	cinquenta avos
sessenta	sexagésimo	–	sessenta avos
setenta	septuagésimo (setuagésimo)	–	setenta avos
oitenta	octogésimo	–	oitenta avos
noventa	nonagésimo	–	noventa avos
cem, cento	centésimo	cêntuplo	centésimo
duzentos	ducentésimo	–	ducentésimo
trezentos	trecentésimo	–	trecentésimo
quatrocentos	quadringentésimo	–	quadringentésimo
quinhentos	quingentésimo	–	quingentésimo
seiscentos	sexcentésimo (seiscentésimo)	–	sexcentésimo
setecentos	setingentésimo (septingentésimo)	–	setingentésimo
oitocentos	octingentésimo	–	octingentésimo

novecentos	nongentésimo (noningentésimo)	–	nongentésimo
mil	milionésimo	–	milésimo
milhão	milionésimo	–	milionésimo
bilhão	bilionésimo	–	bilionésimo

> ❖ A partir de dois mil – quando se referir a numeral ordinal –, deve-se usar segundo milésimo, terceiro milésimo, quarto milésimo, e assim por diante.
>
> ❖ **Zero** e **ambos** (**ambas**) são classificados como numerais.
>
> ❖ O numeral cardinal **cem** é derivado da palavra latina *centum*. A forma **cento** também é um numeral e é utilizada nas expressões de porcentagem: dez por cento de desconto. O numeral **cento** pode assumir a função de substantivo e vir precedido de artigo: **um cento** de clipes.
>
> ❖ É preciso fazer a distinção entre **um** (**numeral**) e **um** (**artigo indefinido**).
>
> O numeral indica quantidade e faz o plural em **dois**.
>
> — Quantas vezes você foi campeão?
>
> — Só uma.
>
> O artigo indefinido se antepõe ao substantivo e faz o plural em **uns**.
>
> Foi um campeonato muito disputado.

Flexão do numeral

O numeral é variável em gênero e número, mas há algumas exceções.

a) Os numerais cardinais são invariáveis, exceto: um/uma; dois/duas; os terminados em **entos** e **ão**: duzentos/duzentas; quinhentos/quinhentas; um milhão/dois trilhões etc.

b) Os numerais ordinais variam em gênero e número: primeiro(s) dia(s); primeira(s) impressão(ões); segundo(s) andar(es); vigésima(s) vítima(s); centésimo(s) colocado(s) etc.

c) Os numerais multiplicativos variam em gênero e número quando apresentam função de adjetivo: dose(s) dupla(s); copo(s) duplo(s); armário(s) triplo(s).

> ❖ Os numerais multiplicativos são invariáveis quando apresentam valor de substantivo: o dobro das tarefas; o triplo de problemas etc.

d) Os numerais fracionários variam em número de acordo com o número cardinal antecedente: um terço do salário; dois quintos das cotas; três quartos de mantimentos etc.

> ❖ O numeral fracionário **meio** concorda em gênero e número com o substantivo a que se refere: meio-dia/meia hora; meio litro/meia garrafa; meio capítulo/meia página etc.

e) Os numerais coletivos variam em número: um século, várias décadas, duas quinas etc.

Relação de numerais coletivos mais comuns	
bimestre: período de dois meses	quarentena: período de quarenta dias
centena: grupo de cem objetos	quarteto: grupo de quatro pessoas
centenário: período de cem anos	quina: sequência de cinco números
dezena: grupo de dez coisas	quinquênio: período de cinco anos
dúzia: grupo de doze coisas	resma: quinhentas folhas de papel
grosa: grupo de doze dúzias	semestre: período de seis meses
lustro: período de cinco anos	sena: grupo de seis números
milênio: período de mil anos	terceto: estrofe de três versos
milheiro, milhar: grupo de mil objetos	terno: grupo de três coisas
novena: período de nove dias	triênio: período de três anos
par: grupo de duas coisas	trinca: grupo de três coisas

> ❖ Alguns numerais, de acordo com o contexto em que se encontram, recebem o grau por meio de sufixos e adquirem um sentido coloquial:
> Levou **quinhentinho** na aposta.
> A **quarentona** do segundo andar ainda não chegou.
> A cachaça é de **primeiríssima** qualidade.
>
> ❖ Podem ainda expressar uma ideia exagerada para enfatizar um pensamento ou momento: Já repeti **mil** vezes que não!

Emprego do numeral

O emprego do numeral na frase apresenta as seguintes particularidades:

a) Deve-se evitar o uso de numeral no início de frases. Usá-lo apenas se necessário e por extenso.

Três horas em pé em frente ao pronto-socorro.

b) Na enumeração de avisos, circulares, leis, decretos, usa-se o numeral ordinal até **nono** e o cardinal após o **dez**: artigo **8º** (oitavo); lei **4ª** (quarta); circular **37** (trinta e sete); artigo **42** (quarenta e dois) etc.

c) Na numeração de páginas, folhas, casas, apartamentos e quartos, entre outros, usa-se o numeral cardinal: página **5**; folha **19**; apartamento **71**; quarto **209** etc.

> ❖ Se o numeral é empregado depois do substantivo, usa-se o **cardinal**: página cinco. Se o numeral antecede o substantivo, usa-se o **ordinal**: quinta página.

d) Para indicar o primeiro dia do mês, usa-se o numeral ordinal: dia **primeiro** (**1º**) de janeiro (e não um (1) de janeiro).

e) Os numerais multiplicativos dobro, duplo, triplo são empregados com maior frequência. Nos demais casos, usa-se o número cardinal seguido da palavra vezes: dez vezes; vinte vezes etc.

> ❖ Os numerais multiplicativos **dobro**, **duplo** e **triplo** têm o mesmo valor de **substantivo** ou de **adjetivo** de acordo com a posição que ocupam na frase.
>
> Trabalhou o dobro ou o triplo de horas. (Neste caso, **dobro** e **triplo** têm a função de substantivo na frase.)
>
> Fez uma jornada dupla ou tripla. (Neste caso, **dupla** e **tripla** têm a função de adjetivo na frase.)

f) Na designação de papas e monarcas, séculos e partes de uma obra, emprega-se, na leitura, após o substantivo, o numeral ordinal até o décimo e a partir daí o numeral cardinal (escrito em algarismo romano): Papa João Paulo **II** (segundo); Capítulo **VI** (sexto); Luís **XIV** (quatorze); século **XX** (vinte) etc.

g) Emprega-se sempre o numeral ordinal anteposto ao substantivo e o numeral cardinal posposto ao substantivo: segunda fileira ou fileira dois; terceira vaga ou vaga três etc.

Como ler e escrever o numeral

A leitura e a escrita dos numerais cardinais devem ser feitas da seguinte maneira:

a) Intercala-se a conjunção **e** na representação de dois ou três algarismos e entre as centenas, dezenas e unidades: 28 – vinte **e** oito; 466 – quatrocentos **e** sessenta **e** seis.

b) A partir de quatro algarismos, não se usa a conjunção **e** entre o milhar e a centena: 3.597 – três mil quinhentos e noventa e sete.

> ❖ Se o milhar for **um**, não se menciona esse numeral: 1.590 – **mil** quinhentos e noventa (e não um mil quinhentos e noventa).
>
> ❖ Se a centena iniciar por **zero** ou terminar com **dois zeros**, usa-se a conjunção **e**: 2.037 – dois mil **e** trinta **e** sete; 2.800 – dois mil **e** oitocentos.

c) Para dois conjuntos de três algarismos, usa-se a **vírgula** para separar cada grupo: 3.564.723.891 – três bilhões, quinhentos e sessenta e quatro milhões, setecentos e vinte e três mil oitocentos e noventa e um.

> ❖ Se o último conjunto começar por zero ou terminar por dois zeros, é usada a conjunção **e**: 3.654.300.011 – três bilhões, seiscentos e cinquenta e quatro milhões, trezentos mil **e** onze; 3.600.030.400 – três bilhões, seiscentos milhões, trinta mil **e** quatrocentos.

d) Quando o numeral é muito extenso, usam-se a **vírgula** e a conjunção **e**: 2,720 bilhão – dois bilhões, setecentos **e** vinte mil; 5,8 trilhões – cinco trilhões **e** oitocentos bilhões.

e) Na escrita dos números por extenso, não se coloca vírgula entre um numeral e outro:

A quantia de dez mil duzentos e quarenta reais.

f) Não se coloca ponto para escrever o número dos anos:

Nasceu em 1948. / Venceu o último campeonato em 2010.

g) Ao indicar datas, pode-se colocar um zero antes do número que representa o dia ou o mês: 03/02/2005.

> ❖ Nos demais casos, evita-se escrever os números precedidos de 0.
>
> Estava na colocação 7 (e não 07).

h) Ao escrever as horas, deve-se colocar o símbolo de cada unidade depois de cada numeral, sem ponto ou vírgula: 10h23min10s – dez horas, vinte e três minutos e dez segundos.

> ❖ Normalmente, o símbolo **min** não é utilizado se a indicação não especificar a hora até o número de segundos: 19h30; 21h59 etc.

i) O numeral fracionário, quanto ao numerador, é lido e escrito como numeral cardinal: $\frac{2}{6}$ – dois sextos; $\frac{3}{8}$ – três oitavos etc. Quanto ao denominador, há duas maneiras de leitura: inferior ou igual a dez é lido como ordinal: $\frac{4}{8}$ – quatro oitavos; acima de dez é lido como numeral cardinal acompanhado da palavra avos: $\frac{4}{12}$ – quatro doze avos.

j) Em textos, deve-se escrever por extenso o numeral composto de uma só palavra. Os compostos de duas ou mais palavras escrevem-se em algarismos.

Não nos encontramos há **vinte** anos.

Ficou mais de **35** dias sem aparecer.

❖ Pode-se fazer uma separação entre os numerais, embora a gramática normativa não faça distinção. A classificação é baseada na função que os numerais desempenham em uma oração dentro de um contexto: **numerais substantivos** e **adjetivos**.

Os **numerais substantivos** desempenham a função própria de substantivos na oração:

Zero é um conceito importante na Matemática.

Os **numerais adjetivos** desempenham a função de adjetivos, isto é, acompanham e determinam os substantivos:

Três alunos faltaram à aula hoje.

O sistema de numeração usado na língua portuguesa é o indo-arábico, que tem origem hindu e foi difundida pelos árabes em suas invasões pela Europa.

Os algarismos romanos são empregados em casos mais específicos, para expressar séculos, nomes de papas e monarcas e partes de obras importantes.

Algarismos arábicos	Algarismos romanos
1	I
2	II
3	III
4	IV
5	V
6	VI
7	VII
8	VIII
9	IX
10	X
20	XX
30	XXX
40	XL

50	L
60	LX
70	LXX
80	LXXX
90	XC
100	C
500	D
1.000	M
10.000	($\overline{X}$)
100.000	($\overline{C}$)
1.000.000	($\overline{M}$)
1.000.000.000	($\overline{\overline{M}}$)

Exercícios

1. Escreva por extenso os seguintes numerais.
   a) Capítulo XVII
   b) 664 caixas de papelão
   c) Século VIII
   d) 56º lugar
   e) 786.614
   f) Henrique V
   g) 393º colocado
   h) Portaria nº 82
   i) Apartamento 67
   j) 3.012.800.041

2. Indique a quantidade expressa pelos coletivos.
   a) centenário
   b) resma
   c) milhar
   d) novena
   e) quinquênio
   f) terceto

3. Relacione os algarismos arábicos com os algarismos romanos correspondentes.
   a) 13
   b) 45
   c) 72
   d) 186
   e) 439
   f) 824
   g) 1.067
   h) 2.368

   ( ) CLXXXVI
   ( ) MMCCCLXVIII
   ( ) DCCCXXIV
   ( ) MLXVII
   ( ) XIII
   ( ) LXXII
   ( ) CDXXXIX
   ( ) XLV

160 Morfologia

4. Leia em voz alta e escreva por extenso os numerais nas frases abaixo.
   a) A cidade de São Paulo comemorou o 4º Centenário em 1954.
   b) *O Airbus A330 caiu em maio de 2009 com 228 pessoas a bordo.* (Revista *Veja*, 11/05/2011.)
   c) O capital investido será de 12,6 bilhões de dólares.
   d) *O custo do estádio (em reais) será de 499,5 milhões.* (Revista *Veja*, 11/05/2011.)

5. Classifique os numerais destacados.
   a) Meu amigo pagou **quinhentos e oitenta** reais de multa.
   b) O **primeiro** empregado a terminar o serviço recebeu o **dobro** do **segundo**.
   c) Gostaria de saber só a **metade** do que você sabe.
   d) A criança comeu apenas **um terço** da merenda.
   e) Gastou o **triplo** do que era esperado.

Questões de vestibulares

1. (Ufes-ES) *Milhão* tem ordinal correspondente a *milionésimo*. A relação entre cardinais e ordinais se apresenta **inadequada** na opção:
   a) cinquenta – quinquagésimo
      noventa e um – nongentésimo primeiro
   b) setenta – setuagésimo
      quatrocentos e trinta – quadringentésimo trigésimo
   c) oitenta – octingentésimo
      trezentos e vinte – trecentésimo vigésimo
   d) quarenta – quadragésimo
      duzentos e quatro – ducentésimo quarto
   e) noventa – nonagésimo
      seiscentos e sessenta – sexcentésimo sexagésimo

2. (Cefet-MG) A alternativa em que o numeral está impropriamente empregado é:
   a) O conteúdo do artigo onze não está claro.
   b) Já lhe disseram pela noningentésima vez o que fazer.
   c) Esses animais viveram, aproximadamente, na Era Terciária.
   d) Consulte a Encíclica de Pio Décimo.
   e) Essas afirmações encontram-se na página décima quinta.

3. (Fuvest-SP)
   a) Dê os numerais correspondentes a três vezes maior e três vezes menor.
   b) A forma primeira é um numeral ordinal. Dê o numeral ordinal correspondente a 1.075.

4. (PUCCamp-SP) Os ordinais referentes aos números **80, 300, 700** e **90** são, respectivamente:
   a) octagésimo – trecentésimo – septingentésimo – nongentésimo.
   b) octogésimo – trecentésimo – septingentésimo – nonagésimo.
   c) octingentésimo – tricentésimo – septuagésimo – nonagésimo.
   d) octogésimo – tricentésimo – septuagésimo – nongentésimo.

5. (Vunesp-SP) Assinale o caso em que **não há** expressão numérica de sentido indefinido.
   a) Ele é o duodécimo colocado.
   b) Quer que veja este filme pela milésima vez?
   c) "Na guerra meus dedos dispararam mil mortes."
   d) "A vida tem uma só entrada; a saída é por cem portas."

6. (Fupe-SP) Indique o item em que os números estão **corretamente** empregados.
   a) Ao papa Paulo Seis sucedeu João Paulo Primeiro.
   b) Após o parágrafo nono, virá o parágrafo décimo.
   c) Depois do capítulo sexto, li o capítulo décimo primeiro.
   d) Antes do artigo dez vem o artigo nono.
   e) O artigo vigésimo segundo foi revogado.

7. (FMU-SP) **Triplo** e **tríplice** são numerais:
   a) ordinal, o primeiro; multiplicativo, o segundo.
   b) ambos ordinais.
   c) ambos cardinais.
   d) ambos multiplicativos.
   e) multiplicativo, o primeiro; e ordinal, o segundo.

8. (Unirio-RJ) Para CEM, a língua só tem uma forma de ordinal, centésimo. Assinale o item em que o ordinal correspondente ao cardinal admite duas formas.
   a) 100
   b) 90
   c) 11
   d) 7
   e) 60

Pronome

O pronome é a palavra variável em gênero, número e pessoa que substitui ou acompanha o substantivo, indicando o vínculo existente entre os seres e as pessoas do discurso.

As pessoas do discurso são as que participam da situação comunicativa, ou seja, todo ato comunicativo envolve a pessoa que fala (**eu**), a pessoa com quem se fala (**tu**) e a pessoa de quem se fala (ou o objeto de que se fala) (**ele**).

 ❖ A palavra **pessoa** não se refere a ser humano. Nesse caso, é um conceito gramatical, que indica os papéis que os seres humanos e as coisas desempenham em uma situação de comunicação verbal.

Resumindo:

1ª pessoa – a que fala – o emissor.

2ª pessoa – com quem se fala – o receptor.

3ª pessoa – de quem se fala (ou objeto de que se fala) – o referente.

Na sintaxe, desempenha qualquer função de substantivo ou de adjetivo.

Na oração em que o pronome substitui o substantivo, ele é classificado como **pronome substantivo**; quando acompanha o adjetivo, é classificado como **pronome adjetivo**.

Eu não encontrei o **meu** celular em lugar nenhum.

Eu – **pronome substantivo** – a pessoa que fala – pronome com valor de substantivo.

meu celular – **pronome adjetivo** – o objeto de que se fala – acompanha o substantivo celular.

Classificação do pronome

São seis os tipos de pronome: **pessoais**, **possessivos**, **demonstrativos**, **indefinidos**, **interrogativos** e **relativos**, e são empregados de acordo com a relação que se pretende estabelecer entre os seres e as pessoas do discurso.

Pronome pessoal

É um pronome pessoal aquele que substitui o substantivo. Os pronomes pessoais apresentam-se como pronomes pessoais do caso reto e do caso oblíquo.

Pronomes pessoais			
Pessoas do discurso	**Pronomes retos**	**Pronomes oblíquos**	
^	^	Átonos	Tônicos
1ª pessoa do singular	eu	me	mim, comigo
2ª pessoa do singular	tu	te	ti, contigo
3ª pessoa do singular	ele/ela	o, a, se, lhe	ele, ela, si, consigo
1ª pessoa do plural	nós	nos	nós, conosco
2ª pessoa do plural	vós	vos	vós, convosco
3ª pessoa do plural	eles, elas	os, as, se, lhes	eles, elas, si, consigo

> Embora o pronome **você** seja de tratamento, atualmente, na língua portuguesa falada no Brasil, ele substitui o pronome pessoal **tu**.

A divisão dos pronomes pessoais do caso reto e oblíquo é feita de acordo com a função que exercem na frase.

Ele ganhou uma bola de presente, mas perdeu-**a** horas depois.

Ele – pronome pessoal do caso reto – 3ª pessoa do singular – exerce a função de sujeito na oração (pessoa do qual se fala).

a – pronome pessoal do caso oblíquo – substitui o nome (bola) e exerce a função de objeto direto na oração, complementando o verbo.

Os pronomes pessoais retos desempenham a função de sujeito da oração e os oblíquos, a de complemento.

Os pronomes oblíquos ainda podem ser:

 átonos – pronunciados com menor intensidade e empregados sem preposição.

Ela **me** emprestou os livros de inglês.

+ **tônicos** – pronunciados com maior intensidade e empregados com o auxílio de preposição.

Ela emprestou os livros de inglês **para mim**.

> ❖ É preciso diferenciar **pronome** e **artigo**, no caso dos monossilábicos: o, a, os, as.
>
> São pronomes oblíquos átonos quando substituem os substantivos.
>
> Encontrei meu **irmão** na festa, mas perdi-**o** de vista em seguida. (O substantivo **irmão** é substituído pelo pronome oblíquo **o**.)
>
> São artigos definidos quando acompanham e determinam o substantivo.
>
> **O** meu **irmão** saiu da festa sem ninguém perceber. (O artigo **o** refere-se ao substantivo **irmão**.)

Emprego do pronome pessoal do caso reto

a) O pronome pessoal reto funciona como sujeito da oração, mas é, por vezes, omitido, já que a desinência verbal indica a pessoa gramatical.

Saímos juntos ontem. (O pronome pessoal reto **nós** é omitido, mas a desinência verbal -**mos**, de "**saímos**", indica que se trata do pronome **nós**.)

Os responsáveis somos nós. (Nesse caso, o pronome pessoal reto **nós** é predicativo do sujeito.)

> ❖ O uso do pronome **vós** é bem raro na linguagem coloquial do Brasil. É utilizado apenas em discursos cerimoniosos e em textos religiosos.
>
> ❖ O uso do pronome **tu** faz parte da linguagem comum em alguns estados brasileiros, mas, geralmente, esse pronome é utilizado de maneira inadequada pelos falantes, pois o verbo deveria concordar com a palavra que lhe serve de sujeito, e isso não ocorre.
>
> **Tu entende** que não posso ir? (A fala adequada seria: **Tu entendes** que não posso ir?.)

b) Os pronomes **eu** e **tu** não podem vir precedidos de preposição e são substituídos por seus correspondentes oblíquos **mim** e **ti**:

Este pedaço de bolo é para mim ou para ti?

Se o pronome exercer a função de sujeito da oração, porém, será obrigatório o uso das formas **eu** e **tu**:

O dever de casa é para **eu** fazer.

❖ É inadequado dizer "entre **eu** e **você**", embora seja comum ouvir as pessoas falarem dessa forma, pois **entre** é uma preposição. O correto é entre **mim** e **você**.

c) Os pronomes pessoais retos de 3ª pessoa podem contrair-se com as preposições **de** ou **em**.

de + ele = dele/de + elas = delas; em + ela = nela/em + eles = neles

Aquele carro novinho é **dele**.

❖ O pronome **ele**, na função de sujeito da oração, não pode ser contraído com a preposição antecedente.

Pedi dinheiro ao meu pai, antes de **ele** sair para o trabalho. (**ele** – sujeito do verbo sair)

d) O pronome pessoal plural **nós** pode ser empregado em substituição ao pronome eu, para evitar um tom pretensioso à fala ou à escrita. É o chamado **plural de modéstia** ou **plural majestático**.

Nós, falou a diretora, estamos dispostos a perdoar a indisciplina de vocês na tarde de hoje. (Entende-se que a diretora fala apenas por si, mas emprega o pronome **nós** para não parecer arrogante.)

❖ Na linguagem coloquial, o pronome **nós** é, frequentemente, substituído pela expressão **a gente**:

A gente quer muito que você fique.

Emprego do pronome pessoal oblíquo

a) Os pronomes pessoais oblíquos que se referem ao sujeito da oração são reconhecidos como **pronomes reflexivos**:

Eu me machuquei ao cair no chão./**Eles se** desentenderam na porta de casa.

b) Os pronomes pessoais oblíquos **se, si, consigo** são empregados apenas como pronomes reflexivos:

Ele se machucou ao cair da bicicleta./**Ela** levou a pasta **consigo**.

❖ O emprego desses pronomes em orações em que não apareçam como reflexivos não é considerado correto pela norma-padrão da língua.

Quero falar com **você**. (E não: Quero falar **consigo**.)

c) Os pronomes pessoais oblíquos no plural **nos**, **vos** e **se** são empregados como **pronomes recíprocos**, pois expressam ação de reciprocidade em uma oração:

Nós nos cumprimentamos com muito respeito.

Eles se desentenderam na hora de dividir as despesas.

d) Os pronomes pessoais oblíquos **o**, **a**, **os**, **as**, precedidos das formas verbais terminadas em **r**, **s** e **z**, são substituídos por **lo**, **la**, **los**, **las**.

Vou encontrar meu namorado. – Vou **encontrá-lo**.

encontra**r** + **o**

Visitamos nossos pais todo domingo. – **Visitamo-los**.

visitamo**s** + **os**

O professor fez o aluno confessar o plágio. – O professor **fê-lo** confessar.

fe**z** + **o**

e) Os pronomes oblíquos **o**, **a**, **os**, **as**, precedidos das formas verbais terminadas em ditongos nasais **am**, **õe** e **ão** são substituídos por **no**, **na**, **nos** e **nas**.

Venderam a casa rapidamente. – **Venderam-na**.

vendera**m** + **a**

f) Os pronomes **o**, **a**, **os**, **as** exercem a função de objeto direto ao substituir o complemento verbal que não vem regido por preposição.

Vi as crianças no jardim. – Vi-**as** no jardim.

crianças

g) Os pronomes **lhe**, **lhes** exercem a função de objeto indireto ao substituir o complemento verbal regido por preposição.

Emprestou o guarda-chuva à amiga. – Emprestou-**lhe** o guarda-chuva.

à amiga

h) Os pronomes pessoais oblíquos podem exercer a função de sujeito:

Obriguei que ele estudasse. – Obriguei-**o** a estudar.

ele

i) A repetição dos pronomes pessoais oblíquos não é considerada errada se a intenção é enfatizar a expressão.

A **mim**, ninguém **me** engana.

j) Os pronomes pessoais oblíquos **conosco** e **convosco** podem ser empregados na sua forma por extenso **com nós** e **com vós** conforme o contexto.

Os amigos estão **conosco** em qualquer situação.

Os amigos ficaram **com nós** quatro no terminal à espera do ônibus.

k) Os pronomes pessoais oblíquos podem assumir características de pronomes possessivos e exercer a função de adjuntos adnominais.

Pisou-**me** o pé. (Pisou **no meu** pé.)

l) Os pronomes oblíquos **o, a, os, as** podem ainda ser substituídos pelos pronomes retos **ele, ela, eles, elas**, na função de objeto direto, se forem empregados na linguagem coloquial.

Pode pegar **eles** [os livros] para mim. – Pode pegá-**los** para mim? (norma-padrão)

Pronome de tratamento

Na definição de pronome pessoal, além dos retos e oblíquos, inclui-se o **pronome de tratamento**. Ele representa a forma de tratamento aplicada às pessoas de maneira cerimoniosa, de acordo com os cargos ou as funções que ocupam em diversas situações sociais.

São pronomes de tratamento: **o senhor, a senhora, a senhorita, você** e **vocês**.

- **Você** (vocês) é um pronome de tratamento familiar e informal, contração da antiga expressão, "vosmecê", derivada de "Vossa Mercê".

    Você tem que chegar mais cedo todo dia.

- Redução do pronome **senhor** – é comum a forma de tratamento "**seu**".

    Seu Pedro, por favor, acompanhe-me até a sala.

Relação de alguns pronomes de tratamento		
Pronome	Abreviatura	Emprego
Vossa Alteza	V.A.	príncipes, princesas, duques
Vossa Eminência	V. Em.ª	cardeais
Vossa Excelência	V. Ex.ª	altas autoridades (presidente, governador etc.)

Vossa Magnificência	V. Mag.ª	reitores de universidades
Vossa Majestade	V. M.	reis e rainhas
Vossa Meritíssima	por extenso	juízes
Vossa Reverendíssima	V. Rev.ma.	sacerdotes em geral
Vossa Santidade	V.S.	papa
Vossa Senhoria	V.S.ª	cargos importantes (coronel, cônsul etc.)
Você, vocês	v.	tratamento familiar
Senhor/Senhora	Sr./Sr.ª	tratamento formal
Senhorita	Srta.	indica respeito (mulher solteira apenas)

Emprego do pronome de tratamento

a) Os pronomes de tratamento referentes a uma 3ª pessoa ausente são substituídos por **sua** em vez de **vossa**.

Sua Santidade não estará presente na Missa do Galo.

b) Os pronomes de tratamento referem-se à pessoa com quem se fala (2ª pessoa), porém a concordância verbal é feita na 3ª pessoa.

Vossa Excelência **quer** dar início à comemoração.

Pronome possessivo

O pronome possessivo atribui a ideia de posse a cada uma das três pessoas do discurso. Indica ao possuidor (a pessoa gramatical) a posse de algo que lhe pertence.

Eu esqueci o **meu celular** em casa.

Eu – possuidor (1ª pessoa/**meu celular** – **celular** (coisa possuída), **meu** (pronome possessivo)

Quadro dos pronomes possessivos	
1ª pessoa do singular	meu, minha, meus, minhas
2ª pessoa do singular	teu, tua, teus, tuas
3ª pessoa do singular	seu, sua, seus, suas
1ª pessoa do plural	nosso, nossa, nossos, nossas
2ª pessoa do plural	vosso, vossa, vossos, vossas
3ª pessoa do plural	seu, sua, seus, suas

Emprego do pronome possessivo

a) O pronome possessivo concorda em pessoa com o possuidor e em gênero e número com algo possuído.

Nós trouxemos os **nossos patins** para a competição.

b) O pronome possessivo pode, por vezes, não indicar uma relação de posse e sim ser utilizado para acentuar um sentimento afetivo ou pejorativo.

Você pode me ajudar, **meu** bom garoto?

Você não fez nada direito, **seu** incompetente.

c) O uso do pronome possessivo na terceira pessoa (seu, sua, seus, suas) pode tornar o sentido da frase ambíguo.

A mãe pediu ao filho que guardasse **seu** casaco.

A dúvida na frase está no "algo possuído". O casaco tanto pode ser da mãe quanto do filho.

Nesse caso, para evitar a ambiguidade, é possível substituir **seu** por **dele** (se o casaco for do filho) ou **seu** por **dela** (se o casaco for da mãe).

A mãe pediu ao filho que guardasse o casaco **dele**.

A mãe pediu ao filho que guardasse o casaco **dela**.

É importante destacar que, normalmente, o contexto permite desfazer essas ambiguidades sem a necessidade de substituir o pronome.

d) Não é adequado usar o pronome possessivo antes de substantivos que nomeiam partes do corpo ou normas de conduta quando estiverem relacionadas à mesma pessoa gramatical, pois soa redundante.

Estou com dor nos pés. (E não: Estou com dor nos meus pés.)

Perdi a paciência no trânsito. (E não: Perdi a minha paciência no trânsito.)

Só é possível sentir dor nos próprios pés e perder a própria paciência. Por isso, o uso de pronomes possessivos nesses casos é desnecessário.

e) O uso do pronome possessivo pode vir acompanhado dos termos **próprio**, **própria**, **próprios**, **próprias** para enfatizar a ideia de posse.

Sabia que só venceria com **meu próprio** esforço.

f) É possível usar o pronome possessivo para dar uma vaga ideia a respeito de alguma informação.

Ele devia estar com **seus** trinta anos mais ou menos naquela época.

Pronome demonstrativo

O pronome demonstrativo informa a posição do ser no espaço e no tempo em relação às pessoas do discurso.

Esta blusa em cima da mesa é minha.

Esta – o pronome demonstrativo indica a posição do objeto (blusa) no espaço em relação à pessoa do discurso (1ª pessoa).

Quadro dos pronomes demonstrativos		
Pessoa	Variáveis	Invariáveis
1ª pessoa	este, esta, estes, estas	isto
2ª pessoa	esse, essa, esses, essas	isso
3ª pessoa	aquele, aquela, aqueles, aquelas	aquilo

As formas variáveis dos pronomes demonstrativos podem ser usadas como pronomes substantivos e como pronomes adjetivos; já as formas invariáveis só podem ser usadas como pronomes substantivos.

Este livro pertence a mim.

este – pronome adjetivo – acompanhado do substantivo livro

O meu livro é **este**.

este – pronome substantivo – substitui o substantivo livro

Isso não pode acontecer novamente.

isso – pronome substantivo

Assim como os artigos, os pronomes demonstrativos aceitam a combinação ou contração com as preposições **a**, **de**, **em**.

Preposição	Demonstrativo	Combinação
a +	aquele(s), aquela(s), aquilo	àquele(s), àquela(s), àquilo
de +	este(s), esta(s), esse(s), essa(s), aquele(s), aquela(s), isto, isso, aquilo	deste(s), desta(s), desse(s), dessa(s), daquele(s), daquela(s), disto, disso, daquilo
em +	este(s), esta(s), esse(s), essa(s), aquele(s), aquela(s), isto, isso, aquilo	neste(s), nesta(s), nesse(s), nessa(s), naquele(s), naquela(s), nisto, nisso, naquilo

Outras palavras também podem se apresentar como pronomes demonstrativos. São elas:

a) **o, a, os, as** – aparecem como pronomes demonstrativos quando equivalem às formas **aquele, aquela, aqueles, aquelas, aquilo, isso**.

Não queria ter ouvido tudo **o** que ouvi. (o – aquilo)

Ele viu a seta da direita, mas não **a** da esquerda. (a – aquela)

b) **mesmo** e **próprio** são pronomes demonstrativos quando fazem referência a um pronome ou substantivo ao qual estão relacionados.

Eu **mesma** quero desfazer qualquer dúvida. (a própria pessoa)

Eles **próprios** desistiram da acusação.

Tinha sempre o **mesmo** jeito atrevido.

c) **semelhante** e **tal** são pronomes demonstrativos quando equivalem a **este, esse, aquele** e suas flexões.

Tal assunto não será mencionado na reunião.

Não devia dizer **semelhante** bobagem.

Emprego do pronome demonstrativo

Posição no espaço

a) Os pronomes demonstrativos de 1ª pessoa **este(s), esta(s), isto** indicam o ser que está perto da pessoa que fala.

Estas cadeiras estão sujas.

Isto precisa estar seco até manhã.

b) Os pronomes demonstrativos de 2ª pessoa **esse(s), essa(s), isso** indicam o ser que está perto da pessoa que ouve, aquela com quem se fala.

Esse lugar está ocupado?

Isso que você está comendo não me parece nada bom.

c) Os pronomes demonstrativos de 3ª pessoa **aquele(s), aquela(s), aquilo** indicam o ser (pessoa/objeto) que está distante de quem fala e de quem ouve.

Aquelas pessoas não parecem preocupadas com o temporal que se aproxima.

Aquilo que está embaixo da mesa não é a sua mochila?

Posição no tempo

a) Os pronomes demonstrativos de 1ª pessoa: **este(s), esta(s), isto** informam o tempo bem próximo ao momento da fala.

Esta semana está sendo de muito trabalho.

b) Os pronomes demonstrativos de 2ª pessoa **esse(s)**, **essa(s)**, **isso** informam o tempo não muito distante ao momento da fala.

Essas férias foram inesquecíveis.

c) Os pronomes demonstrativos de 3ª pessoa **aquele(s)**, **aquela(s)**, **aquilo** informam um tempo bem anterior ao momento da fala.

Nem gosto de me lembrar **daquela** época.

Além de posicionar as pessoas do discurso no tempo e no espaço, os pronomes demonstrativos desempenham papel importante na compreensão de um texto ao expressar o que foi ou o que será dito.

Em um texto, os pronomes demonstrativos:

a) **este(s)**, **esta(s)**, **isto** são empregados ao fazer referência ao que vai ser dito.

A questão é **esta**: não estou mais com vontade de ir.

b) **esse(s)**, **essa(s)**, **isso** são empregados ao fazer referência a algo anteriormente mencionado.

Desperdiçamos muito tempo nas pesquisas de Química e Física. Por causa **disso**, não conseguiremos entregar os outros trabalhos dentro do prazo.

c) **este(s)**, **esta(s)**, **isto**, **aquele(s)**, **aquela(s)**, **aquilo** são empregados ao fazer referência a dois elementos anteriormente expressos. Ao elemento mais próximo, usam-se este(s), esta(s), isto; ao mais distante usam-se aquele(s), aquela(s), aquilo.

Meu amigo recebeu, no condomínio onde mora, uma multa e uma advertência: **esta** por ocupar a vaga de outro na garagem, e **aquela** por atrasar o pagamento de ocupação do salão de festas.

❖ Os pronomes demonstrativos podem transmitir noções de cunho depreciativo.

Você parece uma **dessas** aí...

Isso que você trouxe não serve como barraca para acampar.

Pronome indefinido

O pronome indefinido refere-se à 3ª pessoa do discurso de maneira imprecisa ou indeterminada.

Ninguém apareceu para trabalhar hoje.

Quadro dos pronomes indefinidos	
Variáveis	Invariáveis
algum, alguns, alguma, algumas	alguém
nenhum, nenhuns, nenhuma, nenhumas	ninguém
todo, todos, toda, todas	tudo
outro, outros, outra, outras	outrem
muito, muitos, muita, muitas	nada
pouco, poucos, pouca, poucas	cada
certo, certos, certa, certas	algo
tanto, tantos, tanta, tantas	quem
vário, vários, vária, várias	
quanto, quantos, quanta, quantas	
qualquer, quaisquer	

Os pronomes indefinidos podem funcionar como **pronomes substantivos** e **pronomes adjetivos**:

Alguém está me chamando.

pronome substantivo

Ele conheceu **várias** pessoas naquela festa.

pronome adjetivo

Emprego do pronome indefinido

a) Os pronomes indefinidos invariáveis são pronomes substantivos, exceto **cada**, pois aparece acompanhado de substantivos, tornando-se um **pronome adjetivo**:

Cada pessoa tem que esperar uma hora para ser atendida.

As expressões **cada um** e **cada qual** substituem o substantivo.

Combinamos que **cada um** traria seu material para produzir o artesanato.

b) O pronome indefinido **certo** e suas flexões aparecem como **pronomes adjetivos** quando estiverem antepostos ao substantivo e como **adjetivos** se estiverem após o substantivo:

Fica difícil resolver **certos** problemas.

pronome indefinido adjetivo (anteposto ao substantivo **problemas**)

Morfologia

Não saberia dizer a hora **certa** do embarque.

            adjetivo (após o substantivo **hora**)

c) Os pronomes indefinidos **algum**(**ns**), **alguma**(**s**), quando antepostos ao substantivo, têm sentido afirmativo e, quando pospostos ao substantivo, têm sentido negativo:

Alguns jovens conseguiram comprar ingressos para o *show*.
(Anteposto ao substantivo **jovens** – sentido afirmativo)

Eles não conseguiram comprar os ingressos de jeito **algum**.
(Após o substantivo **jeito** – sentido negativo)

d) A forma **nenhum**, equivalente a **nem um**, é o negativo de algum.

Não o encontrei em lugar **nenhum**.

> ❖ Quando se pretende enfatizar a expressão, substitui-se o pronome **nenhum** por **nem um**.
>
> Chegou tarde à estreia e não encontrou **nenhum** lugar vazio.
>
> Chegou tão tarde à estreia que não encontrou **nem um** lugar vazio.

e) Os pronomes indefinidos **todo**(**s**), **toda**(**s**), quando usados apenas no singular e não acompanhados de artigo, têm o significado de **qualquer**.

Toda tarde ela costumava passear pela cidade. (qualquer tarde)

✦ Quando esses pronomes estiverem acompanhados de artigo, passam o significado de totalidade.

Toda a família se reunia na casa dos avós aos domingos.

✦ Se estiverem no singular e após o substantivo, terão o significado de **inteiro(a)**.

Levou a manhã **toda** para acabar a tarefa.

✦ Se estiverem no plural, terão o sentido de totalidade.

Eles gostariam de poder se encontrar **todos** os dias.

f) Os pronomes indefinidos **qualquer/quaisquer** têm sentido indeterminado.

O hóspede pode chegar a **qualquer** hora.

Serão solucionados **quaisquer** problemas de inadimplência.

✦ Se colocado após o substantivo, **qualquer** assumirá um sentido pejorativo.

Não queria ser considerada uma mulher **qualquer**.

g) Os pronomes indefinidos podem aparecer como **locuções pronominais**, ou seja, duas ou mais palavras de significado indeterminado: **cada qual**; **qualquer um**; **todo aquele que**; **quem quer que seja**; **qual for**; **um ou outro**; **tal e qual** etc.

Todo aquele que colaborar será recompensado.

Seja qual for o resultado, terá valido a pena.

Algumas palavras podem aparecer como pronomes indefinidos de acordo com o contexto em que aparecem.

- **demais** – se estiver no lugar de **os outros** e vier precedido de artigo:

  Os candidatos que receberam a senha vão entrar, mas **os demais** terão que aguardar.

- **um** – se estiver substituindo um substantivo já identificado e acompanhado do pronome indefinido **outro**.

  A organização da formatura de Ensino Médio certamente acabaria em discussão, pois **uns** queriam uma grande festa e **outros**, uma viagem.

Pronome interrogativo

O pronome interrogativo é empregado em frases interrogativas. Tal qual o pronome indefinido, ele está relacionado à 3ª pessoa gramatical.

A frase interrogativa pode ser direta, finalizada com o ponto de interrogação, ou indireta, finalizada com o ponto-final.

Quem me empresta o guarda-chuva?

Não sei **quem** teria passado tantas informações falsas.

Quadro dos pronomes interrogativos	
Variáveis	Invariáveis
qual, quais	que
quanto, quantos, quanta, quantas	quem

O pronome interrogativo também funciona como **pronome substantivo** e como **pronome adjetivo**:

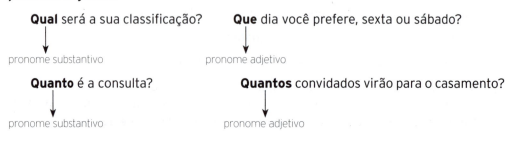

176 Morfologia

Emprego do pronome interrogativo

a) O pronome interrogativo **quem** exerce sempre a função de **pronome substantivo**.

   Quem está aí?

b) As formas populares "**cadê**", "**quedê**" e "**quede**", utilizadas na linguagem coloquial, vêm da expressão "**o que é de?**" e têm o significado de "**onde está?**".

   Cadê meu relógio que estava aqui?

   O que é feito do meu relógio que estava aqui?

   Onde está meu relógio que estava aqui?

c) O pronome interrogativo **qual** e suas flexões propiciam uma escolha entre duas ou mais opções e, em geral, são empregados como **pronome adjetivo**.

   Qual detergente você prefere?

   Quais cadernos são os meus?

d) Os pronomes interrogativos recebem a expressão "é que" para enfatizar o que será dito:

   Quem é que deixou o chão todo molhado?

   Quanto é que custa um liquidificador novo?

Pronome relativo

O pronome relativo refere-se a um substantivo já expresso e inicia uma oração dependente da anterior.

Os documentos **que** esqueci no escritório são muito importantes.

pronome relativo (refere-se a **documentos**)

Quadro dos pronomes relativos	
Variáveis	Invariáveis
o qual, a qual, os quais, as quais	que
cujo, cuja, cujos, cujas	quem
quanto, quanta, quantos, quantas	onde

Emprego do pronome relativo

a) Os pronomes relativos podem ser precedidos de **preposição**:

   O livro **de que** preciso está no alto da estante. (O verbo **precisar** exige a preposição **de**.)

b) O pronome relativo **que** é, certamente, o mais empregado ao referir-se a pessoas ou coisas:

A moça **que** entrou na sala é minha irmã.

A carteira **que** foi roubada pertencia ao diretor.

c) Os pronomes relativos **o qual, a qual, os quais, as quais** podem ser substituídos pelo pronome relativo **que** quando se referirem a pessoas ou coisas:

A caneta **a qual** (**que**) comprei está falhando.

As pessoas **as quais** (**que**) conheci ontem são muito amáveis.

d) O pronome relativo **quem** é empregado quando se trata de pessoas:

Aquela era a pessoa **de quem** falavam tão bem. (Esse pronome relativo vem precedido de preposição.)

e) Os pronomes relativos **cujo, cuja, cujos, cujas** são empregados como **pronome adjetivo**, com significado de pronome possessivo, e não admitem artigo antecedente:

O escritor brasileiro **cujas** obras ficaram célebres faleceu recentemente.

Os pais **cujos** filhos foram premiados estavam radiantes.

f) Os pronomes **quanto, quanta, quantos, quantas** são relativos quando vêm antecedidos pelos **pronomes indefinidos**: **tanto** (e flexões), **todo** (e flexões) e **tudo**.

Levou **tudo quanto** pôde, mas não se sentiu satisfeito.

Entregou **tantas quantas** couberam no carro.

g) O pronome relativo **onde** informa lugar e tem o mesmo significado de **em que** e **no qual**:

Você conhece a casa **onde** ele mora? (em que ele mora/na qual ele mora)

Esse pronome pode ser empregado sem antecedentes.

Onde ele mora?

> ❖ Há distinção no emprego das palavras **onde** e **aonde**. O termo **onde** deve ser usado nas orações com verbos que indiquem **permanência**.
>
> **Onde** está a minha mochila? (O verbo estar indica permanência.)
>
> O termo **aonde** (preposição **a** + **onde**) deve ser usado com verbos que indiquem movimento.
>
> **Aonde** você foi ontem? (O verbo ir indica movimento.)
>
> A expressão **de onde** indica procedência.
>
> **De onde** eles vieram?

Exercícios

1. Sublinhe os pronomes e classifique-os em pronomes substantivos e pronomes adjetivos.
   a) Algum dia você poderá comprar o seu apartamento.
   b) Nós esperávamos ansiosamente por aquelas férias.
   c) *Eu não tinha este rosto de hoje.* (*Retrato*, Cecília Meireles)
   d) *Mercedes Pires nem reparou nele, que foi sua grande paixão.*
   (*Amor imortal morre de tarde*, João Cândido de Carvalho)

2. Destaque os pronomes pessoais e classifique-os em retos e oblíquos.
   a) Ela entrou em casa e ele correu para abraçá-la.
   b) Eles levaram consigo os livros e as cartas.
   c) Contei-lhe o caso como me foi contado.
   d) Encontraram-na desmaiada, mas felizmente logo voltou a si.

3. Substitua as palavras destacadas pelos pronomes oblíquos **o**, **a**, **os**, **as**, fazendo as adaptações necessárias.
   a) Quer comprar **ações** por ser um bom negócio.
   b) Guardem **seus casacos** no armário.
   c) Preciso vender **meu carro** ainda este ano.
   d) O professor emprestou **para eles** o dicionário de espanhol.

4. Classifique **o**, **a**, **os**, **as** nas frases abaixo como artigo definido ou pronome pessoal oblíquo.
   a) Sabe a nova estagiária? Eu a encontrei no *shopping*.
   b) Imprimi o gabarito, guardei-o e não mostrei para ninguém.
   c) Você não a viu na excursão porque ela perdeu a hora.
   d) Procurei-o por todos os andares e ele estava perto de mim.

5. Identifique os pronomes possessivos e classifique-os em pronomes substantivos ou adjetivos.
   a) Nossos projetos eram, sem dúvida, bem melhores que os seus.
   b) Trouxe o meu tênis, mas aposto que esqueceu o seu.
   c) Ele não se lembrou de devolver meu livro. Ele devolveu o teu?
   d) *Nas palmas de tuas mãos*
      leio as linhas da minha vida. (*Meu destino*, Cora Coralina)

6. Preencha as lacunas com os pronomes demonstrativos: este(s), esta(s), isto, esse(s), essa(s), isso, aquele(s), aquela(s), aquilo.
   a) _____ celular na minha mão é de última geração.
   b) _____ garoto ali não é mais aluno d_____ turma aqui.

Pronome

c) A questão é _____ : não temos mais ingressos para sábado.
d) Ele não cumpriu o prometido e _____ me deixou revoltada.

7. **Identifique os pronomes indefinidos.**
   a) *Por tanto amor
   por tanta emoção
   a vida me fez assim* (*Caçador de mim*, Sergio Magrão e Luís Carlos Sá)
   b) *Todos juntos somos fortes
   não há nada pra temer* (*Todos juntos*, Sergio Bardotti e Chico B. de Holanda)
   c) Esperou por muitas horas e ninguém apareceu.
   d) Não vamos chegar a um consenso, pois uns sempre concordam e outros discordam.

8. **Sublinhe o pronome relativo e indique seus antecedentes.**
   a) Escolhi só as fotos que estavam no álbum.
   b) Existe naquela rua uma casa cujos moradores são estranhos.
   c) Ficava do lado esquerdo da rua a casa onde morávamos.
   d) *A roupa lavada, que ficara de véspera nos coradouros, umedecia o ar.* (*O cortiço*, Aluísio de Azevedo)

9. **Classifique o pronome quem em: pronome interrogativo, indefinido ou relativo.**
   a) O coordenador recebeu os alunos suspensos com **quem** conversou por longo tempo.
   b) Procurei **quem** podia me ajudar.
   c) **Quem** seria aquele sujeito mal-encarado?
   d) *Um acordar alegre e farto de **quem** dormiu de uma assentada...* (*O cortiço*, Aluísio de Azevedo)

10. **Reconheça e classifique os pronomes no texto a seguir.**
    No dia em que ela não veio, pensei uma porção de vinganças impossíveis e votei-lhe um ódio de morte que durou quase um minuto. Era a decepção que sempre nos deixa o pecado irrealizado, logo apagada pela ideia de que não nos faltará tempo para pecar. De fato, na outra noite – hora de sempre – lá veio ela, fugindo de uma sombra para outra, para enganar o irmão. Nesse encontro nos juramos uma eterna fidelidade amorosa e fomos mais dramáticos em nossas palavras, gesto, atitudes.

    (*A moça e a varanda*, Sérgio Porto)

Questões de vestibulares

1. (UA-AM) Assinale a opção em que houve erro no emprego do pronome, consciente na troca de **o** por **lhe** ou de **eu** por **mim**.
   a) Quantos livros você trouxe para eu ler.
   b) Eu o respeito muito e muito o estimo, mas não lhe obedeço cegamente.
   c) Essas dimensões eram sempre desgastantes para mim, que verdadeiramente o admirava.
   d) Foi penoso, para mim, chegar.
   e) Eu lhe convidei para a festa e não o perdoo por você ter faltado.

2. (Fuvest-SP) Assinale a alternativa em que o pronome destacado foi empregado corretamente.
   a) Aguarde um instante. Quero falar **consigo**.
   b) É lamentável, mas isso sempre ocorre com **nós** dois.
   c) O processo está aí para **mim** examinar.
   d) Vossa Senhoria preocupa-se com problemas cuja solução foge a **vossa** alçada.
   e) Já se tornou impossível haver novos entendimentos entre **eu** e você.

3. (Fuvest-SP) "Vi uma foto sua no metrô."
   Explique pelo menos dois dos vários sentidos que podem ser atribuídos à frase acima.

4. (Fuvest-SP)
   a) Reescreva a frase seguinte, substituindo o pronome destacado por outro, sem alterar o sentido do período.
   "O barbeiro não parou de falar, enquanto cortava os **meus** cabelos."
   b) Empregando exatamente as mesmas palavras, reescreva a frase seguinte, alterando-a de modo que adquira sentido negativo:
   "Algum amigo me ajudará."

5. (Cefet-MG) Identifique a alternativa em que o emprego do pronome fere a norma culta.
   a) O livro? ... Deram-mo para que o devolvesse à Biblioteca.
   b) Para mim, resolver esses exercícios é fácil.
   c) Não se preocupe, querida, eu vou consigo ao aeroporto.
   d) Remetemos o abaixo-assinado a Sua Excelência, o governador.
   e) Ela ficou-me observando enquanto eu lia sua mão.

6. (Mackenzie-SP) Assinale a alternativa correta com relação ao uso do pronome pessoal.
   a) Entre eu e ti existe um grande sentimento.
   b) Isto representa muito para mim viver.
   c) Com tu, passo os momentos mais felizes de minha vida.
   d) Sempre lhe quis ao meu lado.
   e) De fato, entre mim e ti, há sempre um clima de harmonia.

7. (Faap-SP)
   Ouvindo-te dizer: Eu te amo, creio, no momento, que sou amado. No momento anterior e no seguinte, como sabê-lo? (*Quero*, Carlos Drummond de Andrade)

   O pronome **o** está no lugar da oração:
   a) ouvindo-te
   b) dizer
   c) eu te amo
   d) que sou amado
   e) como saber

8. (FCMSC-SP) Por favor, passe _____ caneta que está aí perto de você; _____ aqui não serve para _____ desenhar.
   a) aquela, esta, mim
   b) esta, esta, mim
   c) essa, esta, eu
   d) essa, essa, mim
   e) aquela, essa, eu

9. (Mackenzie-SP) "Mosquitos são elos fundamentais da cadeia alimentar **da qual você também faz parte.**"
   O trecho destacado pode ser corretamente substituído por:
   a) na qual você também faz parte.
   b) a qual você também faz parte.
   c) onde você também faz parte.
   d) que você também faz parte.
   e) de que você também faz parte.

10. (Cesgranrio-RJ) Assinale a opção que completa as lacunas da seguinte frase.
    "Ao comparar os diversos rios do mundo com o Amazonas, defendia com azedume e paixão a proeminência _____ sobre cada um _____ ."
    a) desse – daquele
    b) daquele – destes
    c) deste – daqueles
    d) deste – desse
    e) deste – desses

11. (Cesgranrio-RJ) Assinale a opção que complete as lacunas.

"Brandura e grosseria alternam-se em seu comportamento: já não o suporto, pois _____ é o traço dominante; _____ , o esporádico."
a) esse – este
b) essa – esta
c) aquele – esse
d) esta – aquela
e) esta – essa

12. (UFSCar-SP) Dê o valor do indefinido **algum** na frase:
"Preferem qualquer emprego a emprego algum."

13. (UEPG-PR) "**Toda** pessoa deve responder pelos compromissos assumidos." A palavra destacada é:
a) pronome adjetivo indefinido.
b) pronome substantivo indefinido.
c) pronome adjetivo demonstrativo.
d) pronome substantivo demonstrativo.

14. (PUC-PR) Assinale a alternativa em que aparece um pronome relativo.
a) Ele finalmente encontrou a camisa.
b) Digam aos alunos daquela turma que o professor aplicará o teste na próxima aula.
c) Gastou nas compras todo o dinheiro, que era pouco.
d) Não lhe agradava que os amigos rissem do seu jeito de dançar.
e) Ela mesma me afirmou que iria.

15. (Cefet-PR) Faça conforme o modelo.
*Não li o livro. O resumo do livro foi pedido pelo professor.
Não li o livro cujo resumo foi pedido pelo professor.
*Conheci o poeta mineiro. Seus poemas foram publicados na edição de ontem do *Jornal do Brasil*.

16. (UFPI-PI) Assinale a alternativa em que o emprego da expressão sublinhada está adequado ao padrão formal da língua.
a) A desgraça sobre a qual ele teme vem das aves.
b) A fuga das aves é um fato do qual ele se preocupa.
c) As aves são uma realidade pela qual não se conforma.
d) É grande o sofrimento com que ele enfrenta no momento.
e) O pombal a que o texto se refere fica à sombra da mangueira.

Verbo

O verbo é fundamental na formação de uma oração, pois é a palavra que exprime ação, estado, fato e fenômeno natural em determinado espaço de tempo. O verbo é uma palavra que apresenta flexões para indicar pessoa, número, modo e tempo.

[...]

Queremos saber,

Queremos viver

Confiantes no futuro.

Por isso se **faz** necessário

Prever qual **é** o itinerário da ilusão,

A ilusão do poder,

Pois, se **foi permitido** ao homem

Tantas coisas **conhecer**,

É melhor que todos saibam

O que **pode acontecer**

[...]

(Queremos saber, Gilberto Gil)

Ao ler o trecho da letra da música acima, é possível perceber a variação do processo verbal. Observa-se, por meio da flexão do verbo, que há ações que ocorrem no presente, com remissões ao passado e alusões ao futuro.

Características do verbo	
Categoria	**Definição**
Número	Indica a quantidade de pessoas inseridas na ação.
Pessoa	Indica quem pratica a ação (1ª pessoa – emissor da mensagem; 2ª pessoa – destinatário da mensagem; 3ª pessoa – de quem ou do que se fala).
Tempo	Indica se a ação ocorreu antes, depois ou simultaneamente à fala.
Modo	Indica a atitude de quem fala ao relatar a ação.
Voz	Indica se a ação é praticada por quem fala ou praticada e sofrida por ele.
Aspecto	Indica o momento em que a ação é representada (início, desenrolar, final) ou expressa a ideia de repetição da ação.

Flexões do verbo

Como foi visto no quadro acima, o verbo apresenta inúmeras categorias. Além das flexões que indicam pessoa, número, modo e tempo, o verbo pode indicar a voz e o aspecto. Isso quer dizer que uma mesma forma verbal é capaz de fornecer diversas informações ao interlocutor.

Essas flexões serão abordadas a seguir de maneira detalhada.

Pessoa e número

As pessoas do discurso, ou pessoas gramaticais (1ª, 2ª e 3ª) servem de **sujeito** para o verbo, e o verbo concorda com o sujeito, que pode se apresentar no **singular** ou no **plural**.

Pessoa	Número
1ª pessoa do singular (eu)	Falo
2ª pessoa do singular (tu)	Falas
3ª pessoa do singular (ele, ela)	Fala
1ª pessoa do plural (nós)	Falamos
2ª pessoa do plural (vós)	Falais
3ª pessoa do plural (eles, elas)	Falam

Tempo

A flexão do verbo localiza a ação no tempo, que pode ocorrer no presente, no passado ou no futuro.

São três os tempos verbais:

+ **presente** – o fato acontece no momento em que se fala.

Preciso do seu carro porque o meu **está** em manutenção.

+ **pretérito** – o fato aconteceu anteriormente ao momento em que se fala.

Precisei do seu carro porque o meu **estava** em manutenção.

+ **futuro** – o fato acontecerá depois do momento em que se fala.

Precisarei do seu carro porque o meu **estará** em manutenção.

O **pretérito** e o **futuro** apresentam subdivisões que o presente não apresenta.

Pretérito
- **imperfeito** – informa um fato ocorrido, mas não concluído; um fato habitual: Ela **precisava** de cuidados médicos.
- **perfeito** – informa um fato concluído: Eu **precisei** de sua ajuda e você foi meu amigo naquela ocasião.
- **mais-que-perfeito** – informa um fato concluído anteriormente a outro também já ocorrido: Quando **precisara** de um apoio, meu pai me socorreu.

Futuro
- **do presente** – informa um fato que vai ocorrer: **Precisarei** de muita energia para fazer essa prova.
- **do pretérito** – informa um fato que vai ocorrer em relação a um momento passado; depende de uma condição: Se ele fosse participar do jogo, **precisaria** perder uns quilos.

Os tempos verbais, em relação à forma, podem ser:

+ **simples** – formado apenas por um verbo.

Ela **fez** um bolo delicioso.

+ **composto** – formado por um verbo auxiliar (ter ou haver) e o particípio do verbo principal.

Ela **havia feito** um bolo delicioso.

❖ O tempo **pretérito mais-que-perfeito** é mais utilizado em sua forma composta do que na simples. Fala-se e escreve-se mais "A criança já **tinha guardado** os brinquedos quando a amiga chegou." do que "A criança já **guardara** os brinquedos quando a amiga chegou.".

Modo

O modo como o verbo se apresenta informa como a ação acontece e qual a atuação do sujeito diante dela.

São três os modos verbais:

+ **indicativo** – modo que indica certeza.

   Viajo amanhã cedo para o litoral.

+ **subjuntivo** – modo que indica dúvida.

   E se eu **tivesse** dinheiro e **viajasse** com você?

+ **imperativo** – modo que exprime uma ordem, pedido ou conselho.

   Não **chorem** quando eu partir.

Formas nominais

Além dos modos verbais apresentados, existem modos que indicam um fato de maneira vaga, imprecisa ou impessoal. As **formas nominais** têm esse nome porque executam funções relacionadas aos nomes (substantivos e adjetivos).

São três as formas nominais.

+ **infinitivo** – divide-se em:
    - pessoal: refere-se às pessoas do discurso, ou seja, apresenta sujeito.

      Para **viajarmos**, é preciso que o dinheiro seja depositado.

    - impessoal: não se refere às pessoas do discurso, ou seja, não apresenta sujeito e caracteriza-se pela terminação **r**:

      Não adianta **falar** sobre isso se não há o que **fazer**.

+ **gerúndio** – caracteriza-se pela terminação – **ndo**: falando, vendendo, partindo.
+ **particípio** – caracteriza-se pela terminação – **ado/ido**: falado, vendido, partido.

Tempos simples e compostos – verbo falar (1ª pessoa)

Modo indicativo			
	Presente		falo
	Pretérito	Imperfeito	falava
		Perfeito simples	falei
		Perfeito composto	tenho falado
		Mais-que-perfeito simples	falara
		Mais-que-perfeito composto	tinha falado
	Futuro	do presente simples	falarei
		do presente composto	terei falado
		do pretérito simples	falaria
		do pretérito composto	teria falado

Modo subjuntivo
- **Presente** — fale
- **Pretérito**
  - Imperfeito — falasse
  - Perfeito composto — tenha falado
  - Mais-que-perfeito composto — tivesse falado
- **Futuro**
  - Simples — falar
  - Composto — tiver falado

Modo imperativo
- Afirmativo — fala (tu)
- Negativo — não fales (tu)

Infinitivo
- impessoal — falar
- pessoal — falar (eu)

Formas nominais
- **Gerúndio** — falando
- **Particípio** — falado

Voz

A voz do verbo caracteriza as diferentes atuações do sujeito na oração.

São três as vozes do verbo: **voz ativa**, **passiva** e **reflexiva**.

Voz ativa

O sujeito é agente da ação expressa pelo verbo.

Eles **resolveram** todas as questões do simulado.

sujeito que pratica a ação

Voz passiva

O sujeito é paciente, ou seja, sofre a ação expressa pelo verbo.

As questões do simulado **foram resolvidas** pelos bolsistas.

sujeito que recebe a ação

A voz passiva pode ser expressa de duas maneiras.

+ **analítica**: formada por um verbo auxiliar (ser), seguido pelo particípio do verbo principal:

  As mercadorias **eram vendidas** semanalmente.

  As pipas **são empinadas** pelos meninos.

+ **sintética**: formada a partir do verbo principal, conjugado na 3ª pessoa (do singular ou plural), seguido do pronome apassivador **se**.

  Vende-**se** este relógio.

  Alugam-**se** caiaques.

Conversão do verbo da voz ativa para voz passiva e vice-versa

A conversão só é possível se não alterar o sentido da oração.

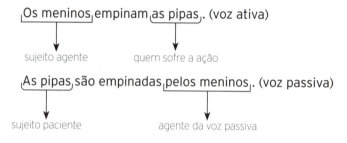

Mesmo que os elementos mudem de lugar, o sentido da oração permanece.

❖ A passagem para a voz passiva analítica e para a passiva sintética só ocorre com **verbos transitivos diretos** ou **transitivos diretos e indiretos**. Os verbos **intransitivos**, **transitivos indiretos** e **verbos de ligação** não admitem a voz passiva.

Esses verbos que não admitem a passagem para a voz passiva permanecem na 3ª pessoa do singular.

Precisa-se de operários com experiência.   Fica-se alegre nestes dias.

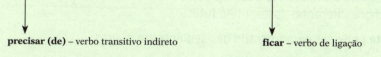

O sujeito das orações acima é caracterizado como **indeterminado** e o **se** como índice de indeterminação do sujeito.

❖ Quando, na **voz ativa**, não houver sujeito, ou se o sujeito for indeterminado, não haverá agente da passiva na **voz passiva analítica**:

Roubaram a minha mochila. (sujeito indeterminado)

Minha mochila foi roubada. (voz passiva analítica sem agente da passiva)

❖ É comum a definição: "o sujeito pratica a ação na voz ativa." Entretanto, existem orações em que o sujeito sofre a ação, e o verbo está na voz ativa, mas tem sentido passivo.

O aluno recebeu uma nota baixa.

O sujeito "aluno" sofre a ação, mas o verbo "recebeu", que está na voz ativa, tem sentido passivo.

Voz reflexiva

O sujeito é, ao mesmo tempo, agente e paciente da ação expressa pelo verbo.

O menino **machucou-se** seriamente.

sujeito que pratica e recebe a ação

Se o verbo estiver no plural, a voz reflexiva informa a **reciprocidade** da ação verbal:

Os irmãos **abraçaram-se** após uma longa separação.

(um irmão abraçou o outro)

Aspecto

O aspecto verbal compreende as etapas do desenvolvimento do processo verbal em um ponto de sua duração: no início, no percurso ou no final.

As pessoas **iniciam** o evento.

As pessoas **iniciarão** o evento.

O aspecto verbal indica, nas duas orações, o início da ação, embora os verbos estejam em tempos diferentes (presente e futuro).

O **aspecto** pode ser demonstrado das seguintes maneiras:

a) na significação do verbo que já expressa o sentido:

O engenheiro **começa** a trabalhar hoje. (aspecto incoativo, que dá início à ação)

b) no emprego do tempo verbal que sinaliza a continuidade da ação:

Chovia sempre naquela época do ano. (aspecto frequentativo, habitual, iterativo)

c) no uso de verbos auxiliares que marcam o tempo da ação:

Acabamos de entregar o relatório. (aspecto conclusivo)

d) no emprego de prefixos e sufixos que caracterizam um aspecto:

Os preços serão **re**marcados novamente. (aspecto repetitivo)

Conseguiu final**izar** a entrega das encomendas. (aspecto conclusivo)

Alguns aspectos que os verbos podem expressar	
aspecto incoativo, inicial	começar, iniciar, amanhecer, florescer, nascer etc.
aspecto frequentativo, habitual	bebericar, choramingar, chuviscar, folhear etc.
aspecto conclusivo	acabar, terminar, fechar, parar, concluir etc.
aspecto cursivo, progressivo	continuar, prolongar, utilizar etc.
aspecto imitativo	engatinhar (como o gato), patinar (como o pato) etc.
aspecto aumentativo ou diminutivo (por meio de prefixos e sufixos)	esbravejar, retorcer, adocicar, dormitar, petiscar etc.

Verbo auxiliar e locução verbal

A **locução verbal** é formada por um verbo auxiliar seguido de um verbo principal em uma das formas nominais: infinitivo, gerúndio ou particípio.

Vamos sair mais cedo hoje.

Eles **estão discutindo** muito ultimamente.

As crianças **tinham brincado** a tarde toda.

Nessa formação, o verbo auxiliar é conjugado e indica as flexões de pessoa, número, tempo e modo. O verbo principal informa a ideia central e expressa a significação.

Ela **está terminando** o curso de enfermagem.

verbo auxiliar   verbo principal

Os verbos auxiliares de uso mais comum em português são: **ser**, **estar**, **ter** e **haver**. Além desses, há outros que podem ser empregados como verbos auxiliares, como **ir**, **vir**, **andar** etc.

Conjugações do verbo

Conjugar um verbo é dizê-lo em todos os modos, tempos, pessoas, números e vozes. O conjunto de todas essas flexões chama-se conjugação.

Os verbos da língua portuguesa estão dispostos em três conjugações.

- **1ª conjugação** – verbos terminados em **ar**: falar, andar, amar, cantar etc.
- **2ª conjugação** – verbos terminados em **er**: vender, comer, bater, trazer etc.
- **3ª conjugação** – verbos terminados em **ir**: partir, dividir, sair, abrir etc.

O verbo **pôr** e seus derivados (**compor**, **dispor**, **repor**, **depor**) pertencem à 2ª conjugação, porque sua forma antiga era "**poer**".

A vogal temática **e** aparece em alguns tempos e modos, número e pessoa do verbo pôr: pus**e**ste, pus**e**ra, pus**é**ssemos, pus**e**rem.

Elementos estruturais do verbo

As formas verbais: **ele falava**, **nós venderemos**, **elas partiram** são constituídas pelos seguintes morfemas:

Como já foi estudado, o **radical** é o elemento significativo essencial do verbo. Em geral, ele é invariável.

Para identificar a conjugação do verbo, retira-se a terminação verbal **ar**, **er** e **ir** do infinitivo impessoal: fal-**ar**, vend-**er**, part-**ir**.

Em relação à acentuação, distinguem-se as formas **rizotônicas** e as **arrizotônicas**.

- Na forma **rizotônica**, o acento tônico recai no radical – **fal**-a.
- Na forma **arrizotônica**, o acento tônico recai fora do radical – fal-**ávamos**

A **vogal temática** informa a que conjugação o verbo pertence.

As vogais **a, e, i** unem-se ao radical e determinam os verbos de:

- 1ª conjugação – fal + **a**r
- 2ª conjugação – vend + **e**r
- 3ª conjugação – part + **i**r

O radical ligado à vogal temática é chamado **tema**.

- 1ª conjugação: **fala**
- 2ª conjugação: **vende**
- 3ª conjugação: **parti**

É a partir do tema que se acrescentam as **desinências**:

- **modo-temporal** – indica o modo e o tempo do verbo.

fal + **á** + **va** + mos – a desinência informa o tempo e o modo: pretérito imperfeito do indicativo.

- Alguns tempos não apresentam a desinência modo-temporal, como o presente e pretérito perfeito do indicativo, que só apresentam desinência número-pessoal.

  falas – **fala** (tema) + **s** (desinência número-pessoal – 2ª pessoa do singular do presente do indicativo).

  falastes – **fala** (tema) + **stes** (desinência número-pessoal – 2ª pessoa do plural do pretérito perfeito do indicativo).

- Em alguns verbos, as desinências modo-temporais são iguais. Para esclarecer essa distinção, é preciso situá-las em um contexto.

  Quando eles **saírem**, desligue a televisão. (futuro do subjuntivo)

  Pedi para eles **saírem** bem depressa. (infinitivo pessoal)

+ **número-pessoal** – indica o número e a pessoa do discurso.

  fal + á + va + **mos** – a desinência informa que se trata da 1ª pessoa do plural.

  A desinência número-pessoal "**mos**" é constante em todas as formas de 1ª pessoa do plural: nós fala**mos**; nós vendería**mos**; se nós partísse**mos** etc.

- As 1ª e 3ª pessoas do singular não apresentam desinência número-pessoal em algumas formas verbais. Como é a desinência que designa a pessoa, só é possível diferenciá-las dentro de um contexto:

  Prometi que **ficaria** em casa até ela chegar.

  Prometeu que **ficaria** em casa, mas saiu sem avisar.

Classificação do verbo

Quanto à formação

Quanto à formação, os verbos são classificados em:

+ **primitivos** – são os verbos que possibilitam a formação de outros verbos:
  amar, fazer, pôr, partir

+ **derivados** – são os verbos que derivam do radical dos verbos primitivos:
  retomar, desfazer, compor, namoricar

+ **simples** – são os verbos formados por um radical apenas:
  falar, ler, rir, ganhar

- **compostos** – são os verbos formados por mais de um radical ou por mais de um elemento mórfico:

  televisionar, cronometrar

Quanto à flexão

Quanto à flexão, os verbos são classificados em:

- **regulares** – são os verbos que, quando flexionados, não sofrem mudança no radical ou na desinência e seguem um modelo de conjugação, ou seja, seguem um **paradigma**.

Os verbos que seguem o mesmo paradigma no presente e no pretérito perfeito do indicativo são considerados regulares.

Indicativo	Presente	Pretérito perfeito
1ª conjugação	**fal**-o, fal-**as**	**fal**-ei, fala-**ste**
	cant-o, cant-**as**	**cant**-ei, canta-**ste**
2ª conjugação	**vend**-o, vend-**es**	**vend**-i, vende-**ste**
	bat-o, bat-**es**	**bat**-i, bate-**ste**
3ª conjugação	**part**-o, part-**es**	**part**-i, parti-**ste**
	admit-o, admit-**es**	**admit**-i, admiti-**ste**

❖ Ver **Modelos de conjugação verbal**, páginas 215 a 222.

- **irregulares** – são os verbos que sofrem modificações no radical ou na flexão, com diferenças em relação aos verbos que pertencem à mesma conjugação.

  a) variação no radical em comparação com o infinitivo:

  fazer – **faç**o   **ped**ir – **peç**o   **perd**er – **perc**o

  b) variação na flexão em relação ao modelo:

  d**ar** – d**ou**, dás   enquanto: cant**ar** – cant**o**, cant**as**

❖ Ver **Modelos de conjugação verbal**, páginas 223 a 238.

- **anômalos** – são chamados assim os verbos **ser** e **ir**, por exemplo, extraordinariamente irregulares, pois apresentam, na sua conjugação, diversos radicais primários.

  Verbo ser – **sou, fui, era**

  Verbo ir – **vou, fui, ia**

Alguns autores consideram anômalos verbos cujos radicais sofrem alterações tais que não permitem enquadrá-los em modelo algum, como **estar**, **haver**, **ter**, **vir** e **pôr**.

❖ Ver **Modelos de conjugação verbal**, páginas 228, 235, 237 e 238.

✦ **defectivos** – são os verbos que não apresentam a conjugação completa em alguns tempos, modos ou algumas pessoas não aparecem.

De acordo com alguns linguistas, certas formas do verbo foram eliminadas por não serem mais usadas, em razão da eufonia ou por coincidirem com a flexão de outro verbo. Nesses casos, sugere-se usar um verbo sinônimo para não modificar o sentido que se quer dar à frase. Alguns dos verbos que não apresentam conjugação completa são: **abolir**, **colorir**, **falir**, **reaver**, **precaver**, **soer** etc.

❖ Os verbos chamados **impessoais** são considerados defectivos, pois são empregados somente na 3ª pessoa do singular. Não apresentam sujeito e indicam fenômenos da natureza: **chover**, **ventar**, **nevar**, **relampejar**, **trovejar**, **garoar**, **amanhecer**, **anoitecer** etc. Esses verbos deixam de ser impessoais quando empregados em sentido conotativo.

Choveram flores no casamento dela.

Amanhecemos exaustos depois daquela festa.

❖ Os verbos **fazer** e **haver** também são considerados impessoais e empregados apenas na 3ª pessoa do singular quando:

▪ o verbo **fazer** indicar tempo decorrido:

Faz vinte anos que não a encontro.

▪ o verbo **haver** tiver o sentido de existir:

Havia muitos operários na porta daquela fábrica.

❖ Os verbos **unipessoais** apresentam sujeito e são usados na 3ª pessoa do singular ou do plural. Caracterizam-se por expressar as vozes dos animais:

O cachorro **latia**, o gato **miava** e o barulho era infernal.

Os sapos não pararam de **coaxar** naquela noite.

❖ Alguns verbos ou expressões unipessoais são utilizados apenas na 3ª pessoa do singular:

É necessário que todos cheguem cedo.

É bom que ninguém falte.

Consta que houve erros na correção.

✦ **abundantes** – são os verbos que apresentam duas ou mais formas com o mesmo valor. É mais comum ocorrer essa abundância de formas no **particípio**: uma **regular** (terminada em **ado** ou **ido**) e outra **irregular**:

A polícia **tinha prendido** os assaltantes.

Os assaltantes **estavam presos**.

Aqueles garotos **tinham soltado** balões sem o conhecimento dos pais.

Os balões **foram soltos** na noite de São João.

A forma regular do particípio é geralmente empregada com os verbos auxiliares **ter** e **haver**, e as formas irregulares com os auxiliares **ser** e **estar**:

Relação de alguns verbos que apresentam duas formas de particípio		
Infinitivo	Particípio regular	Particípio irregular
aceitar	aceitado	aceito
acender	acendido	aceso
anexar	anexado	anexo
benzer	benzido	bento
concluir	concluído	concluso
corrigir	corrigido	correto
defender	defendido	defeso
dispersar	dispersado	disperso
distinguir	distinguido	distinto
eleger	elegido	eleito
emergir	emergido	emerso
encher	enchido	cheio
entregar	entregado	entregue
envolver	envolvido	envolto
enxugar	enxugado	enxuto
erigir	erigido	ereto
exaurir	exaurido	exausto
expelir	expelido	expulso
expressar	expressado	expresso
exprimir	exprimido	expresso
expulsar	expulsado	expulso
extinguir	extinguido	extinto
findar	findado	findo

frigir	frigido	frito
fritar	fritado	frito
imergir	imergido	imerso
imprimir	imprimido	impresso
incluir	incluído	incluso
incorrer	incorrido	incurso
inserir	inserido	inserto
isentar	isentado	isento
limpar	limpado	limpo
matar	matado	morto
ocultar	ocultado	oculto
omitir	omitido	omisso
pegar	pegado	pego
prender	prendido	preso
romper	rompido	roto
salvar	salvado	salvo
secar	secado	seco
segurar	segurado	seguro
soltar	soltado	solto
submergir	submergido	submerso
sujeitar	sujeitado	sujeito
surgir	surgido	surto
suspender	suspendido	suspenso
tingir	tingido	tinto
vagar	vagado	vago

❖ Alguns verbos só possuem o particípio irregular:

abrir/aberto   escrever/escrito   ver/visto
cobrir/coberto   fazer/feito   vir/vindo
dizer/dito   pôr/posto

❖ Os particípios irregulares **ganho**, **gasto**, **pago** vêm sendo empregados com mais frequência que os irregulares: ganhado, gastado, pagado.

❖ O verbo **pegar** só possui forma regular: **pegado**. No entanto, na linguagem coloquial, o emprego da forma **pego** tem sido aceito, embora não faça parte da norma-padrão:

O rapaz foi **pego** pela polícia furtando uma bicicleta.

+ **pronominais** – são os verbos que se conjugam com os **pronomes pessoais oblíquos** átonos. Existem dois tipos:

    - os **essencialmente pronominais** – o pronome oblíquo átono é parte integrante do verbo, como arrepender-se, queixar-se, apoderar-se, ausentar-se etc.:

        eu me arrependo; ela se queixa; nós nos apoderamos; eles se ausentaram

    - os **acidentalmente pronominais** – os chamados "reflexivos", conjugados na voz ativa e acompanhados dos oblíquos átonos. Podem ser utilizados também em sua forma simples, sem o pronome oblíquo:

        ele se feriu; nós nos penteamos; eles se lembraram

 Ver **Modelos de Conjugação Verbal**, páginas 242 a 244.

Formação dos tempos verbais

Na formação dos tempos verbais, são considerados os tempos primitivos e derivados.

A partir de três tempos **primitivos** (presente do indicativo; pretérito perfeito do indicativo e infinitivo pessoal), formam-se todos os outros tempos **derivados**.

Os tempos verbais constituídos por um só verbo são **simples**, e os constituídos por dois verbos são os **compostos** (verbo auxiliar **ter** ou **haver** e particípio do verbo principal).

Os tempos **simples** são:

Modo indicativo
Presente
Pretérito perfeito
Pretérito imperfeito
Pretérito mais-que-perfeito
Futuro do presente
Futuro do pretérito

Modo subjuntivo
Presente
Pretérito imperfeito
Futuro

Os tempos **compostos** são:

Modo indicativo
Pretérito perfeito
Pretérito mais-que-perfeito
Futuro do presente
Futuro do pretérito

Modo subjuntivo
Pretérito perfeito
Pretérito mais-que-perfeito
Futuro

Formação dos tempos simples

Tempos derivados do presente do indicativo

A partir do tempo presente do indicativo, formam-se três tempos derivados: o **presente do subjuntivo**, o **imperativo afirmativo** e o **imperativo negativo**.

Presente do subjuntivo

É formado pelo radical da 1ª pessoa do singular do presente do indicativo.

Nos verbos de 1ª conjugação, troca-se o **o** pelo **e**: fal-**o**/fal-**e**.

Nos verbos de 2ª e 3ª conjugação, troca-se o **o** pelo **a**: vend-**o**/vend-**a**, part-**o**/part-**a**.

Às demais pessoas acrescentam-se as desinências número-pessoais.

1ª conjugação	2ª conjugação	3ª conjugação
que eu fal-e	vend-a	part-a
que tu fal-es	vend-as	part-as
que ele fal-e	vend-a	part-a
que nós fal-emos	vend-amos	part-amos
que vós fal-eis	vend-ais	part-ais
que eles fal-em	vend-am	part-am

❖ Exceção para alguns verbos irregulares: haver, ir, dar, estar, querer e saber:

Que eu **haja**; que eu **vá**; que eu **dê**; que eu **esteja**; que eu **queira**; que eu **saiba**.

Imperativo afirmativo

Deriva do presente do indicativo na 2ª pessoa do singular e na 2ª do plural sem o **s**. As outras pessoas são iguais às do presente do subjuntivo nas três conjugações verbais.

O modo imperativo não apresenta a 1ª pessoa do singular.

Verbo falar – 1ª conjugação		
Presente do indicativo	Imperativo afirmativo	Presente do subjuntivo
eu fal-o	–	que eu fal-e
tu fal-as	fal-a	que tu fal-es
ele fal-a	fal-e	que ele fal-e
nós fal-amos	fal-emos	que nós fal-emos
vós fal-ais	fal-ai	que vós fal-eis
eles fal-am	fal-em	que eles fal-em

Verbo 199

Verbo vender – 2ª conjugação		
Presente do indicativo	Imperativo afirmativo	Presente do subjuntivo
eu vend-o	–	que eu vend-a
tu vend-es	vend-e	que tu vend-as
ele vend-e	vend-a	que ele vend-a
nós vend-emos	vend-amos	que nós vend-amos
vós vend-eis	vend-ei	que vós vend-ais
eles vend-em	vend-am	que eles vend-am

Verbo partir – 3ª conjugação		
Presente do indicativo	Imperativo afirmativo	Presente do subjuntivo
eu part-o	–	que eu part-a
tu part-es	part-e	que tu part-as
ele part-e	part-a	que ele part-a
nós part-imos	part-amos	que nós part-amos
vós part-is	part-i	que vós part-ais
eles part-em	part-am	que eles part-am

Imperativo negativo

É inteiramente formado pelo presente do subjuntivo antecedido pelo advérbio **não** nas três conjugações verbais.

Verbo falar – 1ª conjugação	
Presente do subjuntivo	Imperativo negativo
que eu fal-e	–
que tu fal-es	não fal-es
que ele fal-e	não fal-e
que nós fal-emos	não fal-emos
que vós fal-eis	não fal-eis
que eles fal-em	não fal-em

Verbo vender – 2ª conjugação	
Presente do subjuntivo	Imperativo negativo
que eu vend-a	–
que tu vend-as	não vend-as
que ele vend-a	não vend-a
que nós vend-amos	não vend-amos
que vós vend-ais	não vend-ais
que eles vend-am	não vend-am

Verbo partir – 3ª conjugação	
Presente do subjuntivo	Imperativo negativo
que eu part-a	–
que tu part-as	não part-as
que ele part-a	não part-a
que nós part-amos	não part-amos
que vós part-ais	não part-ais
que eles part-am	não part-am

Tempos derivados do pretérito perfeito do indicativo

A partir do pretérito perfeito do indicativo, formam-se três tempos derivados: o **pretérito mais-que-perfeito do indicativo**, o **pretérito imperfeito do subjuntivo** e o **futuro do subjuntivo**.

Pretérito mais-que-perfeito do indicativo

Formado pelo tema (radical + vogal temática) do pretérito perfeito, mais as terminações -**ra**, -**ras**, -**ra**, -**ramos**, -**reis**, -**ram** nas três conjugações:

+ 1ª conjugação: tema **fala** + desinências.

+ 2ª conjugação: tema **vende** + desinências.

+ 3ª conjugação: tema **parti** + desinências.

1ª conjugação – falar	2ª conjugação – vender	3ª conjugação – partir
eu fala-ra	vende-ra	parti-ra
tu fala-ras	vende-ras	parti-ras
ele fala-ra	vende-ra	parti-ra
nós falá-ramos	vendê-ramos	partí-ramos
vós falá-reis	vendê-reis	partí-reis
eles fala-ram	vende-ram	parti-ram

Pretérito imperfeito do subjuntivo

Formado pelo tema (radical + vogal temática) do pretérito perfeito, mais as terminações **-sse**, **-sses**, **-sse**, **-ssemos**, **-sseis**, **-ssem** nas três conjugações.

1ª conjugação – falar	2ª conjugação – vender	3ª conjugação – partir
se eu fala-sse	vende-sse	parti-sse
se tu fala-sses	vende-sses	parti-sses
se ele fala-sse	vende-sse	parti-sse
se nós falá-ssemos	vendê-ssemos	partí-ssemos
se vós falá-sseis	vendê-sseis	partí-sseis
se eles fala-ssem	vende-ssem	parti-ssem

Futuro do subjuntivo

Formado pelo tema do pretérito perfeito mais as terminações **-r**, **-res**, **-r**, **-rmos**, **-rdes**, **-rem** nas três conjugações.

1ª conjugação – falar	2ª conjugação – vender	3ª conjugação – partir
quando eu fala-r	vende-r	parti-r
quando tu fala-res	vende-res	parti-res
quando ele fala-r	vende-r	parti-r
quando nós fala-rmos	vende-rmos	parti-rmos
quando vós fala-rdes	vende-rdes	parti-rdes
quando eles fala-rem	vende-rem	parti-rem

Tempos derivados do infinitivo impessoal

A partir do infinitivo impessoal formam-se três tempos derivados: **pretérito imperfeito do indicativo**, **futuro do presente** e **futuro do pretérito do indicativo**. São também derivadas desse tempo as formas nominais: **infinito pessoal**, **gerúndio** e **particípio**.

Pretérito imperfeito do indicativo

Na 1ª conjugação, é formado pelo tema mais as desinências **-va, -ve** acrescido das demais desinências número-pessoais. Na 2ª e 3ª conjugações, é formado pelo radical mais as desinências **-ia, -ie** e as desinências número-pessoais.

+ 1ª conjugação: tema **fala** + **va/ve** + desinências.
+ 2ª conjugação: radical **vend** + **ia/ie** + desinências.
+ 3ª conjugação: radical **part** + **ia/ie** + desinências.

1ª conjugação – falar	2ª conjugação – vender	3ª conjugação – partir
eu fala-va	vend-ia	part-ia
tu fala-vas	vend-ias	part-ias
ele fala-va	vend-ia	part-ias
nós falá-vamos	vend-íamos	part-íamos
vós falá-veis	vend-íeis	part-íeis
eles fala-vam	vend-iam	part-iam

Futuro do presente do indicativo

Formado pelo infinitivo impessoal mais as terminações **-ei, -ás, -á, -emos, -eis, -ão** para as três conjugações.

1ª conjugação – falar	2ª conjugação – vender	3ª conjugação – partir
eu falar-ei	vender-ei	partir-ei
tu falar-ás	vender-ás	partir-ás
ele falar-á	vender-á	partir-á
nós falar-emos	vender-emos	partir-emos
vós falar-eis	vender-eis	partir-eis
eles falar-ão	vender-ão	partir-ão

Futuro do pretérito do indicativo

Formado pelo infinitivo impessoal mais as terminações **-ia, -ias, -ia, -íamos, -íeis, -iam** para as três conjugações.

1ª conjugação – falar	2ª conjugação – vender	3ª conjugação – partir
eu falar-ia	vender-ia	partir-ia
tu falar-ias	vender-ias	partir-ias
ele falar-ia	vender-ia	partir-ia
nós falar-íamos	vender-íamos	partir-íamos
vós falar-íeis	vender-íeis	partir-íeis
eles falar-iam	vender-iam	partir-iam

Infinitivo pessoal

Formado pelo acréscimo da desinência modo-temporal **-r** ao tema do infinitivo impessoal (fala, vende, parti) nas três conjugações, seguido das desinências número-pessoais.

1ª conjugação – falar	2ª conjugação – vender	3ª conjugação – partir
eu fala-r	vende-r	parti-r
tu falar-es	vende-res	parti-res
ele fala-r	vende-r	parti-r
nós fala-rmos	vende-rmos	parti-rmos
vós fala-rdes	vende-rdes	parti-rdes
eles fala-rem	vende-rem	parti-rem

Gerúndio

Formado pela substituição da terminação **-r** do infinitivo impessoal pela desinência **-ndo** nas três conjugações. Não possui flexões número-pessoais.

1ª conjugação – falar	2ª conjugação – vender	3ª conjugação – partir
fala-ndo	vende-ndo	parti-ndo

Particípio

Formado pelo acréscimo ao radical, na 1ª conjugação, da terminação **-ado**. Na 2ª e na 3ª conjugação, deve-se acrescentar a terminação **-ido** ao radical.

1ª conjugação – falar	2ª conjugação – vender	3ª conjugação – partir
fala-do	vendi-do	parti-do

Formação dos tempos compostos

Os tempos compostos da voz ativa são formados pelos verbos **ter** e **haver** (auxiliares) seguidos do **particípio do verbo conjugado** (principal).

Modo indicativo

Pretérito perfeito composto

Formado pelo presente do indicativo do verbo auxiliar **ter** (ou **haver**) mais o particípio do verbo principal.

Verbo auxiliar	1ª conjugação – falar	2ª conjugação – vender	3ª conjugação – partir
eu tenho/hei	falado	vendido	partido
tu tens/hás	falado	vendido	partido
ele tem/há	falado	vendido	partido
nós temos/havemos	falado	vendido	partido
vós tendes/haveis	falado	vendido	partido
eles têm/hão	falado	vendido	partido

Pretérito mais-que-perfeito composto

Formado pelo pretérito imperfeito do indicativo do verbo auxiliar **ter** (ou **haver**) mais o particípio do verbo principal.

Verbo auxiliar	1ª conjugação – falar	2ª conjugação – vender	3ª conjugação – partir
eu tinha/havia	falado	vendido	partido
tu tinhas/havias	falado	vendido	partido
ele tinha/havia	falado	vendido	partido
nós tínhamos/havíamos	falado	vendido	partido
vós tínheis/havíeis	falado	vendido	partido
eles tinham/haviam	falado	vendido	partido

Futuro do presente composto

Formado pelo futuro do presente do indicativo do verbo auxiliar **ter** (ou **haver**) mais o particípio do verbo principal.

Verbo auxiliar	1ª conjugação – falar	2ª conjugação – vender	3ª conjugação – partir
eu terei/haverei	falado	vendido	partido
tu terás/haverás	falado	vendido	partido
ele terá/haverá	falado	vendido	partido
nós teremos/haveremos	falado	vendido	partido
vós tereis/havereis	falado	vendido	partido
eles terão/haverão	falado	vendido	partido

Futuro do pretérito composto

Formado pelo futuro do pretérito do verbo auxiliar **ter** (ou **haver**) mais o particípio do verbo principal.

Verbo auxiliar	1ª conjugação – falar	2ª conjugação – vender	3ª conjugação – partir
eu teria/haveria	falado	vendido	partido
tu terias/haverias	falado	vendido	partido
ele teria/haveria	falado	vendido	partido
nós teríamos/haveríamos	falado	vendido	partido
vós teríeis/haveríeis	falado	vendido	partido
eles teriam/haveriam	falado	vendido	partido

Modo subjuntivo

Pretérito perfeito

Formado pelo presente do subjuntivo do verbo auxiliar **ter** (ou **haver**) mais o particípio do verbo principal.

Verbo auxiliar	1ª conjugação – falar	2ª conjugação – vender	3ª conjugação – partir
eu tenha/haja	falado	vendido	partido
tu tenhas/hajas	falado	vendido	partido
ele tenha/haja	falado	vendido	partido
nós tenhamos/hajamos	falado	vendido	partido
vós tenhais/hajais	falado	vendido	partido
eles tenham/hajam	falado	vendido	partido

Pretérito mais-que-perfeito

Formado pelo pretérito imperfeito do subjuntivo do verbo auxiliar **ter** (ou **haver**) mais o particípio do verbo principal.

Verbo auxiliar	1ª conjugação – falar	2ª conjugação – vender	3ª conjugação – partir
eu tivesse/houvesse	falado	vendido	partido
tu tivesses/houvesses	falado	vendido	partido
ele tivesse/houvesse	falado	vendido	partido
nós tivéssemos/houvéssemos	falado	vendido	partido
vós tivésseis/houvésseis	falado	vendido	partido
eles tivessem/houvessem	falado	vendido	partido

Futuro composto

Formado pelo futuro do subjuntivo do verbo auxiliar **ter** (ou **haver**) mais o particípio do verbo principal.

Verbo auxiliar	1ª conjugação – falar	2ª conjugação – vender	3ª conjugação – partir
eu tiver/houver	falado	vendido	partido
tu tiveres/houveres	falado	vendido	partido
ele tiver/houver	falado	vendido	partido
nós tivermos/houvermos	falado	vendido	partido
vós tiverdes/houverdes	falado	vendido	partido
eles tiverem/houverem	falado	vendido	partido

Formas nominais

Infinitivo impessoal composto

Formado pelo infinitivo impessoal do verbo auxiliar **ter** (ou **haver**) seguido do particípio do verbo principal.

Verbo auxiliar	1ª conjugação – falar	2ª conjugação – vender	3ª conjugação – partir
ter/haver	falado	vendido	partido

Infinitivo pessoal composto

Formado pelo infinito pessoal do verbo auxiliar **ter** (ou **haver**) seguido do particípio do verbo principal.

Verbo auxiliar	1ª conjugação – falar	2ª conjugação – vender	3ª conjugação – partir
eu ter/haver	falado	vendido	partido
tu teres/haveres	falado	vendido	partido
ele ter/haver	falado	vendido	partido
nós termos/havermos	falado	vendido	partido
vós terdes/haverdes	falado	vendido	partido
eles terem/haverem	falado	vendido	partido

Gerúndio composto

Formado pelo gerúndio do verbo auxiliar **ter** (ou **haver**) seguido do particípio do verbo principal.

Verbo auxiliar	1ª conjugação – falar	2ª conjugação – vender	3ª conjugação – partir
tendo/havendo	falado	vendido	partido

Emprego dos modos verbais

O modo verbal expressa, por meio do verbo, a ação do sujeito. Como já foi estudado, o **modo indicativo** indica uma ação certa; o **modo subjuntivo** insinua a ação, deixando-a dependente de outro acontecimento; e o **modo imperativo** mostra uma ação definida.

Modo indicativo

Presente

a) Expressa um fato que acontece no momento da fala.
   Os professores **estão** em greve.
b) Expressa uma verdade científica, um estado permanente.
   A Terra **gira** em torno do Sol.
c) Expressa uma ação frequente, um fato habitual. É o chamado presente frequentativo ou habitual.
   Não **dirijo** à noite.
d) Expressa um fato já passado. É o chamado presente histórico.
   Os deuses da mitologia **são** imortais.
e) Expressa um fato que acontecerá em um futuro bem próximo.
   A decisão do campeonato **acontece** logo mais.
f) Expressa um favor ou um pedido em substituição ao modo imperativo.
   Você me **ajuda**, por favor! (Ajude-me, por favor!)

Pretérito imperfeito

a) Expressa um fato passado, mas não acabado. Supõe uma ideia de continuidade.
   Parava toda hora para descansar.
b) Expressa um fato habitual no passado. É o chamado pretérito imperfeito frequentativo.

Silêncio **era** *a coisa de que aquele rei mais* **gostava**. *E de que, a cada dia mais* **parecia** *gostar.*

(*Doze reis e a moça no labirinto do vento*, Marina Colasanti)

c) Expressa o tempo da narração para situar um fato em um momento impreciso nas lendas e fábulas, nos contos e romances; típico das descrições. É empregado, em geral, o verbo ser.

Era uma vez uma linda princesa...

d) Substitui o futuro do pretérito.

Eu **gostava** que você me ajudasse com as despesas.

e) Substitui o presente expressando polidez e respeito.

Preferia um chá bem quentinho.

Pretérito perfeito

a) Expressa um fato já acabado, concluído.

Entregou a monografia ontem à tarde.

b) Expressa um fato não habitual no passado em comparação ao imperfeito habitual.

Sábado **visitei** um primo que há muito não encontrava.

Pretérito perfeito composto

✦ Expressa um passado que se estende até o presente.

O rapaz **tem estudado** inglês por vários anos, mas ainda não fala corretamente.

Pretérito mais-que-perfeito

a) Expressa um fato já terminado em relação a outro fato também finalizado anteriormente.

Quando você telefonou, seu irmão já **saíra** de casa.

b) Substitui o futuro do pretérito ou o imperfeito do subjuntivo. Muitas vezes é utilizado na linguagem literária.

[...] *como se não a* **tivera** *merecido* [...] (Camões)

Pretérito mais-que-perfeito composto

✦ Reforça um fato ocorrido no passado que se estende até o presente. É utilizado na linguagem-padrão e coloquial.

Eles ainda não **haviam acabado** a prova quando deu o sinal.

Futuro do presente

a) Expressa um fato que possivelmente se realizará no futuro, embora ainda não tenha se realizado.

Se tudo der certo, **viajaremos** amanhã.

b) Expressa uma incerteza ou uma hipótese.

Será que ela vai trazer o bolo?

c) É empregado para substituir o imperativo em um pedido ou uma ordem.

Não **pronunciarás** o nome de Deus em vão.

> ❖ Na linguagem informal, o futuro do presente é pouco usado porque remete à formalidade. Ele é frequentemente substituído por locuções verbais formadas pelos auxiliares **ter**, **haver** ou **ir**, no presente do indicativo mais o infinitivo do verbo principal.
>
> **Vou levantar** mais cedo amanhã. (e não **levantarei** = formalidade)

Futuro do presente composto

+ Expressa um fato que se realizará em um futuro próximo.

Na próxima sexta, o resultado já **terá saído**.

Futuro do pretérito

a) Expressa um fato que pode ocorrer no futuro em relação a outro fato já ocorrido.

Prometeram que **entregariam** a TV hoje pela manhã.

b) Atenua uma expressão de ordem.

Poderia chegar mais cedo na quinta?

c) Expressa fatos que dependem de uma condição para se realizar.

Se tivesse estudado, **faria** uma prova melhor.

d) Expressa surpresa ou incerteza em frases interrogativas ou exclamativas.

Teria coragem de aparecer vestido assim?

Jamais **falaria** desse jeito!

> ❖ Assim como acontece com o futuro do presente, na linguagem informal, o futuro do pretérito é pouco usado. Normalmente ele é substituído pela locução verbal formada pelo verbo **ir**, no pretérito imperfeito do indicativo, mais o infinitivo do verbo principal:

> Ele **ia levar** as compras antes do anoitecer. (levaria)

Futuro do pretérito composto

+ Expressa uma dúvida ou uma possibilidade em relação a um fato já acontecido anteriormente.

    Aonde **teriam ido** depois de toda aquela chuva?

Modo subjuntivo

Presente

a) Expressa uma hipótese ou uma possibilidade em orações dependentes (subordinadas).

   Talvez ela **chegue** a tempo para o almoço.

b) Expressa um pedido ou um desejo.

   Desejamos que todos **aproveitem** o feriado prolongado.

Pretérito imperfeito

+ Expressa uma condição.

    Se **conseguisse** uma boa colocação, poderia sonhar com um apartamento.

Pretérito perfeito composto

+ Expressa um fato já concluído no passado.

    Acredito que **tenha feito** o melhor que pode.

Pretérito mais-que-perfeito composto

a) Expressa uma ação que já teria acontecido no passado antes de outra ação também já ter acontecido.

   Caso **tivesse tomado** o remédio, não estaria doente.

Futuro

+ Expressa um fato que poderá acontecer (uma hipótese) e que também esteja relacionado a outro fato.

    Se ela **achar** o celular, enviará uma mensagem de texto.

Futuro composto

✦ Expressa um fato que acontecerá no futuro relacionado a outro fato também futuro.

Ficaremos orgulhosos quando todos **tiverem concluído** o curso técnico.

Modo imperativo

Afirmativo ou negativo

a) Expressa uma ordem, um pedido, uma súplica, uma sugestão, um conselho.

Venha aqui, por favor!

Não **saia** de casa.

Coloque óculos escuros.

b) Pode ser substituído por diferentes formas de expressão.

Silêncio! – interjeição

Andando! Andando! – gerúndio

E se não conversassem durante a explicação? – imperfeito do subjuntivo

Formas nominais

Infinitivo impessoal

O infinitivo impessoal é o infinitivo não flexionado e pode ser empregado:

a) em locuções verbais.

Os trabalhadores **vão continuar** em greve.

b) com a função de completar adjetivos, em geral, precedido de preposição.

Os problemas de Matemática não são fáceis **de resolver**.

c) em substituição ao gerúndio, no caso de alguns verbos como **estar**, **começar**, **continuar**, precedido da preposição **de**, **a**.

Começou **a fazer** regime para emagrecer.

Ela estava **a conversar** com os colegas na hora do intervalo.

❖ Essa construção é comum no português de Portugal, mas não é normalmente empregada no Brasil, sendo substituída pelo gerúndio.

Ela estava **conversando** com os colegas na hora do intervalo.

d) para transmitir uma ideia geral e não especificar o sujeito.

Ler é um hábito que precisa ser constantemente incentivado.

> ❖ Em algumas locuções, com verbo no infinitivo impessoal, o sujeito da oração é um pronome oblíquo.
>
> Mandei-**os** sair do lugar reservado para idosos.
>
> sujeito
>
> ❖ Se o sujeito for substantivo, o verbo empregado é o infinitivo pessoal (flexionado).
>
> Mandei **os jovens** saírem do lugar reservado para idosos.
>
> sujeito

Infinitivo pessoal

O infinitivo pessoal, flexionado, pode ser empregado:

a) quando o sujeito estiver expresso e é diferente do sujeito da oração anterior.

Ouvi os enfermeiros **conversarem** a noite toda.

Sujeitos diferentes: eu (**ouvi**) e enfermeiros (**conversarem**)

b) quando o sujeito do infinitivo estiver posicionado entre o verbo auxiliar e o principal.

Mandou os rapazes **saírem** do lugar reservado aos deficientes.

c) quando o sujeito expresso, igual ao da oração principal, estiver colocado antes do infinitivo.

Para nós **entrarmos** mais tarde no serviço, pedimos autorização.

Gerúndio

O gerúndio é a forma nominal que indica uma ação em processo de desenvolvimento. Acompanhado ou não de verbo auxiliar, a ação acontece em um momento exato ou indica uma ação simultânea, progressiva ou intensa.

Saindo de casa, ouvi o telefone tocar.

As crianças **iam entrando** uma após a outra.

Ele está **ficando** cada dia mais careca.

Se o gerúndio estiver colocado ao lado de um substantivo, assumirá a função de um adjetivo.

Derramou **café fervendo** na roupa.

substantivo ← → adjetivo

O gerúndio pode ser empregado:

a) em locuções verbais.

Ela **estava comprando** uma roupa nova para a festa de formatura.

b) em processo de gradação.

O visitante **foi entrando** sem ninguém prestar muita atenção.

c) para substituir a forma imperativa.

Subindo para o palco! (Subam ao palco!)

❖ Atualmente, a forma nominal do gerúndio tem sido empregada de maneira inadequada. Utiliza-se em excesso em expressões desnecessárias.

Vou estar enviando um fax.

Estaremos transferindo o dinheiro para sua conta.

Essas expressões são classificadas de **gerundismo**. O adequado seria dizer e escrever:

- para uma ação futura:

Vou enviar/Enviarei um fax.

Vamos transferir/Transferiremos o dinheiro para sua conta.

- para uma ação que está acontecendo:

Estou enviando um fax.

Estamos transferindo o dinheiro para sua conta.

Particípio

O particípio informa uma ação verbal já acabada em um passado mais distante, com ou sem o emprego de verbo auxiliar.

Terminadas as aulas, saímos para as tão esperadas férias.

Minhas experiências estavam **concluídas**.

O particípio pode ser empregado:

a) para formar os tempos compostos com os auxiliares **ter** ou **haver** na voz ativa.

Eu já **havia assistido** àquela peça teatral.

b) para formar a voz passiva com os auxiliares **ser** e **estar**.

Foram publicadas notícias alarmantes a respeito da devastação da Amazônia.

c) acompanhado de substantivo na função de adjetivo.

janela **fechada**; carro **enguiçado**; amigo **oculto**; olhos **inchados**; aves **mortas** etc.

> ❖ A forma nominal de particípio pode expressar também a noção de futuro.
>
> **Terminadas** as férias, voltaremos às aulas.

Modelos de conjugação verbal

Verbos regulares

Como vimos, um verbo se chama regular quando segue o paradigma de sua conjugação. Veja a seguir as conjugações completas dos verbos regulares, com destaque dos elementos estruturais, de acordo com os paradigmas: **cantar**, **vender**, **partir**.

1ª conjugação
Cant-a-r

2ª conjugação
Vend-e-r

3ª conjugação
Part-i-r

Conjugação simples

Modo indicativo

Presente		
Cant-o	Vend-o	Part-o
Cant-a-s	Vend-e-s	Part-e-s
Cant-a	Vend-e	Part-e
Cant-a-mos	Vend-e-mos	Part-i-mos
Cant-a-is	Vend-e-is	Part-is
Cant-a-m	Vend-e-m	Part-e-m

Pretérito imperfeito		
Cant-a-va	Vend-ia	Part-ia
Cant-a-va-s	Vend-ia-s	Part-ia-s
Cant-a-va	Vend-ia	Part-ia
Cant-á-va-mos	Vend-ía-mos	Part-ía-mos
Cant-á-ve-is	Vend-íe-is	Part-íe-is
Cant-a-va-m	Vend-ia-m	Part-ia-m

Pretérito perfeito		
Cant-e-i	Vend-i	Part-i
Cant-a-ste	Vend-e-ste	Part-i-ste
Cant-o-u	Vend-e-u	Part-i-u
Cant-a-mos	Vend-e-mos	Part-i-mos
Cant-a-stes	Vend-e-stes	Part-i-stes
Cant-a-ra-m	Vend-e-ra-m	Part-i-ra-m

Pretérito mais-que-perfeito		
Cant-a-ra	Vend-e-ra	Part-i-ra
Cant-a-ra-s	Vend-e-ras	Part-i-ra-s
Cant-a-ra	Vend-e-ra	Part-i-ra
Cant-á-ra-mos	Vend-ê-ra-mos	Part-í-ra-mos
Cant-á-re-is	Vend-ê-re-is	Part-í-re-is
Cant-a-ra-m	Vend-e-ra-m	Part-i-ra-m

Futuro do presente		
Cant-a-re-i	Vend-e-re-i	Part-i-re-i
Cant-a-rá-s	Vend-e-rá-s	Part-i-rá-s
Cant-a-rá	Vend-e-rá	Part-i-rá
Cant-a-re-mos	Vend-e-re-mos	Part-i-re-mos
Cant-a-re-is	Vend-e-re-is	Part-i-re-is
Cant-a-rã-o	Vend-e-rã-o	Part-i-rã-o

Futuro do pretérito		
Cant-a-ria	Vend-e-ria	Part-i-ria
Cant-a-ria-s	Vend-e-ria-s	Part-i-ria-s
Cant-a-ria	Vend-e-ria	Part-i-ria
Cant-a-ría-mos	Vend-e-ría-mos	Part-i-ría-mos
Cant-a-ríe-is	Vend-e-ríe-is	Part-i-ríe-is
Cant-a-ria-m	Vend-e-ria-m	Part-i-ria-m

Modo subjuntivo

Presente		
Cant-e	Vend-a	Part-a
Cant-e-s	Vend-a-s	Part-a-s
Cant-e	Vend-a	Part-a
Cant-e-mos	Vend-a-mos	Part-a-mos
Cant-e-is	Vend-a-is	Part-a-is
Cant-e-m	Vend-a-m	Part-a-m

Pretérito imperfeito		
Cant-a-sse	Vend-e-sse	Part-i-sse
Cant-a-sse-s	Vend-e-sse-s	Part-i-sse-s
Cant-a-sse	Vend-e-sse	Part-i-sse
Cant-á-sse-mos	Vend-ê-sse-mos	Part-í-sse-mos
Cant-á-sse-is	Vend-ê-sse-is	Part-í-sse-is
Cant-a-sse-m	Vend-e-sse-m	Part-i-sse-m

Futuro		
Cant-a-r	Vend-e-r	Part-i-r
Cant-a-re-s	Vend-e-re-s	Part-i-re-s
Cant-a-r	Vend-e-r	Part-i-r
Cant-a-r-mos	Vend-e-r-mos	Part-i-r-mos
Cant-a-r-des	Vend-e-r-des	Part-i-r-des
Cant-a-re-m	Vend-e-re-m	Part-i-re-m

Modo imperativo

Afirmativo		
—	—	—
Cant-a tu	Vend-e tu	Part-e tu
Cant-e você	Vend-a você	Part-a você
Cant-e-mos nós	Vend-a-mos nós	Part-a-mos nós
Cant-a-i vós	Vend-e-i vós	Part-i vós
Cant-e-m vocês	Vend-a-m vocês	Part-a-m vocês

Negativo		
—	—	—
Não cant-e-s tu	Não vend-a-s tu	Não part-a-s tu
Não cant-e você	Não vend-a você	Não part-a você
Não cant-e-mos nós	Não vend-a-mos nós	Não part-a-mos nós
Não cant-e-is vós	Não vend-a-is vós	Não part-a-is vós
Não cant-e-m vocês	Não vend-a-m vocês	Não part-a-m vocês

Formas nominais

Infinitivo

Não flexionado		
Cant-a-r	Vend-e-r	Part-i-r

Flexionado		
Cant-a-r	Vend-e-r	Part-i-r
Cant-a-re-s	Vend-e-re-s	Part-i-re-s
Cant-a-r	Vend-e-r	Part-i-r
Cant-a-r-mos	Vend-e-r-mos	Part-i-r-mos
Cant-a-r-des	Vend-e-r-des	Part-i-r-des
Cant-a-re-m	Vend-e-re-m	Part-i-re-m

Gerúndio		
Cant-a-ndo	Vend-e-ndo	Part-i-ndo

Particípio		
Cant-a-do	Vend-i-do	Part-i-do

Conjugação composta

Modo indicativo

Pretérito perfeito composto		
Tenho cantado	Tenho vendido	Tenho partido
Tens cantado	Tens vendido	Tens partido
Tem cantado	Tem vendido	Tem partido
Temos cantado	Temos vendido	Temos partido
Tendes cantado	Tendes vendido	Tendes partido
Têm cantado	Têm vendido	Têm partido

Pretérito mais-que-perfeito composto		
Tinha cantado	Tinha vendido	Tinha partido
Tinhas cantado	Tinhas vendido	Tinhas partido
Tinha cantado	Tinha vendido	Tinha partido
Tínhamos cantado	Tínhamos vendido	Tínhamos partido
Tínheis cantado	Tínheis vendido	Tínheis partido
Tinham cantado	Tinham vendido	Tinham partido

Futuro do presente composto		
Terei cantado	Terei vendido	Terei partido
Terás cantado	Terás vendido	Terás partido
Terá cantado	Terá vendido	Terá partido
Teremos cantado	Teremos vendido	Teremos partido
Tereis cantado	Tereis vendido	Tereis partido
Terão cantado	Terão vendido	Terão partido

Futuro do pretérito composto		
Teria cantado	Teria vendido	Teria partido
Terias cantado	Terias vendido	Terias partido
Teria cantado	Teria vendido	Teria partido
Teríamos cantado	Teríamos vendido	Teríamos partido
Teríeis cantado	Teríeis vendido	Teríeis partido
Teriam cantado	Teriam vendido	Teriam partido

Modo subjuntivo

Pretérito perfeito		
Tenha cantado	Tenha vendido	Tenha partido
Tenhas cantado	Tenhas vendido	Tenhas partido
Tenha cantado	Tenha vendido	Tenha partido
Tenhamos cantado	Tenhamos vendido	Tenhamos partido
Tenhais cantado	Tenhais vendido	Tenhais partido
Tenham cantado	Tenham vendido	Tenham partido

Pretérito mais-que-perfeito		
Tivesse cantado	Tivesse vendido	Tivesse partido
Tivesses cantado	Tivesses vendido	Tivesses partido
Tivesse cantado	Tivesse vendido	Tivesse partido
Tivéssemos cantado	Tivéssemos vendido	Tivéssemos partido
Tivésseis cantado	Tivésseis vendido	Tivésseis partido
Tivessem cantado	Tivessem vendido	Tivessem partido

Futuro composto		
Tiver cantado	Tiver vendido	Tiver partido
Tiveres cantado	Tiveres vendido	Tiveres partido
Tiver cantado	Tiver vendido	Tiver partido
Tivermos cantado	Tivermos vendido	Tivermos partido
Tiverdes cantado	Tiverdes vendido	Tiverdes partido
Tiverem cantado	Tiverem vendido	Tiverem partido

Formas nominais

Infinitivo

Não flexionado composto		
Ter cantado	Ter vendido	Ter partido

Flexionado composto		
Ter cantado	Ter vendido	Ter partido
Teres cantado	Teres vendido	Teres partido
Ter cantado	Ter vendido	Ter partido
Termos cantado	Termos vendido	Termos partido
Terdes cantado	Terdes vendido	Terdes partido
Terem cantado	Terem vendido	Terem partido

Gerúndio composto		
Tendo cantado	Tendo vendido	Tendo partido

Alterações nos verbos regulares

Por estes modelos apresentados conjugam-se todos os verbos regulares das três conjugações.

Há, no entanto, verbos regulares que sofrem alterações quanto à grafia. Muitas vezes, altera-se a maneira de representar a última consoante do radical para manter o mesmo fonema. Essas variações não constituem irregularidades de conjugação.

✦ Os verbos terminados em **-car** e **-gar** mudam o **c** ou **g** em **qu** ou **gu**, quando tais consoantes são seguidas de **e**:

ficar – fico, fiquei   pegar – pego, peguei

✦ Os verbos terminados em **-cer** ou **-cir** mudam o **c** para **ç** antes de **a** ou **o**:

conhecer – conheço, conheces   ressarcir – ressarço, ressarces

✦ Os verbos terminados em **-çar** perdem a cedilha antes do **c**:

começar – começo, comeces

✦ Os verbos terminados em **-ger** ou **-gir** mudam o **g** para **j** antes de **a** ou **o**:

proteger – protejo, proteges   fugir – fujo, foges

✦ Os verbos terminados em **-guer** ou **-guir** perdem o **u** antes de **a** ou **o**:

erguer – ergo, ergues   distinguir – distingo, distingues

Outras observações que merecem destaque na pronúncia ou na grafia dos verbos regulares são:

✦ Os verbos com ditongos **ou** e **ei** (roubar, peneirar) conjugam-se não se reduzindo a vogais abertas **o** e **e**, respectivamente. Portanto:

roubo (e não róbo)   peneiro (e não penéro)

✦ Verbos com ditongos fechados **eu** e **oi** (como endeusar e pernoitar) conjugam-se mantendo o ditongo sem que o **e** ou o **o** passem a timbre aberto.

endeuso, endeusas, endeusa   noivo, noivas, noiva

+ Os verbos terminados em **-oiar** (como apoiar, boiar) têm o **o** tônico aberto nas formas rizotônicas.

   apoio, apoias, apoia, apoiam   apoie, apoies, apoie, apoiem

+ Os verbos cuja última sílaba do radical possui grupo vocálico que forma hiato (como enraizar, saudar, europeizar, reunir, enviuvar, proibir, arruinar) conjugam-se mantendo o hiato.

   enraízo, enraízas, enraíza   saúdo, saúdas, saúda

   reúno, reúnas, reúna   enviúvo, enviúvas, enviúva

+ Nos verbos obstar, adaptar, optar, impugnar, indignar-se, impregnar, ritmar etc., e outros cujo radical termina por duas ou mais consoantes, o acento tônico incide na vogal do radical nas três pessoas do singular e na terceira do plural do presente do indicativo e do presente do subjuntivo. Além disso, não recebem, tanto na pronúncia como na escrita, um **i** entre essas consoantes. Portanto:

   opto (e não opito, nem ópito)   ritmo (e não ritimo, nem rítimo)

+ Em alguns verbos em **-uir**, como **atribuir**, **constituir**, **destituir**, **possuir**, a vogal **e** passa a ser grafada **i** na 2ª e 3ª pessoas do singular do presente do indicativo, por haver ditongo oral.

   atribuo, atrib**ui**s, atrib**ui**, atribuímos, atribuís, atribuem

Alguns verbos regulares que merecem destaque

+ **Aguar**

   Verbos terminados em **-uar**, como **aguar** têm o **a** tônico nas formas rizotônicas. Também são conjugados assim os verbos **enxaguar**, **desaguar**. Da mesma forma, em **minguar** o **i** é tônico.
   Pres. ind.: águo, águas, água, aguamos, aguais, águam.
   Pret. perf. ind.: aguei, aguaste, aguou, aguamos, aguastes, aguaram.
   Pres. subj.: águe, águes, águe, aguemos, agueis, águem.
   Imp. afirm.: –, água, águe, aguemos, aguai, águem.
   Particípio: aguado.
   Gerúndio: aguando.

+ **Anunciar**

   Os verbos terminados em **-iar** são regulares, como **adiar**, **anunciar** etc. Entretanto, os verbos **ansiar**, **incendiar**, **mediar**, **odiar**, **remediar**, **intermediar** sofrem alteração e são irregulares (ver na próxima seção).
   Pres. ind.: anuncio, anuncias, anuncia, anunciamos, anunciais, anunciam.
   Pret. perf. ind.: anunciei, anunciaste, anunciou, anunciamos, anunciastes, anunciaram.

Pres. subj.: anuncie, anuncies, anuncie, anunciemos, anuncieis, anunciem.

Imp. afirm.: –, anuncia, anuncie, anunciemos, anunciai, anunciem.

Particípio: anunciado.

Gerúndio: anunciando.

+ **Averiguar**

Os verbos **averiguar, apaziguar, apaniguar** são regulares e têm o **u** tônico nas três pessoas do singular e na terceira pessoa do plural do presente do indicativo e do presente do subjuntivo. Os verbos **obliquar** e **apropinquar** também são conjugados pelo mesmo modelo.

Pres. ind.: averiguo, averiguas, averigua, averiguamos, averiguais, averiguam.

Pret. perf. ind.: averiguei, averiguaste, averiguou, averiguamos, averiguastes, averiguaram.

Pres. subj.: averigue, averigues, averigue, averiguemos, averigueis, averiguem.

Imp. afirm.: –, averigua, averigue, averiguemos, averiguai, averiguem.

Particípio: averiguado.

Gerúndio: averiguando.

+ **Magoar**

Magoar é regular, e como ele se conjugam outros verbos terminados em **-oar**: **abençoar, doar, abotoar, soar, voar** etc.

Pres. ind.: magoo, magoas, magoa, magoamos, magoais, magoam.

Pret. perf. ind.: magoei, magoaste, magoou, magoamos, magoastes, magoaram.

Pres. subj.: magoe, magoes, magoe, magoemos, magoeis, magoem.

Imp. afirm.: –, magoa, magoe, magoemos, magoai, magoem.

Particípio: magoado.

Gerúndio: magoando.

+ **Mobiliar**

Os verbos **auxiliar, conciliar** são regulares e conjugam-se assim como **adiar, anunciar** e outros verbos regulares terminados em **-iar**. Entretanto, **mobiliar** sofre alteração na pronúncia e é proparoxítono nas formas rizotônicas.

Pres. ind.: mobílio, mobílias, mobília, mobiliamos, mobiliais, mobíliam.

Pres. subj.: mobílie, mobílies, mobílie, mobiliemos, mobilieis, mobíliem.

Imp. afirm.: –, mobília, mobílie, mobiliemos, mobiliai, mobíliem.

Particípio: mobiliado.

Gerúndio: mobiliando.

Verbos irregulares

Para mais fácil identificação dos verbos irregulares, convém considerar a formação dos tempos simples. Em geral, a irregularidade surgida nos tempos primitivos (presente do indicativo, pretérito perfeito do indicativo e infinitivo pessoal) passa para as formas derivadas. Excetuando-se a irregularidade excessiva de alguns verbos (**dar**, **estar**, **haver**, **querer**, **saber**, **ser**, **ir**), as irregularidades dos demais verbos são em geral constantes nas formas derivadas de cada um desses tempos primitivos.

Alguns verbos irregulares que merecem destaque

A seguir apresentamos alguns verbos irregulares que merecem destaque nas três conjugações. São apresentadas principalmente as formas que apresentam irregularidades. Incluímos também os verbos anômalos e os verbos defectivos.

1ª conjugação

- **Ansiar**

    A maioria dos verbos terminados em **-iar** é conjugada regularmente, como **anunciar**, anteriormente apresentado, mas há os verbos que, nas formas rizotônicas substituem o **i** do radical por **ei**, como em **ansiar, incendiar, intermediar, mediar, odiar, remediar**.

    Pres. ind.: anseio, anseias, anseia, ansiamos, ansiais, anseiam.

    Pret. perf. ind.: ansiei, ansiaste, ansiou, ansiamos, ansiastes, ansiaram.

    Pres. subj.: anseie, anseies, anseie, ansiemos, ansieis, anseiem.

    Imp. afirm.: –, anseia, anseie, ansiemos, ansiai, anseiem.

    Particípio: ansiado.

    Gerúndio: ansiando.

- **Dar**

    O verbo **dar** é irregular e conjuga-se como a seguir. Os verbos **desdar** e **redar** conjugam-se da mesma forma. **Circundar**, porém, é regular.

    Pres. ind.: dou, dás, dá, damos, dais, dão.

    Pret. perf. ind.: dei, deste, deu, demos, destes, deram.

    Pret. mais-que-perf. ind.: dera, deras, dera, déramos, déreis, deram.

    Pres. subj.: dê, dês, dê, demos*, deis, deem.

---

*É facultativo o emprego do acento circunflexo em **dêmos** (presente do subjuntivo) para distinguir de **demos** (pretérito perfeito do indicativo).

Pret. imperf. subj.: desse, desses, desse, déssemos, désseis, dessem.

Fut. subj.: der, deres, der, dermos, derdes, derem.

Imp. afirm.: –, dá, dê, demos, dai, deem.

Imp. negat.: –, não dês, não dê, não demos, não deis, não deem.

Particípio: dado.

Gerúndio: dando.

+ **Passear**

    Nas formas rizotônicas, os verbos terminados em **-ear** recebem um **i** depois de **e**. Como o verbo **passear**, conjugam-se **bloquear**, **cear**, **folhear**, **frear**, **gear**, **nomear**, **pentear**, **recear**, **semear** etc.

    Pres. ind.: passeio, passeias, passeia, passeamos, passeais, passeiam.

    Pret. imperf. ind.: passeava, passeavas, passeava, passeávamos, passeáveis, passeavam.

    Pret. perf. ind.: passeei, passeaste, passeou, passeamos, passeastes, passearam.

    Pres. subj.: passeie, passeies, passeie, passeemos, passeeis, passeiem.

    Imp. afirm.: –, passeia, passeie, passeemos, passeai, passeiem.

    Particípio: passeado.

    Gerúndio: passeando.

2ª conjugação

+ **Caber**

    No verbo **caber**, o **a** do radical **cab-** transforma-se em **ai** na 1ª pessoa do singular do presente do indicativo e, portanto, também nas formas derivadas desse tempo verbal. O **a** do radical **cab-** passa a **ou** no pretérito perfeito do indicativo e nas formas derivadas desse tempo verbal. O verbo **caber** não é conjugado no modo imperativo.

    Pres. ind.: caibo, cabes, cabe, cabemos, cabeis, cabem.

    Pret. perf. ind.: coube, coubeste, coube, coubemos, coubestes, couberam.

    Pret. mais-que-perf. ind.: coubera, couberas, coubera, coubéramos, coubéreis, couberam.

    Pres. subj.: caiba, caibas, caiba, caibamos, caibais, caibam.

    Pret. imperf. subj.: coubesse, coubesses, coubesse, coubéssemos, coubésseis, coubessem.

    Fut. subj.: couber, couberes, couber, coubermos, couberdes, couberem.

    Particípio: cabido.

    Gerúndio: cabendo.

+ **Crer**

　Pres. ind.: creio, crês, crê, cremos, credes, creem.

　Pret. imperf. ind.: cria, crias, cria, críamos, críeis, criam.

　Pret. perf. ind.: cri, creste, creu, cremos, crestes, creram.

　Pret. mais-que-perf. ind.: crera, creras, crera, crêramos, crêreis, creram.

　Pres. subj.: creia, creias, creia, creiamos, creiais, creiam.

　Imp. afirm.: –, crê, creia, creiamos, crede, creiam.

　Particípio: crido.

　Gerúndio: crendo.

+ **Dizer**

　Pres. ind.: digo, dizes, diz, dizemos, dizeis, dizem.

　Pret. perf. ind.: disse, disseste, disse, dissemos, dissestes, disseram.

　Pret. mais-que-perf. ind.: dissera, disseras, dissera, disséramos, disséreis, disseram.

　Fut. pres. ind.: direi, dirás, dirá, diremos, direis, dirão.

　Fut. pret. ind.: diria, dirias, diria, diríamos, diríeis, diriam.

　Pres. subj.: diga, digas, diga, digamos, digais, digam.

　Pret. imperf. subj.: dissesse, dissesses, dissesse, disséssemos, dissésseis, dissessem.

　Fut. subj.: disser, disseres, disser, dissermos, disserdes, disserem.

　Imp. afirm.: –, dize, diga, digamos, dizei, digam.

　Particípio: dito.

　Gerúndio: dizendo.

+ **Doer** (defectivo)

　O verbo **doer** não é conjugado na forma imperativa.

　Pres. ind.: –, –, dói, –, –, doem.

　Pret. imperf. ind.: –, –, doía, –, –, doíam.

　Pret. perf. ind.: –, –, doeu, –, –, doeram.

　Pret. mais-que-perf. ind.: –, –, doera, –, –, doeram.

　Fut. pres. ind.: –, –, doerá, –, –, doerão.

　Fut. pret. ind.: –, –, doeria, –, –, doeriam.

　Pres. subj.: –, –, doa, –, –, doam.

　Pret. imperf. subj.: –, –, doesse, –, –, doessem.

　Fut. subj.: –, –, doer, –, –, doerem.

Particípio: doído.

Gerúndio: doendo.

+ **Fazer**

    Pres. ind.: faço, fazes, faz, fazemos, fazeis, fazem.

    Pret. perf. ind.: fiz, fizeste, fez, fizemos, fizestes, fizeram.

    Pret. mais-que-perf. ind.: fizera, fizeras, fizera, fizéramos, fizéreis, fizeram.

    Fut. pres. ind.: farei, farás, fará, faremos, fareis, farão.

    Fut. pret. ind.: faria, farias, faria, faríamos, faríeis, fariam.

    Pres. subj.: faça, faças, faça, façamos, façais, façam.

    Pret. imperf. subj.: fizesse, fizesses, fizesse, fizéssemos, fizésseis, fizessem.

    Fut. subj.: fizer, fizeres, fizer, fizermos, fizerdes, fizerem.

    Imp. afirm.: –, faze, faça, façamos, fazei, façam.

    Particípio: feito.

    Gerúndio: fazendo.

+ **Jazer**

    Pres. ind.: jazo, jazes, jaz, jazemos, jazeis, jazem.

    Pret. perf. ind.: jazi, jazeste, jazeu, jazemos, jazestes, jazeram.

    Fut. pres. ind.: jazerei, jazerás, jazerá, jazeremos, jazereis, jazerão.

    Fut. pret. ind.: jazeria, jazerias, jazeria, jazeríamos, jazeríeis, jazeriam.

    Pres. subj.: jaza, jazas, jaza, jazamos, jazais, jazam.

    Pret. imperf. subj.: jazesse, jazesses, jazesse, jazêssemos, jazêsseis, jazessem.

    Fut. subj.: jazer, jazeres, jazer, jazermos, jazerdes, jazerem.

    Imp. afirm.: –, jaze, jaza, jazamos, jazei, jazam.

    Particípio: jazido.

    Gerúndio: jazendo.

+ **Ler**

    Pres. ind.: leio, lês, lê, lemos, ledes, leem.

    Pret. imperf. ind.: lia, lias, lia, líamos, líeis, liam.

    Pret. perf. ind.: li, leste, leu, lemos, lestes, leram.

    Pret. mais-que-perf. ind.: lera, leras, lera, lêramos, lêreis, leram.

    Pres. subj.: leia, leias, leia, leiamos, leiais, leiam.

    Pret. imperf. subj.: lesse, lesses, lesse, lêssemos, lêsseis, lessem.

Imp. afirm.: –, lê, leia, leiamos, lede, leiam.

Particípio: lido.

Gerúndio: lendo.

+ **Moer**

Apresenta irregularidade nas 2ª e 3ª pessoas do singular do presente do indicativo e na 2ª pessoa do singular do imperativo. Como o verbo moer conjugam-se os verbos **corroer**, **remoer**, **roer**, **doer-se**, **condoer-se**.

Pres. ind.: moo, móis, mói, moemos, moeis, moem.

Pret. imperf. ind.: moía, moías, moía, moíamos, moíeis, moíam.

Pret. perf. ind.: moí, moeste, moeu, moemos, moestes, moeram.

Pres. subj.: moa, moas, moa, moamos, moais, moam.

Pret. imperf. subj.: moesse, moesses, moesse, moêssemos, moêsseis, moessem.

Imp. afirm.: –, mói, moa, moamos, moei, moam.

Particípio: moído.

Gerúndio: moendo.

+ **Perder**

No verbo **perder**, o **d** do radical muda-se para **c** na primeira pessoa do singular do presente do indicativo e nas formas dela derivadas.

Pres. ind.: perco, perdes, perde, perdemos, perdeis, perdem.

Pres. subj.: perca, percas, perca, percamos, percais, percam.

Imp. afirm.: –, perde, perca, percamos, perdei, percam.

Particípio: perdido.

Gerúndio: perdendo.

+ **Poder**

O verbo **poder** não é conjugado no imperativo afirmativo nem no imperativo negativo.

Pres. ind.: posso, podes, pode, podemos, podeis, podem.

Pret. imperf. ind.: podia, podias, podia, podíamos, podíeis, podiam.

Pret. perf. ind.: pude, pudeste, pôde, pudemos, pudestes, puderam.

Pret. mais-que-perf. ind.: pudera, puderas, pudera, pudéramos, pudéreis, puderam.

Pres. subj.: possa, possas, possa, possamos, possais, possam.

Pret. imperf. subj.: pudesse, pudesses, pudesse, pudéssemos, pudésseis, pudessem.

Fut. subj.: puder, puderes, puder, pudermos, puderdes, puderem.

Inf. pessoal: poder, poderes, poder, podermos, poderdes, poderem.

Particípio: podido.

Gerúndio: podendo.

+ **Pôr** (antigo verbo **poer**, por isso pertence à 2ª conjugação.)

Por este modelo, conjugam-se todos os seus derivados, como: **antepor**, **contrapor**, **decompor**, **expor**, **opor**, **predispor**, **recompor**, **supor** etc.

Pres. ind.: ponho, pões, põe, pomos, pondes, põem.

Pret. imperf. ind.: punha, punhas, punha, púnhamos, púnheis, punham.

Pret. perf. ind.: pus, puseste, pôs, pusemos, pusestes, puseram.

Pret. mais-que-perf. ind.: pusera, puseras, pusera, puséramos, puséreis, puseram.

Pres. subj.: ponha, ponhas, ponha, ponhamos, ponhais, ponham.

Pret. imperf. subj.: pusesse, pusesses, pusesse, puséssemos, pusésseis, pusessem.

Fut. subj.: puser, puseres, puser, pusermos, puserdes, puserem.

Inf. pessoal: pôr, pores, pôr, pormos, pordes, porem.

Particípio: posto.

Gerúndio: pondo.

+ **Prover**

O verbo **prover** conjuga-se como o verbo **ver**, exceto no pretérito perfeito do indicativo e seus derivados e no particípio, formas em que é regular.

Pres. ind.: provejo, provês, provê, provemos, provedes, proveem.

Pret. imperf. ind.: provia, provias, provia, províamos, províeis, proviam.

Pret. perf. ind.: provi, proveste, proveu, provemos, provestes, proveram.

Pret. mais-que-perf. ind.: provera, proveras, provera, provêramos, provêreis, proveram.

Fut. pres. ind.: proverei, proverás, proverá, proveremos, provereis, proverão.

Fut. pret. ind.: proveria, proverias, proveria, proveríamos, proveríeis, proveriam.

Pres. subj.: proveja, provejas, proveja, provejamos, provejais, provejam.

Pret. imperf. subj.: provesse, provesses, provesse, provêssemos, provêsseis, provessem.

Fut. subj.: prover, proveres, prover, provermos, proverdes, proverem.

Imp. afirm.: –, provê, proveja, provejamos, provede, provejam.

Particípio: provido.

Gerúndio: provendo.

+ **Querer**

O verbo **querer** não se conjuga como **requerer**.

Pres. ind.: quero, queres, quer, queremos, quereis, querem.

Pret. perf. ind.: quis, quiseste, quis, quisemos, quisestes, quiseram.

Pret. mais-que-perf. ind.: quisera, quiseras, quisera, quiséramos, quiséreis, quiseram.

Pres. subj.: queira, queiras, queira, queiramos, queirais, queiram.

Pret. imperf. subj.: quisesse, quisesses, quisesse, quiséssemos, quisésseis, quisessem.

Fut. subj.: quiser, quiseres, quiser, quisermos, quiserdes, quiserem.

Particípio: querido.

Gerúndio: querendo.

+ **Prazer** (defectivo)

É usado somente na 3ª pessoa do singular (agradar, dar prazer).

Pres. ind.: –, –, praz, –, –, –.

Pret. perf. ind.: –, –, prouve, –, –, –.

Pret. imperf. ind.: –, –, prazia, –, –, –.

Pret. mais-que-perf. ind.: –, –, prouvera, –, –, –.

Fut. pres. ind.: –, –, prazerá, –, –, –.

Fut. pret. ind.: –, –, prazeria, –, –, –.

Pres. subj.: –, –, praza, –, –, –.

Pret. imperf. subj.: –, –, prouvesse, –, –, –.

Fut. subj.: –, –, prouver, –, –, –.

Particípio: prazido.

Gerúndio: prazendo.

+ **Precaver** (defectivo)

O verbo **precaver** só é conjugado nas formas arrizotônicas e é substituído por outros verbos nas formas em que é defectivo (que ele se previna, que se cuide). É, normalmente, empregado como reflexivo: precavemo-nos, precavia-me.

Pres. ind.: –, –, –, precavemos, precaveis, –.

Pret. perf. ind.: precavi, precaveste, precaveu, precavemos, precavestes, precaveram.

Pret. imperf. ind.: precavia, precavias, precavia, precavíamos, precavíeis, precaviam.

Pret. mais-que-perf. ind.: precavera, precaveras, precavera, precavêramos, precavêreis, precaveram.

Pret. imperf. subj.: precavesse, precavesses, precavesse, precavêssemos, precavêsseis, precavessem.

Fut. subj.: precaver, precaveres, precaver, precavermos, precaverdes, precaverem.

Imp. afirm.: –, –, –, –, precavei, –.

Particípio: precavido.

Gerúndio: precavendo.

+ **Reaver** (defectivo)

O verbo reaver é conjugado como **haver** apenas nas formas em que este apresenta a letra **v**. Por não ser conjugado na 1ª pessoa do singular do presente do indicativo, não existem as formas do presente do subjuntivo nem do imperativo negativo.

Pres. ind.: –, –, –, reavemos, reaveis, –.

Pret. perf. ind.: reouve, reouveste, reouve, reouvemos, reouvestes, reouveram.

Pret. mais-que-perf. ind.: reouvera, reouveras, reouvera, reouvéramos, reouvéreis, reouveram.

Pret. imperf. subj.: reouvesse, reouvesses, reouvesse, reouvéssemos, reouvésseis, reouvessem.

Fut. subj.: reouver, reouveres, reouver, reouvermos, reouverdes, reouverem.

Imp. afirm.: –, –, –, –, reavei, –.

Particípio: reavido.

Gerúndio: reavendo.

+ **Requerer**

O verbo **requerer** não se conjuga como **querer**.

Pres. ind.: requeiro, requeres, requer, requeremos, requereis, requerem.

Pret. perf. ind.: requeri, requereste, requereu, requeremos, requerestes, requereram.

Pret. mais-que-perf. ind.: requerera, requereras, requerera, requerêramos, requerêreis, requereram.

Pres. subj.: requeira, requeiras, requeira, requeiramos, requeirais, requeiram.

Pret. imperf. subj.: requeresse, requeresses, requeresse, requerêssemos, requerêsseis, requeressem.

Fut. subj.: requerer, requereres, requerer, requerermos, requererdes, requererem.

Imp. afirm.: –, requere, requeira, requeiramos, requerei, requeiram.

Particípio: requerido.

Gerúndio: requerendo.

- **Saber**

    Pres. ind.: sei, sabes, sabe, sabemos, sabeis, sabem.

    Pret. perf. ind.: soube, soubeste, soube, soubemos, soubestes, souberam.

    Pret. mais-que-perf. ind.: soubera, souberas, soubera, soubéramos, soubéreis, souberam.

    Pres. subj.: saiba, saibas, saiba, saibamos, saibais, saibam.

    Pret. imperf. subj.: soubesse, soubesses, soubesse, soubéssemos, soubésseis, soubessem.

    Fut. subj.: souber, souberes, souber, soubermos, souberdes, souberem.

    Particípio: sabido.

    Gerúndio: sabendo.

- **Trazer**

    Pres. ind.: trago, trazes, traz, trazemos, trazeis, trazem.

    Pret. imperf. ind.: trazia, trazias, trazia, trazíamos, trazíeis, traziam.

    Pret. perf. ind.: trouxe, trouxeste, trouxe, trouxemos, trouxestes, trouxeram.

    Pret. mais-que-perf. ind.: trouxera, trouxeras, trouxera, trouxéramos, trouxéreis, trouxeram.

    Fut. pres. ind.: trarei, trarás, trará, traremos, trareis, trarão.

    Fut. pret. ind.: traria, trarias, traria, traríamos, traríeis, trariam.

    Pres. subj.: traga, tragas, traga, tragamos, tragais, tragam.

    Pret. imperf. subj.: trouxesse, trouxesses, trouxesse, trouxéssemos, trouxésseis, trouxessem.

    Fut. subj.: trouxer, trouxeres, trouxer, trouxermos, trouxerdes, trouxerem.

    Imp. afirm.: –, traze, traga, tragamos, trazei, tragam.

    Inf. pessoal: trazer, trazeres, trazer, trazermos, trazerdes, trazerem.

    Particípio: trazido.

    Gerúndio: trazendo.

- **Valer**

    Pres. ind.: valho, vales, vale, valemos, valeis, valem.

    Pret. imperf. ind.: valia, valias, valia, valíamos, valíeis, valiam.

    Pret. perf. ind.: vali, valeste, valeu, valemos, valestes, valeram.

    Pres. subj.: valha, valhas, valha, valhamos, valhais, valham.

    Pret. imperf. subj.: valesse, valesses, valesse, valêssemos, valêsseis, valessem.

Verbo

Fut. subj.: valer, valeres, valer, valermos, valerdes, valerem.

Imp. afirm.: –, vale, valha, valhamos, valei, valham.

Imp. neg.: –, não valhas, não valha, não valhamos, não valhais, não valham.

Particípio: valido.

Gerúndio: valendo.

+ **Ver**

Pres. ind.: vejo, vês, vê, vemos, vedes, veem.

Pret. perf. ind.: vi, viste, viu, vimos, vistes, viram.

Pret. mais-que-perf. ind.: vira, viras, vira, víramos, víreis, viram.

Pres. subj.: veja, vejas, veja, vejamos, vejais, vejam.

Pret. imperf. subj.: visse, visses, visse, víssemos, vísseis, vissem.

Fut. subj.: vir, vires, vir, virmos, virdes, virem.

Imp. afirm.: –, vê, veja, vejamos, vede, vejam.

Particípio: visto.

Gerúndio: vendo.

3ª conjugação

+ **Abolir**

Os verbos conjugados como **abolir** não possuem a 1ª pessoa do singular do presente do indicativo e as formas derivadas (as formas em que aparecem **a** ou **o** após o **l** do radical). Consequentemente, não apresentam o presente do subjuntivo, nem o imperativo negativo. No imperativo afirmativo, só apresentam as segundas pessoas do singular e do plural. Conjugam-se como **abolir** os verbos **banir**, **colorir**, **delinquir**, **demolir**, **esculpir**, **extorquir** etc.

Pres. ind.: –, aboles, abole, abolimos, abolis, abolem.

Pret. imperf. ind.: abolia, abolias, abolia, abolíamos, abolíeis, aboliam.

Pret. perf. ind.: aboli, aboliste, aboliu, abolimos, abolistes, aboliram.

Pret. mais-que-perf. ind.: abolira, aboliras, abolira, abolíramos, abolíreis, aboliram.

Fut. pres. ind.: abolirei, abolirás, abolirá, aboliremos, abolireis, abolirão.

Fut. pret. ind.: aboliria, abolirias, aboliria, aboliríamos, aboliríeis, aboliriam.

Pret. imperf. subj.: abolisse, abolisses, abolisse, abolíssemos, abolísseis, abolissem.

Fut. subj.: abolir, abolires, abolir, abolirmos, abolirdes, abolirem.

Imp. afirm.: –, abole, –, –, aboli, –.

Inf. pessoal: abolir, abolires, abolir, abolirmos, abolirdes, abolirem.

Particípio: abolido.

Gerúndio: abolindo.

+ **Agredir**

No verbo **agredir**, o **e** do radical é substituído por **i** nas formas rizotônicas do presente do indicativo, em todo o presente do subjuntivo e imperativo, exceto, neste, na 2ª pessoa do plural. Assim se conjugam **cerzir**, **prevenir**, **progredir**, **regredir**, **transgredir**.

Pres. ind.: agrido, agrides, agride, agredimos, agredis, agridem.

Pres. subj.: agrida, agridas, agrida, agridamos, agridais, agridam.

Imp. afirm.: –, agride, agrida, agridamos, agredi, agridam.

Particípio: agredido.

Gerúndio: agredindo.

+ **Cair**

Verbos terminados em **-air**, como **cair**, **contrair**, **retrair**, **distrair**, **sair**, têm a particularidade de conservar a vogal temática **i** na 1ª pessoa do presente do indicativo e, consequentemente, em todo o presente do subjuntivo.

Pres. ind.: caio, cais, cai, caímos, caís, caem.

Pret. imperf. ind.: caía, caías, caía, caíamos, caíeis, caíam.

Pret. perf. ind.: caí, caíste, caiu, caímos, caístes, caíram.

Pret. mais-que-perf. ind.: caíra, caíras, caíra, caíramos, caíreis, caíram.

Pres. subj.: caia, caias, caia, caiamos, caiais, caiam.

Pret. imperf. subj.: caísse, caísses, caísse, caíssemos, caísseis, caíssem.

Fut. subj.: cair, caíres, cair, cairmos, cairdes, caírem.

Imp. afirm.: –, cai, caia, caiamos, caí, caiam.

Particípio: caído.

Gerúndio: caindo.

+ **Cobrir**

No verbo **cobrir**, o **o** do radical é substituído por **u** na 1ª pessoa do singular do presente do indicativo e, consequentemente, em todas as formas do presente do subjuntivo e nas formas derivadas do imperativo. Assim se conjugam **descobrir**, **dormir**, **encobrir**, **tossir**.

Pres. ind.: cubro, cobres, cobre, cobrimos, cobris, cobrem.

Pres. subj.: cubra, cubras, cubra, cubramos, cubrais, cubram.

Imp. afirm.: –, cobre, cubra, cubramos, cobri, cubram.

Particípio: coberto.

Gerúndio: cobrindo.

+ **Conduzir**

O verbo **conduzir** e todos terminados em **-uzir**, como **induzir**, **reduzir**, **traduzir**, perdem a desinência **e** na terceira pessoa do singular do presente do indicativo. A segunda pessoa do singular do imperativo afirmativo tem duas formas: **conduz/conduze**.

Pres. ind.: conduzo, conduzes, conduz, conduzimos, conduzis, conduzem.

Pres. subj.: conduza, conduzas, conduza, conduzamos, conduzais, conduzam.

Imp. afirm.: –, conduze/conduz, conduza, conduzamos, conduzi, conduzam.

Particípio: conduzido.

Gerúndio: conduzindo.

+ **Construir**

O verbo **construir** é abundante: a 2ª e a 3ª pessoas do singular e a 3ª pessoa do plural do presente do indicativo e a 2ª pessoa do singular do imperativo afirmativo apresentam duas formas.

Pres. ind.: construo, constróis (ou construis), constrói (ou construi), construímos, construís, constroem (construem).

Pret. imperf. ind.: construía, construías, construía, construíamos, construíeis, construíam.

Pret. perf. ind.: construí, construíste, construiu, construímos, construístes, construíram.

Pret. mais-que-perf. ind.: construíra, construíras, construíra, construíramos, construíreis, construíram.

Imp. afirm.: –, constrói (ou construi), construa, construamos, construí, construam.

Particípio: construído.

Gerúndio: construindo.

+ **Emergir**

Pres. ind.: emerjo, emerges, emerge, emergimos, emergis, emergem.

Pres. subj.: emerja, emerjas, emerja, emerjamos, emerjais, emerjam.

Imp. afirm.: –, emerge, emerja, emerjamos, emergi, emerjam.

Particípio: emergido/emerso.

Gerúndio: emergindo.

+ **Falir**

Os verbos conjugados como **falir** são empregados apenas nas formas em que à última letra do radical se segue a vogal **i**. Por consequência, tais verbos não são conjugados no presente do subjuntivo nem no imperativo negativo. Conjugam-se como **falir** os verbos **adir, aguerrir, florir**, por exemplo.

Pres. ind.: –, –, –, falimos, falis, –.

Pret. imperf. ind.: falia, falias, falia, falíamos, falíeis, faliam.

Pret. perf. ind.: fali, faliste, faliu, falimos, falistes, faliram.

Pret. mais-que-perf. ind.: falira, faliras, falira, falíramos, falíreis, faliram.

Fut. pres. ind.: falirei, falirás, falirá, faliremos, falireis, falirão.

Fut. pret. ind.: faliria, falirias, faliria, faliríamos, faliríeis, faliriam.

Pret. imperf. subj.: falisse, falisses, falisse, falíssemos, falísseis, falissem.

Fut. subj.: falir, falires, falir, falirmos, falirdes, falirem.

Imp. afirm.: –, –, –, –, fali, –.

Inf. pessoal: falir, falires, falir, falirmos, falirdes, falirem.

Particípio: falido.

Gerúndio: falindo.

+ **Ferir**

O verbo **ferir** tem o **e** substituído por **i** na 1ª pessoa do singular do presente do indicativo e, consequentemente, em todas as formas do presente do subjuntivo e nas formas derivadas do imperativo. Seguem esse modelo diversos outros verbos: **aderir, compelir, competir, conferir, convergir, deferir, despir, digerir, divergir, divertir, ingerir, preferir, refletir, seguir, sugerir, vestir**.

Pres. ind.: firo, feres, fere, ferimos, feris, ferem.

Pres. subj.: fira, firas, fira, firamos, firais, firam.

Imp. afirm.: –, fere, fira, firamos, feri, firam.

Particípio: ferido.

Gerúndio: ferindo.

+ **Ir** (anômalo)

Pres. ind.: vou, vais, vai, vamos, ides, vão.

Pret. imperf. ind.: ia, ias, ia, íamos, íeis, iam.

Pret. perf. ind.: fui, foste, foi, fomos, fostes, foram.

Pret. mais-que-perf. ind.: fora, foras, fora, fôramos, fôreis, foram.

Fut. pres. ind.: irei, irás, irá, iremos, ireis, irão.

Fut. pret. ind.: iria, irias, iria, iríamos, iríeis, iriam.

Pres. subj.: vá, vás vá, vamos, vades, vão.

Pret. imperf. subj.: fosse, fosses, fosse, fôssemos, fôsseis, fossem.

Fut. subj.: for, fores, for, formos, fordes, forem.

Imp. afirm.: –, vai, vá, vamos, ide, vão.

Imp. neg.: –, não vás, não vá, não vamos, não vades, não vão.

Inf. pessoal: ir, ires, ir, irmos, irdes, irem.

Particípio: ido.

Gerúndio: indo.

+ **Medir**

Pres. ind.: meço, medes, mede, medimos, medis, medem.

Pres. subj.: meça, meças, meça, meçamos, meçais, meçam.

Imp. afirm.: –, mede, meça, meçamos, medi, meçam.

Particípio: medido.

Gerúndio: medindo.

+ **Ouvir**

Pres. ind.: ouço, ouves, ouve, ouvimos, ouvis, ouvem.

Pres. subj.: ouça, ouças, ouça, ouçamos, ouçais, ouçam.

Imp. afirm.: –, ouve, ouça, ouçamos, ouvi, ouçam.

Particípio: ouvido.

Gerúndio: ouvindo.

+ **Pedir**

Pres. ind.: peço, pedes, pede, pedimos, pedis, pedem.

Pres. subj.: peça, peças, peça, peçamos, peçais, peçam.

Imp. afirm.: –, pede, peça, peçamos, pedi, peçam.

Particípio: pedido.

Gerúndio: pedindo.

+ **Polir**

O verbo **polir** sofre mudança do **o** para **u** nas formas rizotônicas e em todo o presente do subjuntivo e nas formas derivadas do imperativo.

Pres. ind.: pulo, pules, pule, polimos, polis, pulem.

Pres. subj.: pula, pulas, pula, pulamos, pulais, pulam.

Imp. afirm.: –, pule, pula, pulamos, poli, pulam.

Particípio: polido.

Gerúndio: polindo.

+ **Rir**

Pres. ind.: rio, ris, ri, rimos, rides, riem.

Pret. imperf. ind.: ria, rias, ria, ríamos, ríeis, riam.

Pret. perf. ind.: ri, riste, riu, rimos, ristes, riram.

Pret. mais-que-perf. ind.: rira, riras, rira, ríramos, ríreis, riram.

Fut. pres. ind.: rirei, rirás, rirá, riremos, rireis, rirão.

Fut. pret. ind.: riria, ririas, riria, riríamos, riríeis, ririam.

Pres. subj.: ria, rias, ria, riamos, riais, riam.

Pret. imperf. subj.: risse, risses, risse, ríssemos, rísseis, rissem.

Fut. subj.: rir, rires, rir, rirmos, rirdes, rirem.

Imp. afirm.: –, ri, ria, riamos, ride, riam.

Inf. pessoal: rir, rires, rir, rirmos, rirdes, rirem.

Particípio: rido.

Gerúndio: rindo.

+ **Vir**

Pres. ind.: venho, vens, vem, vimos, vindes, vêm.

Pret. imperf. ind.: vinha, vinhas, vinha, vínhamos, vínheis, vinham.

Pret. perf. ind.: vim, vieste, veio, viemos, viestes, vieram.

Pret. mais-que-perf. ind.: viera, vieras, viera, viéramos, viéreis, vieram.

Fut. pres. ind.: virei, virás, virá, viremos, vireis, virão.

Fut. pret. ind.: viria, virias, viria, viríamos, viríeis, viriam.

Pres. subj.: venha, venhas, venha, venhamos, venhais, venham.

Pret. imperf. subj.: viesse, viesses, viesse, viéssemos, viésseis, viessem.

Fut. subj.: vier, vieres, vier, viermos, vierdes, vierem.

Imp. afirm.: –, vem, venha, venhamos, vinde, venham.

Inf. pessoal: vir, vires, vir, virmos, virdes, virem.

Particípio: vindo.

Gerúndio: vindo.

+ **Subir**

No verbo **subir**, a vogal **u** do radical passa a **o** aberto na 2ª e 3ª pessoas do singular e 3ª do plural do presente do indicativo e na 2ª pessoa do singular do imperativo afirmativo. Assim se conjugam **bulir**, **cuspir**, **entupir**, **escapulir**, **fugir**, **sacudir**.

Pres. ind.: subo, sobes, sobe, subimos, subis, sobem.

Pres. subj.: suba, subas, suba, subamos, subais, subam.

Imp. afirm.: –, sobe, suba, subamos, subi, subam.

Particípio: subido.

Gerúndio: subindo.

Verbos auxiliares

ser	estar	ter	haver
Modo indicativo			
Presente			
sou	estou	tenho	hei
és	estás	tens	hás
é	está	tem	há
somos	estamos	temos	havemos
sois	estais	tendes	haveis
são	estão	têm	hão
Pretérito imperfeito			
era	estava	tinha	havia
eras	estavas	tinhas	havias
era	estava	tinha	havia
éramos	estávamos	tínhamos	havíamos
éreis	estáveis	tínheis	havíeis
eram	estavam	tinham	haviam
Pretérito perfeito			
fui	estive	tive	houve
foste	estiveste	tiveste	houveste
foi	esteve	teve	houve
fomos	estivemos	tivemos	houvemos
fostes	estivestes	tivestes	houvestes
foram	estiveram	tiveram	houveram

Pretérito perfeito composto

tenho sido	tenho estado	tenho tido	tenho havido
tens sido	tens estado	tens tido	tens havido
tem sido	tem estado	tem tido	tem havido
temos sido	temos estado	temos tido	temos havido
tendes sido	tendes estado	tendes tido	tendes havido
têm sido	têm estado	têm tido	têm havido

Pretérito mais-que-perfeito

fora	estivera	tivera	houvera
foras	estiveras	tiveras	houveras
fora	estivera	tivera	houvera
fôramos	estivéramos	tivéramos	houvéramos
fôreis	estivéreis	tivéreis	houvéreis
foram	estiveram	tiveram	houveram

Pretérito mais-que-perfeito composto

tinha sido	tinha estado	tinha tido	tinha havido
tinhas sido	tinhas estado	tinhas tido	tinhas havido
tinha sido	tinha estado	tinha tido	tinha havido
tínhamos sido	tínhamos estado	tínhamos tido	tínhamos havido
tínheis sido	tínheis estado	tínheis tido	tínheis havido
tinham sido	tinham estado	tinham tido	tinham havido

Futuro do presente

serei	estarei	terei	haverei
serás	estarás	terás	haverás
será	estará	terá	haverá
seremos	estaremos	teremos	haveremos
sereis	estareis	tereis	havereis
serão	estarão	terão	haverão

Futuro do presente composto

terei sido	terei estado	terei tido	terei havido
terás sido	terás estado	terás tido	terás havido
terá sido	terá estado	terá tido	terá havido
teremos sido	teremos estado	teremos tido	teremos havido
tereis sido	tereis estado	tereis tido	tereis havido
terão sido	terão estado	terão tido	terão havido

Verbo

Futuro do pretérito

seria	estaria	teria	haveria
serias	estarias	terias	haverias
seria	estaria	teria	haveria
seríamos	estaríamos	teríamos	haveríamos
seríeis	estaríeis	teríeis	haveríeis
seriam	estariam	teriam	haveriam

Futuro do pretérito composto

teria sido	teria estado	teria tido	teria havido
terias sido	terias estado	terias tido	terias havido
teria sido	teria estado	teria tido	teria havido
teríamos sido	teríamos estado	teríamos tido	teríamos havido
teríeis sido	teríeis estado	teríeis tido	teríeis havido
teriam sido	teriam estado	teriam tido	teriam havido

Modo subjuntivo

Presente

seja	esteja	tenha	haja
sejas	estejas	tenhas	hajas
seja	esteja	tenha	haja
sejamos	estejamos	tenhamos	hajamos
sejais	estejais	tenhais	hajais
sejam	estejam	tenham	hajam

Pretérito imperfeito

fosse	estivesse	tivesse	houvesse
fosses	estivesses	tivesses	houvesses
fosse	estivesse	tivesse	houvesse
fôssemos	estivéssemos	tivéssemos	houvéssemos
fôsseis	estivésseis	tivésseis	houvésseis
fossem	estivessem	tivessem	houvessem

Pretérito perfeito composto

tenha sido	tenha estado	tenha tido	tenha havido
tenhas sido	tenhas estado	tenhas tido	tenhas havido

tenha sido	tenha estado	tenha tido	tenha havido
tenhamos sido	tenhamos estado	tenhamos tido	tenhamos havido
tenhais sido	tenhais estado	tenhais tido	tenhais havido
tenham sido	tenham estado	tenham tido	tenham havido

Pretérito mais-que-perfeito composto

tivesse sido	tivesse estado	tivesse tido	tivesse havido
tivesses sido	tivesses estado	tivesses tido	tivesses havido
tivesse sido	tivesse estado	tivesse tido	tivesse havido
tivéssemos sido	tivéssemos estado	tivéssemos tido	tivéssemos havido
tivésseis sido	tivésseis estado	tivésseis tido	tivésseis havido
tivessem sido	tivessem estado	tivessem tido	tivessem havido

Futuro

for	estiver	tiver	houver
fores	estiveres	tiveres	houveres
for	estiver	tiver	houver
formos	estivermos	tivermos	houvermos
fordes	estiverdes	tiverdes	houverdes
forem	estiverem	tiverem	houverem

Futuro composto

tiver sido	tiver estado	tiver tido	tiver havido
tiveres sido	tiveres estado	tiveres tido	tiveres havido
tiver sido	tiver estado	tiver tido	tiver havido
tivermos sido	tivermos estado	tivermos tido	tivermos havido
tiverdes sido	tiverdes estado	tiverdes tido	tiverdes havido
tiverem sido	tiverem estado	tiverem tido	tiverem havido

Modo imperativo

Afirmativo

–	–	–	–
sê	está	tem	há
seja	esteja	tenha	haja
sejamos	estejamos	tenhamos	hajamos
sede	estai	tende	havei
sejam	estejam	tenham	hajam

Negativo

–	–	–	–
não sejas	não estejas	não tenhas	não hajas
não seja	não esteja	não tenha	não haja
não sejamos	não estejamos	não tenhamos	não hajamos
não sejais	não estejais	não tenhais	não hajais
não sejam	não estejam	não tenham	não hajam

Formas nominais

Infinitivo impessoal

| ser | estar | ter | haver |

Infinitivo pessoal

ser	estar	ter	haver
seres	estares	teres	haveres
ser	estar	ter	haver
sermos	estarmos	termos	havermos
serdes	estardes	terdes	haverdes
serem	estarem	terem	haverem

Particípio

| sido | estado | tido | havido |

Gerúndio

| sendo | estando | tendo | havendo |

Verbos pronominais

Como já visto, o verbo pronominal é conjugado com um pronome oblíquo que representa a mesma pessoa do sujeito.

Dependendo da posição do pronome átono, podemos ter:

a) **próclise**: se o pronome átono vem antes do verbo. Ex.: Ele se lembrou do acidente.

b) **mesóclise**: se o pronome átono vem no meio do verbo (o que pode ocorrer nos futuros do presente e do pretérito do indicativo). Ex.: Lembrar-se-á se puder. Lembrar-nos-íamos se pudéssemos.

c) **ênclise**: se o pronome átono vem depois do verbo. Ex.: Lembrei-me de você durante a viagem.

❖ Se o pronome for enclítico, as formas da 1ª pessoa do plural perdem o **s** final antes de receber o pronome. Ex.: Lembramo-nos de tudo.

Observe o seguinte modelo de verbo pronominal.

Queixar-se

Modo indicativo

Presente	**Pretérito imperfeito**	**Pretérito perfeito**
queixo-me	queixava-me	queixei-me
queixas-te	queixavas-te	queixaste-te
queixa-se	queixava-se	queixou-se
queixamo-nos	queixávamo-nos	queixamo-nos
queixai-vos	queixáveis-vos	queixastes-vos
queixam-se	queixavam-se	queixaram-se

Pretérito mais-que-perfeito	**Futuro do presente**	**Futuro do pretérito**
queixara-me	queixar-me-ei	queixar-me-ia
queixaras-te	queixar-te-ás	queixar-te-ias
queixara-se	queixar-se-á	queixar-se-ia
queixáramo-nos	queixar-nos-emos	queixar-nos-íamos
queixáreis-vos	queixar-vos-eis	queixar-vos-íeis
queixaram	queixar-se-ão	queixar-se-iam

Modo subjuntivo

Presente	**Pretérito imperfeito**	**Futuro**
que me queixe	se me queixasse	quando me queixar
que te queixes	se te queixasses	quando te queixares
que se queixe	se se queixasse	quando se queixarem
que nos queixemos	se nos queixássemos	quando nos queixarmos
que vos queixeis	se vos queixásseis	quando vos queixardes
que se queixem	se se queixassem	quando se queixarem

Modo imperativo

Afirmativo	**Negativo**
–	–
queixa-te	não te queixes
queixe-se	não se queixe

queixemo-nos   não nos queixemos
queixai-vos   não vos queixeis
queixem-se   não se queixem

Formas nominais

Infinitivo impessoal: queixar-se.

Infinitivo pessoal: queixar-me, queixares-te, queixar-se, queixarmo-nos, queixardes-vos, queixarem-se.

Gerúndio: queixando-se.

Particípio: não admite a forma pronominal.

Conjugação de um verbo com os pronomes oblíquos o, a, os, as

O verbo pode ser acompanhado de um pronome oblíquo átono que não se refira ao sujeito.

Ela **o** viu no cinema.   Nós **te** admiramos.

Quando os pronomes oblíquos átonos **o, a, os, as** estiverem depois do verbo ou no meio, modificam-se de acordo com o final do verbo a que se acham pospostos.

a) Os pronomes não se alteram se o verbo terminar por vogal ou semivogal.

   ponho-o   dei-a

b) Se o verbo terminar em **r**, **s** ou **z**, desaparecem estas consoantes e os pronomes assumem suas formas antigas: **lo, la, los, las**:

   vender + lo = vendê-lo   pões + la = põe-la   fez + lo = fê-lo

c) Se o verbo terminar por **ns**, essa terminação passará a **m**:

   tens + o = tem-lo

d) Se o verbo terminar por um ditongo nasal (**am, em, ão, õe**), os pronomes assumem as formas **no, na, nos, nas**.

   põe + o = põe-no   faziam + a = faziam-na

> ❖ Se os pronomes vêm antes do verbo, não há nenhuma alteração nos pronomes e no verbo:
>
>   Ele **o** vendeu ontem.   Nós **a** admiramos.
>
> ❖ No futuro do presente e no futuro do pretérito do indicativo, os pronomes não podem ser pospostos ao verbo. Nesses casos, o pronome é intercalado e as formas verbais sofrem alterações conforme as regras acima:

pedirei + o = pedi-lo-ei   pediria + o = pedi-lo-ia

❖ No modo subjuntivo e no imperativo negativo, não se utiliza o pronome posposto ao verbo.

❖ Os pronomes **me**, **te**, **se**, **lhe(s)**, **vos** não provocam alteração em nenhuma forma verbal:

Diga-me o que quer.   Entreguei-lhe o presente.

Observe o verbo **comprar** conjugado com o pronome oblíquo **o**.

Comprar (conjugação simples)

Modo indicativo

Presente	Pretérito imperfeito	Pretérito perfeito
compro-o	comprava-o	comprei-o
compra-lo	comprava-lo	compraste-o
compra-o	comprava-o	comprou-o
compramo-lo	comprávamo-lo	compramo-lo
comprai-lo	compráveis-lo	compraste-lo
compram-no	compravam-no	compraram-no

Pretérito mais-que-perfeito	Futuro do presente	Futuro do pretérito
comprara-o	comprá-lo-ei	comprá-lo-ia
comprara-lo	comprá-lo-ás	comprá-lo-ias
comprara-o	comprá-lo-á	comprá-lo-ia
compráramo-lo	comprá-lo-emos	comprá-lo-íamos
comprárei-lo	comprá-lo-eis	comprá-lo-íeis
compraram-no	comprá-lo-ão	comprá-lo-iam

Modo subjuntivo

Presente	Pretérito imperfeito	Futuro
que o compre	se o comprasse	quando o comprar
que o compres	se o comprasses	quando o comprares
que o compre	se o comprasse	quando o comprar
que o compremos	se o comprássemos	quando o comprarmos
que o compreis	se o comprásseis	quando o comprardes
que o comprem	se o comprassem	quando o comprarem

Modo imperativo

Afirmativo	Negativo
–	–
compra-o (tu)	não o compres (tu)
compre-o (você)	não o compre (você)
compremo-lo (nós)	não o compremos (nós)
comprai-o (vós)	não o compreis (vós)
comprem-no (vocês)	não o comprem (vocês)

Formas nominais

Infinitivo impessoal: comprá-lo.

Infinitivo pessoal: comprá-lo, comprare-lo, comprá-lo, comprarmo-lo, comprarde--lo, comprarem-no.

Gerúndio: comprando-o.

Particípio: não se usa com o pronome posposto.

Verbo na voz passiva

Verbo **ser** conjugado + **particípio do verbo principal**.

O particípio concorda em gênero e número com a pessoa a que se refere.

O modo imperativo é raramente empregado.

Modo indicativo – Lembrar (voz passiva analítica)

Presente	Pretérito imperfeito	Pretérito perfeito
sou lembrado	era lembrado	fui lembrado
és lembrado	eras lembrado	foste lembrado
é lembrado	era lembrado	foi lembrado
somos lembrados	éramos lembrados	fomos lembrados
sois lembrados	éreis lembrados	fostes lembrados
são lembrados	eram lembrados	foram lembrados
Pretérito perfeito composto	**Pretérito-mais-que--perfeito**	**Pretérito-mais-que--perfeito composto**
tenho sido lembrado	fora lembrado	tinha sido lembrado
tens sido lembrado	foras lembrado	tinhas sido lembrado
tem sido lembrado	fora lembrado	tinha sido lembrado

temos sido lembrados
tendes sido lembrados
têm sido lembrados

fôramos lembrados
fôreis lembrados
foram lembrados

tínhamos sido lembrados
tínheis sido lembrados
tinham sido lembrados

Futuro do presente
serei lembrado
serás lembrado
será lembrado
seremos lembrados
sereis lembrados
serão lembrado

Futuro do presente composto
terei sido lembrado
terás sido lembrado
terá sido lembrado
teremos sido lembrados
tereis sido lembrados
terão sido lembrados

Futuro do pretérito
seria lembrado
serias lembrado
seria lembrado
seríamos lembrados
seríeis lembrados
seriam lembrados

Futuro do pretérito composto
teria sido lembrado
terias sido lembrado
teria sido lembrado
teríamos sido lembrados
teríeis sido lembrados
teriam sido lembrados

Modo subjuntivo

Presente
Seja lembrado
Sejas lembrado
Seja lembrado
Sejamos lembrados
Sejais lembrados
Sejam lembrados

Pretérito imperfeito
fosse lembrado
fosses lembrado
fosse lembrado
fôssemos lembrados
fôsseis lembrados
fossem lembrados

Pretérito perfeito composto
tenha sido lembrado
tenhas sido lembrado
tenha sido lembrado
tenhamos sido lembrados
tenhais sido lembrados
tenham sido lembrados

Pretérito-mais-que--perfeito composto
tivesse sido lembrado
tivesses sido lembrado
tivesse sido lembrado
tivéssemos sido lembrados

Futuro
for lembrado
fores lembrado
for lembrado
formos lembrados

Futuro composto
tiver sido lembrado
tiveres sido lembrado
tiver sido lembrado
tivermos sido lembrados

| tivésseis sido lembrados | fordes lembrados | tiverdes sido lembrados |
| tivessem sido lembrados | forem lembrados | tiverem sido lembrados |

Modo imperativo

Afirmativo	Negativo
—	—
sê lembrado	não sejais lembrado
seja lembrado	não seja lembrado
sejamos lembrados	não sejamos lembrados
sede lembrados	não sejais lembrados
sejam lembrados	não sejam lembrados

Formas nominais

Infinitivo impessoal: ser lembrado.

Infinitivo impessoal composto: ter sido lembrado.

Infinitivo pessoal	Infinitivo pessoal composto
ser lembrado	ter sido lembrado
seres lembrado	teres sido lembrado
ser lembrado	ter sido lembrado
sermos lembrados	termos sido lembrados
serdes lembrados	terdes sido lembrados
serem lembrados	terem sido lembrados

Particípio	Gerúndio	Gerúndio composto
lembrado	sendo lembrado	tendo sido lembrado

Exercícios

1. Reescreva as frases flexionando corretamente os verbos em destaque.
   a) Se ele (**saber**) a verdade, ficará decepcionado.
   b) Talvez nós (**conseguir**) um bom lugar na plateia.
   c) Tudo acabará bem se ela (**dizer**) o que sabe.
   d) Se você (**fazer**) um trabalho completo, será elogiado.
   e) Não (**haver**) mais alunos na sala após o sinal.
   f) Assim que (**sair**) os resultados, façam a matrícula.

2. **Dê as formas verbais corretas.**
   a) Enxaguar – 1ª pessoa do singular do presente do indicativo.
   b) Conter – 3ª pessoa do plural do presente do indicativo.
   c) Intervir – 3ª pessoa do singular do pretérito perfeito do indicativo.
   d) Pedir – 1ª pessoa do singular do presente do subjuntivo.
   e) Nomear – 2ª pessoa do plural do infinitivo pessoal.
   f) Querer – 2ª pessoa do singular do futuro do subjuntivo.
   g) Ser – 1ª pessoa do plural do pretérito mais-que-perfeito do indicativo.
   h) Ir – 3ª pessoa do singular do pretérito imperfeito do subjuntivo.
   i) Poder – 1ª pessoa do singular do pretérito perfeito do indicativo.
   j) Vir – 3ª pessoa do singular do imperativo afirmativo.

3. **Informe a pessoa, o número, o tempo e o modo das seguintes formas verbais.**

   Modelo – andavam: 3ª pessoa do plural do pretérito imperfeito do indicativo.

   a) despeço
   b) cale-se
   c) obtivemos
   d) perceberiam
   e) detêm
   f) entregarão
   g) descubras
   h) não discutais
   i) desaparecêramos
   j) consertavam

4. **Relacione as colunas adequadamente de acordo com as formas verbais.**

   a) Se conseguirem vencer
   b) Talvez conheçam o caminho
   c) Ríamos muito naquela época
   d) Não lhe diga nada
   e) Ela trouxe as encomendas

   ( ) imperativo negativo
   ( ) pretérito perfeito do indicativo
   ( ) presente do subjuntivo
   ( ) futuro do subjuntivo
   ( ) pretérito imperfeito do indicativo

5. **Passe as orações abaixo para o plural.**
   a) Não me interprete mal, só digo o que penso.
   b) Se você vir meu primo, convide-o também.
   c) Deixe-me ajudá-lo.
   d) Se você for à praia, convide-me.
   e) Eu descansava enquanto ela preparava o almoço.
   f) Tu andas muito calado ultimamente.

6. **Informe em que voz estão as orações: ativa, passiva ou reflexiva.**
   a) Os vencedores se abraçaram em comemoração.
   b) Alguém a assaltou na porta da loja.
   c) Os candidatos serão entrevistados pelo orientador.

d) Venderam-se vários terrenos naquela próspera região.
e) Nós derrotamos os adversários bravamente.
f) O garoto feriu-se levemente com uma faca de cozinha.
g) Foram obtidos bons resultados com esses novos métodos.
h) O escritor publicou um novo livro.
i) Os formandos tinham planejado uma bela festa.
j) Abriram-se as inscrições para o concurso público.

7. **Passe as orações da voz ativa para a voz passiva analítica.**

   a) Obtive boas informações sobre ele.
   b) A geada destruiu várias plantações.
   c) O advogado examinará o processo ainda hoje.
   d) Alguns, com certeza, confirmarão a presença.
   e) O repórter denunciou um esquema de desvio de dinheiro público.
   f) Paguei a dívida com minhas economias.
   g) Nós o apoiamos nessa hora difícil.
   h) O governo está distribuindo cestas básicas.
   i) Programaram uma recepção para o artista plástico.
   j) Levaram-no para o hospital.

8. **Reescreva as orações, transformando a voz passiva analítica em sintética.**

   a) Os resultados serão publicados ainda hoje.
   b) Os competidores eram recebidos com entusiasmo.
   c) Um novo *shopping* foi construído naquele bairro.
   d) Casos curiosos são revelados com frequência.
   e) O filme vencedor será exibido no próximo domingo.
   f) Manifestantes eram vistos pelos corredores.
   g) Foram retirados os invasores.
   h) A ponte foi inaugurada dentro do prazo.
   i) Seriam concedidos muitos benefícios.
   j) As árvores foram derrubadas.

9. **Mude a voz passiva para a ativa.**

   a) Elas foram vistas na saída do teatro.
   b) O réu foi absolvido pelo júri.
   c) Ela era sempre recebida com carinho.
   d) O jogador foi convocado às pressas.
   e) O jovem pianista era aplaudido por todos.
   f) A explicação do professor não foi ouvida por ninguém.
   g) A criança foi socorrida pelo médico.
   h) Éramos vigiados constantemente.

i) Os trabalhos serão executados pela nova empreendedora.
j) O desempenho da atriz tem sido criticado pela imprensa.

10. **Passe os tempos simples grifados para a forma composta.**
   a) Você <u>chegaria</u> mais cedo hoje?
   b) Assim que ela <u>sair</u>, avise-me.
   c) A jovem <u>recebera</u> flores de um admirador.
   d) Talvez nós devêssemos <u>visitá-lo</u> no hospital.
   e) O funcionário <u>comunicara</u> a sua falta à diretoria.

11. **Reescreva as orações mudando os verbos da 2ª pessoa para a 3ª pessoa do singular ou do plural do imperativo afirmativo.**
   a) Ouve com atenção!
   b) Divulgai os resultados.
   c) Volta para casa!
   d) Fazei as pazes.
   e) Dirige devagar!
   f) Amai vossos amigos.
   g) Foge das tentações
   h) Espera-me em casa.
   i) Terminai os trabalhos.
   j) Vem depressa!

12. **Sublinhe as locuções verbais nas orações abaixo.**
   a) Não queríamos atrapalhar o seu passeio.
   b) Já vou indo porque está tarde.
   c) Estou lendo um livro bem interessante.
   d) Eles andam fazendo tudo errado.
   e) O aluno continua estudando mesmo após o vestibular.
   f) As crianças parecem gostar da nova babá.
   g) Não podemos fazer barulho por causa dos vizinhos.
   h) Pretendem viajar para o exterior nas próximas férias.
   i) Você ainda terá de trabalhar muito até a aposentadoria.
   j) Eles vêm entrando aos poucos na sala.

13. **Complete as frases, flexionando o verbo entre parênteses na forma pedida.**
   a) _____ muitas pessoas que gostam de você. (haver – presente do indicativo)
   b) Eles já saíram _____ vinte minutos. (fazer – presente do indicativo)
   c) Ele não _____ na discussão. (intervir – pretérito perfeito do indicativo)

d) Nós _____ nossos convidados com um belo espetáculo. (entreter – presente do indicativo)
e) É preciso que você _____ ajuda. (obter – presente do subjuntivo)
f) Os pais _____ o sustento dos filhos. (prover – presente do indicativo)
g) Não _____ embora sem o seu agasalho. (ir – imperativo negativo)
h) Os nossos objetivos _____ dos vossos. (diferir – presente do indicativo)
i) Nós _____ os nossos documentos perdidos. (reaver – presente do indicativo)
j) Talvez a coordenadora _____ uma licença. (requerer – presente do subjuntivo)

14. Complete as lacunas com os verbos no pretérito perfeito do indicativo.
   a) Os empregados _____ a sua posição. (manter)
   b) A testemunha _____ muitas vezes. (contradizer-se)
   c) Ele _____ de certos perigos. (precaver-se)
   d) O governo _____ os edifícios públicos danificados. (reconstruir)
   e) Os comerciantes _____ as mercadorias. (repor)
   f) O policial _____ os baderneiros. (advertir)

15. Conjugue os verbos entre parênteses no futuro do subjuntivo.
   a) Quando nós (poder), voltaremos.
   b) Se eles (ir) à praia, acredito que se divertirão muito.
   c) Quando ela (dizer) a verdade, todos se surpreenderão.
   d) Se eles (trazer) os livros, terminaremos a pesquisa.
   e) Se você não (vir) amanhã, telefone-me.
   f) Quando eu (ver) a professora, falarei sobre a questão anulada.
   g) Se você (fazer) um bom roteiro, o trabalho não será tão difícil.
   h) Quando ele (ser) maior de idade, tirará a carteira de motorista.
   i) Se ela (querer), pode viajar nos feriados.
   j) Quando ela (estar) mais calma, pediremos desculpas.

16. Flexione os verbos nas pessoas pedidas.
   a) Ela não foi admitida, embora _____ uma boa pontuação.
      (conseguir – pretérito perfeito composto do subjuntivo)
   b) Depois de _____ o relatório, saiu apressado.
      (concluir – infinitivo pessoal composto)
   c) Se eles _____ a verdade, não teriam sido punidos.
      (dizer – pretérito mais-que-perfeito composto do subjuntivo)

d) Os médicos _____ muito na valorização do trabalho.
(insistir – pretérito perfeito composto do indicativo)
e) Depois que nós _____, poderemos encerrar esse assunto.
(conversar – futuro composto do subjuntivo)
f) Os jovens já _____ cancelar a apresentação teatral.
(resolver – pretérito mais-que-perfeito composto do indicativo)
g) Se fosse mais fácil, _____ nós mesmas.
(fazer – futuro do pretérito composto)
h) Espero que ela _____ o meu presente.
(comprar – pretérito perfeito composto do subjuntivo)
i) Aquela sua amiga não _____ por aqui nos últimos meses.
(aparecer – pretérito perfeito composto do indicativo)
j) Eles _____ os nossos projetos sobre reciclagem.
(apoiar – pretérito perfeito composto do indicativo)

17. Conjugue os verbos defectivos na forma pedida.
a) abolir – presente do indicativo.
b) reaver – pretérito perfeito do indicativo.
c) adequar – presente do subjuntivo.
d) precaver – pretérito imperfeito do subjuntivo.
e) falir – presente do indicativo.
f) doer – pretérito imperfeito do indicativo.
g) caber – presente do subjuntivo.

18. Empregue a forma adequada do particípio dos verbos abundantes.
a) Os alunos foram _____ mais cedo para o ensaio da festa junina. (dispensar)
b) Os policiais tinham _____ os ladrões de carro. (prender)
c) Os dias parados serão _____ nos feriados prolongados. (repor)
d) Todas as apostilas terão de ser _____. (refazer)
e) Eles não haviam _____ o gabarito. (imprimir)
f) As luzes das ruas foram _____ durante o dia por causa da neblina. (acender)
g) O cãozinho foi _____ depois de horas preso sozinho no apartamento. (soltar)
h) A polícia teria _____ a multidão para não haver confronto. (dispersar)
i) As ruas foram _____ pela enxurrada. (invadir)
j) As casas ficaram _____ pela água da chuva. (submergir)

Questões de vestibulares

1. (Mackenzie-SP) Passando a frase "ela sem querer está provocando o cavalheiro" para a voz passiva, a forma verbal obtida é:

a) estaria sendo provocado
b) foi provocado
c) havia sido provocado
d) tinha provocado
e) está sendo provocado

2. (FEI-SP) Com relação à frase "Todos perceberam que João Fanhoso **dera** rebate falso", responda:

a) Em que tempo está a forma verbal "dera"?
b) Qual é a forma verbal composta correspondente?
c) Como se justifica o seu emprego?

3. (Ufac-AC) Passe para a voz passiva analítica.

a) *Ouviram-se sucessivas e medonhas descargas de um tiroteio* [...] (Graça Aranha)
b) Anulou-se a prova.
c) *Os canoeiros metiam os remos na água* [...] (José Lins do Rego)

4. (FESL-MA) A frase negativa que corresponde a "Desempenha o teu papel" é:

a) Não desempenhes o teu papel.
b) Não desempenha o teu papel.
c) Não desempenhe o teu papel.
d) Não desempenhai o teu papel.
e) Não desempenhai o teu papel.

5. (UFMS-MS) Indique com **P** as frases passivas, as ativas com **A** e as reflexivas com **R**.

a) ( ) Dizem muitas asneiras.
b) ( ) Por quem o prédio foi construído?
c) ( ) Abrir-se-ão novas escolas.
d) ( ) O cachorro ficou esmagado pela roda do caminhão.
e) ( ) As cidades serão enfeitadas.
f) ( ) Os pais contemplam-se nos filhos.
g) ( ) O caçador feriu-se.
h) ( ) As despesas foram pagas por mim.
i) ( ) Desejo comprar um livro.
j) ( ) Ó povos, por que vos guerreais tão barbaramente?

6. (UFBA-BA) Assinale a alternativa em que há erro quanto ao imperativo.
   a) Vire para o lado, não olhe ainda.
   b) Vire para o lado, não olha ainda.
   c) Viremos para o lado, não olhemos ainda.
   d) Vira para o lado, não olhes ainda.
   e) Virai para o lado, não olhais ainda.

7. (Uepa-PA) Assinale a alternativa que preenche, de acordo com a norma culta, os espaços da frase: "___ 23 anos ___ o golpe fatal no socialismo de Mitterrand."
   a) A – aconteceu
   b) Ha – aconteceu
   c) À – aconteceu
   d) Há – aconteceu
   e) A – acontecia

8. (Fuvest-SP) Altere a redação do período abaixo, empregando os verbos na voz passiva:
   "... e se às vezes me repreendia, à vista de gente, fazia-o por simples formalidade." (Machado de Assis)

9. (Fuvest-SP) Passe o texto para a forma negativa: "Sai daqui! Foge! Abandona o que é teu e esquece-me."

10. (Cesgranrio-RJ) Assinale a opção em que há erro de conjugação verbal à norma culta da língua.
    a) Se ele previsse o que ia dizer!
    b) Se ele compusesse o que eu tinha imaginado.
    c) Se ele retesse o que eu ensinara.
    d) Se ele requeresse o que eu havia informado!
    e) Se ele reouvesse o que eu tinha perdido!

11. (Cesgranrio-RJ) A forma do mais-que-perfeito composto do verbo da primeira oração do texto é: "Neste momento, o bordado **está pousado** em cima do console e o interrompi para escrever, substituindo a tessitura dos pontos pela das palavras, o que me parece um exercício bem mais difícil."
    a) estava pousado
    b) estará pousado
    c) tinha sido pousado
    d) teria estado pousado
    e) tem estado pousado

12. (Unirio-RJ) Indique a opção em que se identificam corretamente todas as formas verbais.

a) estarmos / dissermos / sorrirmos – infinitivo flexionado
b) vê / vem / servi – presente do indicativo
c) saiba / ide / entendas – subjuntivo presente
d) vires / viermos / sorrirdes – futuro do subjuntivo
e) trazia / soubera / diria – pretérito imperfeito do indicativo

13. (Cesgranrio-RJ) Assinale a alternativa em que o verbo em destaque está devidamente flexionado.

a) Sem que **soubermos**, estamos gerando crianças-adultos, que dificilmente chegarão à maturidade.
b) Sem que **sabemos**, estamos gerando crianças-adultos, que dificilmente chegarão à maturidade.
c) Sem que **saibamos**, estamos gerando crianças-adultos, que dificilmente chegarão à maturidade.
d) Sem que **saberemos**, estamos gerando crianças-adultos, que dificilmente chegarão à maturidade.
e) Sem que **sabíamos**, estamos gerando crianças-adultos, que dificilmente chegarão à maturidade.

14. (Fuvest-SP) Aponte a alternativa em que a segunda forma está incorreta como plural da primeira.

a) tu ris – vós rides
b) ele lê – eles leem
c) ele tem – eles têm
d) ele vem – eles veem
e) eu ceio – nós ceamos

15. (Fuvest-SP) Reescreva as frases abaixo, obedecendo ao modelo.
Se ele voltou cedo, eu também voltei.
Se ele voltar cedo, eu também voltarei.
a) Se ele viu o filme, eu também vi.
b) Se tu te dispuseste, eu também me dispus.

16. (Unifor-CE) O modelo de conjugação do verbo ___ é o verbo ___ .

a) reaver, ver
b) requerer, querer
c) reter, prometer
d) cair, ir
e) intervir, vir

17. (USF-SP) Embora suas opiniões _____ sempre discordantes, eles nunca _____ realmente zangados.

a) seijam, estiveram
b) sejem, estiveram
c) sejam, estiveram
d) sejam, tiveram
e) sejem, tiveram

18. (FMTM-MG) Aponte a alternativa que preenche corretamente os espaços.

    Se eu _____ os comprovantes exigidos e _____ aposentadoria, você _____ para que o processo ande mais devagar?
    a) obter / requiser / interverá
    b) obter / requerer / interverá
    c) obter / requiser / intervirá
    d) obtiver / requerer / intervirá
    e) obtiver / requiser / interverá

19. (UCDB-MT) Se _____ outras chances, irei novamente. Afinal, _____ hei de desistir?

    a) houverem – por que
    b) houver – por quê
    c) houverem – porque
    d) houver – por que
    e) houver – porquê

20. (Fuvest-SP) Complete as frases abaixo com as formas corretas dos verbos indicados entre parênteses.

    a) Quando eu _____ os livros, nunca mais os emprestarei (reaver)
    b) Os alienados sempre _____ neutros. (manter-se)
    c) As provas que _____ mais erros seriam comentadas. (conter)
    d) Quando ele _____ uma canção de paz, poderá descansar. (compor)

21. (FGV-SP) Assinale a alternativa que completa corretamente a frase.

    "_____ os documentos que encaminhamos à Prefeitura."
    a) Terá de serem formalizados
    b) Terão de ser formalizado
    c) Terá de ser formalizado
    d) Terão de serem formalizados
    e) Terão de ser formalizados

22. (FCC-RJ) É preciso corrigir uma forma verbal flexionada na frase:

    a) O *e-mail* interveio de tal forma em nossa vida que ninguém imagina viver sem se valer dele a todo momento.
    b) Se uma mensagem eletrônica contiver algum vírus, o usuário incauto será prejudicado ao abri-la.
    c) Caso não nos disponhamos a receber todo e qualquer *e-mail*, será preciso que nos munamos de algum filtro oferecido pela internet.

d) Se uma mensagem provier de um desconhecido, será preciso submetê-la a um antivírus específico.

e) Ele se precaveio e instalou em seu computador um poderoso antivírus, para evitar que algum *e-mail* o contaminasse.

23. (UEL-PR) Quando você o _____, entregue-lhe os envelopes que _____ os documentos pedidos.
    a) vir – contêm
    b) ver – contém
    c) ver – contêm
    d) vir – conteem
    e) ver - conteem

24. (UEPG-PR) Nesse fragmento poético: *Cantando espalharei por toda parte / Se tanto me ajudar engenho e arte*, encontram-se, respectivamente, formas verbais nominais:
    a) particípio – infinitivo
    b) gerúndio – infinitivo
    c) infinitivo – particípio
    d) infinitivo – gerúndio
    e) particípio – gerúndio

25. (ITA-SP) Indique a alternativa em que **há** erro gramatical.
    a) Eles se entreteram, contando piadas.
    b) Entrevi uma solução em todo esse emaranhado.
    c) Para que não caiais em tentação, rezai.
    d) Ele se proveu do necessário e partiu.
    e) Quando o vir de novo, reconhecê-lo-ei.

26. (Fuvest-SP) Entre as mensagens abaixo, a única que está de acordo com a norma escrita culta é:
    a) Confira as receitas incríveis preparadas para você. Clica aqui!
    b) Mostra que você tem bom coração. Contribua para a campanha do agasalho!
    c) Cura-te a ti mesmo e seja feliz!
    d) Não subestime o consumidor. Venda produtos de boa aparência.
    e) Em caso de acidente, não siga viagem. Pede apoio a um policial.

27. (Fuvest-SP) Reescreva as formas verbais destacadas, permutando-as pelos verbos colocados entre parênteses.
    a) Se você se **colocasse** em meu lugar, perceberia melhor o problema. (PÔR)
    b) Quando **descobrirem** o logro em que caíram, ficarão furiosos. (VER)

Advérbio

O advérbio é a palavra que modifica um verbo, um adjetivo ou o próprio advérbio. Exerce a função de indicar as circunstâncias (tempo, modo, lugar, dúvida, causa etc.) em que ocorrem as ações verbais.

O garoto chegou **tarde** em casa.

(O advérbio **tarde** modifica o verbo chegou.)

Aquela menina é **muito** inteligente.

(O advérbio **muito** modifica o adjetivo inteligente.)

Moro **bem** longe do centro da cidade.

(O advérbio **bem** modifica o advérbio longe.)

O advérbio também pode modificar toda uma oração:

Silenciosamente, saíram todos da sala.

(O advérbio destacado modifica toda a oração **saíram todos da sala**.)

Locução adverbial

A locução adverbial é formada por um conjunto de duas ou mais palavras que exercem a função do advérbio.

As pessoas, **em geral**, gostam de estar acompanhadas.

De vez em quando, gosto de ficar sozinha.

As locuções adverbiais são formadas por uma preposição mais substantivos, adjetivos ou advérbios: sem dúvida; à vontade; de propósito; de novo; por certo; de longe; por aqui etc.

❖ É preciso atentar para a diferenciação entre **locução adverbial** e **locução prepositiva**. A última palavra da locução prepositiva é sempre uma preposição.

Ela estava **perto de** mim. (locução prepositiva)

Fique **por perto**, por favor. (locução adverbial)

Classificação dos advérbios

Os advérbios e as locuções verbais são classificados de acordo com a circunstância que expressam.

	Advérbios e locuções adverbais	
	Advérbio	**Locução adverbial**
Afirmação	sim, realmente, certamente efetivamente, deveras etc.	com certeza, sem dúvida, por certo etc.
Dúvida	talvez, acaso, porventura, quiçá, provavelmente etc.	quem sabe
Intensidade	bastante, muito, demais, mais, menos, quase, tão, quanto, tanto, pouco etc.	em excesso, em demasia, por completo, de muito, de pouco etc.
Lugar	abaixo, acima, lá, ali, aqui dentro, fora, perto, longe, cá, atrás, detrás etc.	à direita, à esquerda, por ali, ao lado, de perto, de longe, por dentro, de fora etc.
Modo	assim, mal, bem, devagar, depressa, pior, melhor, e muitos outros terminados em mente.	à vontade, a pé, às pressas, em vão, em geral, de cor, lado a lado, passo a passo, frente a frente etc.
Negação	não, tampouco etc.	de jeito nenhum, de modo algum, de forma nenhuma etc.
Tempo	hoje, amanhã, ontem, antes, depois, já, agora, sempre, tarde, cedo, longe, nunca, antes, raramente etc.	de repente, às vezes, à tarde, à noite, de vez em quando, em breve, hoje em dia, a qualquer momento etc.

São chamadas **advérbios interrogativos** as palavras: **onde, como, aonde, quando, por que** ao se referirem às circunstâncias de tempo, modo, causa e lugar.

São empregados em frases interrogativas diretas e indiretas.

Onde estão todos?   Não sei onde eles estão.

Como consegue fazer isso?   Queria saber como ela consegue esquiar tão bem.

Aonde vai?   Indaguei aonde ia àquela hora da noite.

Quando chegou?   Gostaria de saber até quando ela vai ficar por aqui.
Por que demorou?   Perguntei por que não compareceu à reunião.

> ❖ Grande parte dos advérbios terminados em **mente** é classificada como advérbio de modo, porém essa terminação também pode indicar afirmação, dúvida, intensidade e tempo.

Flexão de grau

Alguns advérbios, assim como os adjetivos, admitem a variação de grau **comparativo** e **superlativo**, mas são invariáveis em gênero e número.

O menino sentou-se **pertíssimo** da namorada.

Grau comparativo

O grau comparativo do advérbio pode ser:

+ **de igualdade** – formado por **tão** + advérbio + **quanto**.

    O senhor anda **tão** devagar **quanto** a senhora.

+ **de superioridade** – formado por **mais** + advérbio + **que** (ou **do que**).

    O senhor anda **mais** devagar (do) **que** a senhora.

+ **de inferioridade** – formado por **menos** + advérbio + **que** (ou **do que**).

    O senhor anda **menos** devagar (do) **que** a senhora.

Grau superlativo

O advérbio apresenta apenas o grau superlativo absoluto, que pode ser:

+ **analítico** – formado pelos advérbios de intensidade: **muito**, **tão**, **pouco**.

    Aquela garota mora **muito longe**.

+ **sintético** – formado pelos advérbios com acréscimo do sufixo **-íssimo**.

    O senhor falava **baixíssimo**.

> ❖ Alguns advérbios, na linguagem informal, podem ser expressos por meio de diminutivos que podem caracterizar afetividade ou intensidade:
>
> Esteve **juntinho** dela a noite toda.

Saiu bem **cedinho** para trabalhar.

❖ A palavra **muito** pode ser empregada como advérbio ou pronome indefinido. É importante saber diferenciar seu emprego:

Ela anda **muito** cansada. (Nesse caso, advérbio, palavra invariável que modifica o adjetivo "cansada".)

Ela recebeu **muitos** presentes. (Nesse caso, pronome adjetivo indefinido que se flexiona em gênero e número.)

Emprego do advérbio

a) Em uma sequência de dois ou mais advérbios terminados em **mente**, coloca-se o sufixo somente no último.

Sempre falava clara e **pausadamente**.

b) A palavra **só**, significando **apenas**, **somente**, equivale a um **advérbio**. Entretanto, se for sinônima de **sozinho**, é **adjetivo**.

Elas **só** gostam de sair à noite. (advérbio)

Não quero ficar **só**. (adjetivo)

c) As formas irregulares dos comparativos de superioridade, como **melhor** e **pior**, não devem ser empregadas antes da forma nominal do particípio. O emprego correto são as formas analíticas: **mais bem** e **mais mal**.

Aqueles quartos da ala norte estavam **mais bem** aquecidos do que os da ala sul.

d) A palavra **primeiro** é empregada como advérbio se modificar verbo.

Ele chegou **primeiro** hoje.

e) Os comparativos irregulares **melhor** e **pior**, provindos dos advérbios bem e mal, são empregados como advérbios.

Eles comportaram-se **melhor** depois da bronca.

As palavras **melhor** e **pior** podem funcionar como adjetivos, flexionados em número, se empregadas no lugar de **bom** ou **mau**.

Foram os **melhores** corredores da São Silvestre.

f) Em certos contextos, adjetivos podem ser empregados como advérbio.

Ele pagou bem **caro** pelo tênis de marca.

Palavras e locuções denotativas

De acordo com a Nomenclatura Gramatical Brasileira (NGB), algumas palavras não se enquadram entre as dez classes de palavras. Por isso, são chamadas palavras ou locuções denotativas e podem expressar:

a) **designação** ou indicação: eis.

   Eis os ganhadores da loteria federal.

b) **inclusão**: também, inclusive, até, mesmo, ademais.

   Eu **também** quero ir.

c) **exclusão**: exceto, salvo, menos, apenas, só, senão, sequer.

   Todos já acabaram, **menos** ela.

d) **realce**: é que, só, lá, ainda, apenas, mas, sobretudo.

   Você **é que** não se decide.

e) **explicação**: aliás, ou melhor, ou seja, isto é, ou antes.

   Ela deveria, **aliás**, vocês deveriam pagar o conserto da TV.

f) **situação**: então, afinal, agora, mas.

   Então, como ficou combinado?

g) **explanação**: por exemplo, a saber.

   As cadeiras, **por exemplo**, não serão suficientes.

Exercícios

1. Grife e classifique os advérbios e as locuções adverbiais nas seguintes frases.
    a) Sem dúvida alguma, seremos os únicos representantes da nossa família.
    b) Talvez eles não voltem tarde.
    c) O garoto jogou com displicência a mochila e saiu às pressas.
    d) Almoçaram rapidamente porque tinham de chegar mais cedo hoje.
    e) Ele, certamente, será ainda hoje transferido para outro setor.

2. Informe o grau dos advérbios grifados.
    a) O filho trabalha tanto quanto o pai.
    b) Saiu-se muitíssimo bem nos testes finais.
    c) Ela se achava melhor do que o irmão.
    d) Localiza-se muito distante de sua residência.
    e) Ficaram menos estressados depois que souberam o resultado.

3. Sublinhe e transforme as locuções adverbiais em advérbios.
   a) Passou anos, sem interrupção, frequentando a mesma academia.
   b) Quem sabe o prazo para vacinação seja prorrogado.
   c) Terminou, por completo, a reforma da casa.
   d) O gatinho foi se aproximando aos poucos e ganhou a atenção de todos.
   e) A garota errava de propósito no jogo de baralho para aborrecê-lo.

4. Dê a classe gramatical das palavras grifadas.
   a) Estudou <u>bastante</u> e está <u>meio</u> cansada, mas <u>depois</u> saiu.
   b) Encontrou-a <u>meio</u> chateada e <u>muito</u> desconfiada.
   c) Correu <u>muitos</u> quilômetros e chegou <u>bem</u> cansado.
   d) Ela tem o <u>mau</u> hábito de falar <u>mal</u> das pessoas.
   e) Bebeu <u>meio</u> litro de leite, mas comeu <u>pouco</u>.

5. Classifique as palavras denotativas em destaque.
   a) <u>Exceto</u> você, todos já confirmaram presença.
   b) Veja <u>só</u> que sujeito mais desagradável!
   c) Na despensa tinha de tudo, <u>até</u> goiabada.
   d) <u>Afinal</u>, quem está errado?
   e) <u>Eis</u> aqui os meus documentos.

Questões de vestibulares

1. (Mackenzie-SP) Substitua por advérbios equivalentes as locuções adverbiais destacadas.
   a) ... autores que afirmam, *pouco a pouco*, a existência de processos linguísticos...
   b) Tais pesquisadores defendem, *com prazer*, a possibilidade de uma comunicação...
   c) ... (a criança) fala *sem refletir*...
   d) ... há, *por acaso*, o caráter de subjetividade...

2. (Fuvest-SP) "É preciso agir e rápido", disse ontem o ex-presidente nacional do partido.
   A frase em que a palavra destacada **não** exerce função idêntica à de **rápido** é:
   a) Como estava exaltado, o homem gesticulava e falava **alto**.
   b) Mademoiselle ergueu **súbito** a cabeça, voltou-a pro lado, esperando, olhos baixos.

c) Estavam acostumados a falar **baixo**.
d) Conversamos por alguns minutos, mas tão **abafado** que nem as paredes ouviram.
e) Sim, havíamos de ter um oratório bonito, **alto**, de jacarandá.

3. (Fuvest-SP) Na frase "O Sol ainda produzirá energia [...]", o advérbio <u>ainda</u> tem o mesmo sentido em:

   a) Ainda lutando, nada conseguirá.
   b) Há ainda outras pessoas envolvidas no caso.
   c) Ainda há cinco minutos ela estava aqui.
   d) Um dia, ele voltará, e ela estará ainda à sua espera.
   e) Sei que ainda serás rico.

4. (FEI-SP) Substitua a expressão destacada por um advérbio de significado equivalente.

   a) Recebeu a repreensão **sem dizer palavras**.
   b) Falava sempre **no mesmo tom**.
   c) Aceitou tudo **sem se revoltar**.
   d) Trataram-me **como irmão**.

5. (UnB-DF) Identifique a frase em que **meio** funciona como advérbio.

   a) Só quero meio quilo.
   b) Achei-o meio triste.
   c) Descobri o meio de escutar.
   d) Parou no meio da rua.
   e) Comprou um metro e meio.

6. (EEM-SP) *De quando em quando, olhava furtivamente para o espelho.*
   Imaginai um homem que, pouco a pouco, emerge de um letargo...

   (*O espelho*, Machado de Assis)

   Substitua:
   a) **furtivamente** por uma locução adverbial.
   b) **pouco a pouco** por um advérbio.

7. (PUCCamp-SP) A alternativa em que o advérbio exprime ideia de intensidade é:

   a) A sociedade parece ser pouco sensível.
   b) Usuários fazem sempre um pequeno comércio.
   c) ... atitude essa centrada, evidentemente, em aspectos repressivos.
   d) ... somente penalizando traficantes e usuários.
   e) ... duplamente penalizados.

Preposição

A preposição é a palavra invariável que liga dois termos dentro de um período, estabelecendo relação entre esses termos.

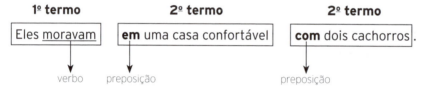

As principais preposições são:

> a, após, até, com, contra, de, desde, em, entre, para, por, sem, sob, sobre, trás.

O celular **de** Pedro foi roubado.

Estudar é essencial **a** todos.

Acompanhou **com** preocupação a discussão entre os alunos.

A **preposição** é usada como elemento de ligação entre um termo e outro, estabelecendo uma relação de dependência.

Classificação das preposições

As preposições podem aparecer na oração de duas maneiras: como **essenciais**, que funcionam sempre como preposições, ou como **acidentais**, palavras que pertencem a outras classes gramaticais e que, ocasionalmente, funcionam como preposições.

As preposições essenciais são as mencionadas na página anterior. As mais comuns, consideradas acidentais, são: **afora**, **como**, **conforme**, **consoante**, **durante**, **exceto**, **fora**, **mediante**, **salvo**, **segundo**, **tirante**.

Receberam **como** recompensa um dia de folga.

Locução prepositiva

A preposição pode ligar-se a outras palavras formando locuções que tenham o mesmo valor e exerçam a mesma função de uma preposição. A última palavra dessas locuções é sempre uma preposição.

Algumas locuções prepositivas		
abaixo de	ao modo de	depois de
acerca de	a par com	de trás de
acima de	a par de	devido a
à custa de	apesar de	diante de
a despeito de	a respeito de	embaixo de
adiante de	até a	em cima de
à distância de	atrás de	em face de
a fim de	através de	em favor de
à frente de	cerca de	em frente de
além de	de acordo com	em redor de
à maneira de	debaixo de	em vez de
antes de	de cima de	em via de
ao encontro de	de encontro a	fora de
ao invés de	defronte de	graças a
ao lado de	de junto de	junto a
ao longo de	dentro de	

Alguns exemplos do emprego de locuções prepositivas:

Coloque o livro **em cima da** mesa.

Depois de horas na fila, conseguiram comprar os ingressos.

Apesar de voltarmos exaustos, valeu a pena conhecer a cachoeira.

Acenava **a fim de** chamar a nossa atenção.

Cerca de duzentas pessoas aguardavam a chegada dos atletas ao aeroporto.

As crianças corriam felizes **ao encontro do** Papai Noel.

Em vez de poupar, gastou as economias em joias e perfumes.

Os funcionários ainda não estão **a par das** mudanças.

Combinação e contração

Algumas preposições podem se unir a palavras de outras classes gramaticais e formar uma **combinação** ou uma **contração**.

+ **combinação** – ocorre quando há a junção de duas palavras sem alteração fonética.

    As amigas foram **ao** shopping sábado à tarde.

    preposição **a** + artigo **o**

+ **contração** – ocorre quando há alteração fonética.

    O comportamento **do** aluno era reprovável.

    preposição **de** + artigo **o**

❖ A preposição **a** pode contrair-se com o artigo definido feminino **a**, propiciando a ocorrência da **crase**, demonstrada por meio do **acento grave**.

Quero ir **à** praia.

preposição **a** + artigo **a**

Esse assunto será abordado na próxima seção.

A contração aparece entre a preposição	Alguns exemplos
A + artigo feminino	(às – a + as)
A + pronome demonstrativo	(àquela – a + aquela)
DE + artigos	(dos – de + os); (dum – de + um)
DE + pronome pessoal	(dele – de + ele)
DE + pronome demonstrativo	(disso – de + isso)
DE + pronome indefinido	(doutra – de + outra)
DE + advérbios	(daqui – de + aqui)
EM + artigos	(numa – em + uma)
EM + pronome demonstrativo	(naquela – em + aquela)
PER + artigos	(pelas – per + as)

Emprego das preposições

a) Complementos verbais e nominais, locuções adverbiais e adjetivas, orações reduzidas são iniciados por preposição.

Precisava **de** dinheiro. (objeto indireto)

Tenho confiança **em** você. (complemento nominal)

Ele estuda **à** noite. (locução adverbial)

A aluna estava na sala **de** aula. (locução adjetiva)

Exercitava-se **para** ter um bom condicionamento físico. (oração reduzida)

b) Expressa relações diversas com os termos que a ela são conectados: relação de tempo, de causa, de oposição, de modo, de posse, de companhia, de lugar, de finalidade etc.

Sucumbiu **à fome**. (relação de causa)

As "Torres Gêmeas" foram destruídas **em 2001**. (relação de tempo)

A bicicleta **de José** é nova. (relação de posse)

Cavou o buraco **com as mãos**. (relação de instrumento)

Estive **em Paris**. (relação de lugar)

Costumava passar o fim de semana **com o avô**. (relação de companhia)

Gilberto fez uma viagem **para descansar**. (relação de finalidade)

Pareciam estar todos **contra mim**. (relação de oposição)

❖ É importante diferenciar a locução prepositiva da locução adverbial. A locução prepositiva termina sempre por uma preposição e a última palavra de uma locução adverbial nunca é uma preposição.

Conversaram **a respeito de** vários assuntos. (locução prepositiva)

Saiu **de repente** sem ninguém perceber. (locução adverbial)

A locução prepositiva ou a preposição introduz uma locução ou expressão adverbial.

Não aceitava a separação **de jeito nenhum**. (locução adverbial de negação introduzida pela preposição **de**)

Depois de muitos anos, reencontrou a primeira namorada. (expressão adverbial de tempo iniciada pela locução prepositiva **depois de**)

Preposição

Exercícios

1. **Complete as frases com a preposição adequada.**
   a) Nunca houve desentendimentos _____ mim e você.
   b) _____ você ficarei muito triste.
   c) Ele estava _____ vontade _____ revê-la _____ matar as saudades.
   d) Discursava _____ uma multidão.
   e) Procurava uma resposta _____ o olhar.

2. **Identifique o tipo de relação expressa pela preposição em destaque nas frases.**

   a) Ela se cortou **com** uma faca.   ( ) de companhia
   b) Vivia **em** um bairro tranquilo.   ( ) de causa
   c) Estudava **para** obter boas notas.   ( ) de meio
   d) A palavra é um direito **de** todos.   ( ) de ausência
   e) Não descansei nada **durante** o fim de semana. ( ) de lugar
   f) Nada aconteceu **como** havíamos previsto.   ( ) de tempo
   g) Saiu de casa **sem** os documentos.   ( ) de posse
   h) Fomos **com** as crianças ao zoológico.   ( ) de modo
   i) Preferiu vir **de** bicicleta a andar **a** pé. ( ) de instrumento
   j) Fiquei cansada **de** tanto trabalhar.   ( ) de finalidade

3. **Grife a combinação ou a contração nas orações abaixo, identificando-as.**
   a) Na hora da saída, encontraram-se pelos corredores do colégio.
   b) É excelente a música ao vivo naquele bar.
   c) Passavam pela rua as pessoas daquela imensa família.
   d) Trabalhava na esperança de conseguir uma promoção naquele emprego.
   e) Muita calma nesta hora.

4. **Escolha as preposições adequadas (a, de, sob, sobre, por, para, em, com, contra, até) e complete as orações.**
   a) O rapaz passou _____ aqui.
   b) Podemos deixar a conversa _____ outra hora.
   c) Gostaríamos de viver _____ paz.
   d) Prometeu ir _____ a sua casa.
   e) Discutiremos _____ esse assunto mais tarde.
   f) Todos ficaram _____ ele naquele momento.
   g) Aquele investigador estava _____ suspeita.
   h) Será que devemos contar _____ você?

Morfologia

i) Começou _____ trabalhar hoje.
j) Precisa-se _____ azulejistas experientes.

5. **Identifique o a destacado: artigo, pronome pessoal, pronome demonstrativo ou preposição.**

   a) Pretendo ir **a** Roma nas próximas férias.
   b) É **a** *chuva chovendo, é conversa ribeira* (Tom Jobim)
   c) Aquela loja tem **a** porta de vidro.
   d) Nós **a** encontramos em frente ao *shopping*.
   e) Não contou **a** ninguém o que **a** perturbava tanto.
   f) Queria **a** todo custo viajar até **a** praia no feriado.
   g) *Que chega a fingir que é dor* (Fernando Pessoa)
   h) Ele **a** trouxe para **a** festa e começou **a** namorá-la.
   i) Emprestou-me **a** bolsa preta, mas não era **a** que eu queria.

6. **Grife e classifique as locuções em prepositivas ou adverbiais.**

   a) De acordo com o cronograma, o jogo de vôlei será amanhã.
   b) O senhor veio por ali, mas não enxergou a poça de água.
   c) Tudo deve ser feito em conformidade com a lei.
   d) O preço pedido estava acima de suas posses.
   e) Por certo ele será recompensado.
   f) *De repente, não mais que de repente* (Vinicius de Moraes)
   g) Saiu ao invés de entrar.
   h) Precisa de óculos para enxergar de perto.
   i) Tenho certeza de que ele não agiu de propósito.

7. **Faça a distinção entre preposição essencial e acidental.**

   a) Peço sempre **a** Deus que me proteja.
   b) Batemos um longo papo **durante** a viagem.
   c) Recebeu **como** prêmio uma viagem de férias.
   d) ***de** sol **a** sol*
      soldado
      ***de** sal **a** sal*
      salgado (Haroldo de Campos)
   e) Deverá chover hoje **segundo** a meteorologia.

Questões de vestibulares

1. (Fuvest-SP) ... duas considerações levaram-me a adotar diferente método...

   *Moisés, que também contou **a** sua morte, não **a** pôs no...*

   (***Memórias póstumas de Brás Cubas***, Machado de Assis)

As três ocorrências do **a** são, respectivamente:
a) preposição, pronome, preposição.
b) pronome, artigo, preposição.
c) preposição, artigo, pronome.
d) artigo, artigo, preposição.
e) artigo, pronome, pronome.

2. (Fameca-SP) As relações expressas pelas preposições estão corretas na sequência:

I. Saí **com** ela.
II. Ficaram **sem** um tostão.
III. Esconderam o lápis **de** Maria.
IV. Ela prefere viajar **de** navio.
V. Estudou **para** passar.

a) companhia, falta, posse, meio, fim.
b) falta, companhia, posse, meio, fim.
c) companhia, falta, posse, fim meio.
d) companhia, posse, falta, meio, fim.
e) companhia, falta, meio, posse, fim.

3. (ITA-SP) Nos trechos:

*A menina conduz-me **diante do** leão...*
*... **sobre o focinho** contei nove ou dez moscas...*
*... a juba emaranhada e **sem brilho**.*

(*O leão*, Dalton Trevisan)

Sob o ponto de vista gramatical, os termos destacados são, respectivamente:
a) locução adverbial, locução adverbial, locução prepositiva.
b) locução prepositiva, locução adjetiva, locução adverbial.
c) locução adjetiva, locução prepositiva, locução adjetiva.
d) locução prepositiva, locução adverbial, locução adjetiva.
e) locução adverbial, locução prepositiva, locução adjetiva.

4. (Fuvest-SP) Em "óculos **sem** aro" a preposição **sem** indica ausência, falta. Explique o sentido expresso pelas preposições destacadas em:

a) Cale-se ou expulso a senhora **da** sala.
b) ... interrompida a lição **com** piadinhas.

5. (Unimep-SP) "De todas as garotas da classe, Paula foi a que mais me impressionou. Gostaria de ter ido a sua festa com ela. Eu a convidei, mas ela não aceitou."

As palavras destacadas são, respectivamente:
a) pronome oblíquo, artigo, preposição.
b) pronome demonstrativo, preposição, pronome oblíquo.
c) pronome oblíquo, preposição, pronome oblíquo.
d) pronome demonstrativo, preposição, artigo.
e) preposição, artigo, pronome demonstrativo.

6. **(UEPG-PR)** "A cigarra começa a cantar assim que a primavera a desperta."

Nas suas quatro ocorrências do período acima, a palavra **a** classifica-se, respectivamente, como:
a) artigo, preposição, artigo, pronome.
b) artigo, pronome, preposição, pronome.
c) pronome, artigo, pronome, artigo.
d) artigo, pronome, preposição, artigo.
e) artigo, preposição, pronome, artigo.

7. **(UM-SP)** Indique a oração que apresenta locução prepositiva.
a) Havia objetos valiosos sobre a pequena mesa de mármore.
b) À medida que os inimigos se aproximavam, as tropas inglesas recuavam.
c) Seguiu a carreira militar devido à influência do pai.
d) Agiu de caso pensado, quando se afastou de você.
e) De repente, riscou e reescreveu o texto.

8. **(Cesgranrio-RJ)** Assinale a opção em que a preposição COM exprime a mesma ideia que possui em: *Surge a lua cheia para chorar com os poetas*. (Jorge de Lima)
a) O menino machucou-se com a faca.
b) Ele se afastou com um súbito choro.
c) Tinha empobrecido com a seca.
d) Deve-se rir com alguém, não de alguém.
e) Ele se confundiu com a minha resposta.

Ocorrência da crase

A palavra **crase** vem do grego *krasis* (mistura) e indica o fenômeno morfossintático que se dá na fusão de duas vogais idênticas (a + a). Isso pode ocorrer na fusão da preposição **a** com o artigo definido feminino **a**(s) ou com o pronome demonstrativo **aquele**(s), **aquela**(s) e **aquilo**. O **acento grave** é usado para indicar a ocorrência da crase.

Vou **à** escola diariamente.

a + a

O verbo **ir** exige a preposição **a** (quem vai vai **a** algum lugar) e o substantivo feminino singular **escola** admite o artigo definido **a.**

Dirigi-me **àquela** pessoa na sala.

a + aquela

Empregar ou não o **acento indicativo da crase** diante de algumas palavras gera muitas dúvidas. Algumas regras são definidas para entender o seu uso.

É obrigatório o uso do acento indicativo da crase

a) Antes de **palavras femininas** determinadas pelo artigo definido **a** ou **as** e dependentes de termos que exijam a preposição **a**.

Fui **à** igreja pagar uma promessa.

b) Nas **locuções adverbiais femininas**.

Encontro-a **às vezes** no *shopping*.

Vire na primeira **à direita** e depois na próxima **à esquerda**.

Foi levada **à força**.

Saiu **às pressas**.

c) Nas locuções **prepositivas** (formadas por **a + palavra feminina + preposição de**).

Parou **à beira da** estrada.

Ficou **à espera do** ônibus por muito tempo.

Estava **à frente dos** negócios da empresa.

Continuava **à cata de** votos para o partido.

d) Nas locuções **conjuntivas**.

À medida que escurecia, ficava mais perigoso.

À proporção que o córrego transbordava, o perigo aumentava.

e) Com os **pronomes demonstrativos aquele, aqueles, aquela, aquelas**, desde que o termo anterior exija preposição.

Fomos **àquela** festa de formatura.

Assistimos **àquele** filme de suspense.

f) Com os **pronomes a, as,** quando **demonstrativos**, desde que o termo anterior exija preposição.

Essas cenas são iguais **às** que presenciei mais cedo. (àquelas)

g) Antes dos **pronomes relativos a qual** ou **as quais**, desde que o termo anterior exija preposição.

Ela é a pessoa especial **à** qual me dirigi.

h) Diante de **numerais** se houver referência a **horas**.

A aula começará **às** sete horas.

i) Diante de palavras em que estejam **subentendidas expressões** como **à moda de**, **à maneira de**.

Serviu um tutu **à** mineira delicioso.

Ela tem um sapato **à** Luís XV.

j) Diante de **nomes de lugares** (**topônimos**) que admitem o artigo feminino **a**.

Vai **à** Itália na primavera.

> ❖ Para ter certeza de que há ou não a ocorrência de crase diante de nomes de lugares, é possível valer-se de uma regra:
>
> Vou à Bahia./Volto **da** Bahia.
>
> Vou **a** São Paulo./Volto **de** São Paulo.
>
> Observa-se que a palavra Bahia admite o artigo **a** (contração da preposição **de** + artigo **a**), então, existe a ocorrência da crase.
>
> A palavra São Paulo não admite o artigo **a**, apenas a preposição **de**; então, não há crase.

Não se usa o acento indicativo da crase

a) Antes de **palavras masculinas**.

Foi **a** pé para casa.

b) Antes de **verbos**.

Voltou **a** chover ontem.

c) Antes de palavras no plural, desde que não estejam definidas pelo artigo.

Não gosto de ir **a** festas que terminam antes do amanhecer.

d) Antes do **artigo indefinido feminino**.

Gostaria de ir **a** uma festa à fantasia.

e) Antes de **pronomes pessoais**.

Deve dizer a verdade **a** ela.

f) Antes de **pronome de tratamento**.

Farei um pedido **a** Vossa Excelência.

> ❖ Os pronomes de tratamento **senhora, senhorita** e **dona** admitem artigo; portanto, nesses casos, há ocorrência de crase.
>
> Levou bombons **à senhora** do quarto ao lado.
>
> Dirigiu-se **à senhorita** com timidez.
>
> Já tinha encomendado **à dona** Maria mais seis bolsas.

g) Antes de outros pronomes que não admitem o artigo feminino **a**, como **indefinidos**, **relativos** e **demonstrativos**.

Agradeço **a** cada dia. (pronome indefinido)

Consegui o emprego **a** que aspirava. (pronome relativo)

Refere-se **a** essa proposta. (pronome demonstrativo)

h) Antes de **locuções formadas por palavras repetidas**, como **cara a cara, frente a frente, uma a uma** etc.

Ficou **face a face** com o assaltante.

i) Antes de **nomes próprios** que não admitam artigo:

Fez promessa **a** Nossa Senhora de Fátima.

j) Antes das palavras **casa** e **terra**, sem elementos modificadores (determinantes).

Chegou finalmente **a** casa depois de uma longa viagem.

Os marinheiros voltaram **a** terra depois de meses a bordo.

> ❖ Se as palavras **casa** e **terra** vierem acompanhadas de elementos modificadores (determinantes), ocorrerá a crase.
>
> Chegou finalmente **à casa dos pais** depois de uma longa viagem.
>
> Os marinheiros voltaram **à terra natal** depois de meses a bordo.

k) Antes da palavra **distância**, sem elemento modificador.

Observei-o partindo **a** distância.

> ❖ A expressão a **distância** pode vir seguida da preposição **de** ou não. Se vier seguida da preposição **de**, é uma **locução prepositiva** que determina a distância e deve ser utilizado o acento indicativo da crase. Se não vier definida a distância, não ocorre a crase.
>
> Moramos **à distância de** quatro metros da estrada.
>
> A conferência será feita **a distância**.

l) Antes dos **pronomes relativos quem** e **cuja**, pois não admitem a anteposição do artigo definido feminino **a**.

Esta é a professora **a** quem me dirigi.

Aquele é o poeta **a** cuja poesia me refiro.

m) Antes de **pronome relativo** em que normalmente não ocorre a crase, pois não admite a anteposição do artigo definido feminino **a**.

Aquela era a pessoa **a** que me referia ontem.

O uso do acento indicativo da crase é facultativo

a) Diante de **pronome pessoal possessivo feminino**.

Voltaremos **a** sua loja mais tarde. (à sua loja)

b) Diante de **substantivos próprios femininos**.

Agradeceu **a** Lúcia o empréstimo do carro. (à Lúcia)

c) Diante da **preposição até**:

Prometeu voltar até **a** meia-noite. (até à meia-noite)

Exercícios

1. Empregue o acento grave no **a** quando ocorrer a crase.
a) Não disseram a ela toda a verdade.
b) Esta é a faculdade a que me refiro.
c) Eu conheço a moça que está a espera do ônibus.
d) Os dois ficaram frente a frente.
e) Toda hora ela está a janela a espreitar a rua.
f) Não se referiu a nenhuma pessoa.
g) Ria a vontade daquelas piadas.
h) Quero muito bem a essa menina.
i) Mandou um *e-mail* a amiga.
j) Encontrou a namorada a duas quadras do colégio.

2. Complete com **a, à, as, às**.
a) _____ professora perdoou _____ faltas dos alunos.
b) Aprecio muito andar _____ cavalo.
c) De hoje _____ trinta dias começarão _____ férias.
d) Estou _____ seu dispor _____ menos que haja algum imprevisto.
e) Chegarei _____ nove horas como prometi.

f) Fui _____ escola para entregar _____ pesquisa _____ professora.
g) *E abro _____ janelas, pálido de espanto...*
E conversamos toda _____ noite, enquanto
_____ Via Láctea, como um pálio aberto,
Cintila. E, ao vir do sol, saudoso e em pranto,
Inda _____ procuro pelo céu deserto. (Soneto XIII, Via Láctea, Olavo Bilac)

3. **Em quase todas as orações deve ocorrer a crase, exceto em:**
   a) Atravessou o rio a nado.
   b) Tudo o que aconteceu aquela mulher parece mentira.
   c) Somente você não obedeceu a ordem do gerente.
   d) Há anos não vai a Bahia.
   e) A casa dela fica a direita dessa avenida.

4. **Grife as locuções adverbiais utilizando ou não o acento grave.**
   a) Teremos que comprar os móveis a prazo e não a vista como havíamos planejado.
   b) Vi que minha mãe não estava a vontade quando encontramos meu pai a noite.
   c) Olhou a direita, depois a esquerda para atravessar a rua com segurança.
   d) Não pode ir a pé se pretende estar lá as duas horas da tarde.
   e) Saiu as escondidas, pois precisava chegar a tempo no serviço.
   f) Vestiu-se a caráter conforme manda o figurino.
   g) Meu relógio novo é a prova d'água.
   h) O restaurante fechava as segundas-feiras, a exceção de feriado.
   i) Pode ser preenchido a mão, mas não a lápis.
   j) Prometeu guardar meu segredo a sete chaves.

5. **Complete as frases com aquele, àquele, aquela, àquela.**
   a) Compramos _____ poltrona que queríamos tanto.
   b) Dirigiu-se _____ avenida como estava no mapa.
   c) Não conseguiram chegar _____ lugar debaixo de chuva.
   d) Refiro-me _____ questão e não a esta.
   e) Encontrou _____ remédio que estava procurando.
   f) Não consigo me acostumar _____ cidade barulhenta.

6. **Identifique as frases em que o acento grave foi empregado incorretamente e justifique sua resposta.**
   a) Submeteram a mulher à provações muito difíceis.
   b) Informamos à Vossa Excelência o novo horário da visita.

c) Mandou flores à diretora e às professoras.
d) Peça à qualquer um que a procurar que volte à noite.
e) Não parecia disposto à falar com ninguém.
f) Fale às claras, não gosto de meias-verdades.
g) Às vezes devemos evitar certas conversas.
h) Dirigia-se a todos os representantes das entidades.
i) Os nervos estavam à flor da pele naquele momento de decisão.

Questões de vestibulares

1. (Vunesp-SP) Assinale a alternativa em que as lacunas devem ser preenchidas, pela ordem, com **há, a, à**.

   a) Daqui _____ vinte anos, _____ menos que se tomem as devidas providências, a poluição nos levará _____ usar máscaras.
   b) _____ menos de vinte minutos para a realização da prova, a maioria dos candidatos _____ cinco quilômetros do local, ainda estava _____ espera de condução.
   c) _____ semana passada o presidente foi _____ Paris _____ fim de tratar de negócios.
   d) _____ quatro décadas o homem chegava _____ Lua e dava _____ exploração espacial uma nova dimensão.
   e) _____ cerca de duas semanas chegavam _____ São Paulo e _____ Bahia cantores de "rock" e de "rap", respectivamente.

2. (ITA-SP) Assinale a opção que completa corretamente as lacunas.

   Contam alguns o seu segredo _____ flores,
   _____ hora em que _____ tarde como um sonho desce,
   E _____ flor no aroma espalha os seus amores,
   E como o aroma o amor se desvanece.

   a) as, a, à, à.
   b) às, a, a, à.
   c) às, à, a, a.
   d) as, à, à, à.
   e) às, a, à, a.

3. (FGV-SP) Entre as formas **a, as, à, às** e **há** escolha as que completam corretamente a frase abaixo.

   __ seis meses fomos __ Bahia. Chegamos __ cidade de Salvador sábado, __ dezesseis horas. Domingo, dirigimo-nos __ Itabuna, que fica __ 454 quilômetros da capital. Nestas férias, pretendemos ir __ Curitiba, __ Florianópolis e __ capital do Rio Grande do Sul.

4. **(Vunesp-SP)** Assinale a alternativa correta quanto ao uso do acento indicativo da crase.
   a) Sei que é mulher de um ator chamado Tom Cruise, de quem também só assisti à um filme: *De olhos bem fechados*.
   b) Os ortopedistas alertam quando os saltos altos não são adequados à uma estrutura óssea em formação.
   c) Os ortopedistas observam que a estrutura óssea em formação só se completará à partir dos 12 ou 13 anos.
   d) O problema não se limita às crianças de Hollywood ou àquelas de pais famosos.
   e) Estamos gerando crianças-adultos, que dificilmente chegarão à viver a maturidade.

5. **(Mackenzie-SP)** Aponte a alternativa que completa adequadamente as lacunas.
   I – Foi ofendido, mas não conseguiu dar importância _____.
   II – Quando ia _____ pé à cidade mais próxima, olhava demoradamente as pessoas cara _____ cara.
   III – Como não damos ouvidos _____ reclamações, a polícia fica _____ distância.
   IV – Pôs-se _____ falar _____ toda pessoa seus mais íntimos segredos.
   V – Sei _____ quem puxaste, pois temes lançar-te _____ novas conquistas.
   a) I – aquilo; II – à, à; III – à, à; IV – a, a; V – a, a
   b) I – àquilo; II – a, a; III – a, à; IV – a, a; V – à, a
   c) I – àquilo; II – a, a; III – a, a; IV – a, a; V – a, a
   d) I – aquilo; II – à, à; III – à, a; IV – à, a; V – a, à
   e) I – àquilo; II – a, a; III – a, à; IV – à, à; V – à, a

6. **(FEC-RJ)** É facultativo o uso do acento grave no **A** destacado em:
   a) Pescávamos enchovas na bela Ilha da Vitória, À cerca de 15 milhas (ou 28 quilômetros) da costa.
   b) Divertimo-nos [...] naquele fim de tarde, reservando alguns exemplares para nosso consumo e devolvendo a grande maioria À água.
   c) O que são trinta exemplares em meio Às centenas que talvez passassem pelo local?
   d) Nos dias que se passaram À nossa pescaria, soubemos que aquela costeira foi varrida por dezenas de outras embarcações.
   e) Sua eficiência [...] só aumenta À cada geração de modelos lançados no mercado.

7. **(PUC-RS)** Em todas as frases deve ser utilizado o acento indicativo da crase, **exceto** na:
   a) É preciso resistir a violência.
   b) Nem sempre se sobrevive a violência.
   c) A dor do agredido sucede a violência.
   d) É necessário desaprovar a violência.
   e) Não se pode ceder a violência.

8. **(UFSCar-SP)** Leia as frases abaixo:
   A conclusão do inquérito foi prejudicial ____ toda categoria.
   Mostrou-se insensível ____ qualquer argumentação.
   Este prêmio foi atribuído ____ melhor aluna do curso.
   Faço restrições ____ ter mais elementos no grupo.
   Indique a alternativa que, na sequência, preenche as lacunas acima corretamente.
   a) a – a – à – a   c) à – à – a – a   e) a – a – à – à
   b) à – à – à – à   d) à – à – a – à

9. **(Cesgranrio-RJ)** O acento indicativo da crase foi corretamente empregado apenas em:
   a) Ninguém dá importância à reclamações.
   b) Aquela loja não vende à prazo.
   c) Dirigi-me à pessoas que pareciam espertas.
   d) Não se referia àquilo que gerou a polêmica.
   e) Os estudantes dispuseram-se à colaborar.

10. **(UFRS-RS)** O grupo obedece ____ comando de um pernambucano radicado ____ tempos em São Paulo, e se exibe diariamente ____ hora do almoço.
    a) o, a, à   c) ao, a, a   e) o, a, a
    b) ao, há, à   d) o, há, a

11. **(PUC-SP)** Assinale a alternativa em que há uso **incorreto** do sinal da crase.
    a) Toda essa situação se deve à instabilidade da taxa da infração.
    b) Referindo-se à salários do último mês, comentou a inviabilidade de se manter aquele número de funcionários na empresa.
    c) Não é à toa que amealhou o dinheiro que tem.
    d) Em clima de grande emoção, chegou a tecer elogios inclusive àqueles que sempre o criticaram.
    e) Devemos incentivá-los a dar continuidade à sua tarefa de informar a verdade sobre a situação do país.

12. **(FGV-SP)** Na frase *"é ingênuo creditar a postura brasileira apenas à ausência de educação adequada"* foi corretamente empregado o acento indicativo da crase.

    Assinale a alternativa em que o acento indicativo da crase está corretamente empregado.
    a) O memorando refere-se à documentos enviados na semana passada.
    b) Dirijo-me à Vossa Senhoria para solicitar uma audiência urgente.
    c) Prefiro montar uma equipe de novatos à trabalhar com pessoas já desestimuladas.
    d) O antropólogo falará apenas àquele aluno cujo nome consta na lista.
    e) Quanto à meus funcionários, afirmo que têm horário flexível e são responsáveis.

13. **(UCDB-MT)** Assinale a alternativa em que o uso da crase é facultativo.
    a) A vontade dele era ir à Itália.
    b) Comprou móveis à Luís XV.
    c) Dei um presente à minha irmã.
    d) Assistiram àquela sessão de cinema.
    e) Fumar é prejudicial à saúde.

14. **(Fuvest-SP)** No texto abaixo, apenas um **a** deve receber o acento da crase. Transcreva o segmento em que ele aparece e justifique a crase.

    Dirigiu-se a ela a passos lentos e disse: estou disposto a contar tudo a senhora; mas não tenho coragem de falar a Mário o ocorrido.

15. **(Vunesp-SP)** A regência nominal e verbal e o emprego do sinal indicativo da crase estão de acordo com a norma culta em:
    a) Nosso imaginário ainda persiste em guardar à lembrança de 68, como uma lição à todas as gerações.
    b) Quem não se lembra daquele ano? Aliás, de 68 à 70 os jovens questionaram ao regime militar.
    c) Os jovens de 68 legaram às gerações futuras uma história mítica, baseada em resistir àquelas formas de repressão.
    d) A luta não se limitou à perspectivas políticas; estendeu-se à aspectos da vida cotidiana.
    e) Essa geração revolucionou a cultura, e dela herdamos à concepção romântica de lutar por ideais.

Conjunção

A conjunção é a palavra invariável que une orações ou termos semelhantes da mesma oração.

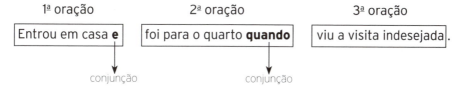

Locução conjuntiva

A união de duas ou mais palavras para ligar orações recebe o nome de **locução conjuntiva**.

Não entrou no teatro, **já que** chegou atrasada.

                              locução conjuntiva

Mesmo que ele pedisse desculpas, ela não voltaria atrás em sua decisão.
Ele não entregou o trabalho **uma vez que** já passara do prazo.
Não falte à comemoração **para que** possamos nos encontrar.

❖ As conjunções e locuções conjuntivas não desempenham função sintática nas orações. São chamados **conectivos** termos essenciais para elaborar um texto coerente na concatenação de palavras e ideias.

Classificação das conjunções

Para classificar as conjunções, é necessário entender as relações estabelecidas entre as orações. Há dois tipos de relação que se estabelecem entre as orações: a de **coordenação** e a de **subordinação**. Ou seja, as orações cujos termos ordenam-se em uma sequência, na qual cada termo ou oração não depende sintaticamente do outro, são consideradas independentes ou coordenadas. Já as orações cujos termos dependem sintaticamente de outros termos são chamadas dependentes ou subordinadas.

Portanto, as conjunções ou locuções conjuntivas que unem as orações independentes são as **coordenativas** e as que unem as dependentes são as **subordinativas**.

Queria viajar, **mas** estava sem dinheiro.

Nesse período, as orações "quero viajar" e "estava sem dinheiro" estão sintaticamente completas; não existe relação de dependência entre elas.

Esperava **que** seus amigos viajassem também.

Nesse período, a oração "que seus amigos viajassem também" é sintaticamente dependente da oração principal "esperava".

Conjunções e locuções conjuntivas coordenativas

As conjunções ou locuções conjuntivas coordenativas são:

+ **aditiva** – expressa relação de soma ou adição: **e, nem, não só... mas também**.

  Não veio **nem** comunicou a ninguém o motivo da ausência.

  Ela **não só** trabalhava **mas também** estudava.

+ **adversativa** – expressa relação de oposição, de contraste: **mas, porém, contudo, todavia, entretanto, senão, no entanto, não obstante**.

  Gostaria de sair, **mas** estava sem companhia.

  Fomos até o cinema, **todavia** não conseguimos entrar.

+ **alternativa** – expressa relação de alternância ou de escolha: **ou, ou... ou, ora... ora, quer... quer, já... já, seja... seja**.

  Ora chora, **ora** ri.

  Ou entra, **ou** sai.

+ **conclusiva** – expressa relação de conclusão: **logo, portanto, pois** (após o verbo)**, por conseguinte, por isso**.

  O rapaz caminhou bastante, **por isso** chegou cansado.

  O aluno estudou; saiu-se, **pois**, bem nas provas.

Morfologia

✦ **explicativa** – expressa uma explicação, um motivo: **porque, que, porquanto, pois** (**antes do verbo**).

Faltou ao serviço, **porque** ficou doente.

Venha aqui, **pois** quero pedir-lhe um favor.

Conjunções e locuções conjuntivas subordinativas

As conjunções ou locuções conjuntivas subordinativas são:

✦ **causal** – inicia orações que exprimem causa: **porque, que, porquanto, como (no início da frase); pois que, já que, visto que, uma vez que, desde que.**

O amor é importante **porque** faz parte da vida.

É difícil aceitar a separação, **visto que** se busca sempre a união.

✦ **comparativa** – inicia orações que exprimem uma ideia de comparação referente à oração principal: **como, que, qual, como se, tal como, tanto como, tão quanto, mais que, menos que.**

Ele é **tão** trabalhador **quanto** o pai.

A prova de Física será **mais** difícil **que** a de Química.

✦ **concessiva** – inicia orações que expressam uma ideia que se admite, mesmo oposta à da oração principal: **embora, conquanto, mesmo que, ainda que, por mais que, posto que, apesar de que.**

Embora chovesse, saímos de casa.

Ficou na festa até tarde, **ainda que** estivesse bem cansado.

✦ **condicional** – inicia orações que expressam uma condição, uma hipótese: **se, caso, contanto que, desde que, a não ser que, a menos que.**

Se precisar de mim, avise-me.

Compre, **a não ser que** possa esperar os preços baixarem.

✦ **conformativa** – inicia orações que exprimem ideia de conformidade: **como, conforme, consoante, segundo; de acordo com.**

Fizemos a pesquisa **conforme** o orientador pediu.

Nada aconteceu **como** se esperava.

✦ **consecutiva** – inicia orações que expressam uma consequência relacionada ao que se diz na oração principal: **tão, tanto, tal (antes do que); sem que, de sorte que, de modo que.**

Choveu **tanto que** alagou as avenidas.

O calor era **tão** intenso **que** o asfalto parecia derreter.

- **final** – inicia orações que exprimem uma finalidade, um objetivo: **a fim de que, para que, porque (para que)**.

    Escondeu-se atrás da porta **para que** a criança não o visse.

    Assine o pedido médico **a fim de que** se possa fazer o exame.

- **proporcional** – inicia orações que exprimem uma relação de concomitância, proporcionalidade: **à proporção que, à medida que, ao passo que, quanto mais (menos), tanto mais (menos)**.

    Ela falava mais alto **à medida que** o barulho aumentava.

    Quanto mais se estuda, **mais** se aprende.

- **temporal** – inicia orações que expressam a noção de tempo: **quando, enquanto, mal, apenas, logo que, assim que, sempre que, antes que, depois que, desde que, toda vez que**.

    Quando os netos aparecem, os avós se alegram.

    Toda vez que um estranho se aproxima, o cachorro late.

- **integrante** – inicia orações que completam o sentido da oração principal de tal modo que a segunda oração exerce função de substantivo: **que, se**.

    Não sei **se** poderei vir amanhã.

    Quero **que** você volte sempre.

❖ É importante distinguir a conjunção integrante **que** do pronome relativo **que**, do mesmo modo que a conjunção integrante **se** da conjunção subordinativa condicional **se**:

Desejo **que** seja feliz.

↓

conjunção integrante

O celular **que** pertencia àquela garota foi roubado.

↓

pronome relativo (refere-se, na oração subordinada, ao substantivo celular, expresso na oração principal)

Não sei **se** ela volta hoje.

↓

conjunção integrante

Se puder, irei mais tarde.

↓

conjunção subordinativa condicional
(inicia uma oração que exprime uma condição)

Exercícios

1. **Grife e classifique as conjunções coordenativas.**
   a) Eles prometeram ajudar, porém, na hora, não apareceram.
   b) Ela não só foi buscá-lo no aeroporto, como também o hospedou em sua casa.
   c) Os meninos ora corriam pelo pátio, ora subiam nas árvores.
   d) Fui deitar cedo, pois estava muito cansado.
   e) Você não se esforçou o suficiente, por isso não obteve um bom resultado no teste.
   f) Precisamos entender de economia, pois organizamos nosso orçamento mensal.
   g) O time do clube era o favorito; no entanto, perdeu a partida de basquete.
   h) O tempo esfriou; logo, levamos nossos casacos.
   i) O filme foi interessante, mas nem todos gostaram.
   j) Não saia de casa que está chovendo.

2. **Grife e classifique as conjunções subordinativas.**
   a) Assim que amanheceu, ele foi embora.
   b) Não concluiu a reforma do escritório porque o dinheiro acabou.
   c) Corra para que não apanhe chuva.
   d) Não sei se ela sabe o endereço.
   e) A criança lê bem, embora não frequente a escola.
   f) Falava tão alto que era escutado até na rua.
   g) As dívidas aumentavam à medida que multiplicam as compras.
   h) Como o colégio era perto, podíamos ir a pé.
   i) Caso precise faltar, deixe avisado.
   j) As casas desabaram como castelos de areia.
   k) Faça as contas como lhe ensinei.
   l) Ela é muito mais calada que a irmã.
   m) Os alunos não concluíram a pesquisa porque faltou material.
   n) Havia tantas pessoas que muitas ficaram sem lugar para sentar.
   o) Deixe o quarto do doente ainda que por alguns minutos.
   p) Espero que você faça as correções no seu texto.
   q) A ideia era a de que todos participassem da festa junina.
   r) Parecia tão nervoso que quase não conseguia falar.
   s) Toque a campainha para que todos entrem no teatro.
   t) A criança lembrava-se de que sua casa era bem longe.

3. **Classifique a conjunção subordinativa como em causal, comparativa ou conformativa.**

a) Como as frutas estavam maduras, colhemos todas.
b) É preciso agir como manda a etiqueta.
c) Como o irmãozinho mais novo, ela só queria atenção.
d) Como não tinha dinheiro, não pude ir ao cinema.
e) Entregamos no prazo como você pediu.

4. Classifique a conjunção subordinativa **que** em consecutiva, comparativa ou final.

a) Dançou tão bem que todos aplaudiram.
b) Ele mais fala do que trabalha.
c) Mandei o recado que começassem a reunião sem mim.
d) Parecia uma moça mais gentil que bela.
e) A avaliação será tão fácil que não precisa de cola.

5. Nos textos abaixo encontram-se conjunções e locuções conjuntivas coordenativas e subordinativas. Sua tarefa é destacar e classificar as conjunções.

a) *A mãe botou-o de castigo, mas na semana seguinte ele veio contando que caíra no pátio da escola um pedaço da lua, todo cheio de buraquinhos, feito queijo, e ele provou e tinha gosto de queijo. Desta vez Paulo não só ficou sem sobremesa como foi proibido de jogar futebol durante quinze dias.*

(*A incapacidade de ser verdadeiro*, Carlos Drummond de Andrade)

b) *Não se pode dizer que um homem é justo se ele não sentir alegria ao agir de forma justa, nem que um homem é generoso se não lhe agradam as ações generosas; e isso vale para as outras virtudes. Devemos convir que as ações conforme as virtudes são agradáveis em si mesmas.* (Aristóteles)

Questões de vestibulares

1. (PUCCamp-SP) "Talvez o dinheiro pago hoje aos fotógrafos leve-os a cometerem excessos", sugeriu o fotógrafo que inspirou o personagem do filme de Fellini. "Mas não existem justificativas para culpá-los." Fotos de Diana valiam muito porque ela era sucesso, e suas aparições eram virtuosas performances para que se tirassem fotos e se tivesse uma história.

As conjunções grifadas expressam ideia, respectivamente, de:

a) conclusão e explicação.
b) adição e causa.
c) alternância e tempo.
d) concessão e consequência.
e) contraste e finalidade.

2. **(Mackenzie-SP)**

Eu também já fui brasileiro
moreno como vocês.
Ponteei viola, guiei forde
e aprendi na mesa dos bares
que o nacionalismo é uma virtude.
Mas há uma hora em que os bares se fecham
e todas as virtudes se negam.

(*Também já fui brasileiro*, Carlos Drummond de Andrade)

Assinale a alternativa que apresenta conjunção com sentido equivalente ao de *Mas* (sexto verso).

a) Anda que anda até que desanda.
b) Não só venceu mas também convenceu.
c) Mas que beleza, dona Creuza!
d) Atirou-se do vigésimo sétimo andar e não se feriu.
e) Há sempre um "mas" em nossos discursos.

3. **(Fuvest-SP)** "Bem-cuidado como é, o livro apresenta alguns defeitos." Começando com "o livro apresenta alguns defeitos", o sentido da frase não será alterado se se continuar com:

a) desde que bem-cuidado.
b) contanto que bem-cuidado.
c) à medida que bem-cuidado.
d) tanto que bem-cuidado.
e) ainda que bem-cuidado.

4. **(Unifor-CE)** Substituindo-se pela expressão entre parênteses o elemento sublinhado, o sentido da frase NÃO se altera SOMENTE em:

a) Ficaria fácil, mas o mundo é mais complicado. (porquanto)
b) O marginal apenas devolve à sociedade... (com efeito)
c) Se há medo, alguma coisa nos ameaça. (Já que)
d) O que há por trás disso? (perante)
e) Ficaria fácil se pudéssemos explicar o mundo. (caso)

5. (UM-SP) Embora todas as conjunções sejam aditivas, uma oração apresenta ideia de adversidade.
a) Não achou os documentos nem as fotografias.
b) Queria estar atento à palestra e o sono chegou.
c) Não só aprecio Medicina como também a Odontologia.
d) Escutei o réu e lhe dei razão.
e) Não só escutei o réu mas também lhe dei razão.

6. (UFPE-PE) Estabeleça a correlação entre o sentido e o termo destacado:
1. Proporcionalidade.   4. Tempo.
2. Conformidade.   5. Comparação.
3. Causa.

Quanto mais se aproxima o dia do casamento, mais intratável você fica.

(Luis Fernando Verissimo)

Outrora **quando** fui outro, eram castelos e cavalheiros.

(Fernando Pessoa)

... a liberdade será algo vivo e transparente **como** um fogo ou rio...

(Thiago de Melo)

Confesso que eu escrevo de palpite, **como** outra pessoa toca piano de ouvido.

(Rubem Braga)

... as palavras que Sinhá Vitória murmurava, **porque** tinha confiança nele.

(Graciliano Ramos)

A enumeração correta, de cima para baixo, é:
a) 1, 2, 3, 4 e 5;
b) 1, 4, 5, 5 e 3;
c) 5, 4, 2, 5 e 1;
d) 4, 1, 5, 2 e 3;
e) 5, 2, 3, 2 e 3.

7. (UM-SP) No período: "Minha mãe hesitou um pouco, mas acabou cedendo, depois que o padre Cabral, tendo consultado o bispo, voltou a dizer-lhe que sim, que podia ser.", a expressão **depois que**, morfologicamente, é:
a) locução prepositiva.
b) advérbio de tempo.
c) locução conjuntiva.
d) advérbio de modo.
e) expletiva.

Interjeição

A interjeição é a palavra ou expressão invariável que expressa estados emocionais.

Meu Deus! O que aconteceu com você?

Ah! Que saudades dos velhos tempos!

Ih! Lá vem ele perturbar de novo!

Tomara que dê tudo certo!

Tchau! Bom domingo!

Muito obrigada! Você foi muito gentil.

Silêncio! **Psiu**! Vou ter que gritar?

- Certas interjeições, por terem sentido completo e existência autônoma, podem ser consideradas **frases**: Socorro! Cuidado! Alerta! Silêncio!.
- Seu significado também varia de acordo com a entonação de voz e o contexto no qual é proferida. Um "Psiu!" pode significar uma repreensão, se for proferido de maneira breve, ou um pedido de silêncio, se for proferido prolongadamente.

Quando emoções ou sentimentos são expressos por meio de duas ou mais palavras, caracteriza-se a **locução interjetiva**.

Valha-me, Deus!	Virgem Maria!	Que pena!	Deus me livre!
Que horror!	Pobre de mim!	Puxa vida!	Nossa Senhora!
Santo Deus!	Qual o quê!	Ora essa!	Deus me ajude!
			Muito bem!

Classificação das interjeições

As pessoas demonstram estados emotivos em diferentes momentos da fala ou da escrita.

Essas manifestações são classificadas como:

admiração/surpresa	puxa! caramba! nossa! credo! quê! ah! eh! ih! xi! céus! vixe! putz! ó!
advertência	devagar! cuidado! atenção! olha! sentido! alerta! olha lá! calma! fogo!
afugentamento	sai! fora! xô! passa! rua!
agradecimento	oba! eba! viva! ah! aleluia! eh! ae!
alegria	muito obrigado! obrigado! grato! valeu!
alívio	ufa! arre! uf! ah!
animação	coragem! força! ânimo! avante! eia!
apelo/chamamento	socorro! ó! ei! olá! hei! psiu! valha-me Deus! misericórdia! escuta!
aplauso/felicitação	parabéns! muito bem! bravo! viva! boa! bis! muito bem! Isso mesmo!
concordância	claro! sim! pois não! ótimo! hã-hã! tá! sei!
desapontamento	uai! ué!
desculpa	perdão! foi mau!
desejo	tomara! oxalá! queira Deus! quem me dera! pudera!
despedida	adeus! até logo! tchau! fui!
dor	ui! ai! ai de mim! meu Deus!
dúvida	hum! pois sim! qual o quê! ora!
impaciência/aborrecimento	puxa vida! hum! ora bolas! irra! diabo! inferno! raios! droga!
indignação	fora! não! t'esconjuro!
invocação	oi! alô! olá!
lamento/comiseração	coitado! que pena! ai de mim! pobre de mim!
medo	ui! cruzes! credo! que horror! barbaridade!
reprovação	essa não! francamente! ora essa! ui!
saudação	olá! salve! ave! alô!
silêncio	silêncio! psiu! basta!

- ❖ Há interjeições que expressam ruídos (onomatopeias): pum! plaft! catapimba!.
- ❖ Algumas interjeições originam-se de palavras pertencentes a outras classes gramaticais: raios! viva! fora!.

❖ Outras interjeições, na linguagem coloquial ou familiar, são utilizadas no grau diminutivo: adeusinho! obrigadinho! tchauzinho!

Exercícios

1. Sublinhe as interjeições ou locuções interjetivas e indique que emoções e sentimentos exprimem.

    a) *Alô, torcida do Flamengo, aquele abraço!* (Gilberto Gil)
    b) Cuidado! Você pode cair daí!
    c) Puxa vida! Pensei que não chegaria nunca.
    d) Ai de mim! Se não pagar o que devo...
    e) Psiu! Todos já foram dormir.
    f) Credo! Que lugar horrível!
    g) Francamente! Ele não podia ter feito isso!
    h) Ai! Você pisou no meu pé.
    i) Nossa! Que casa linda!
    j) Obrigada! Muita gentileza de sua parte!

2. Escreva orações que demonstrem os estados emotivos indicados, utilizando interjeições.

    Exemplo: animação – Coragem! Você vai conseguir!
    a) chamamento
    b) silêncio
    c) concordância
    d) reprovação
    e) alívio
    f) despedida

3. Informe quais diferentes classes de palavras dão origem às interjeições destacadas nas frases abaixo.

    a) **Olha!** Não desvie a atenção na estrada.
    b) **Fora!** E não volte nunca mais.
    c) Ela anda tão triste, **coitada!**
    d) **Perdão!** Prometo que não faço mais isso.
    ( ) substantivo
    ( ) adjetivo
    ( ) verbo
    ( ) advérbio

Questões de vestibulares

1. **(UEPG-PR)** As formas que traduzem vivamente os sentimentos súbitos, espontâneos e instintivos dos falantes são denominadas:
   a) conjunções
   b) interjeições
   c) preposições
   d) locuções
   e) coordenações

2. **(Unimep-SP)** Examine as frases abaixo arroladas e, a seguir, analise as situações expressas pelas interjeições.
   I. *Oh, a mulher amada é como a onda sozinha...* (Vinicius de Moraes)
   II. *Ih, como é difícil entender essa gente!* (Lygia Fagundes Telles)
   III. *Viva, viva tudo, viva o Chico Barrigudo!* (Popular)
   a) espanto; espanto; admiração
   b) admiração; aborrecimento; alegria
   c) advertência; zelo; alívio
   d) admiração; zelo; alegria
   e) alegria; zelo; advertência

3. **(Fuvest-SP)** Leia o trecho:

   A vila inteira, embora ninguém nada dissesse claramente, estava de olhos abertos assuntando se tais bens entrariam ou não entrariam no inventário. Lugar pequeno, ah, lugar pequeno, em que cada um vive vigiando o outro!
   Pela segunda vez Vicente Lemes lavrou seu despacho, exigindo que o inventariante completasse o rol de bens.

   (Fragmento de *O tronco*, romance de Bernardo Élis, 1956)

   Explique que sentimento ou estado de espírito o termo destacado está enfatizando na passagem: "Lugar pequeno, **ah**, lugar pequeno..."

4. **(ESPM-SP)** Substituindo as expressões em destaque nas frases abaixo, o que se pode obter?
   I. **Levei um grande susto!** Quase fui atropelado!
   II. **Que desagradável!** Lá vem ele de novo ...
   III. **Preste atenção!** O guarda pode multar.
   a) opa; puxa; caramba
   b) opa; xi; céus
   c) caramba; xi; alerta
   d) Quê; xi; cuidado
   e) Tomara; opa; quê

Sintaxe

A Sintaxe é o estudo das relações que as palavras mantêm entre si na frase.

Análise sintática

A parte da gramática que estuda a colocação e a organização das palavras em uma frase para comunicar um pensamento chama-se Sintaxe.

A **análise sintática** tem como objetivo classificar determinadas funções que os termos exercem em uma frase, oração ou período.

A palavra análise vem do grego *analysis*, que significa decompor o todo em partes, assim como a palavra sintaxe – *sýntaxis* –, que significa organização gramatical, ou seja, expressa uma relação lógica entre as palavras de uma frase, oração ou período.

Analisar sintaticamente um texto não se resume apenas ao estudo das relações entre as palavras que o compõem; vai além, pois é utilizando-se desses mecanismos de análise que se compreende melhor o texto.

Saber decodificar e inferir as informações de um texto contribui para a formação de leitores competentes e críticos, que se expressam por meio de uma escrita coerente e significativa.

Para iniciar o estudo da sintaxe, é fundamental conhecer os conceitos de **frase**, **oração** e **período**.

Frase

A frase é todo enunciado significativo capaz de estabelecer uma comunicação.

As frases podem ser formadas por uma só palavra ou pela combinação de várias delas sem necessariamente haver um verbo:

Socorro!

Parabéns! Muitas felicidades para você.

Cuidado! Saia do meio da rua!

Que saudades!

Elas também podem expressar uma ordem, um apelo, uma ação ou emoção. Por isso, a entonação empregada para pronunciar cada tipo de frase deixa clara a distinção entre elas, isto é, o sentido da frase pode ser modificado de acordo com a entonação dada no momento da fala.

Na linguagem escrita, existe o recurso da pontuação e o uso da letra maiúscula para expressar emoção em uma frase. Na linguagem falada, existem outros recursos, como gestos e expressões faciais e corporais, que complementam a interação entre emissor e receptor.

– Às dez horas em casa!

– Pai, tenho 18 anos!

Surpreso com o que podia ser interpretado como provável contestação, ele batia o martelo:

– Dez em ponto! Nem um minuto mais.

(LOYOLA BRANDÃO, Ignácio de. "O não, o sim, a felicidade". *Pais & Teens*, ano 1, n. 2.)

– Meu filho? – gritou ela.

– O que é – respondeu, com o ar mais natural que lhe foi possível.

– Que é que você está carregando aí?

Como podia ter visto alguma coisa, se nem levantara a cabeça? Sentindo-se perdido, tentou ainda ganhar tempo:

– Eu? Nada...

– Está sim. Você entrou carregando uma coisa.

(SABINO, Fernando. "O melhor amigo". In: *Obra reunida*. Rio de Janeiro: Nova Aguilar, 1996. v. 3.)

Frases nominais

As frases que não incluem um verbo na sua formação são chamadas de nominais. Elas são curtas e diretas, usadas muitas vezes como um alerta.

Cuidado!

Fogo!

Frequentemente são empregadas em anúncios publicitários, manchetes de jornais, título de livros, revistas, letras de música etc.

Retirantes, da seca para as favelas (manchete da *Folha de S.Paulo*)

Shopping Pátio Paulista – Paulista como você.

Cabine leito, baixa trepidação, novo painel e muito mais conforto.

(Nova Linha Cargo – Ford Caminhões)

Leitura, saudável qualidade de vida.

(Editora Árvore da Vida)

Frases verbais

As frases verbais incluem o verbo (ou a locução verbal) como elemento essencial na sua formação e também têm sentido completo.

A bola rolou escada abaixo.

João correu ao encontro de seu amigo.

– Quando chegarão as encomendas para a festa?

Este restaurante faz a melhor feijoada da cidade.

Estrutura da frase

A colocação dos termos dentro de uma frase pode seguir a **ordem direta** ou a **ordem indireta**.

+ **ordem direta** – pressupõe a seguinte disposição dos termos:

sujeito + predicado (verbo + complementos verbais + adjuntos adverbiais)

<u>As crianças da minha família</u>   <u>ganharam muitos brinquedos no último Natal.</u>
       ↓   ↓
    sujeito   predicado

predicado: verbo – ganharam
              complemento verbal – muitos brinquedos
              adjunto adverbial – no último Natal

+ **ordem indireta** ou **inversa** – altera a disposição dos termos na frase, que pode ser iniciada por um adjunto adverbial ou por um verbo:

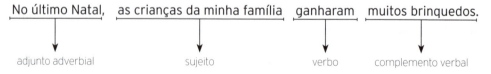

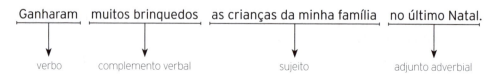

❖ A ordem da frase pode ser indireta ou inversa por uma questão de estilo de quem escreve ou com o objetivo de destacar algum elemento da frase:

Saiam daqui imediatamente!

Na minha casa, eles não entram mais.

Tipos de frase

Como já foi explicado, o aspecto emocional de uma frase é representado na escrita por meio da *pontuação* (ponto-final, de interrogação, de exclamação e reticências). Portanto, dependendo da entonação dada, as frases podem ser:

+ **declarativas** – expressam uma declaração ou informação a respeito de algo ou de alguém.

    O inquilino não pagou o condomínio.

+ **interrogativas** – expressam uma dúvida, indagação, questionamento.

    Qual é a cor de seu carro?

+ **exclamativas** – expressam admiração, indignação, determinado estado emocional.

    Que saudades da minha infância!

+ **imperativas** – expressam uma ordem, um desejo, uma solicitação.

    Tranque a porta da frente.

+ **optativas** – expressam uma possibilidade ou um desejo.

    Quem me dera ganhar na loteria...

+ **imprecativas** – expressam uma imprecação (rogar uma praga ou maldição).

    Maldita a hora em que você cruzou o meu caminho!

Oração

A oração é a frase ou parte de uma frase que se estrutura essencialmente em torno de um **verbo** ou de uma **locução verbal**.

Para se compor uma oração, a presença de um sujeito não é obrigatória, mas de um predicado sim. Isso significa que não existe oração sem predicado.

Saímos sem avisar. (sujeito desinencial – nós – predicado verbal)

Fez frio o dia todo ontem. (oração sem sujeito – predicado verbal)

❖ É importante fazer a distinção entre **frase** e **oração**. Para a frase, o essencial é o **sentido** que se dá ao enunciado; na oração, o essencial é o **verbo** constar em sua estrutura. Nem toda frase é oração:

Chimpanzés em seu hábitat natural. (É uma frase, mas não é uma oração.)

Da mesma forma, nem toda oração é frase:

A professora **pediu** / que todos **viessem** na segunda-feira.

1ª oração   2ª oração

A frase acima tem **duas orações**, ou seja, a oração pode ser apenas uma parte da frase.

Frase e oração são estruturas equivalentes quando têm a mesma extensão e quando a frase contém apenas uma oração:

A professora **pediu** a presença de todos. (frase e oração)

Período

O período é a frase composta de uma ou mais orações.

Ele pode ser:

+ **simples** – constituído por uma só oração (um verbo ou uma locução verbal). Essa oração é chamada de **absoluta**.

    Troquei meu celular.

    Pretendo viajar para o exterior nas próximas férias.

+ **composto** – constituído por duas ou mais orações que se estruturam em torno de um verbo ou de uma locução verbal.

    Esqueci meu celular no restaurante, **voltei** para buscá-lo, mas, infelizmente, alguém já o **havia levado**.

> *O pequeno sentou-se, acomodou nas pernas a cabeça da cachorra, pôs-se a contar-lhe baixinho uma história.*
>
> (RAMOS, Graciliano. "O menino mais velho". In: *Vidas secas*. Rio de Janeiro: Record, 2002.)

Os termos da oração

Segundo a Nomenclatura Gramatical Brasileira (NGB), os termos da oração classificam-se em:

+ **termos essenciais** – sujeito e predicado;
+ **termos integrantes** – complementos verbais e nominal, e agente da passiva;
+ **termos acessórios** – adjuntos adnominal e adverbial, e aposto.

❖ **Observação**: o vocativo é um termo independente.

A definição dessa nomenclatura está de acordo com a relação lógica que se estabelece entre palavras ou expressões dentro de uma oração.

Exercícios

1. Dê exemplos para cada tipo de frase.
   a) declarativa
   b) interrogativa
   c) exclamativa
   d) imperativa
   e) optativa
   f) imprecativa

2. Identifique as frases que não são orações.
   a) Coitadinho!
   b) Você acertou a primeira questão?
   c) *Estou farto do lirismo comedido...* (Manuel Bandeira)
   d) Que noite agradável!
   e) Fila à direita, por favor!

3. Classifique as frases a seguir.
   a) Queira Deus que dê tudo certo!
   b) Jamais voltarei para você.
   c) Quanto desperdício!
   d) Não repita mais essas palavras.
   e) Quem te avisou?

4. Leia os trechos abaixo, grife os verbos ou as locuções verbais e informe quantas orações há no período.
   a) *Os garotos reclamam esta ou aquela escolha, mas o padre deve ter fama de zangado, pois basta alguém reclamar, que ele, com um simples olhar, cala o reclamante.*
   PONTE PRETA, Stanislaw. *O gol de padre e outras crônicas*. São Paulo: Ática, 1997.

Análise sintática

b) *Ia eu passando de carro pela Lagoa quando vi na calçada uma moça esperando o ônibus com seu jeans e bolsa a tiracolo.*

SANT'ANNA, Affonso Romano de. *Porta de colégio e outras crônicas*. São Paulo: Ática, 1997.

c) *Às vezes, dava para pensar comigo mesmo, e solitário andava por debaixo das árvores da horta, ouvindo sozinho a cantoria dos pássaros.*

LINS DO REGO, José. *Menino do engenho*. 84. ed. Rio de Janeiro: José Olympio, 2002.

d) *— Para dizer o que eu sinto, quero saber antes, se o que eu sinto é o mesmo que se deve sentir quando se está realizado ou se julga estar.*

DRUMMOND DE ANDRADE, Carlos. *De notícias e não notícias faz-se a crônica*. 6. ed. Rio de Janeiro: Record, 1987.

5. Divida os períodos em orações e classifique-os em simples ou composto.

a) *Não esperaria mais que elas podiam voar.* (Luis Vilela)
b) *As suas violetas, na janela, não lhes poupei água e elas murcham.* (Dalton Trevisan)
c) Acredito que não tenha sido uma coincidência você ter me encontrado aqui; portanto, quero que me dê uma explicação.
d) Ainda não fui visitá-lo, porque não tive tempo.
e) O barulho das conversas na esquina perturbou meu sono a noite toda.

Questões de vestibulares

1. (FGV-SP) *Um instantinho! Um instantinho! Mulher grávida primeiro... Um passinho à frente, por favor!*

No contexto reproduzido, a comunicação se faz completamente, apesar de não termos, como é comum na estrutura linguística do português, sujeitos e predicados. Justifique essa afirmação.

2. (Efoa-MG) **Há período composto em:**

a) Ao lado da dissertação, deveria restaurar-se também o prestígio da tabuada.
b) ... o mesmo não pode se dizer dos outros engenhos.
c) Temos, aí reproduzido, com a máxima fidelidade, o diálogo.
d) Aí, então, podem contar comigo para aplaudir a máquina.
e) A ojeriza pelo idioma nacional já estava ultrapassando os limites toleráveis.

3. **(FGV-SP)** *A mão se estende rapidamente ao celular. A ligação é feita. Alívio geral.*

Se juntarmos as três orações num só período, a forma que respeita o sentido original do texto é:
a) A mão se estende rapidamente ao celular, mas a ligação é feita para o alívio geral.
b) A mão se estende rapidamente ao celular e, para alívio geral, a ligação é feita.
c) A mão se estende rapidamente ao celular e, apesar do alívio geral, a ligação é feita.
d) A mão se estende rapidamente ao celular enquanto a ligação é feita, para o alívio geral.

4. **(FCC-SP)** O período em que as frases abaixo se articulam com clareza, correção e lógica, é:

I. A quantidade e a qualidade dos vestígios arqueológicos na Chapada do Araripe surpreendem.
II. As rochas não contêm fósseis.
III. As rochas são utilizadas em pisos e revestimentos de paredes e muros.

a) As rochas, conquanto utilizadas em pisos e revestimentos de paredes e muros, contêm fósseis, onde a quantidade e a qualidade dos vestígios arqueológicos na Chapada do Araripe surpreende.
b) Com a quantidade e a qualidade dos vestígios arqueológicos na chapada do Araripe surpreendem que as rochas contêm fósseis, utilizados em pisos e revestimentos de paredes e muros.
c) A quantidade e a qualidade dos vestígios arqueológicos são surpreendentes na Chapada do Araripe, cujas rochas contêm fósseis e são utilizadas em pisos e revestimentos de paredes e muros.
d) Com a quantidade e a qualidade das rochas que contêm fósseis de vestígios arqueológicos na Chapada do Araripe, que surpreende na utilização de pisos e revestimentos de paredes e muros.
e) As rochas na Chapada do Araripe contêm fósseis, utilizados em pisos e revestimentos de paredes e muros, em quantidade e qualidade dos vestígios arqueológicos surpreendentes.

Termos essenciais da oração

O **sujeito** e o **predicado** são considerados os termos essenciais da oração. Para ser considerada uma oração, é fundamental que ela esteja estruturada em torno desses dois termos.

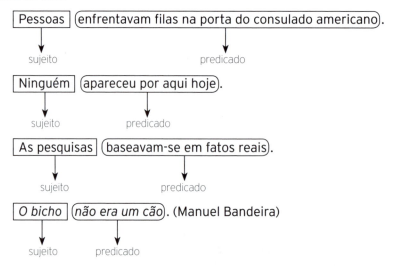

O **sujeito** é o termo da oração de quem se diz alguma coisa. É quem estabelece a concordância com o verbo na oração.

O **predicado** é o termo da oração que informa alguma coisa relacionada ao sujeito.

Sujeito

O sujeito ocupa uma posição variável dentro da oração. Pode aparecer na **ordem direta** ou **indireta** na frase.

a) **As garotas** maquiavam-se em frente ao espelho. (ordem direta – sujeito + predicado)
b) Chegaram ao estádio **os jogadores de futebol**. (ordem indireta ou inversa – predicado + sujeito)
c) Saíram **todos os participantes** pela porta da frente. (no meio do predicado)

O sujeito sempre estará em concordância com o verbo em pessoa e número.

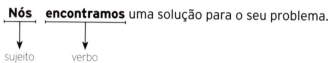

O sujeito pode ser formado por uma ou mais palavras. Quando isso acontece, a palavra fundamental na designação do sujeito recebe o nome de **núcleo**.

O meu **livro** novo de Matemática custou bem caro.

O sujeito pode ser representado por:

a) substantivo ou palavra substantivada.

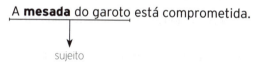   

b) pronome pessoal reto ou de tratamento.
   Eles devem vir amanhã.

c) pronome demonstrativo, indefinido, interrogativo ou relativo.
   Alguém viu o meu chapéu?

d) numeral.
   Ambos desistiram da vaga para segurança.

> ❖ O sujeito também pode ser representado por uma **oração substantiva**:
> Convém **que todos aguardem a liberação das pistas**.
> A classificação das orações será estudada mais adiante, na página 373.

Termos essenciais da oração **305**

O sujeito pode estar determinado ou indeterminado na oração.

Sujeito determinado

O sujeito é determinado quando pode ser identificado na oração. Ele pode ser:

+ **simples** – o sujeito é constituído de apenas um núcleo.

   O **garotinho** chorava muito.

   Um **grupo** de jovens aguardava à porta do clube.

   Eu visitei meus amigos de infância.

   Os **três**, identificados como comparsas, apresentaram-se hoje.

+ **composto** – o sujeito é constituído de mais de um núcleo em uma mesma frase.

   Homens e **mulheres** querem viver em harmonia.

   As **flores** e os **frutos** tinham um perfume delicioso.

> ❖ Não confundir **sujeito composto** com o **sujeito simples flexionado no plural**. O sujeito composto apresenta dois ou mais núcleos e o sujeito simples um só núcleo.
>
> **Você** e **eu** prepararemos o jantar. (sujeito composto – você e eu)
>
> **Nós** prepararemos o jantar. (sujeito simples – nós)

+ **implícito** – o sujeito não aparece expresso, mas é reconhecido por meio da desinência verbal. Nesse caso, a preferência é não mencionar o sujeito por uma questão de estilo, ou simplesmente porque esse sujeito está subentendido na frase.

   Visitei meus amigos de infância que não **via** há muitos anos. (sujeito implícito – eu)

> ❖ O sujeito implícito também é chamado de sujeito desinencial, simples implícito, elíptico ou oculto.
>
> ***Começou*** *como uma brincadeira.* ***Telefonou*** *para um conhecido e* ***disse****:*
> *— Eu sei de tudo.*
>
> VERISSIMO, Luis Fernando. *Comédias da vida privada.* Porto Alegre: L&PM, 1995.

Sujeito indeterminado

O sujeito da oração é indeterminado quando não é possível ou quando não se quer identificá-lo:

Tocaram a campainha da minha casa.

O sujeito indeterminado apresenta-se de duas formas:

a) o verbo é flexionado na **3ª pessoa do plural** e não há referência ao sujeito, representado por substantivo ou pronome.

Denunciaram o responsável pelo furto dos cheques.

b) o verbo permanece na **3ª pessoa do singular** seguido da partícula **se**, denominada índice de indeterminação do sujeito.

Precisa-se de pedreiros para o novo empreendimento. (verbo transitivo indireto)

Empregado como índice de indeterminação do sujeito, o **se** acompanha verbos intransitivos ou transitivos indiretos na voz ativa e também, mais raramente, o verbo de ligação, flexionados sempre na 3ª pessoa do singular.

Come-se muito bem naquele restaurante.

verbo intransitivo

Necessita-se de médicos especialistas.

verbo transitivo direto

Quando **se é** jovem e belo, a felicidade parece possível.

verbo de ligação

> ❖ Se um pronome substantivo indefinido desempenhar a função de sujeito da oração, é classificado como sujeito simples e não como indeterminado:
>
> **Alguém** não pagou a rifa.
>
> sujeito simples

Oração sem sujeito

O sujeito é classificado como **inexistente** ou a oração é sem sujeito quando ela é constituída apenas pelo predicado, cujo verbo é impessoal. O verbo é chamado de impessoal porque não há nenhum elemento a quem se possa atribuir o predicado. Esse verbo aparece sempre na **3ª pessoa do singular**.

Está muito quente hoje.

Classifica-se o sujeito como inexistente nos seguintes casos:

a) Se os verbos ou as locuções verbais indicarem **fenômenos da natureza**.

Choveu a noite toda.   **Deve nevar** muito durante a madrugada.

Fazia muito frio naquelas montanhas.

❖ Esses mesmos verbos podem apresentar sujeito se forem empregados em sentido figurado:

Choveram **vaias** para aquele cantor.

<u>sujeito simples</u> (vaias)

b) Se o verbo **haver** for empregado no sentido de existir.

Havia muitas pessoas aguardando na fila. (sujeito inexistente)

❖ O verbo haver, nesse caso, é impessoal e permanece sempre na 3ª pessoa do singular. No entanto, o verbo existir é pessoal e concorda em número com o sujeito.

Existiam **muitas pessoas** na fila.

<u>sujeito simples</u>

❖ Nas locuções verbais – com o verbo haver no sentido de existir – o verbo auxiliar permanece impessoal, na 3ª pessoa do singular.

Deve haver muitas pessoas na fila. (sujeito inexistente)

❖ Se a locução verbal for composta com o verbo existir, o verbo auxiliar flexiona-se ao concordar com o sujeito.

Devem existir **muitas pessoas** na fila.

<u>sujeito simples</u>

c) Se os verbos **haver**, **fazer** e **ir** informarem tempo decorrido.

Há dias que não a vejo por aqui.

Faz dez anos que minha família deixou a cidade.

Vai para dois meses que recebeu a carteira de habilitação.

d) Se os verbos **estar**, **passar** e **ser** forem empregados referindo-se ao tempo.

Estava muito quente naquela sala fechada.

Passava da meia-noite quando a moça entrou em casa.

É hora de dormir para vocês, crianças.

❖ A oração também é sem sujeito quando o verbo **ser** indicar **distância**, **data** ou **hora**. O verbo impessoal, nessas frases, concorda com a indicação numérica da distância, da data ou da hora.

308 Sintaxe

> Daqui até minha casa são três quilômetros.
>
> Hoje é primeiro de maio.
>
> São dez horas da noite.

Sujeito e agente da oração na voz passiva

O papel de agente, como aquele que pratica a ação verbal, só coincide com o sujeito gramatical quando o verbo está na voz ativa.

Na voz **ativa**, o **sujeito** é **agente** da ação verbal.

Na voz **passiva**, o **sujeito** passa a ser **paciente** da ação verbal:

O **agente da passiva** é responsável pela ação verbal na voz passiva.

Predicado

O predicado presta informações a respeito do sujeito quando a oração é composta dos termos essenciais que a formam: sujeito e predicado.

> Às dez e meia, o guarda-noturno entra de serviço. Late o cãozinho do portão no primeiro plano; ladra o cão maior do quintal, no segundo plano [...]
>
> (MEIRELES, Cecília. "O anjo da noite". In: *Quadrante 2*. Rio de Janeiro: Editora do Autor, 1963.)

Sujeito	Predicado
O guarda-noturno	às dez e meia entra de serviço
O cãozinho	late do portão no primeiro plano
O cão maior	ladra do quintal no segundo plano

No caso de sujeito indeterminado e oração sem sujeito, o predicado é representado por toda a frase. Não determina ou não lhe atribui sujeito:

Roubaram meu celular. (sujeito indeterminado)

Necessita-se de auxílio urgente. (sujeito indeterminado)

Havia algo estranho no ar. (oração sem sujeito/sujeito inexistente)

O predicado, assim como o sujeito, apresenta um **núcleo** e, de acordo com o núcleo determinado pelo contexto na frase, é classificado em **verbal**, **nominal** e **verbo-nominal**.

Predicado verbal

O predicado verbal tem como núcleo o **verbo** significativo, que se relaciona ao sujeito e com os seus complementos, quando houver.

Os operários **trabalharão até mais tarde**.

Nós **fizemos muitas compras no *shopping***.

Eles **precisavam de muita ajuda naquela hora**.

O governo **pretende entregar cestas básicas aos desabrigados**.

Quanto à classificação dos verbos que são o núcleo do predicado verbal, eles podem ser **intransitivos** e **transitivos**.

+ **Verbo intransitivo (VI)** – expressa um sentido completo e não necessita de complementos para estender sua significação:

Almoço todos os dias em um restaurante bem agradável.

Entraremos mais tarde no serviço.

A água empoçada **evaporou**.

Os pedestres costumam **cair** nas calçadas cheias de buracos.

Embora não precisem de complementos, esses verbos podem vir acompanhados de outros elementos, como o **adjunto adverbial** ou o **predicativo**, já que, dessa forma, ampliam a significação do verbo e esclarecem mais o leitor.

Viajaremos **no próximo mês**.   O meu pai voltou **exausto**.

              adjunto adverbial   predicativo

Alguns verbos são classificados, principalmente, como intransitivos: **sair**, **nascer**, **crescer**, **brincar**, **rir**, **vir**, **anoitecer**, **suar**, **mentir**, **agir**, **brilhar** etc.:

Anoiteceu rapidamente ontem.

Os bebês **crescem** muito depressa.

Costumava **mentir** sempre.

Rimos à vontade naquele encontro.

❖ Não é possível passar os verbos intransitivos para a voz passiva, já que eles não "transitam" e isso é uma exigência na mudança de voz verbal. Conforme foi estudado anteriormente, só os verbos transitivos diretos e os transitivos diretos e indiretos admitem a voz passiva.

Consertam-se relógios naquela loja.

As provas **foram entregues** aos alunos pelo professor.

- **Verbo transitivo (VT)** – só se completa quando transita até outro elemento, denominado "objeto", que esclarece o sentido da oração.

  Ele **ganhou uma bicicleta** de presente.

  O verbo "ganhar", nessa oração, transita até o elemento "bicicleta" para completar a ação verbal.

  O verbo transitivo pode ser:

  - **direto (VTD)**: quando expressa um sentido incompleto e necessita de um termo que complemente seu significado, **sem** o auxílio de preposição. Esse complemento verbal é o **objeto direto** (ver página 329). A relação é direta entre o verbo e o complemento que lhe confere o sentido.

    O casal **comprou** um apartamento financiado.

    Adquirimos vinhos naquela adega local.

    Espero **encontrar** meus amigos na sexta à noite.

    A ordem direta de uma oração pode ser modificada. O objeto direto, na estrutura da oração, pode ser posicionado distante do verbo transitivo direto.

    Ela **admirava**, com muito carinho, **a exposição dos trabalhos infantis**.

    Naquela tarde, **esperou** demoradamente **o ônibus intermunicipal**.

    Alguns verbos transitivos diretos são: **ter, receber, dizer, ver, encontrar, comprar, convidar, achar, socorrer** etc.

❖ O verbo transitivo direto admite a passagem para a voz passiva.

  As crianças **fizeram** cartõezinhos de Natal.

  Cartõezinhos de Natal **foram feitos** pelas crianças.

❖ Alguns verbos transitivos diretos assumem uma característica diferenciada ao virem acompanhados de predicativo, classificado como predicativo do objeto. Esse assunto será apresentado no predicado verbo-nominal, página 316.

❖ Verbos transitivos diretos admitem os pronomes oblíquos: **o, a, os, as** na função de objeto direto.

  Visitei-os no fim de semana.

- **indireto (VTI)**: quando expressa um sentido incompleto e necessita ser complementado, obrigatoriamente, com o auxílio de **preposição**. O complemento verbal, nesse caso, é o **objeto indireto**, pois a relação com o verbo é indireta (ver página 332).

Precisava de muito dinheiro nessa hora.

Não **simpatizou com** o novo síndico.

O jovem parecia não **confiar em** ninguém.

Devia **concordar com** o pai.

A secretária **desistiu da** transferência da sala.

O resultado **agradou a** todos.

Distinguem-se entre os verbos transitivos indiretos os que admitem ser completados pelos pronomes oblíquos **lhe** ou **lhes** como objeto indireto; e aqueles que não aceitam a mesma forma oblíqua.

O filho obedece ao pai.	Eu assisti ao filme.
O filho **obedece**-lhe.	**Assisti a ele** no fim de semana.
O assunto não interessava às atrizes.	Dependia financeiramente do meu pai.
O assunto não **lhes interessava**.	**Dependia** financeiramente **dele**.

Os indiretos com pronomes oblíquos átonos como objetos indiretos não aparecem preposicionados.

A conversa **desagradava-me**.   **Recorria a mim** em todas as ocasiões.

Os verbos transitivos indiretos, como os intransitivos, não aceitam a voz passiva.

❖ Alguns **verbos transitivos indiretos**, em casos especiais, podem ser empregados na **voz passiva analítica**. É o caso de verbos como **obedecer, desobedecer, perdoar, responder**.

A nova lei antifumo **foi desobedecida**.

Seus débitos **foram perdoados**.

As questões não **foram respondidas** corretamente.

❖ Na **voz ativa**, esses verbos transformam-se em **transitivos indiretos**, permanecem na 3ª pessoa do singular, e o sujeito da oração é indeterminado.

Desobedeceu-se à lei antifumo.

Perdoou-se seus débitos.

Não **se respondeu** às questões corretamente.

Relação de alguns verbos empregados como **transitivos indiretos**:

Sintaxe

agradar a	crer em	obedecer a
ansiar por	cuidar de	pagar a
atirar em/contra	gostar de	perdoar a
carecer de	interessar a	precisar de
confiar em	investir contra	recorrer a
conspirar contra	lembrar-se de	resistir a
contentar-se com	lutar contra	zombar de
contribuir para	necessitar de	

- **direto e indireto (VTDI)**: quando expressa um sentido incompleto e o sentido será complementado pelos dois objetos, direto e indireto. Os complementos verbais se ligam ao verbo com e sem preposição simultaneamente.

Entregamos a eles todo o dinheiro.

Disse uma mentira **para** os pais.

Emprestaram um casaco bem quentinho **à** vovó.

Vão **oferecer** um banquete **aos** convidados.

A professora tentava **explicar** o teorema **aos** alunos retardatários.

O termo **bitransitivo** também é utilizado para denominar os verbos transitivos diretos e indiretos.

Relação de alguns verbos empregados como **transitivos diretos e indiretos**:

apresentar	narrar
atribuir	oferecer
ceder	pagar
dar	pedir
devolver	perdoar
doar	preferir
ensinar	prevenir
entregar	prometer
explicar	propor
informar	relatar

❖ Certos **verbos** exprimem diferentes significações quando são empregados como transitivos diretos ou como transitivos indiretos:

O médico **assistiu** o doente com presteza.

VTD = cuidar

Termos essenciais da oração   **313**

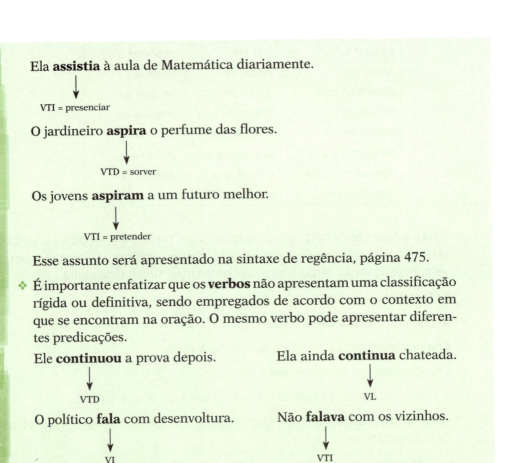

Esse assunto será apresentado na sintaxe de regência, página 475.

❖ É importante enfatizar que os **verbos** não apresentam uma classificação rígida ou definitiva, sendo empregados de acordo com o contexto em que se encontram na oração. O mesmo verbo pode apresentar diferentes predicações.

Predicado nominal

O predicado nominal tem como núcleo o **nome**, que atribui um estado ou uma qualidade ao sujeito. O verbo da oração é o elemento de ligação entre o sujeito e a característica atribuída, o **predicativo do sujeito**.

O **verbo de ligação** (**VL**) é o que se apresenta no predicado nominal e não representa uma significação precisa, por isso o nome exerce a função de núcleo do predicado. Sua função é apenas ligar o sujeito ao estado determinado no contexto.

Os verbos de ligação mais comuns são: **ser**, **estar**, **parecer**, **ficar**, **permanecer**, **continuar**, **andar**, **tornar-se**.

Diferentes estados podem ser expressos por esses verbos: um estado permanente ou transitório; uma transformação; uma dúvida, além de representar continuidade ou permanência de atitude.

O garotinho é muito esperto.

Aquela garota **está** esquelética.

De repente, **tornou-se** um aluno exemplar.

A jovem **parecia** cansada depois da caminhada.

A velha senhora **permanecia** silenciosa na cozinha.

As famílias **continuavam** desabrigadas.

Minha amiga **anda** muito preocupada ultimamente.

Ela **ficava** doente toda semana.

Já o **predicativo do sujeito** é o termo que desempenha o papel de núcleo do predicado nominal ao informar uma característica do sujeito. Portanto, esse termo pode ser um **substantivo**, um **adjetivo**, uma **locução adjetiva**, um **pronome** ou um **numeral**.

O garotinho é **esperto**.

Nessa oração, o adjetivo "esperto" é o predicativo do sujeito; portanto, o **núcleo** do **predicado nominal**.

Eles tornaram-se **pessoas** melhores.
substantivo

Aqueles dois ali devem ser **parentes**.
substantivo

Ficou **sem palavras** ao vê-la novamente.
locução adjetiva

Os pedintes estavam **com fome**.
locução adjetiva

Eu fui **você** em outra encarnação.
pronome de tratamento

Os vencedores foram apenas **três**.
numeral

Uma oração pode também desempenhar a função de predicativo:

O problema é **que precisamos terminar o trabalho ainda hoje**.
oração subordinada substantiva predicativa

O estudo das orações subordinadas será apresentado na página 373.

Para classificar um verbo quanto à predicação, é necessário considerar o contexto em que ele se apresenta.

Verbos empregados como de ligação são classificados como **intransitivos** dependendo do significado que eles apresentam nas diferentes frases.

Os alunos não **estavam** no pátio.

As crianças **ficaram** em casa a manhã toda.

Os garotos **continuaram** na rua até anoitecer.

A festa de aniversário de Maurício **será** na escola.

Esses verbos significativos vêm, em geral, acompanhados de uma **circunstância de lugar**.

Estavam **no pátio**.

Ficaram **em casa**.

Continuaram **na rua**.

A festa será **na escola**.

Verbos transitivos ou intransitivos podem aparecer como de **ligação**, de acordo com a significação.

O professor **virou** poeta.

Predicado verbo-nominal

O predicado verbo-nominal apresenta dois núcleos: o **verbo** significativo, que indica uma ação, e o nome, **predicativo**, que informa um estado do sujeito ou do objeto.

Elas **saíram de casa apressadas**.

Todos **consideraram o espetáculo surpreendente**.

Predicativo

O predicativo desempenha o papel de núcleo do predicado quando informa uma característica do sujeito (caso do predicado nominal ou verbo-nominal) ou uma característica do objeto (caso do predicado verbo-nominal).

Ele se apresenta como:

+ **Predicativo do sujeito** – quando aparece no predicado nominal relacionado ao sujeito pelo verbo de ligação, e no predicado verbo-nominal relacionado ao sujeito, mas por meio de verbos significativos: intransitivo ou transitivo.

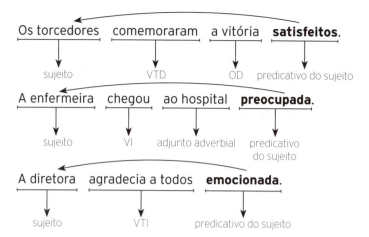

+ **Predicativo do objeto** – quando aparece essencialmente no predicado verbo-nominal, pois se caracteriza como estado ou qualidade para o objeto. Substantivo ou adjetivo desempenham a função de predicativo do objeto.

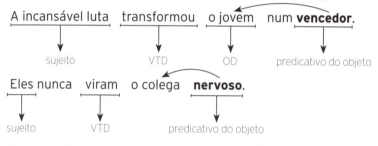

O predicativo do objeto pode variar de posição na oração.

A mãe encontrou **espalhados** os brinquedos dos filhos.

predicativo do objeto
(posicionado antes do objeto direto "brinquedos")

Os meninos deixaram os brinquedos **quebrados**.

predicativo do objeto
(após o objeto direto "brinquedos")

A posição do predicativo do objeto na oração pode causar um sentido ambíguo.

O homem achou o local **distante**.

Existem duas possibilidades de interpretação para essa frase:

O homem considera o local distante. (longe para chegar até lá)

O homem encontrou o local distante (depois de procurar e encontrar)

A posição ocupada pelo predicativo do objeto na oração desfaz o duplo sentido se colocado antes do objeto direto (o local).

O homem achou **distante** o local.

Ou seja, desejou-se enfatizar a primeira possibilidade (a longa distância para se chegar ao local).

De modo geral, o predicativo do objeto refere-se ao objeto direto. No entanto, pode, raramente, também fazer referência ao objeto indireto.

Os pais gostam **dos filhos** sempre **felizes**.

Eles **lhe** chamaram **mentiroso**.

❖ O predicativo do sujeito ou do objeto pode também vir acompanhado por uma **preposição** no predicado nominal ou verbo-nominal.

A medalha recebida   era   **de prata**.

Os amigos o tinham **por preguiçoso**.

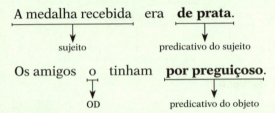

❖ Algumas gramáticas classificam como verbos "transobjetivos" os transitivos diretos que exigem o predicativo do objeto para complementar o significado.

Eles o nomearam **síndico** do condomínio.

A polícia considerou **o jovem** **um ladrão**.

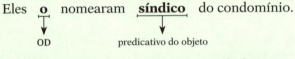

Exercícios

1. Classifique o sujeito das orações a seguir.
    a) Dizem muita coisa por aí.
    b) Esvaziei o copo num segundo.
    c) Nesta fábrica, há trabalho para todos.
    d) Era-se feliz em outros tempos.
    e) Os turistas estão chegando.

f) Ruas e avenidas estavam alagadas.
g) Entregaram o buquê ontem.
h) Moça, sabe onde fica essa rua?
i) Deve haver muitas pessoas interessadas em um emprego desses.
j) Procura-se um local ensolarado para as fotos.
k) Falou-se muito naquela reunião.
l) Espera-se o resultado para amanhã.
m) Faltaram lápis e borrachas para a distribuição.
n) Podem existir outras provas contrárias a ele.
o) Com certeza, iremos de avião.
p) Apela-se para o bom senso.
q) Ventou a tarde toda.
r) Todos querem o melhor lugar.
s) Faz uns dez anos mais ou menos.
t) *Era hora do almoço dos trabalhadores.* (Rachel de Queiroz)

2. **As frases a seguir estão na ordem inversa. Coloque-as na ordem direta, classifique o sujeito e destaque o núcleo.**

   a) Sobraram vários copos descartáveis pelos cantos.
   b) Saíram correndo pela porta da frente os convocados.
   c) De vez em quando, apareciam novos interessados.
   d) Chegou ontem a Brasília o presidente francês.
   e) Estavam sobre a mesa todos os documentos necessários.
   f) Foram ao colégio pais, professores e alunos.
   g) Deixava-me nervosa todo aquele trânsito barulhento.
   h) Perto de casa, ficou concentrada grande parte dos manifestantes.
   i) Tomou conta de nós um pressentimento horrível.
   j) Apareceram, naquela madrugada, muitos fantasmas divertidos.

3. **Grife os verbos das orações abaixo e classifique-os em pessoal ou impessoal. Justifique sua resposta.**

   a) Falaram mal de você na reunião de condomínio.
   b) Choveu bolinha de papel no intervalo da aula.
   c) Trovejou intensamente a noite passada.
   d) Não faz muito tempo o *show* dos fogos.
   e) Precisa-se de novos motoristas naquela empresa.
   f) Já eram dez e meia da manhã.
   g) Abraçamos nossos companheiros saudosos.
   h) Havia um tráfego intenso na estrada.
   i) Era noite de Natal.
   j) Tocaram a campainha de todas as casas.

4. **Identifique os sujeitos elípticos (ocultos/desinenciais) nas orações.**
   a) Finalmente, estou de férias.
   b) Venha me visitar domingo.
   c) Não desistas de estudar nunca.
   d) Compareçamos ao ensaio mais tarde.
   e) Não entendemos nada da aula de Física.
   f) Devia ter aguardado o meu telefonema.
   g) Fazei sempre o melhor.
   h) Não chores mais, por favor!
   i) Queria ter vindo ao seu aniversário.
   j) Como estamos nos saindo agora?

5. **Destaque o sujeito e informe se ele é agente ou paciente nas orações a seguir.**
   a) O pobre animal levou um tiro de espingarda.
   b) Divulgou-se o resultado das pesquisas.
   c) Serão editados muitos livros didáticos.
   d) Ninguém quis sair daquela fila imensa.
   e) As crianças receberam doces e balas na festa de Cosme e Damião.

6. **Leia com atenção as orações a seguir. Todas elas estão na voz passiva analítica ou sintética. Transforme as que estão na voz analítica em sintética e as que estão na voz sintética em analítica.**
   a) As reuniões previstas foram canceladas.
   b) Vendem-se materiais para escritório neste local.
   c) Seria devolvida mercadoria entregue por engano.
   d) Conferiram-se todas as ligações locais.
   e) Caiaques e *jet skis* são alugados na temporada de verão.
   f) Implodiram-se velhos edifícios do centro.

7. **Separe o sujeito e o predicado das orações seguintes.**
   a) Alguém veio procurá-lo no outro dia.
   b) Naquela tarde chuvosa ocorreram vários acidentes.
   c) Um bando de garotos empinava pipa na rua.
   d) Houve muita briga e gritaria por causa do jogo de basquete.
   e) Aguardaram até de madrugada a chegada do ônibus.
   f) Não consegui localizar a sua casa de campo.

8. **Identifique o predicado das orações e classifique-o em:**
   (PN) predicado nominal   (PV) predicado verbal
   (PVN) predicado verbo-nominal

a) ( ) A notícia deixou muitas pessoas preocupadas.
b) ( ) Eles pareciam bem cansados depois da caminhada.
c) ( ) Os torcedores deixaram o estádio eufóricos.
d) ( ) Os mais velhos não confiavam nos jovens.
e) ( ) Os eleitores andam descontentes com os políticos.
f) ( ) Assistimos ao espetáculo durante várias horas.
g) ( ) Alugamos um apartamento bem barato perto da praia.
h) ( ) Entrei em casa muito apressado.
i) ( ) A população continuava apreensiva por causa das revoltas.
j) ( ) Acenderam-se todas as luzes da cidade.

9. Identifique o núcleo de cada predicado das orações do exercício anterior.

10. Grife, nas orações abaixo, o predicado nominal e identifique o verbo de ligação e o núcleo do predicativo do sujeito.

a) O ginásio de esporte permanecia interditado.
b) A aluna andava cada vez mais desinteressada.
c) Ficamos muito aborrecidos com o seu comportamento.
d) As matrículas encontram-se abertas a partir de hoje.
e) Virou um belo cão o filhotinho magricelo.
f) A sua fé continuava inabalável.

11. Sublinhe os verbos ou as locuções verbais e faça a distinção.
(VL) verbo de ligação   (VS) verbo significativo
a) ( ) Ninguém parecia gostar dele.
b) ( ) Anoiteceu rapidamente.
c) ( ) Os grevistas continuavam revoltados.
d) ( ) Continuavam o trabalho em casa.
e) ( ) Obedecemos aos regulamentos do clube.
f) ( ) Não acreditamos em fadas e duendes.
g) ( ) Seu gesto foi muito delicado.
h) ( ) O confronto fica sendo sempre adiado.
i) ( ) Pareciam atordoados diante de tanta novidade.
j) ( ) Olhou-nos com ar de desconfiança.

12. Classifique os verbos quanto à predicação: VI, VTD, VTI e VTDI.

a) *Alonso foi para o quintal carregando uma bacia cheia de roupa suja.* (Lygia Fagundes Telles)
b) *E é por isso que eu lhe digo
e com razão
que mais vale ser mendigo
que ladrão.*

(Vinicius de Moraes)

c) *Não <u>teve</u> tempo de <u>levantar</u>. Ela já <u>desfazia</u> o desenho escuro dos sapatos, e ele <u>viu</u> seus pés <u>desaparecendo</u>, <u>sumindo</u> as pernas.* (Marina Colasanti)

d) *A mãe <u>recolhe</u> os detritos da festa. O pai <u>ajuda</u> o filho a guardar os presentes que ganhou dos amigos.* (Luis Fernando Verissimo)

e) *Que o homem <u>confiará</u> no homem*
Como a palmeira confia no vento,
[...]

(Thiago de Mello)

f) *Houve um desses espantos que ninguém imagina. Logo minha tia solteirona e santa, que morava conosco, advertiu que não podíamos convidar ninguém por causa do luto.* (Mário de Andrade)

13. **Transforme o predicado verbal em verbo-nominal.**

a) Eles caminhavam pela rua.
b) Assistimos ao filme em casa.
c) Eu a vi na festa.
d) Encontramos meu amigo na balada.
e) A moça saiu de casa.
f) Os ladrões fugiram.
g) Os novos empregados estão trabalhando na loja.
h) O bebezinho dormia no carrinho.

14. **Nas frases abaixo, indique e classifique o predicativo: do sujeito ou do objeto.**

a) Nunca vi minha amiga tão feliz.
b) Entrou faminto em casa.
c) Ela parecia mais confusa que antes.
d) A comida deixou-me enjoada.
e) O professor recebeu os alunos emocionado.
f) Os alunos receberam o professor emocionado.
g) As crianças passaram o dia felizes.
h) Ele a encontrou desanimada.
i) A chuva chegou inesperada no fim de semana.
j) Julguei incoerente a sua resposta.
k) Chamavam-na *designer* de interiores.
l) O gatinho transformou-se em um tigre.

15. **Atribua um predicativo para o sujeito ou para o objeto nas frases seguintes.**

a) A torcida parecia ficar _____.
b) A garota acha-se _____.
c) A vida não é _____.

d) O povo considerou-o _____ .
e) O pai via o filho sempre _____ .
f) O jornalista entrou na redação _____ .

16. **Grife os predicativos e transforme-os em adjetivos.**

a) O médico parecia sem experiência.
b) A garota ficou com vergonha na frente das amigas.
c) O rapaz permaneceu sem consciência por alguns momentos.
d) Eles estavam com pressa para chegar ao hotel.
e) O gerente considerou o novo estagiário sem preparo.
f) Aqueles jovens andam sem esperança ultimamente.

17. **Destaque as orações em que o verbo foi incorretamente analisado e corrija sua classificação.**

a) <u>Pensei</u> em você durante muito tempo. (transitivo direto)
b) Não nos <u>lembramos</u> de trazer o guarda-chuva. (transitivo indireto)
c) <u>Encontram-se</u> na área de serviço. Cada um com seu pacote de lixo. (intransitivo)
d) Os alpinistas <u>continuavam</u> desaparecidos. (intransitivo)
e) *Se me <u>perguntam</u> que coisa <u>é</u> essa, não respondo, porque não é da conta de ninguém o que estou procurando.* (Carlos Drummond de Andrade) (transitivo indireto/verbo de ligação)
f) <u>Havia</u> um pressentimento no ar. (transitivo direto)
g) *Ele me <u>contou</u> isso sem mágoa nenhuma, e se <u>despediu</u> sorrindo.* (Rubem Braga) (transitivo direto e indireto/intransitivo)
h) <u>Permaneceu</u> frio o dia todo. (verbo de ligação)
i) As pessoas <u>permaneceram</u> em pé na fila durante horas. (verbo de ligação)
j) Eu gostaria de <u>falar</u> umas coisas com você. (verbo transitivo direto e indireto)

18. **Identifique a alternativa que não apresenta sujeito indeterminado.**

a) Precisa-se de costureiras.
b) Mudou-se a regra no meio do jogo.
c) Tratava-se de um caso raro.
d) Vive-se muito bem naquele condomínio.
e) Não se sabia de nada até hoje.

19. **Das alternativas abaixo, assinale a que apresenta um predicativo do objeto.**

a) Os culpados ficaram impunes.
b) Ela saiu da reunião angustiada.

c) Achei minha irmã muito nervosa.
d) Continuavam todos bastante emocionados.
e) Parecia furioso com o patrão.

Questões de vestibulares

1. (FAAP-SP) *O Tejo é o mais belo rio que corre pela minha [aldeia] – Mas o Tejo não é mais belo que o rio que corre pela minha aldeia – Porque o Tejo não é o rio que corre pela minha aldeia.* (Fernando Pessoa)
   "O Tejo é mais belo que o rio que corre pela minha aldeia". Rigorosamente o sujeito do verbo **correr** é:
   a) Tejo
   b) rio
   c) que (no lugar de rio)
   d) aldeia
   e) indeterminado

2. (UNIP-SP) No período "Deixe a vida fluir pelo seu corpo", a oração grifada tem por sujeito:
   a) você
   b) a vida
   c) seu corpo
   d) sujeito inexistente
   e) deixe

3. (PUC-SP) "Em 1949 reuniram-se em Perúgia, Itália, a convite da quase totalidade dos cineastas italianos, seus colegas de diversas partes do mundo." O núcleo do sujeito de **reuniram-se** é:
   a) cineastas
   b) convite
   c) colegas
   d) totalidade
   e) se

4. (Uema-MA) Em qual das alternativas existe oração sem sujeito?
   a) Houveram-se bem nos estudos.
   b) Havia sido aprovado com distinção.
   c) Fazia móveis e casas.
   d) Bateram quatro horas no relógio.
   e) Fazia horas que procuravam uma sombra.

5. (FMU-SP) Identifique a alternativa em que aparece um predicado verbo-nominal.
   a) Os viajantes chegaram cedo ao destino.
   b) Demitiram o secretário da instituição.

324 Sintaxe

c) Nomearam as novas ruas da cidade.
d) Compareceram todos atrasados à reunião.
e) Estava irritado com as brincadeiras.

6. **(UFRJ-RJ)** A alternativa em que está correta a classificação do verbo DAR quanto à predicação é:

   a) Dei com os velhos sentados. – transitivo direto
   b) Os jornais não deram a notícia. – transitivo indireto
   c) O relógio deu onze horas. – transitivo direto e indireto
   d) Quem dá aos pobres empresta a Deus. – intransitivo
   e) Esse dinheiro não dá. – intransitivo

7. **(UFPI-PI)** Em qual das alternativas não há verbo de ligação?

   a) O que está em jogo...
   b) ... mas os resultados não foram equivalentes.
   c) ... o ministro está convicto...
   d) ... o líder tucano estava mal informado.
   e) As declarações pareciam viáveis.

8. **(UFV-MG-Adaptada)** Dependendo da frase, um verbo normalmente empregado como transitivo direto pode se tornar verbo de ligação. Assinale a alternativa em que isso acontece.

   a) Não tem namorado...
   b) ... quem transa sem carinho...
   c) ... quem acaricia sem vontade...
   d) ... de virar sorvete ou lagartixa...
   e) ... e quem ama sem alegria...

9. **(Vunesp-SP)** Classifique quanto à predicação os verbos dos fragmentos a seguir.

   a) ... e o Largo do Jardim está deserto na noite fria.
   b) ... não encontro nada.
   c) ... não pensei mais nela nem no altar.
   d) ... vagou pelas ruas e becos...

10. **(PUC-SP)** "Não vira para trás, Bianca ...". Temos nessa frase um predicado verbal. Assinale a oração abaixo que apresenta o mesmo tipo de predicado.

    a) O rapaz virou fera.
    b) Teria ele realmente virado um revolucionário.
    c) O vento forte virou o barco depressa demais.
    d) Ele virou inimigo da própria mulher.
    e) Ela virava aflita as páginas da carta.

11. (PUC-PR) Sobre o exemplo: "A lua brilhou alegre no céu.", afirmamos:

I. O verbo brilhar é intransitivo.
II. O verbo brilhar é transitivo direto.
III. O verbo brilhar é transitivo indireto.
IV. O predicado é nominal.
V. O predicado é verbal.
VI. O predicado é verbo-nominal.
a) Estão corretas I e VI.
b) Estão corretas I e V.
c) Estão corretas II e V.
d) Está correta apenas IV.
e) Estão corretas III e VI.

12. (FEI-SP) Assinale a alternativa em que o termo destacado tenha a função de predicativo do sujeito.
a) *Eu sob a copa da mangueira* **altiva**.
b) *Não sentiram meus lábios* **outros lábios**.
c) *Do tamarindo a flor jaz* **entreaberta**.
d) *Já solta o bogari mais* **doce** *aroma*.
e) **Melhor** *perfume ao pé da noite exala*.

13. (UFU-MG) Observe os trechos abaixo. É correto afirmar que:

I – Hoje em dia, por exemplo, vendem-se mais cremes antirrugas do que maquiagem.
II – ... o luxo era a marca da aliança, a maneira que o homem encontrou de não se perder.
III – O luxo carregou um significado sagrado até a Revolução Francesa, quando se degenerou em batalha pela hierarquia social.
IV – Agora fundam-se no sentimento da distância em relação ao outro, na diferença que se busca para obtenção de coisas raras, singulares...
V – Em um tempo de individualismo galopante, é inegável a necessidade que o indivíduo tem de se destacar da massa...
a) I e IV expressam indeterminação do agente.
b) I, II e IV expressam indeterminação do agente.
c) III e V expressam indeterminação do agente.
d) II e V expressam indeterminação do agente.

14. (ITA-SP) Com relação à predicação do verbo **viver**, nas frases a seguir, assinale a opção correta.

I. Minha tia viveu como uma rainha.
II. Minha tia vivia suja.

a) ambos intransitivos;
b) intransitivo e de ligação;
c) ambos de ligação;
d) intransitivo e transitivo direto;
e) de ligação e transitivo direto.

15. (Cesgranrio-RJ) Qual a expressão grifada que **não** funciona como sujeito?

a) Piam perto, na sombra, as aves agoireiras.
b) Morre! Morrem-te às mãos as pedras desejadas.
c) Hão de frutificar as fomes e as vigílias.
d) Quando, ao beijo do sol, as colheitas.
e) Dorme de novo tudo.

16. (Fesp-SP) Em "Retira-te, criatura ávida de vingança!", o sujeito é:

a) te
b) inexistente
c) oculto, determinado
d) criatura

17. (PUCCamp-SP) A frase em que estão em maiúsculas, respectivamente, um predicativo do sujeito e um sujeito é:

a) Seria PATÉTICO se não fosse absolutamente TRÁGICO.
b) O continente africano [...] infelizmente continua sujeito a UM PROCESSO que, no limite, resume-se a UMA IMPLOSÃO CIVILIZATÓRIA.
c) A situação tornou-se agora extremamente GRAVE, e entre Zaire e Ruanda parece inevitável UMA GUERRA ABERTA.
d) Basta lembrar O ANTIGO NOME DO ZAIRE, CONGO BELGA, para tomar consciência do antigo passado colonialista.
e) Segundo a comissária DA UNIÃO EUROPEIA, 1 MILHÃO DE PESSOAS podem morrer.

18. (FEI-SP) Observe o verso: "As palavras não nascem amarradas". Assinale a alternativa em que o sujeito e o predicado da oração estejam corretamente analisados.

a) sujeito composto e predicado nominal.
b) sujeito simples e predicado verbo-nominal.
c) sujeito composto e predicado verbal.
d) sujeito simples e predicado nominal.
e) sujeito simples e predicado verbal.

19. (Vunesp-SP) Com base na oração "Há cidades onde faz frio, geia e até pode nevar no inverno", analise as afirmações.

I. O verbo haver é impessoal, por isso está na 3ª pessoa do singular. Se fosse substituído por existir, ficaria na 3ª pessoa do plural.

II. O verbo fazer está na 3ª pessoa do singular, concordando com frio. Substituindo frio por dias frios, o verbo assumiria a forma fazem.

III. Assim como o verbo gear, o verbo passear tem a mesma flexão da 3ª pessoa do singular: passeia.

Está correto o que se afirma em:
a) I, apenas
b) II, apenas
c) I e II, apenas
d) I e III, apenas
e) I, II, III

20. **(UFGO-GO)** Em uma das alternativas abaixo, o predicativo inicia o período. Assinale-a.
a) A dificílima viagem será realizada pelo homem.
b) Em suas próprias inexploradas entranhas descobrirá a alegria de viver.
c) Humanizado tornou-se o sol com a presença humana.
d) Depois da dificílima viagem, o homem ficará satisfeito?
e) O homem procura a si mesmo nas viagens a outros mundos.

21. **(Mackenzie-SP)** Em "Ao sol chispa a areia doirada" e "Uma moça ri", os verbos **chispar** e **rir** são, respectivamente:
a) transitivo direto e intransitivo.
b) intransitivo e intransitivo.
c) transitivo indireto e intransitivo.
d) intransitivo e transitivo direto.
e) intransitivo e transitivo indireto.

22. **(UFPR-PR-Adaptada)**
I) Durante o carnaval, fico agitadíssimo. (predicado verbal)
II) Durante o carnaval, fico em casa. (predicado nominal)
III) Durante o carnaval, fico vendo o movimento das ruas. (predicado nominal)

Assinale a certa.
a) 1 e 2.
b) 2 e 3.
c) 1 e 3.
d) Todas as alternativas estão certas.
e) Todas as alternativas estão erradas.

Termos integrantes da oração

Os termos chamados integrantes complementam o sentido da oração. Unindo-se a verbos e nomes que não têm significação completa, oferecem elementos que tornam possível a compreensão da frase.

São termos integrantes:

- os complementos verbais: **objeto direto** e **objeto indireto**;
- o **agente da passiva**;
- o **complemento nominal**.

No capítulo anterior, já foi estudado como os objetos direto e indireto complementam o sentido de verbos transitivos diretos e indiretos. Agora eles serão explicados detalhadamente.

Objeto direto (OD)

O objeto direto é o complemento do verbo transitivo direto (VTD) que, sem o auxílio de preposição, complementa o seu sentido.

Comprei **um celular**.

Ganhamos **vários presentes**.

Encontrei-**o** no colégio.

Disse **a verdade** para meu pai.

Pediram-lhe **mil desculpas**.

Não emprestaria **nada** para ela.

> ❖ Para identificar o objeto direto, fazem-se algumas perguntas ao verbo: "o quê?" ou "quem?": comprei o quê? (**um celular** – objeto direto); encontrei quem? (**-o** [ele] – objeto direto).

O **núcleo** do objeto direto pode ser composto principalmente de **substantivo**, **pronome substantivo**, **pronome oblíquo**, **numeral** ou **expressão substantivada**.

Conhecemos novos **amigos**.

Quase atropelou o **cachorrinho** do vizinho.

Não reconheceu **ninguém** na multidão.

Onde foi parar **aquilo**?

Queria **o** que você tem.

Não **a** vi em parte alguma.

Foi procurá-**los** na praia.

Machucou-**se** na grade de ferro.

Acharam-**na** desmaiada.

Só sobraram **três** no prato.

Recebeu um **olhar** de reprovação.

> ❖ O pronome oblíquo átono **se** é caracterizado como reflexivo ou recíproco.
>
> Machucou-**se** na grade de ferro
>   ↓
>   OD (reflexivo)
>
> Abraçaram-**se** calorosamente.
>   ↓
>   OD (recíproco)

O objeto direto também pode ser representado por uma oração.

Todos querem | que | ela permaneça na diretoria da empresa.
oração principal | conjunção integrante | oração subordinada substantiva objetiva indireta

As orações com objeto direto admitem a passagem para a **voz passiva**.

O **objeto direto** na **voz ativa** transforma-se no **sujeito** da **voz passiva**. A oração na voz passiva não apresenta o objeto direto.

O corretor imobiliário vendeu **um belo apartamento**. (objeto direto na voz ativa)

330 Sintaxe

O belo apartamento foi vendido pelo corretor imobiliário. (sujeito na voz passiva analítica)

> ❖ Por questão de estilo ou para evitar repetições de termos, o objeto direto é frequentemente substituído pelos pronomes oblíquos **o**, **a**, **os**, **as**.
>
> Comprei os aparelhos pela internet e instalei-**os** em casa.
>
> ❖ As formas **lo**, **la**, **los**, **las**, **no**, **na**, **nos**, **nas** apresentam-se também como objeto direto.
>
> Quando a irmã teve nenê, foi visitá-**la** na maternidade.
>
> O motoqueiro sofreu um acidente e encontraram-**no** caído na avenida.

Objeto direto preposicionado

O objeto direto, em alguns casos, vem regido por uma preposição que se interpõe entre o verbo transitivo direto e o objeto.

O uso do objeto direto preposicionado é obrigatório nos seguintes casos:

+ Quando o objeto direto for expresso por um **pronome pessoal oblíquo tônico**.

   Enganaram **a mim** na contagem dos votos.

   Escolheu **a nós** para acompanhá-lo na viagem.

+ Quando o objeto direto for expresso pelo pronome **quem**, caso o antecedente esteja expresso na frase.

   O senhor **a quem** todos respeitam retirou-se da vida pública.

   É facultativo o emprego da preposição se o antecedente não vier expresso.

   Não imaginava **a quem** convidar.   Não imaginava **quem** convidar

Em alguns casos, não existe a obrigatoriedade da preposição para complemento do verbo transitivo direto. No entanto, quando há a intenção de enfatizar certas expressões ou dar efeito de sonoridade às frases, o objeto direto preposicionado é apresentado.

+ Diante de nome próprio ou comum ao expressar respeito ou distinção.

   Amar **a Deus** acima de tudo.

   Estimava **aos parentes**.

+ Antes de pronomes substantivos indefinidos referentes a pessoas.

   O coordenador elogiou **a todos** pelo trabalho realizado.

   Não iludia **a ninguém** mais depois do que fizera.

+ Em expressões de uso popular caracterizando ação.

   É importante cada um **cumprir com** seu dever.

Comer do pão e **beber do** vinho.

Sacou da arma e feriu a vítima.

+ Para evitar sentido ambíguo e expressar clareza de significação da frase.

   O governador cumprimentou **ao secretário de estado**.

   Beijou **ao filho** a mãe saudosa.

+ Em expressões de reciprocidade para confirmar o sentido da frase.

   Os formandos convidavam uns **aos outros** para as comemorações. (torna-se claro que os formandos se convidavam mutuamente)

Objeto direto pleonástico

O objeto direto pleonástico é empregado para enfatizar ou reforçar a ideia expressa no objeto direto. O nome "pleonástico" refere-se à figura de construção pleonasmo, que explora a redundância de termos para reforçar a mensagem.

A dívida, ainda não **a** saldei como devia. **O pagamento**, vou recebê-**lo** amanhã.

OD   objeto direto pleonástico   OD   objeto direto pleonástico

Objeto indireto (OI)

O objeto indireto é o complemento do verbo transitivo indireto (VTI) que, regido de preposição, complementa o seu sentido.

As preposições mais comuns são: **a**, **de**, **em**, **com**, **para**, **por** e não desempenham função sintática.

Ela precisava **de dinheiro**.

Confiei plenamente **em você**.

Simpatizaram **com o novo professor**.

Contaram às crianças a história do Papai Noel.

Pedimos desculpas **ao público**.

Ela não **me** devolveu o dinheiro emprestado.

❖ Para identificar o objeto indireto, fazem-se algumas perguntas ao verbo: "o quê?" ou "quem?", precedida da preposição que completa o sentido do verbo: precisava de quê? (**de dinheiro** – objeto indireto); confiei em quem? (**em você** – objeto indireto).

Sintaxe

O **núcleo** do objeto indireto pode ser composto de **substantivos, pronomes substantivos, pronomes oblíquos, numerais** e **palavra ou expressão substantivada**:

Necessito **de apoio** neste momento.

A moça gosta **de cinema**.

Obedecia à lei.

Não conseguia se lembrar **de nada**.

Só acreditava **nos médicos**.

Parecia zombar **dela**.

O restante pertencia apenas **aos dois**.

Resistiram **ao ataque** dos inimigos.

Deus **lhe** pague!

Entregou-**lhes** o relatório assinado.

Algumas características do objeto indireto.

+ O pronome pessoal oblíquo **lhe** (**lhes**) exerce a função sintática de objeto indireto, pois representa **a ele, a ela, a eles, a elas**.

  O assunto não **lhe** interessava muito. (não interessava a ele ou a ela)

  A nova escola devolveu-**lhes** o entusiasmo. (devolveu a eles ou a elas)

+ Há verbos que admitem a regência de duas preposições em frases com dois objetos indiretos.

+ O objeto indireto também pode ser representado por uma oração, da mesma forma que o objeto direto.

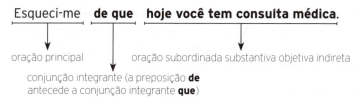

❖ É característica do objeto indireto, como já foi mencionado, ser regido de preposição. No entanto, essa **preposição** pode ser empregada expressamente na oração ou estar implícita.

A preposição está expressa em:

Concordamos **com** vocês.

Obedecemos **a nossos pais**.

Recomendou cuidado **às crianças**.

Desconfiaram logo **dela**.

❖ A preposição não aparece explicitamente nas orações com os pronomes pessoais oblíquos: **me**, **te**, **se**, **lhe**, **nos**, **vos**, **eles**.

Peço-**te** sigilo. (Peço sigilo a ti.)

Devolva-**me** o caderno. (Devolva o caderno para mim.)

Responda-**nos** a questão de Física. (Responda a questão de Física para nós.)

❖ A construção do objeto indireto iniciado pela ocorrência de crase acontece quando o verbo exige a preposição **a** e é seguida da contração com os pronomes demonstrativos **aquele**, **aquela**, **aqueles**, **aquelas**:

Darei assistência **àquelas crianças** carentes.

Enviarei cobertores **àqueles meninos** desabrigados.

Objeto indireto pleonástico

O objeto indireto pleonástico é empregado para enfatizar a ideia já expressa pelo objeto indireto, por meio da repetição do pronome pessoal oblíquo.

Aos amigos, pedi-**lhes** apoio.   **A mim**, pouca coisa **me** agrada.

OI   objeto indireto pleonástico   OI   objeto indireto pleonástico

❖ É importante diferenciar o **objeto indireto** do **objeto direto preposicionado**. O objeto indireto completa o significado do verbo transitivo indireto por meio de uma preposição essencial; o objeto direto preposicionado não exige, necessariamente, a preposição:

Na frase "Nós assistimos **a** uma palestra bem interessante", o verbo **assistir**, no sentido de presenciar, é transitivo indireto e exige a preposição **a**.

Na frase "Tememos **a** Deus", o verbo **temer** é transitivo direto e não exige preposição para completar o sentido.

Agente da passiva

O agente da passiva é o termo que representa quem pratica a ação verbal quando o verbo está na voz passiva. É regido pela preposição **por** e, raras vezes, pela preposição **de**:

Foi homenageado **por todos**.

Estava cercado **de seguranças**.

O agente da passiva equivale ao sujeito da voz ativa.

Os jovens cantaram a música vencedora. (voz ativa)
sujeito (agente)

A música vencedora foi cantada **pelos jovens**. (voz passiva)
agente da passiva

Você o escolheu para representante de turma. (voz ativa)
sujeito (agente)

Ele foi escolhido representante de turma **por você**. (voz passiva)
agente da passiva

Nos exemplos dados, tanto na voz ativa como na voz passiva, os mesmos elementos são agentes.

O agente da passiva pode vir representado por **substantivo**, **pronome**, **numeral** e **palavra substantivada**.

Foram eleitos **pelo povo**.

A carta era assinada **por mim**.

A casa foi vendida **pelo dobro**.

É reconhecido **pelo andar** cadenciado.

Na voz passiva sintética, diferentemente da passiva analítica, o agente da passiva não é expresso.

Alugam-se casas para o período de férias.

Não **se registrou** nenhuma ocorrência até agora.

❖ Se, em frases na voz passiva analítica, o agente da passiva for omitido, na voz ativa, o verbo passará para a 3ª pessoa do plural e o sujeito será indeterminado.

O sobrevivente **foi recebido** com festa.

Receberam-no com festa.

❖ Conforme mencionado anteriormente, apenas os verbos transitivos diretos e os transitivos diretos e indiretos admitem a passagem para a voz passiva. É importante enfatizar, portanto, que a função sintática de agente da passiva não pode ocorrer em orações cujos verbos forem intransitivos ou transitivos indiretos. Os verbos de ligação também não passam para a voz passiva.

Complemento nominal

O complemento nominal é o termo que completa um substantivo (abstrato), adjetivo ou advérbio cujo sentido é incompleto. O complemento nominal aparece sempre acompanhado por preposição.

O complemento nominal aparece, em geral, em orações cujos nomes representam conceitos abstratos derivados de verbos transitivos.

amor ao próximo	confiante no futuro
assistência aos desamparados	útil à sociedade
obediência aos pais	reduzido a pó
gosto pelo prazer	atencioso com os doentes
ódio ao inimigo	impróprio para consumo
defesa da liberdade	resistente à friagem
raiva de desafetos	responsável pela votação
agitação do dia a dia	favoravelmente aos necessitados
criação de paradigmas	contrariamente ao esperado
queima de arquivo	

O **núcleo** do complemento nominal pode ser composto de **substantivo** ou **palavra substantivada**, **pronome** e **numeral**:

O respeito às **leis** é dever de todos.

Tinha sede de **saber**.

Continuar insistindo era desperdício de **tempo**.

Sempre foi atenciosa com **todos**.

Tínhamos confiança em **nós mesmos**.

A decisão foi favorável **aos dois**.

Uma oração pode também representar o complemento nominal.

- Se o complemento nominal for representado por um pronome pessoal átono, o nome não virá precedido de preposição expressa, mas implícita.

  A resolução era-**lhes** prejudicial. (A resolução era prejudicial **a eles**.)

  Aquela insistência **me** parecia inútil. (Aquela insistência parecia inútil **a mim**.)

- O **complemento nominal** e o **objeto indireto** são iniciados por preposição, mas a diferença fundamental entre eles está no termo que os antecede. O complemento nominal complementa o nome, e o objeto indireto complementa o verbo transitivo indireto.

Exercícios

1. Sublinhe os complementos verbais, classifique-os em objeto direto ou indireto e destaque seu núcleo.
   a) A garota simpatizou com os novos colegas.
   b) Nós esperamos vocês para o churrasco.
   c) Referia-se ao antigo inquilino daquele apartamento.

d) Nós lhe oferecemos uma carona até o colégio.
e) Encontraram-na na saída do supermercado.
f) Dependíamos da boa vontade dele.
g) Paguei uma parte da viagem em dinheiro.
h) Eles não aderiram aos movimentos grevistas.
i) Enganaram a todos sem piedade.
j) Não cumpriu a palavra dada.

2. **Informe se os pronomes oblíquos destacados exercem a função de objeto direto (OD) ou objeto indireto (OI).**
   a) (   ) Passaram a olhá-**la** com admiração.
   b) (   ) Nunca **lhe** dissemos a verdade.
   c) (   ) Os amigos visitaram-**na** em sua nova residência.
   d) (   ) Ninguém podia ajudá-**lo** naquela hora.
   e) (   ) Reservou-**nos** um bom lugar na plateia.
   f) (   ) As situações difíceis, precisamos enfrentá-**las**.
   g) (   ) Não **me** compete esse trabalho.
   h) (   ) Mirava-**se** no espelho toda orgulhosa.

3. **Substitua o objeto direto ou o objeto indireto pelos pronomes oblíquos: o, a, os, as, lhe, lhes.**
   a) Trancava as portas todas as noites.
   b) Os objetos deixados no armário pertenciam ao diretor.
   c) Alguém chamou os dançarinos para a festa?
   d) Prometeu dar ao rapaz uma nova oportunidade.
   e) O médico atendeu o doente prontamente.
   f) Nada incomodava os visitantes.
   g) A menina não deu o recado à professora.
   h) A nova funcionária agradeceu a ajuda aos colaboradores.

4. **Grife e identifique, nas frases abaixo, objeto direto preposicionado, objeto direto pleonástico e objeto indireto pleonástico.**
   a) Devemos amar a todos com carinho.
   b) Os meus colegas, eu os ajudo sempre que possível.
   c) Àquela senhora deu-lhe respeito e amor.
   d) A cena sensibilizou a todos os presentes.
   e) As horas de folga, eu as passava na sua companhia.
   f) Não lhe importava, a ela, nossa apreensão.
   g) O acidente, todos o previram.
   h) Tinha um cãozinho a quem adorava.

5. **Identifique os complementos nominais das orações a seguir.**
   a) Fiquei contente com a sua volta.
   b) Ele foi o responsável pelo sucesso da festa.

c) O paradeiro dela era desconhecido de todos.
d) A disputa pelos ingressos deixava os jovens ansiosos.
e) O menino não demonstrava inclinação para os estudos.
f) A nova pesquisa foi útil aos estudantes.
g) O celular é hoje indispensável a todas as pessoas.
h) Os bens de consumo não estão acessíveis a todos.
i) A assistência aos desabrigados tardou a chegar.
j) Estavam confiantes na boa atuação do time de vôlei.

6. **Passe as frases para a voz passiva analítica e identifique o agente da passiva.**

   a) Os meninos quebraram o vidro da janela com uma bolada.
   b) Os funcionários fizeram várias exigências à diretoria.
   c) Os insetos destruíram plantações em muitas regiões do estado.
   d) A multidão aplaudiu o artista circense com entusiasmo.
   e) Ruas e avenidas alagadas rodeavam quase todo o bairro.
   f) A polícia cercou o local dominado pelos assaltantes.
   g) A população utiliza remédios sem receita médica.
   h) Os melhores jogadores ganharam medalhas e troféus dos organizadores do evento.

7. **Transforme a voz passiva em ativa.**

   a) Talvez ele tenha sido visto pelos habitantes do lugarejo.
   b) A mesma loja já foi assaltada diversas vezes.
   c) Foram enviados dezenas de convites para um evento muito aguardado.
   d) A casa em reforma foi abandonada pelos moradores.
   e) Esperava que todos os cães fossem mandados para o mesmo abrigo.
   f) A população foi tomada pelo medo de uma explosão nuclear.
   g) O passeio às cataratas era aguardado com ansiedade pelos excursionistas.
   h) Os responsáveis pelo setor de telefonia são, em geral, alertados pelas autoridades.

8. **Transforme o complemento nominal em verbal, fazendo as alterações necessárias.**

   a) Sempre teve medo de altura.
   b) As pessoas têm necessidade de amigos.
   c) Grande parte dos atletas estava confiante na vitória.
   d) Todos devemos obediência às leis.
   e) Certos medicamentos são muito prejudiciais à saúde.
   f) Os programas de combate à fome estão sendo revistos.

9. Identifique os termos destacados de acordo com a função que desempenham na oração.

(OI) objeto indireto.
(CN) complemento nominal.
(AP) agente da passiva.

a) (   ) Estava proibida a venda **de cigarros**.
b) (   ) Duvidava **de tudo** que elas diziam.
c) (   ) A boa notícia interessava **aos calouros**.
d) (   ) Encontrou o rapaz **por quem** fora apaixonada.
e) (   ) Entregou os prêmios **aos participantes**.
f) (   ) Telefonaram **para ele** no meio da noite.
g) (   ) A praça estava rodeada **de lixo e sujeira**.
h) (   ) Tem aversão **a qualquer trabalho**.

10. Dê a função sintática das palavras grifadas nos textos abaixo.

a) *O que custou arranjar <u>aquele balãozinho de papel</u>*
   Quem fez foi o filho da lavadeira. (Manuel Bandeira)
b) *Capitu deu-<u>me</u> as costas, voltando-<u>se</u> para o espelhinho.* (Machado de Assis)
c) *Quero que <u>me</u> repitas até a exaustão*
   que <u>me</u> amas, que me amas, que me amas. (Carlos Drummond de Andrade)
d) *Pois não prometera levá-<u>lo</u>. Não sabia nada a seu respeito, era apenas <u>a madrinha</u>.* (Lygia Fagundes Teles)
e) *... <u>essa história</u> não pode ter sido inventada <u>por nenhum homem</u>, foi com certeza <u>algum anjo tagarela</u> que <u>a</u> contou aos ouvidos de...* (Rubem Braga)
f) *O homem era <u>aquele</u>, não tinha <u>outro</u>. É nisso que dá <u>a gente</u> acreditar <u>em tudo</u> o que ouve.* (José J. Veiga)
g) *Agora Fabiano era <u>vaqueiro</u>, e <u>ninguém</u> <u>o</u> tiraria dali.* (Graciliano Ramos)
h) *Nem tudo me foi permitido*
   Nem <u>tudo</u> <u>me</u> deu <u>certeza</u>... (Ivan Lins e Victor Martins)

Questões de vestibulares

1. (ESPM-SP) Não **me** preocupa **o futuro**. Julgo-me **capaz** de enfrentar **qualquer dificuldade**. Os termos destacados são, respectivamente:

a) sujeito, objeto direto, objeto direto, objeto indireto.
b) objeto indireto, objeto direto, objeto indireto, complemento nominal.
c) objeto direto, objeto direto, predicativo do objeto, adjunto adnominal.
d) objeto indireto, sujeito, sujeito, objeto direto.
e) objeto direto, sujeito, predicativo do objeto, objeto direto.

2. (Ufam-AM) Nas frases:

I. A mim também pregavam-me peças.
II. *Pouco adiantava recusar-lhe a colaboração, eles mesmos escolhiam as tarefas e as iniciavam com entusiasmo, indiferentes à repulsa de João Gaspar.* (Murilo Rubião)
Os termos sublinhados têm, respectivamente, as funções sintáticas de:
a) objeto direto preposicionado – objeto direto pleonástico – sujeito – adjunto adnominal.
b) objeto indireto – objeto indireto pleonástico – objeto direto – complemento nominal.
c) sujeito pleonástico – objeto indireto – objeto direto – complemento nominal.
d) complemento nominal – complemento nominal – objeto direto – adjunto adnominal.
e) objeto indireto pleonástico – objeto indireto – objeto direto pleonástico – adjunto adnominal.

3. (Fuvest-SP) Reescreva as orações abaixo, substituindo em cada uma o pronome de 1ª pessoa pelo de 3ª.
a) ... às vezes me repreendia...
b) ... porque me negara uma colher de doce...

4. (UFMG-MG) Identifique a alternativa em que a função não corresponde ao termo em destaque.
a) Comer demais é prejudicial **à saúde**. (complemento nominal)
b) Jamais me esquecerei **de ti**. (objeto indireto)
c) Ele foi cercado **de amigos sinceros**. (agente da passiva)
d) Não tens interesse **pelos estudos**. (complemento nominal)
e) Tinha grande amor **à humanidade**. (objeto indireto)

5. (Fuvest-SP) Reescreva as duas frases seguintes de acordo com o modelo.
Os preços irreais afetaram a previsão orçamentária.
A previsão orçamentária foi afetada pela irrealidade dos preços.

a) Os rostos impassíveis disfarçavam a emoção do povo.
b) A noite negra assustava os viajantes.

6. (Fuvest-SP) Leia o seguinte trecho:

*Detesto comparações surrealistas – mas na glória de seu crescimento, **tal como o vi em uma noite de luar**, o pé de milho parecia um cavalo empinado, as crinas ao vento [...]* (Rubem Braga)
a) Reescreva, na voz passiva, a oração destacada, sem desprezar nenhum dos componentes sintáticos que lhe dão forma.
b) Indique a função sintática do pronome de 3ª pessoa na frase original e na transformada.

7. (FCE-SP) *A recordação **da cena** persegue-**me** até hoje.* Os termos em destaque são, respectivamente:
a) objeto indireto – objeto indireto.
b) complemento nominal – objeto direto.
c) complemento nominal – objeto indireto.
d) objeto indireto – objeto direto.

8. (Ufal-AL) A infidelidade **às promessas feitas** tornou-o desacreditado perante os amigos.

Identifique a alternativa em que o termo destacado exerce a mesma função sintática do termo destacado no período acima.
a) Convém convidá-lo **à participação** nos festejos comemorativos do "Dia da Criança".
b) Os professores entregaram, **satisfeitos**, os prêmios aos alunos.
c) Todos se admiraram **da coragem** do menino.
d) A felicidade **dos colegas** contagiava o ambiente escolar.
e) Ele sentiu necessidade **do apoio** do grupo.

9. (Santa Casa-SP) Transpondo para a voz passiva a oração "Os pesquisadores não podiam suportar esse nível de radiação", obtém-se a forma verbal:
a) se suporta.
b) era podido suportar.
c) podem suportar-se.
d) podia ser suportado.
e) podia suportarem-se.

10. (Faap-SP) "O pião fez uma elipse tonta". A língua conhece o objeto direto pleonástico em:
a) O pião – ele mesmo – fez uma elipse tonta.
b) Uma elipse tonta foi feita pelo pião.
c) Uma elipse tonta fez o pião.

d) Uma elipse tonta fê-la o pião.
e) Fez o pião uma elipse tonta.

11. (Fuvest-SP) Nos enunciados a seguir, há adjuntos adnominais e apenas um complemento nominal. Assinale a alternativa que contém o complemento nominal.
    a) faturamento das empresas;
    b) ciclo de graves crises;
    c) energia desta região;
    d) história do mundo;
    e) distribuição de poderes e renda.

12. (UEL-PR) "Ela sempre fez tudo por mim." Na oração, **por mim** exerce a mesma função sintática que o termo em destaque na frase:
    a) Não concordo COM VOCÊ.
    b) Chegou A MINHA VEZ.
    c) Não fiquei nada SATISFEITO.
    d) Eram ONZE HORAS quando ela chegou.
    e) Ela irá à festa COMIGO.

13. (ESPM-SP) Consideradas as frases:
    I. Os meninos de rua que procuram trabalho são repelidos pela população.
    II. Os meninos de rua, a população rechaça-os, relega-os à lata de lixo da história.
    Podemos analisar alguns termos da seguinte forma:
    a) em I e II, **meninos de rua** é sujeito, **trabalho** é objeto direto e os pronomes **os** também o são.
    b) em I, **meninos de rua** é sujeito; em II é objeto direto.
    c) em I e II, **meninos de rua** é objeto direto; em II, os **os** são objetos diretos pleonásticos.
    d) em I e II, **meninos de rua** é sujeito; em II os vários **os** são objetos diretos pleonásticos.

14. (UFPI-PI) Sendo a frase "... serviremos um sorvete especial em homenagem ao evento" convertida para a voz passiva analítica, assinale a opção que traz corretamente os desmembramentos semântico-sintáticos.
    a) Será servido um sorvete especial em homenagem ao evento.
    b) Serviremo-nos de um sorvete especial em homenagem ao evento.
    c) Seremos servidos por um sorvete especial em homenagem ao evento.

d) Um sorvete especial servirá de homenagem ao evento.
e) Serviríamos um sorvete especial em homenagem ao evento.

15. (UFPA-PA) Os termos destacados no trecho

*O **pobre índio**, tímido, não se animava a chegar-se a casa, senão quando via de longe **a D. Antônio de Mariz** passeando **sobre a esplanada***

desempenham, respectivamente, as funções de:
a) objeto direto, sujeito e adjunto adverbial.
b) sujeito, objeto direto preposicionado e objeto indireto.
c) sujeito, objeto direto preposicionado e adjunto adverbial.
d) sujeito, objeto indireto e adjunto adverbial.
e) sujeito, objeto indireto e objeto indireto.

16. (Famema-SP) Classifique corretamente os termos integrantes destacados.

"Mulher que **a dois** ama, **a ambos** engana."
a) objeto direto preposicionado e objeto direto preposicionado.
b) objeto indireto e objeto direto.
c) objeto indireto pleonástico e complemento nominal.
d) objeto direto e objeto direto preposicionado.
e) objeto direto preposicionado e objeto indireto.

17. (FCC-SP) "... alguns animais também <u>foram domesticados</u>." O verbo que admite transposição para a voz passiva, tal como no exemplo grifado acima, está na frase:
a) Somos a presença mais recente nesse planeta.
b) ... bandos de homens e mulheres corriam pelas savanas.
c) ... os homens queriam cantar também.
d) Se o vento assobiava...
e) Certamente o som das flautas e dos tambores acompanhava os rituais.

Termos acessórios da oração

Os termos chamados acessórios, embora não sejam necessários para a compreensão da frase, acrescentam informações novas, expressam circunstâncias para as ações verbais e determinam os substantivos.

São termos acessórios:

+ o **adjunto adnominal**;
+ o **adjunto adverbial**;
+ o **aposto**.

Adjunto adnominal

O adjunto adnominal é o termo que determina e caracteriza o substantivo:

A função sintática de adjunto adnominal ocupa uma posição flexível na oração, desde que acompanhe o substantivo.

Os dois atletas vencedores receberam **duas** medalhas **de ouro**.

Ele pode ser representado por:

+ artigos: **as** pessoas/**o** carro/**uns** pacotes/**a** maçã etc.;

- adjetivos: homem **honesto**/moça **simpática**/cachorro **esperto**/atletas **vencedores** etc.;
- pronome adjetivo: **meus** livros/**aquela** rua/**todo** dia/**seus** dias etc.;
- locução adjetiva: casa **de madeira**/anel **de ouro**/brinquedo **de plástico**/homem **sem vergonha** etc.;
- numeral: **duas** porções/**dez mil** habitantes/**quarto** andar/**dois** atletas/**duas** medalhas etc.

Uma oração classificada como oração subordinada adjetiva equivale a um adjetivo.

oração subordinada adjetiva restritiva
(equivale ao adjetivo **estudiosos**)

Os alunos que estudam serão selecionados para a gincana.

Oração principal

O estudo das orações será apresentado na próxima unidade.

O pronome pessoal oblíquo pode ser empregado como um pronome possessivo e, nesse caso, desempenhar a função sintática de adjunto adnominal.

Roía-**me** as unhas de nervoso./Roía as minhas unhas de nervoso.

Acariciava-**lhe** as mãos./Acariciava as suas mãos (as mãos dele/dela).

- ❖ É importante não confundir o **adjunto adnominal** com o **complemento nominal** (já estudado na página 336). Enquanto o complemento nominal completa o sentido de nomes (substantivos, adjetivos e advérbios), o adjunto adnominal refere-se apenas ao substantivo, cujo sentido já está completo. Portanto, o termo preposicionado ligado ao adjetivo ou ao advérbio será um complemento nominal, nunca um adjunto adnominal.

- ❖ Quando expresso por uma **locução adjetiva**, o adjunto adnominal apresenta estrutura semelhante à do complemento nominal (preposição + substantivo). O complemento nominal integra o significado de um substantivo, que sem ele seria incompleto.

  Complemento nominal
  O gerente fez críticas **ao meu trabalho**.
  Paulo tem medo **de insetos**.
  Ele ficou triste com a lembrança **do acidente**.

  Adjunto adnominal
  A festa **de aniversário** estava linda.
  O dia **das mães** é comemorado no mês de maio.
  Não havia nem uma gota **de água**.

Os substantivos **críticas**, **medo**, **lembrança** exigem um complemento para terem sentido completo. Os termos **ao meu trabalho**, **de insetos**, **do acidente** são complementos nominais que integram o sentido dos substantivos.

Os substantivos **festa, dia** e **gota** têm sentido completo e os adjuntos adnominais **de aniversário, das mães** e **de água** são qualificações.

❖ O adjunto adnominal, quando expresso por uma locução adjetiva, apresenta estrutura semelhante à do complemento nominal (preposição + nome). No entanto, o adjunto adnominal é ativo junto ao termo que o acompanha, diferente do complemento nominal, que expressa atitude passiva:

A **crítica do professor** foi justa. – adjunto adnominal
(o sentido é ativo – o professor fez a crítica)

A **crítica ao trabalho** foi justa. – complemento nominal
(o sentido é passivo – o trabalho foi criticado por alguém)

Adjunto adverbial

O adjunto adverbial é o termo acessório da oração que, ligado a um verbo, a um adjetivo ou a outro advérbio, intensifica seu sentido e exprime uma circunstância de tempo, modo, lugar etc.

O funcionário tem chegado **mais cedo** ultimamente.

adjunto adverbial (**mais** – advérbio de intensidade – intensifica o sentido do advérbio cedo)

Os alunos entraram **na sala às 7 horas em ponto**.

adjunto adverbial (**na sala** – circunstância de lugar/ **às 7 horas em ponto** – circunstância de tempo)

O adjunto adverbial pode ser formado por um advérbio e por uma locução ou expressão adverbial.

Já terminamos os trabalhos.   Ela apareceu **de repente**.

advérbio   locução adverbial

A criança escondeu-se **embaixo da mesa**.

expressão adverbial

Em uma frase, o mesmo adjunto adverbial pode indicar mais de uma circunstância.

O vulto desapareceu **completamente** num instante.

A palavra **completamente** indica circunstância de modo e intensidade.

Ele pode aparecer também na forma de uma oração com a função de advérbio e classificar-se como oração subordinada adverbial.

Ele apareceu **quando menos esperávamos**.

oração subordinada adverbial temporal

O estudo das orações será apresentado na próxima unidade.

A referência do adjunto adverbial ao verbo, ao adjetivo ou ao próprio advérbio relaciona-se a uma ideia acessória, dispensável à compreensão da frase.

Amanheceu um belo dia **hoje**.

O advérbio **hoje** complementa o verbo **amanhecer**, que já tem sentido completo.

O garotinho era **bastante esperto** para a idade.

O advérbio **bastante** intensifica o adjetivo **esperto**, que caracteriza **garotinho**.

Moro **muito longe**.

O advérbio **muito** intensifica o advérbio longe.

Classificação dos adjuntos adverbiais

É comum classificar os adjuntos adverbiais de acordo com as circunstâncias que eles expressam. Portanto, eles podem ser:

de modo	Completou **satisfatoriamente** a meia maratona.
de tempo	"Quero **antes** o lirismo dos loucos" (Manuel Bandeira)
de negação	"Eu **não** tinha este rosto hoje" (Cecília Meireles)
de afirmação	Cumpriremos o prazo **com certeza**.
de dúvida	**Talvez** ela apareça.
de intensidade	"É um querer **mais** que bem querer" (Camões)
de lugar	Estava colocado **ao lado da mesa**.
de instrumento	Cortou o dedo **com a faca**.
de finalidade	As crianças faziam bandeirinhas **para a festa junina**.
de meio	Preferiu vir **de ônibus** a dirigir.
de causa	**Por necessidade** mandaremos os mantimentos amanhã.
de companhia	A professora irá **com os alunos** ao teatro.

❖ O **adjunto adverbial** difere do **objeto indireto** porque não complementa o sentido de um verbo, não é um termo integrante da oração.

Ela **precisa de você**.

O verbo transitivo indireto **precisar** exige o objeto indireto **de você** para complementar o sentido da oração.

Ela **chegou com você**.

O verbo intransitivo **chegar** tem sentido completo e a expressão adverbial **com você** expressa circunstância de companhia.

Aposto

O aposto é o termo que tem a função de explicar, desenvolver ou resumir outro termo da oração ao qual se refere.

Dr. Cardoso, **o médico de família**, está de licença-saúde.

Pode ser representado por substantivo ou palavra substantivada, pronome ou por uma oração classificada como apositiva, sendo seu núcleo um substantivo ou pronome substantivo.

Carlos, o **segurança**, sofreu um acidente.

Levaram os dois carros: o **meu** e o **seu**.

Ela disse a verdade: **desistiu do casamento**. (oração subordinada substantiva apositiva)

Características do aposto

Como já foi estudado, o aposto exerce a função de esclarecer um termo, e pode ser classificado em: **explicativo**, **especificador**, **resumidor** ou **recapitulativo** e **enumerativo**.

✦ **Explicativo** – geralmente surge na oração separado por vírgula, dois-pontos ou travessão.

Ela comprou tudo: **sapato, bolsa e vestido novos**.

Marquei de encontrá-lo ao meio-dia, na **Avenida Paulista**, em frente ao **Trianon**.

O rapaz queria esclarecer uma coisa: **não roubou nada**.

Apreciava muito o Porto, **um vinho excelente**.

Os escritores – **Machado de Assis, Graciliano Ramos e Mário de Andrade** – estão sempre presentes no vestibular.

O poeta é só isto: **um certo modo de ver**. (Otto Lara Resende)

- **Especificativo** – geralmente formado por substantivo próprio, que restringe o significado mais genérico:

    A cidade **do Rio de Janeiro** é conhecida por suas maravilhas.
    (o aposto especificativo não vem separado por vírgulas)

> ❖ O **aposto especificador** é diferente do **adjunto adnominal**:
>
> A cidade <u>de São Paulo</u> tem um trânsito caótico.
>
> ↓
>
> aposto especificador
>
> O trânsito <u>de São Paulo</u> é caótico.
>
> ↓
>
> adjunto adnominal (característica de São Paulo)

- **Resumidor** ou **recapitulativo** – resume termos antecedentes e é representado, normalmente, por um pronome indefinido:

    Festas, gincanas, quadrilhas, de **tudo** ele gostava.

- **Enumerativo** – enumera ideias anteriormente resumidas.

    A seca do Nordeste tem sido tema de: **filmes**, **músicas**, **peças de teatro**, **novelas de televisão**.

Outras características do aposto:

a) os adjetivos não exercem a função de aposto.

   As crianças, **bonitas** e **saudáveis**, aguardavam na entrada do parque.

   Os adjetivos **bonitas** e **saudáveis** qualificam o substantivo **crianças**; portanto, são predicativos do sujeito.

b) pode vir precedido de preposição se estiver se referindo a um objeto indireto, complemento nominal ou adjunto adverbial.

   Paguei a minha parte do almoço **a eles**: meu amigo e minha prima. (objeto indireto)

   Tinha necessidade **disso**, um descanso merecido. (complemento nominal)

c) pode ser colocado antes do termo a que se refere.

   Grande mentiroso, Pinóquio tinha um nariz muito comprido.

d) pode vir antes de expressões explicativas: **a saber**, **como**, **isto é**.

   Os rios de São Paulo, **a saber**, Tietê e Pinheiros, são muito poluídos.

Vocativo

O vocativo (do latim *vocare* – chamar) é classificado como termo independente porque não está relacionado a nenhuma outra função sintática dentro da oração. Sua função é interpelar ou chamar a atenção daquele com quem se fala.

Mãe, ajude-me, por favor!

❖ O vocativo, assim como o aposto, é separado dos outros termos da oração pela vírgula, mas há diferença entre um e outro. O aposto é um termo da oração que se liga a um substantivo, ou palavra de valor equivalente, a fim de explicá-lo. Já o vocativo não é um termo da oração, ele é independente, usado para chamar alguém.

Interjeições e ponto de exclamação também acompanham o vocativo. Na linguagem falada, o chamamento é feito com entonação exclamativa.

Ei, **garoto**, venha cá!

Ó **meu Pai do Céu**, que tudo dê certo!

*O bicho, **meu Deus**, era um homem.* (Manuel Bandeira)

O vocativo pode ser representado por substantivo, palavra substantivada ou pronome de tratamento, pois se refere à pessoa com quem se fala, um ser real ou imaginário.

Virgem Maria, rogai por nós!

Vossa Excelência, queira, por gentileza, ocupar o seu lugar!

Exercícios

1. Copie as frases e identifique os adjuntos adnominais.
  a) O muro do nosso colégio foi pichado de madrugada.
  b) Aquele homem comeu dois sanduíches de presunto e bebeu um litro de água.
  c) Esse belo móvel pertenceu ao meu saudoso avô.
  d) Ela estava sentada em uma antiga cadeira de balanço.
  e) Todos os jogadores do time receberam uma severa crítica de seu treinador.
  f) As brincadeiras dos alunos deixaram o professor novato descontente.
  g) Muitas ruas da cidade ficaram interditadas durante o dia inteiro.
  h) O jovem casal residia no décimo andar daquele moderno edifício.
  i) A difícil decisão dependia dos votos dos senhores juízes.
  j) A primeira página do jornal trazia o retrato das diversas vítimas.

2. Identifique, nas frases do exercício anterior, os substantivos a que se referem os adjuntos adnominais.

3. Classifique os termos grifados em:
   (AA) adjunto adnominal   (CN) complemento nominal
   a) ( ) A venda de cigarros foi proibida naquele estabelecimento.
   b) ( ) O encontro dos antigos companheiros deixou saudades.
   c) ( ) Um portão de madeira separava o quintal da casa.
   d) ( ) Ela sentia necessidade de pessoas próximas.
   e) ( ) A exposição de arte preparada pelos estudantes foi belíssima.
   f) ( ) A redação do texto final foi corrigida pelo professor.
   g) ( ) Os moradores estavam com medo de novos desabamentos.
   h) ( ) Passamos dias de frio nas montanhas.
   i) ( ) A produção dos trabalhadores rurais duplicou este ano.
   j) ( ) A arrecadação de impostos aumenta mês a mês.

4. Explique a diferença de significado nas seguintes orações.
   a) I) A redação do aluno estava muito bem elaborada.
      II) A redação do artigo foi vetada pelo editor do jornal.
   b) I) A confiança nos pais trouxe-lhe tranquilidade.
      II) A confiança dos pais trouxe-lhe tranquilidade.
   c) I) O amor à mãe era imenso.
      II) O amor de mãe imenso.
   d) I) A produção dos alunos melhorou no segundo semestre.
      II) A produção de carros populares foi incentivada.

5. Dê a função sintática dos termos grifados: adjunto adnominal ou aposto.
   a) A cidade de Santos recebeu muitos visitantes.
   b) O clima dessa cidade está se modificando.
   c) As nossas férias são no mês de julho.
   d) Os livros de história foram retirados da prateleira.
   e) A passeata realizou-se na avenida Paulista.

6. Complete as frases com os adjuntos adverbiais que expressem as circunstâncias indicadas:
   a) A família vivia _____ . (de lugar)
   b) Trabalharemos _____ para conseguirmos bons resultados. (de intensidade)
   c) Os atletas deverão completar a prova _____ . (de tempo)
   d) Tudo deverá ser feito _____ . (de modo)
   e) Os operários retiram toda a terra _____ . (de instrumento)

7. Identifique as circunstâncias expressas pelos adjuntos adverbiais destacados em cada oração.
   a) Chorei de tristeza ao ver tanta destruição.
   b) Estudou com afinco para o vestibular.
   c) A menina escondeu-se num canto escuro porque estava com medo.
   d) A temperatura cai depressa depois do anoitecer.
   e) Feriu-se com uma tesoura.
   f) De longe podia ouvir o barulho do mar.
   g) Provavelmente ela virá com o namorado à festa.
   h) *Eu entrei de araque nessa escola de farmácia, para a qual não tinha vocação.* (Carlos Drummond de Andrade)

8. Destaque o adjunto adverbial de cada frase e informe sua formação: advérbio, locução adverbial ou expressão adverbial.
   a) *O José como sempre no fim de semana.* (Gilberto Gil)
   b) Geralmente durmo tarde e acordo cedo.
   c) Entrou às pressas no escritório.
   d) Nesta sala vocês podem conversar à vontade.
   e) *A dor que deveras sente.* (Fernando Pessoa)
   f) Entrei às escondidas e peguei todos de surpresa.
   g) Quem sabe ela ainda não tenha te visto?
   h) Talvez ela telefone amanhã.
   i) Permaneceram em silêncio durante a aula.
   j) Os passageiros já estavam dentro do avião.

9. Dê a função sintática dos termos grifados.
   (AAN) adjunto adnominal.   (AAV) adjunto adverbial.
   (OI) objeto indireto.   (CN) complemento nominal.
   a) ( ) Guardaremos as lembranças com carinho.
   b) ( ) Este assunto não é adequado às crianças.
   c) ( ) Não informou o endereço certo ao carteiro.
   d) ( ) Aquela senhora era uma mulher de coragem.
   e) ( ) Parecia alheia a qualquer barulho naquela rua movimentada.
   f) ( ) Os desabrigados precisavam muito de ajuda depois da enchente.
   g) ( ) Depositaram confiança em você, que não correspondeu de forma alguma.
   h) ( ) Foi multado porque desobedeceu às regras de trânsito.
   i) ( ) O jogo de futebol foi adiado à toa, pois o campo não ficou alagado.
   j) ( ) De longe a situação parecia bem mais complicada.

10. Acrescente palavras às locuções prepositivas para transformá-las em locuções adverbiais com função de adjunto adverbial.

a) Discutíamos a respeito de _____ .
b) Apesar de _____, tudo deu certo no final.
c) Graças a _____, consegui resolver o problema.
d) De acordo com _____, o campeonato será um sucesso.
e) Tudo parecia sem solução junto a _____ .

11. Leia trechos do poema de Cora Coralina "Antiguidades" e responda adequadamente ao que for pedido.

a) *Criança, no meu tempo de criança,*
não valia mesmo nada.
Identifique os termos que indicam adjunto adverbial e informe as circunstâncias que exprimem.

b) *abria os olhos para aquele bolo*
que me parecia tão bom
e tão gostoso.
Dê a classe gramatical dos termos grifados e indique qual função eles exercem na frase.

c) *Era um bolo econômico...*
como tudo antigamente,
[...]
E bolo inteiro
quase intangível [...]
Os advérbios destacados são classificados sintaticamente como adjuntos adverbiais. Quais circunstâncias eles indicam?

d) *A gente mandona lá de casa*
cortava aquele bolo
com importância.
Qual termo da oração é modificado pela locução adverbial?

12. Identifique o aposto ou o vocativo nas seguintes orações.

a) Ele queria tudo: amor, fama e dinheiro.
b) Professor, qual é o dia da prova?
c) Não me atrapalhe mais, garota.
d) Volte cedo hoje, pai.
e) Nós, enfermeiros neste hospital, estaremos de plantão amanhã.
f) *Adolescente, olha! A vida é nova...* (Mário Quintana)
g) *... como a Olívia Palito, mulher de Popeye, parecia um galho...* (Fernando Sabino)
h) *Boa noite, Maria! Eu vou-me embora*
A lua nas janelas bate em cheio. (Castro Alves)

i) Os jovens, meninos e meninas dessa escola, me surpreenderam com essa atitude.
j) Psiu, Joãozinho, seu irmão está dormindo.

13. **Acrescente aposto ou vocativo às frases apropriadamente.**
    a) Terei uma folga amanhã.
    b) Amanhã, irei ao cinema.
    c) Compramos esta revista.
    d) Avise-me quando chegar.
    e) O chefe ajudou-nos muito.
    f) Qual é o preço dessa blusa?

14. **Reescreva as frases, extraindo os adjuntos adnominais.**
    a) Os alunos aplicados responderam a todas as questões com facilidade.
    b) A nossa escola de música atraía muitas pessoas interessantes.
    c) As constantes discussões entre meus vizinhos precisam ser resolvidas imediatamente.
    d) A porta da sua casa permaneceu aberta todo o dia de ontem.
    e) O jogo final de vôlei entre as duas turmas do 9º ano atraiu muitos pais até a quadra poliesportiva.
    f) O último desenho ainda não ficou pronto.
    g) Esse tipo de projeto alcançou grande popularidade.
    h) Use o verde brilhante para pintar os quadros antigos.

15. **Dê a função sintática dos termos grifados nas seguintes orações.**
    a) Voltaram rapidamente para o pátio <u>todos os novos funcionários da empresa</u>.
    b) <u>A mim</u> ensinaram-<u>me</u> respeito e dedicação.
    c) O prefeito recém-eleito precisou demitir <u>o antigo secretário de turismo</u>.
    d) <u>O seu olhar</u> permaneceu <u>distante</u> por vários minutos.
    e) As crianças recebiam os presentes <u>de Natal</u> <u>muito emocionadas</u>.
    f) Pareciam <u>alienados</u> <u>de tudo</u> ao seu redor.
    g) Encontramos <u>quebrados</u> todos os guarda-chuvas.
    h) Não estavam <u>acostumados</u> <u>com tanto frio</u>.
    i) Alugam-se <u>chalés de madeira</u> para a temporada de inverno.
    j) <u>Minha amiga</u>, trata-se <u>de um assunto bem delicado</u>.
    k) Havia <u>muitas pessoas desabrigadas</u> <u>com a chuva</u>.
    l) Foram dias repletos <u>de intensa movimentação</u>.
    m) Criticou-se <u>muito</u> <u>aquele filme de terror</u>.
    n) A ida <u>ao parque</u> deixou-<u>as</u> <u>felizes</u>.
    o) O homem abandonou <u>o local</u> <u>revoltado</u>.

p) Novas recomendações serão feitas <u>pelas autoridades</u>.
q) A publicação <u>da boa notícia</u> sensibilizou <u>a todos</u>.
r) O garoto cortou-<u>se</u> <u>com uma tesoura enferrujada</u>.
s) <u>O ar da nossa cidade</u> continua <u>irrespirável</u>.

Questões de vestibulares

1. (Unifor-CE) **Ela fugiu durante a invasão das tropas <u>alemãs</u>.**

A função sintática do termo sublinhado na frase acima é a mesma do que vem sublinhado em:
a) A menina voltou <u>feliz</u> do internato.
b) Um galo sozinho não tece <u>uma</u> manhã.
c) Fiquei <u>contrariada</u> com sua resposta.
d) Sua mãe não me parece <u>bem</u>.
e) Os <u>ingleses</u> desocuparam a vila.

2. (UCDB-MT) Nas orações abaixo:

I) A maioria dos sul-mato-grossenses é **muito** trabalhadora.
II) Há **muito** sul-mato-grossense precisando conhecer o Pantanal.
III) O sul-mato-grossense trabalha **muito**.
A palavra **muito** é:
a) adjunto adverbial em I e III e adjunto adnominal em II;
b) adjunto adverbial em I e adjunto adnominal em II e III;
c) adjunto adverbial em I, II e III;
d) adjunto adverbial em II e adjunto adnominal em I e III;
e) adjunto adnominal em I, II, III.

3. (Fuvest-SP)

De um rir, estrídulo e sardônico,
*Que, como a seta, **me** transpasse as fibras;*
*De um rir danado que **me** inspira fúrias,*
Às vezes, gosto.

(Junqueira Freire)

Explique a função sintática e o significado do pronome **me** em cada uma de suas ocorrências.

4. (UFV-MG) Observe a oração ambígua: "O Padre Gerôncio julgou o sacerdote jovem."

Por um lado "jovem" pode ser o resultado do julgamento do Padre Gerôncio, sendo **predicativo**; por outro, pode ser uma característica do sacerdote que independe do julgamento do Padre Gerôncio, sendo **adjunto adnominal**.

Identifique a alternativa em que "jovem" **não** representa o julgamento do Padre Gerôncio, sendo **adjunto adnominal**:
a) O Padre Gerôncio julgou o **jovem** sacerdote.
b) O Padre Gerôncio julgou-o **jovem**.
c) O sacerdote foi julgado **jovem** pelo Padre Gerôncio.
d) O Padre Gerôncio julgou **jovem** o sacerdote.
e) O Padre Gerôncio julgou que o sacerdote era **jovem**.

5. (PUC-SP) "A colossal produção agrícola e industrial dos americanos voa PARA OS MERCADOS com a velocidade média de 100 km por hora. Os trigos e carnes argentinas afluem para os portos EM AUTOS E LOCOMOTIVAS que uns 50 km por hora, NA CERTA, desenvolvem".

As circunstâncias destacadas indicam, respectivamente, a ideia de:
a) lugar, meio e finalidade.
b) finalidade, meio e afirmação.
c) finalidade, tempo e dúvida.
d) lugar, meio e afirmação.
e) lugar, instrumento e lugar.

6. (FEI-SP-Adaptada) Resolva as questões a seguir conforme o código que segue:
I. adjunto adverbial de lugar;
II. adjunto adverbial de tempo;
III. adjunto adverbial de modo;
IV. adjunto adverbial de causa.
a) (   ) *Segunda-feira* haverá jogo importante.
b) (   ) *Com o mau tempo* não poderemos trabalhar ao relento.
c) (   ) O livro foi acolhido *com entusiasmo* pelos leitores.
d) (   ) O automóvel parou *perto do rio*.

7. (FCMSC-SP) Examine as três frases a seguir.
I. Comumente a ira se acende em sentimentos desumanos.
II. No campo reina a paz.
III. Ao sétimo dia, quando bateu, por volta da meia-noite, à porta da residência, ouviu um rebuliço extraordinário.

Assinale a alternativa **correta** quanto à existência de **adjunto adverbial**.
a) Não existe em nenhuma.
b) Existe nas três.
c) Existe apenas na I.
d) Existe na II e na III.
e) Existe apenas na III.

8. (Fuvest-SP) Na frase "O Sol ainda produzirá energia [...]", o advérbio **ainda** tem o mesmo sentido em:

   a) Ainda lutando, nada conseguirá.
   b) Há ainda outras pessoas envolvidas no caso.
   c) Ainda há cinco minutos ela estava aqui.
   d) Um dia ele voltará, e ela estará ainda à sua espera.
   e) Sei que ainda serás rico.

9. (PUC-SP) Nos trechos:
   "Marciano subiu ao forro da igreja e acabou com elas **a pau**."
   "Não posso ver o mostrador assim **às escuras**."
   As expressões destacadas dão, respectivamente, ideia de:

   a) modo, especificação
   b) lugar, modo
   c) instrumento, modo
   d) instrumento, origem
   e) origem, modo

10. (Fuvest-SP) Na frase: "Ele chegou de mansinho", a preposição indica modo.

    Escreva frases em que a mesma preposição indique:
    a) causa
    b) lugar

11. (FMU-SP) Em "Eu era *enfim, senhores, uma graça de alienado*", os termos destacados do ponto de vista sintático, são, respectivamente:

    a) adjunto adnominal, vocativo e predicativo do sujeito.
    b) adjunto adverbial, aposto e predicativo do sujeito.
    c) adjunto adverbial, vocativo e predicativo do sujeito.
    d) adjunto adverbial, vocativo e objeto direto.
    e) adjunto adnominal, aposto e predicativo do sujeito.

12. (Unirio-RJ) No período: "D. Tonica tinha fé em sua madrinha, Nossa Senhora da Conceição, e investiu a fortaleza com muito valor e arte", a expressão colocada entre vírgulas desempenha a função sintática de:

    a) predicativo do sujeito.
    b) sujeito.
    c) adjunto adnominal.
    d) objeto direto.
    e) aposto.

13. (UFC-CE) Ocorre vocativo em:

    a) Então, senhora linha, ainda teima...
    b) Entre os dedos dele, unidinha a eles, furando abaixo e acima.

c) A senhora não é alfinete, é agulha.
d) Mas você é orgulhosa.

14. (Ubauru-SP) Assinale a alternativa em que a expressão grifada tem a função de adjunto adnominal.
a) A curiosidade <u>do homem</u> incentiva-o à pesquisa.
b) A cidade <u>de Londres</u> merece ser conhecida por todos.
c) O respeito <u>ao próximo</u> é dever de todos.
d) O coitado do velho mendigava <u>pela cidade</u>.
e) O receio <u>de errar</u> dificulta o aprendizado de línguas.

15. (UEL-PR) "Ainda que surgissem poucos **recursos** para o projeto, todos mostravam-se satisfeitos com a boa vontade **do chefe**."

As palavras em destaque no período exercem, respectivamente, a função sintática de:
a) objeto direto, complemento nominal.
b) sujeito, objeto indireto.
c) objeto direto, adjunto adnominal.
d) objeto direto, objeto indireto.
e) sujeito, adjunto adnominal.

16. (Cesgranrio-RJ) A circunstância expressa pelos termos em destaque está corretamente indicada em:
a) algo para ser visto **pela janelinha do carro**. – lugar
b) ... esparramada **sobre a calçada**. – concessão
c) ... pingando esmolas **em mão rotas**. – modo
d) **Com o tempo**, a miséria conquistou os tubos de imagem dos aparelhos de TV. – consequência
e) **Embora violenta**, a miséria ainda nos excluía. – condição.

17. (PUC-MG) Em "Ajeitou-*lhe* as cobertas" o pronome **lhe** exerce a mesma função em:
a) Cada vez que *lhe* negavam uma resposta, o bolo crescia.
b) Luz sempre *lhe* afugentava o sono.
c) O irmão dizia-*lhe* para ser coisa séria.
d) Olhava para o irmão que *lhe* estava de costas.
e) Vinha-*lhe*, então, raiva e vontade de sair correndo.

Período

Conforme já foi estudado anteriormente, em análise sintática, página 296, o período é a frase composta de uma ou mais orações. Pode ser classificado como simples ou composto, e ambos apresentam sentido completo.

Período simples

*A noite **anoiteceu** tudo... O mundo não **tem** remédio...*

*Os suicidas **tinham** razão.*

(Trecho de "A noite dissolve os homens". In: *Sentimento do mundo*, Carlos Drummond de Andrade)

O período simples contém apenas uma oração constituída por um verbo ou uma locução verbal. Essa oração é classificada como **oração absoluta**.

Período composto

*Não o encontrou, mas **supôs distinguir** as pisadas dele na areia, **baixou-se**, cruzou dois gravetos no chão e **rezou**.*

(*Vidas secas*, Graciliano Ramos)

O período composto contém duas ou mais orações constituídas de dois ou mais verbos ou locuções verbais.

Os períodos simples e composto podem se intercalar na formação de um parágrafo.

Agora Fabiano era vaqueiro, e ninguém o tiraria dali. Aparecera como um bicho, entocara-se como um bicho, mas criara raízes, estava plantado. Olhou os quipás, os mandacarus e os xique-xiques. Era mais forte que tudo isso, era como as catingueiras e as baraúnas. Ele, Sinhá Vitória, os dois filhos e a cachorra Baleia estavam agarrados à terra.

(***Vidas secas***, Graciliano Ramos)

O verbo, em torno do qual a oração se organiza, pode ser omitido em uma das orações, se for o mesmo já mencionado em uma oração anterior.

Nossos rapazes **venceram** o campeonato estudantil, mas nossas garotas não.

A forma como as orações se relacionam na composição de um período composto vai determinar sua dependência ou independência sintática.

As orações que não dependem sintaticamente de outras são classificadas como **coordenadas**; as que têm seus termos exercendo uma função sintática em relação às outras orações são classificadas como **subordinadas**. Portanto, os períodos podem ser compostos por coordenação, por subordinação e por coordenação e subordinação ao mesmo tempo.

Período composto por coordenação

As orações coordenadas são independentes porque não exercem função sintática em relação a outra oração. São ligadas por meio de conjunções coordenativas ou de sinais de pontuação.

oração 1 – sujeito: simples – amigo; verbo: intransitivo – veio.

oração 2 – sujeito: elíptico; verbo: intransitivo – telefonou.

oração 3 – sujeito: elíptico (nosso amigo); verbo: transitivo direto – mandou; objeto direto: notícias.

É importante perceber que as orações coordenadas mantêm independência sintática, mas são interdependentes quanto ao significado.

Período composto por subordinação

A oração subordinada depende sintaticamente de outra oração, classificada como **principal**.

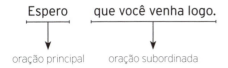

oração principal: verbo transitivo direto – espero.

oração subordinada: exerce a função sintática de objeto direto que complementa o verbo esperar.

Portanto, trata-se de um período composto por subordinação.

Período composto por coordenação e subordinação

Um período pode ser misto, ou seja, apresentar orações coordenadas e subordinadas:

A primeira e a segunda orações são coordenadas, ligadas pela conjunção coordenativa **mas**. A terceira oração é subordinada à segunda, que passa a ser a oração principal em relação a ela, pois o termo **trabalho** exerce a função sintática de sujeito na oração subordinada, representado pelo pronome relativo **que** (não trouxe o trabalho **que** (o trabalho) nós havíamos feito.)

Orações coordenadas

As orações coordenadas podem ser **assindéticas** ou **sindéticas**.

Orações coordenadas assindéticas

As orações coordenadas assindéticas não são introduzidas por uma conjunção; ligam-se umas às outras por meio de sinais de pontuação como vírgula, ponto e vírgula ou dois-pontos.

Entrou em casa, não cumprimentou ninguém, dirigiu-se ao quarto.
(período composto por três orações coordenadas assindéticas)

Orações coordenadas sindéticas

As orações coordenadas sindéticas são ligadas por meio de conjunções denominadas coordenativas:

Ela queria sair, **mas** não podia deixar a criança sozinha.
(**mas** é uma conjunção coordenativa adversativa)

Por isso, a oração coordenada sindética é classificada de acordo com o significado da conjunção que a introduz.

As orações coordenadas sindéticas podem ser:

Aditivas

Expressam ideia de adição, de soma. As principais **conjunções** coordenativas aditivas são: **e, nem, não só... mas também, não só... como também**.

Nós prometemos **e** cumprimos.

Não só estudamos, **como também** trabalhamos.

> ❖ A vírgula deve ser empregada antes da conjunção aditiva **e** se esta ligar orações cujos sujeitos sejam diferentes.
>
> Nós fizemos o trabalho**,** e eles o entregaram para a professora.
>
> Se o sujeito das orações for o mesmo, não há vírgula.

Adversativas

Expressam ideia de contraste, de oposição. As principais **conjunções** coordenativas adversativas são: **mas**, **porém**, **contudo**, **todavia**, **entretanto**, **no entanto**.

Falava em preservação da natureza, **mas** poluía os rios.

Devia, **no entanto**, negava.

> ❖ A conjunção adversativa **mas** deve ser empregada no começo da oração, precedida de vírgula:
>
> Ela queria sair, **mas** faltava-lhe ânimo.
>
> As outras conjunções adversativas – **porém**, **todavia**, **contudo**, **entretanto**, **no entanto** – podem ser empregadas no início das orações precedidas de vírgula ou isoladas por vírgulas, após um dos termos da oração:
>
> Nossos atletas se esforçaram, **porém** não conseguiram concluir a maratona.
>
> Nossos atletas se esforçaram; não conseguiram, **todavia**, concluir a maratona.

Alternativas

Expressam ideia de alternância, de troca ou escolha. As principais **conjunções** coordenativas alternativas são: **ou**, **ou... ou**, **ora... ora**, **já... já**, **quer... quer**.

Comporte-se **ou** terá que deixar a sala de reuniões.

Ora chorava, **ora** ria de tanta emoção.

Conclusivas

Expressam uma conclusão. As principais **conjunções** coordenativas conclusivas são: **logo**, **portanto**, **por conseguinte**, **por isso**, **pois** (após o verbo).

Ela me ajudou muito, **por isso** sou-lhe grato.

Trabalhou bastante, merece, **pois**, um bom descanso.

Explicativas

Expressam uma justificativa, uma razão, um motivo, uma explicação. As principais **conjunções** coordenativas explicativas são: **porque**, **que**, **pois** (antepostas ao verbo).

Faltou à aula, **porque** estava fortemente gripado.

A oração coordenada explicativa "porque estava fortemente gripado" inicia-se com uma conjunção que explica a ideia contida na oração anterior "faltou à aula".

> ❖ Algumas conjunções podem aparecer com outro sentido que não o usual.
>
> A conjunção coordenativa aditiva **e** pode ser empregada como adversativa.
>
> Não devia ter ido **e** foi. (**mas** foi)
>
> A conjunção coordenativa explicativa **que** pode ser empregada como aditiva.
>
> Anda **que** anda (anda **e** anda) e não chega nunca.

Exercícios

1. Transforme os períodos simples em compostos empregando a pontuação e as conjunções adequadas.
    a) O rapaz parou. Olhou para os lados. Não reconheceu o lugar.
    b) A governadora era uma mulher íntegra. Todos a elogiavam.
    c) O réu foi condenado. Acreditavam em sua inocência.
    d) Não disse nada. Não falou com ninguém. Foi-se embora.
    e) Aqueles políticos expressam-se muito bem. Convencem os eleitores. Não cumprem o prometido.
    f) Estava desempregada. Queria viajar no fim de semana. A solução seria pedir um empréstimo.

2. Informe se a oração destacada é coordenada ou subordinada.
    a) **Ora falava em tom de brincadeira**, ora falava seriamente.
    b) Ela estava tão distraída **que nem viu o namorado**.
    c) Pedi **que elas me esperassem em casa**.
    d) Saiu, **mas prometeu voltar logo**.

e) **Como ficou tarde**, não posso mais esperar.
f) Tudo está muito caro, **você deve, pois, economizar**.
g) Compre-lhe um presente, **pois é hoje seu aniversário**.
h) Falava tanta besteira **que não merecia ouvidos**.
i) As crianças entraram **assim que tocou o sinal**.
j) É importante **que você permaneça até o fim do expediente**.

3. Indique se o período a seguir é composto por:

(C) coordenação   (S) subordinação
(CS) coordenação e subordinação

a) (   ) Caso você decida, dê a resposta até amanhã.
b) (   ) Como ficou cansado, descansou bastante e alimentou-se bem.
c) (   ) O local era de difícil acesso; os turistas, no entanto, pareciam não se incomodar.
d) (   ) Embora tivesse vários relógios, adquiriu mais um.
e) (   ) Os homens assistiram ao jogo e criticaram os jogadores que se esforçaram pouco.
f) (   ) As crianças ensaiaram o teatrinho, mas não puderam encená-lo, pois faltou energia naquela tarde.
g) (   ) Não sabia o que dizer aos pais, pois havia perdido o dinheiro.
h) (   ) As medidas que foram tomadas pela direção não agradaram aos funcionários.
i) (   ) Não demore que o *show* já vai começar.
j) (   ) Você estava tão nervoso que nem percebeu que o problema já fora resolvido.

4. Separe e classifique as orações coordenadas em sindéticas ou assindéticas.

a) Encontramo-nos na praça, conversamos bastante e matamos as saudades.
b) Entraram na sala, guardaram o material, saíram em silêncio.
c) Quer você goste quer não goste vou buscá-lo no colégio.
d) *Corro o lápis em torno da mão e me dou uma luva* (Toquinho e Vinicius de Moraes)
e) *Comprou o papel de seda, cortou-o com amor, compôs os gomos oblongos...* (Manuel Bandeira)

5. Todos os períodos a seguir são compostos por coordenação. Grife os verbos, separe as orações de cada período e classifique-as.

a) Decida-se logo ou não disputará a prova final.
b) Era um bom rapaz, teve, no entanto, um comportamento reprovável.

c) Não se preocupe com as compras, que eu vou ao supermercado.
d) O treino já terminou por hoje; deve, pois, retornar amanhã.
e) Desistimos do passeio à praia porque estava ficando muito frio.
f) As garotas entraram na loja, experimentaram vários vestidos, mas não compraram nenhum.
g) *Não obteve resposta, voltou à cozinha, foi pendurar-se à saia da mãe.* (Graciliano Ramos)
h) Ela, com certeza, estava triste, pois não esboçou nenhum sorriso.
i) *As suas violetas na janela, não lhes poupei água e elas murcham.* (Dalton Trevisan)
j) Estavam todos em segurança; aguardavam, entretanto, novos temporais.

6. Assinale a alternativa que classifica a oração destacada corretamente.

Precisava descansar após um dia tão estressante *e o barulho lá fora não deixava*.
a) oração coordenada sindética adversativa.
b) oração coordenada sindética aditiva.
c) oração coordenada sindética alternativa.
d) oração coordenada sindética explicativa.
e) oração coordenada assindética.

7. No período: *Entrou no quarto, sentou-se aos pés da cama, e ali ficou saturado de felicidade, como um pardal muito farto num raio de sol muito quente.* (Eça de Queirós)

Apresentam-se:
a) três orações coordenadas assindéticas e uma subordinada.
b) duas orações coordenadas assindéticas, uma sindética e uma subordinada.
c) duas orações coordenadas sindéticas, uma assindética e uma subordinada.
d) três orações coordenadas sindéticas e uma subordinada.
e) duas orações coordenadas assindéticas e duas subordinadas.

8. Complete as orações, reescrevendo o período convenientemente.
a) Elas não só ajudaram, mas também _____ .
b) Deve desistir agora ou _____ .
c) Proteja-se, pois _____ .
d) Gostou da surpresa, porém _____ .
e) Está esfriando, por isso _____ .

9. Entre as alternativas abaixo, destaque a única que apresenta oração coordenada.
   a) Ventou muito já que várias casas foram destelhadas.
   b) Emprestei-lhe dinheiro, pois ele estava precisando muito.
   c) Não conseguia trabalhar porque só pensava na festa de sábado.
   d) O bebê chorava porque estava com fome.
   e) Agora, disse a mãe, não vai sair mais.

10. Assinale a alternativa em que a classificação da oração grifada esteja correta.
    a) Ficarei em casa porque ninguém me convidou para sair. – oração coordenada sindética explicativa.
    b) Prometo que não virei mais aqui. – oração coordenada sindética adversativa.
    c) Não falte amanhã que haverá prova. – oração coordenada sindética explicativa.
    d) Não demore muito que eu não gosto de esperar. – oração coordenada sindética conclusiva.
    e) Fale mais alto para ouvirmos sua voz e sua opinião. – oração coordenada sindética aditiva.

Questões de vestibulares

1. (Efoa-MG) Há período composto em:
   a) Ao lado da dissertação, deveria restaurar-se também a tabuada.
   b) ... mesmo não se pode dizer de outros engenhos.
   c) Temos aí, reproduzido, com a máxima fidelidade, o diálogo.
   d) Aí, então, podem contar comigo para aplaudir a máquina.
   e) A ojeriza pelo idioma nacional já estava ultrapassando os limites toleráveis.

2. (UFSM-RS) Assinale a alternativa que expressa a ideia correta da segunda oração, considerando a conjunção que a introduz.
   A torcida incentivou os jogadores; esses, contudo, não conseguiram vencer.
   a) proporção
   b) conclusão
   c) explicação
   d) oposição
   e) concessão

3. **(PUC-MG)** Reúna os dois fatos citados em um período, estabelecendo entre eles a relação que se acha entre parênteses.
   Os homens queimam a vegetação perigosamente. O desequilíbrio ecológico instala-se. (relação de conclusão)

4. **(Fuvest-SP)** *Podem acusar-me: estou com a consciência tranquila.*
   Os dois-pontos (:) do período acima poderiam ser substituídos por vírgula, explicando-se o nexo entre as duas orações pela conjunção:
   a) portanto.
   b) e.
   c) como.
   d) pois.
   e) embora.

5. **(FGV-SP)** Observe os períodos abaixo, diferentes quanto à **pontuação**.
   Adoeci logo; não me tratei.
   Adoeci; logo não me tratei.
   A observação atenta desses períodos permite dizer que:
   a) No primeiro, **logo** é um advérbio de tempo; no segundo, uma conjunção causal.
   b) No primeiro, **logo** é uma palavra invariável; no segundo, uma palavra variável.
   c) No primeiro, as orações estão coordenadas sem a presença de conjunção; na segunda, com a presença de uma conjunção conclusiva.
   d) No primeiro, as orações estão coordenadas com a presença de conjunção; na segunda, sem conjunção alguma.
   e) No primeiro, a conjunção indica alternância; no segundo, a segunda oração indica a consequência.

6. **(FMU-SP)** O conectivo **e** normalmente é usado como conjunção coordenativa aditiva. No entanto, em uma das alternativas abaixo, isso **não** ocorre:
   a) Entrou, comprou ingressos e saiu logo.
   b) Maria das Dores é amiga de César e Maria do Céu, de Mário.
   c) Nem um nem outro conseguiu pagar a conta e, assim, ficaram devendo.
   d) Não se preparou para o concurso e conseguiu passar.
   e) Saia daí e não volte mais!

7. **(Unimep-SP)** Leia atentamente as frases.
   I. Mário estudou muito *e* foi reprovado.
   II. Mário estudou muito *e* foi aprovado.
   Em I e II, a conjunção *e* tem, respectivamente, valor:

a) aditivo e conclusivo.
b) adversativo e aditivo.
c) adversativo e conclusivo.
d) aditivo e aditivo.
e) concessivo e causal.

8. (UFU-MG) *Quando finalmente, naquela manhã, um santeiro estabelecido no Tabuã chegou aflito à <u>pequena porém arrumada casa</u> da família Barreto...* (Jorge Amado)

As afirmações abaixo procuram refletir ideias expressas no trecho, em destaque, acima.
I – Espera-se que uma casa pequena seja também desarrumada.
II – Espera-se que uma casa pequena seja também arrumada.
III – Espera-se que uma casa pequena seja desarrumada.
IV – Espera-se que uma casa pequena seja arrumada.
Assinale a única opção que representa as afirmativas corretas.
a) Todas são verdadeiras.
b) I e II são verdadeiras.
c) I e III são verdadeiras.
d) II e III são verdadeiras.
e) III e IV são verdadeiras.

9. (Fuvest-SP) Assinale a alternativa que apresenta orações de mesma classificação que as deste período: *Não se descobriu o erro e Fabiano perdeu os estribos.* (*Vidas secas*, Graciliano Ramos)
a) Pouco a pouco o ferro do proprietário queimava os bichos de Fabiano.
b) Tomavam-lhe o gado quase de graça e ainda inventavam juros.
c) Depois que aconteceu aquela miséria, temia passar ali.
d) Foi até a esquina, parou, tomou fôlego.
e) Não podia dizer em voz alta que aquilo era um furto, mas era.

10. (UFMA-MA) A oração coordenada sindética explicativa está no item:
a) vem depressa, que o tempo urge.
b) vi o menino que adoeceu.
c) morreu a floresta porque não choveu.
d) anda que anda, menino.
e) Pedro, que é pequeno, depende dos pais.

11. (PUCCamp- SP) A frase em que a conjunção **pois** exprime ideia de conclusão é:
a) Não aceito que ela se aborreça, pois já expliquei o que houve.
b) Nada se pode fazer, pois o encarregado já saiu.

c) Você diz que não se importa; pois eu, meu amigo, desejo explicações.
d) Ele não lhe disse a verdade? Pois exija que o faça.
e) Elas avisaram que poderiam se atrasar; devemos, pois, aguardá-las mais um pouco.

12. **(FGV-SP)** *O trabalho é bom para o homem _____ distrai-o da própria vida _____ desvia-o da visão assustadora de si mesmo; _____, impede-o de olhar esse outro que é ele e que lhe torna a solidão horrível.*

Assinale a alternativa em que o emprego de elementos de ligação sintática e de sentido nas lacunas mostra-se, pela ordem, adequado ao contexto.
a) porque ... porquanto ... no entanto
b) pois ... e ... assim
c) portanto ... desde que .... todavia
d) por que ... também ... por isso
e) visto que ... entretanto ... logo

13. **(ITA-SP)** Leia atentamente a frase: *Está velho, artrítico, **mas** é um leão.*

Qual dos conectivos apresentados abaixo possibilita a reestruturação da frase acima, mantendo ideia de oposição ou contraste entre as orações?
a) porquanto
b) consoante
c) contanto que
d) não obstante
e) ao passo que

14. **(Cesgranrio-RJ)** *O movimento histórico da cultura consiste numa diversificação permanente. A cultura universal – que seria a cultura da Humanidade – depende dessa diversificação, quer dizer, depende da capacidade de cada cultura afirmar sua própria identidade, desenvolvendo suas características peculiares.*
No entanto, as culturas particulares só conseguem mostrar sua riqueza, sua fecundidade, na relação de umas com as outras. E essa relação sempre comporta riscos.
A locução "No entanto" como um elemento de coesão, ao ligar dois segmentos do texto o faz:
a) relacionando pensamentos que se excluem.
b) apresentando uma condição para que algo aconteça.

c) estabelecendo uma relação de implicação causal entre os segmentos.
d) ligando pensamentos totalmente contrários.
e) expressando uma ressalva ao que foi dito anteriormente.

15. (FCMSC-SP) Por definição, "oração coordenada que se prende à anterior por conectivo é denominada sindética e é classificada pelo nome da conjunção que a encabeça". Assinale a alternativa em que aparece uma coordenada sindética explicativa, conforme definição.

a) A casaca dele estava remendada, mas estava limpa.
b) Ambos se amavam, contudo não se falavam.
c) Todo mundo trabalhando: ou varrendo o chão ou lavando as vidraças.
d) Chora, que lágrimas lavam a dor.
e) O time ora atacava, ora defendia, e no placar aparecia o resultado favorável.

Orações subordinadas

O período composto por subordinação caracteriza-se pela formação de orações que exercem uma função sintática sobre outra oração, denominada principal.

Se um período é **simples**, os termos da oração exercem a função sintática.

Se um período é **composto** por subordinação, a função sintática é exercida por uma oração classificada como subordinada.

Eu espero — oração principal
que você volte. — oração subordinada

Estabelece-se a ligação entre oração principal e subordinada por meio de conectivos, elementos de ligação como conjunção ou locução subordinativa, pronomes relativos ou pelas formas nominais dos verbos: gerúndio, particípio e infinitivo.

As subordinadas são classificadas de acordo com a função sintática que elas exercem na complementação ou na ampliação do sentido da oração.

Homens e mulheres que trabalham juntos lutam para construir um futuro melhor.

O período acima é composto de três orações:

+ **oração principal**: "homens e mulheres lutam".
+ **oração subordinada com valor de adjetivo**: "que trabalham juntos", qualifica homens e mulheres, que são trabalhadores.

+ **oração subordinada com valor de advérbio**: "para construir um futuro melhor", apresenta uma circunstância de finalidade para o verbo lutar. É uma oração subordinada ao desempenhar uma função sintática característica do advérbio, a de adjunto adverbial.

As orações subordinadas podem ser:

Orações subordinadas substantivas

Exercem a função própria de um substantivo (sujeito, objeto direto, objeto indireto, predicativo, complemento nominal, aposto) e são introduzidas pelas conjunções integrantes **que** e **se**.

É preciso a **sua assinatura** no documento. – período simples

O substantivo "assinatura" desempenha a função sintática de sujeito da oração.

É preciso **que você assine** o documento. – período composto

A 2ª oração ("que você assine o documento") exerce a função sintática de sujeito da 1ª oração ("É preciso").

As orações subordinadas substantivas podem ser:

Subjetivas

Desempenham a função de sujeito da oração principal:

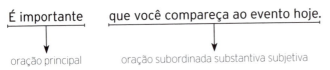

No caso das orações substantivas subjetivas, o verbo principal é empregado na 3ª pessoa do singular, e a função de sujeito dessas orações é desempenhada pelas orações subjetivas.

Geralmente, essas orações aparecem após:

- expressões na voz passiva: Diz-se que ela não revelou a verdade.
- verbos de ligação seguidos de predicativo: Era possível que ela tivesse dito a verdade.
- verbos seguidos de **que** ou **se** na 3ª pessoa do singular: Convém que todos digam a verdade.

A seguir, alguns exemplos de construções que costumam apresentar uma oração subordinada substantiva subjetiva.

Oração principal	Oração subordinada substantiva subjetiva
Convém	que estude bastante.
Constatou-se	que houve falta de manutenção.
Sabe-se	que nada será resolvido até amanhã.
Ficou provado	que o rapaz era o responsável pelo atropelamento.
É importante	que se mantenha a ordem.
Não se sabia	se ainda haveria ingressos.
Era certo	que a comemoração seria hoje.
Aconteceu	que não conseguimos localizá-lo.

❖ A oração subordinada substantiva subjetiva pode ser substituída pelo pronome **isso**. Dessa transformação, resulta um período simples:

Convém **isso**.   É importante **isso**.   Aconteceu **isso**.

Objetivas diretas

Desempenham a função de objeto direto da oração principal.

oração principal   oração subordinada substantiva objetiva direta

A objetiva direta distingue-se da subjetiva porque apresenta sujeito na oração principal. O verbo da oração principal é transitivo direto e exige um complemento verbal, desempenhado pela oração objetiva direta.

Oração principal	Oração subordinada substantiva objetiva direta
Eu digo	que não vou desistir da competição.
Espero	que tenham um bom domingo.
Queremos	que nos visitem nas férias.
Não sabia	se poderia ficar até mais tarde.
Reconheceram	que haviam perdido a partida.
Pergunte-lhes	se querem mesmo desistir da viagem.
O policial rodoviário pedia	que aguardassem no acostamento.

Além de serem iniciadas pelas conjunções integrantes **que** e **se**, as substantivas objetivas diretas podem ser iniciadas pelos pronomes interrogativos **quem**, **qual**, **quanto** e pelos advérbios **quando**, **como**, **onde**, **por que** em interrogativas indiretas.

Vimos	**quem** atirou a pedra.
A professora queria saber	**quantos** faltariam na prova.
Ignorava	**onde** aconteceu o desabamento.
Perguntei-lhe	**quando** começaria a trabalhar.
Queria saber	**por que** ele fez isso.
Não calculo	**quanto** gastei.

❖ Classificam-se como **orações justapostas** as que apresentam verbos conjugados, mas não têm conectivos. São orações subordinadas caracterizadas como **interrogações indiretas**.

Não sabíamos **quando poderíamos sair de férias**.
(oração subordinada substantiva objetiva direta justaposta)

Não se sabe **quem fez isso**.
(oração subordinada substantiva subjetiva justaposta)

Digam-nos **como poderemos ajudar aquelas crianças abandonadas**.
(oração subordinada substantiva objetiva direta justaposta)

❖ Substituindo a oração subordinada substantiva objetiva direta por **isso**, é possível verificar que esse pronome exerce a função de objeto direto:

Diga-nos **isso**.

Portanto, a oração **como poderemos ajudar aquelas crianças abandonadas** exerce a função de objeto direto.

Objetivas indiretas

Desempenham a função de objeto indireto da oração principal. São iniciadas por uma **preposição**, exigência do verbo transitivo indireto.

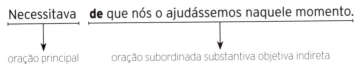

Em alguns casos, a preposição pode ser omitida, embora esteja subentendida.

Reclamavam que não foram convidados para o almoço de Natal.
(o verbo reclamar é transitivo indireto: quem reclama **reclama de** alguma coisa)

Sintaxe

Oração principal	Oração subordinada objetiva indireta
Darei boas notas	a quem completar todas as atividades.
Não se lembrou	de que deveria fazer o pagamento hoje.
Esqueceu-se	de que era meu aniversário.
Insistíamos	em que pernoitassem na pousada.
Não se convencera	de que precisava parar de fumar.
O gerente informou-o	de que deveria trabalhar no próximo sábado.
Preciso	de que me emprestem o carro amanhã cedo.
O policial aconselhou-os	a que não ficassem parados em local deserto.

❖ Substituindo a oração subordinada substantiva objetiva indireta por **isso**, é possível verificar que esse pronome exerce a função de objeto indireto.

Necessitava **disso**.

Portanto, a oração **de que nós o ajudássemos naquele momento** exerce a função de objeto indireto.

Completivas nominais

Desempenham a função de complemento nominal de um substantivo ou adjetivo da oração principal. Como as objetivas indiretas, também são iniciadas por **preposição**.

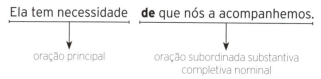

A preposição, embora essencial, pode ser omitida:

Temos certeza que vamos ganhar o jogo de domingo. (**de** que vamos ganhar o jogo de domingo)

Oração principal	Oração subordinada substantiva completiva nominal
Estou certa	de que ele será bem recompensado.
Recebeu a notícia	de que seriam despejados até o fim de semana.
Era favorável	a que todos os cães fossem examinados.
Tinha receio	de que não cumprisse a palavra dada.
Estava convencida	de que não seria reprovada no exame médico.
Havia esperança	de que as pessoas desabrigadas receberiam alimentos.

Predicativas

Desempenham a função de predicativo do sujeito da oração principal. O verbo, na oração principal, é de ligação.

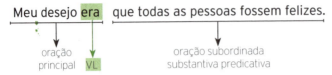

O verbo **ser** é, geralmente, o mais empregado nas orações subordinadas substantivas predicaticas.

Oração principal	Oração subordinada substantiva predicativa
Sua vontade era	que começassem logo as férias.
O rapaz foi	quem comprou a moto usada.
Minha esperança será	que não acontecerão mais brigas e agressões.
Para ele, a alegria é	onde há paz.
O correto seria	que ninguém acusasse ninguém.

❖ Substituindo a oração subordinada substantiva predicativa por **isso** ou **essa**, é possível verificar que esses pronomes exercem a função de predicativo.

Meu desejo era **isso**.

Portanto, a oração **que todas as pessoas fossem felizes** exerce a função de predicativo.

Apositivas

Desempenham a função de aposto de um nome da oração principal.

Geralmente, a oração subordinada substantiva apositiva vem após dois-pontos ou entre vírgulas, intercaladas na oração principal.

Oração principal	Oração subordinada substantiva apositiva
Tenho certeza de uma coisa:	que estará empregado brevemente.
Garanto-lhe isto:	serei readmitido hoje mesmo.
Tive uma ideia:	vamos jogar boliche.
Vou lhe dar um conselho:	seja sempre honesto.
Ela falou só isso:	não volto nunca mais.

Exercícios

1. Os períodos abaixo são compostos por subordinação. Separe e classifique as orações em: principal, subordinada substantiva, adjetiva e adverbial.
   a) Ainda não consegui visitar os lugares que tanto aprecio.
   b) Procurou uma estrada alternativa para fugir do trânsito que estava se formando na rodovia.
   c) Conta-se que, antigamente, por aqui viveram povos antropófagos.
   d) Disse palavras das quais se arrependeria mais tarde ao discutir com o irmão.
   e) À medida que nos aproximávamos do caminho da praia, os sinais de tempestade iam aumentando.

2. Reescreva as orações substituindo os substantivos grifados por uma oração subordinada substantiva.
   a) O resultado vai depender do esforço de todos.
   b) As crianças hospitalizadas aguardavam ansiosamente a vinda do Papai Noel.
   c) É prioridade a manutenção dessas salas limpas e arejadas.
   d) Contava com o apoio dos pais em mais um importante desafio.
   e) Sua expectativa é a vitória no final do campeonato de rúgbi.

3. Informe a função sintática dos substantivos grifados no exercício anterior e classifique a oração subordinada substantiva resultante.

4. Separe e classifique as orações subordinadas substantivas.
   a) Os jogadores garantem que vencerão o campeonato.
   b) Tinha certeza de que aceitaria a nossa proposta.
   c) Parece que ninguém apareceu na festa de despedida.

Orações subordinadas **379**

d) É possível que algumas pessoas nos ajudem.
e) A verdade é que ela nunca confiou em você.
f) Uma coisa me entristece: ela não fala mais comigo.
g) Não sabemos se ele resolveu o problema.
h) Envergonho-me de que tenha se portado tão mal.
i) Estava decidido que vocês ficariam na escola.
j) Duvidou de que eles seriam capazes de perdoar.

5. **Complete os períodos com as orações subordinadas substantivas pedidas.**

   a) A professora exigiu _____ . (objetiva direta)
   b) É provável _____ . (subjetiva)
   c) O pai insistiu _____ . (objetiva indireta)
   d) O melhor é _____ . (predicativa)
   e) Nós estamos certos _____ . (completiva nominal)
   f) O resultado depende _____ . (objetiva indireta)
   g) Foi comentado _____ . (subjetiva)
   h) Peça-lhe _____ . (objetiva direta)
   i) O objetivo era _____ . (predicativa)
   j) Convenceu-se _____ . (objetiva indireta)

6. **Classifique as orações subordinadas substantivas grifadas.**

   a) *Sonho que sou um cavaleiro andante*. (Antero de Quental)
   b) *É melhor talvez que o vá procurar pelas vielas obscenas*. (Eça de Queirós)
   c) *Uma vez uma mulher me disse: vocês jovens não sabem a força que têm*. (Affonso Romano de Sant'Anna)
   d) *[...] advirta que a franqueza é a primeira virtude de um defunto*. (Machado de Assis)
   e) *É preciso ter essa certeza, que ele tem, de que cavalo foi feito pra ser domado*. (Ivan Ângelo)
   f) Impediu-os de que brigassem em plena rua.
   g) Recebeu a confirmação de que seria pai.
   h) Seu maior medo era que não pudesse ser mãe.
   i) Peço-lhe um favor: que guarde o meu segredo.
   j) Ficou evidente que os alunos haviam colado na prova de Física.

7. **Transforme o discurso direto em indireto formando uma oração subordinada substantiva.**

   a) Trancado no quarto, gritava para o irmão:
      — Quando vai abrir essa maldita porta?
   b) A mãe queria saber:
      — Qual foi sua nota na prova de Matemática?

c) O pai disse:
— Vou comprar um carro novo no próximo ano.
d) A velha senhora sentou-se e exclamou:
— Estou exausta depois dessa caminhada.
e) — Não quero ouvir um barulhinho aqui na classe. — dizia a professora aos alunos menores.

Orações subordinadas adjetivas

Exercem o papel de um adjetivo que modifica um termo da oração principal. São introduzidas por pronome relativo, que pode desempenhar diferentes funções sintáticas.

(o adjetivo trabalhador foi transformado em verbo, antecedido do conectivo **que**.)

Como já foi visto em Morfologia, os pronomes relativos, **que**, **quem**, **o qual**, **a qual**, **os quais**, **as quais**, **cujo(s)**, **cuja(s)**, **onde**, **quanto** fazem referência a um termo anterior, geralmente um substantivo ou pronome, da oração principal.

Outros exemplos:

As pessoas **às quais me refiro** são voluntárias.

A casa **onde morei** por tantos anos foi demolida.

Resolveram questões **cujas respostas só serão conhecidas depois de amanhã**.

Os colegas **com quem trabalho** são excelentes companheiros.

Devemos reconhecer os erros **de quem gostamos**.

A oração subordinada adjetiva pode estar intercalada à oração principal no período.

Um acontecimento | que marcou nossas vidas | deixou saudades.
oração principal | oração subordinada adjetiva | oração principal

- O pronome relativo pode aparecer precedido de **preposição**, se o verbo da oração o exigir.

    As pessoas **às quais** me refiro são voluntárias.
    (referir-se a)

    Amigos **nos quais** confio fazem parte do projeto.
    (confiar em)

- As orações subordinadas adjetivas podem ter um **pronome** como antecedente.

    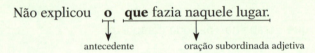

    Não explicou o | que fazia naquele lugar.
    antecedente | oração subordinada adjetiva

- Orações adjetivas também podem ser iniciadas pelo advérbio relativo **como**.

    Foi reconhecida pela maneira **como** se dedicava aos menos favorecidos.

    Nesse caso, **como** tem o significado de **por que**, **pelo qual**, **pela qual**.

- Para distinguir o "que" **pronome relativo** e o "que" **conjunção integrante**, basta verificar se ele pode ser substituído por **o qual**, **a qual**, **os quais**, **as quais**. Se a substituição fizer sentido, trata-se de um pronome relativo, que introduz uma oração subordinada adjetiva; caso contrário, trata-se de uma conjunção integrante, que introduz uma oração subordinada substantiva.

    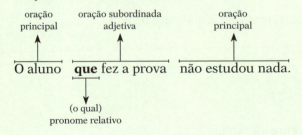

    O aluno | que fez a prova | não estudou nada.
    oração principal | oração subordinada adjetiva | oração principal
    (o qual)
    pronome relativo

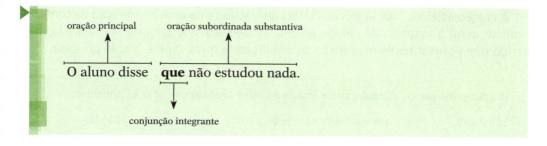

As orações subordinadas adjetivas podem ser:

Restritivas

Restringem a significação do termo antecedente, seja substantivo, seja pronome. Elas exercem a função de adjunto adnominal, não vêm separadas por vírgulas e são orações indispensáveis ao significado no período.

As pessoas **que trabalham com dedicação** fazem parte do projeto.

A oração adjetiva "que trabalham com dedicação" limita o sentido do substantivo "pessoas", pois não se refere a todas as pessoas, somente àquelas dedicadas que vão fazer parte do projeto.

Oração principal	Oração subordinada adjetiva restritiva	principal
Os documentos	**que** estavam naquele depósito	foram queimados.
Evite comidas	**que** dificultem a digestão.	
Não havia ninguém	**que** pudesse ajudá-la.	
Os escritores	**cujos** livros foram premiados	receberam aplausos.
A ruas	**por onde** passamos	têm tráfego intenso.
Conseguiu a medalha	**pela qual** tanto lutou.	
Não sabia o	**que** mais poderia fazer	naquela hora.
Ela	**que** nada estudou	saiu-se bem na prova.

Explicativas

Explicam ou acrescentam uma informação a respeito de um termo antecedente, como um aposto. Essas orações apresentam-se separadas da oração principal por vírgulas e não restringem o sentido do termo a que se referem.

O Rio de Janeiro, **que já foi capital do país,** será sede dos Jogos Olímpicos de 2016.

A oração adjetiva "que já foi capital do país" acrescenta uma informação de conhecimento geral a respeito da cidade do Rio de Janeiro, que poderia ser retirada do período sem causar nenhum prejuízo ao significado expresso pela oração principal.

Oração principal	Oração subordinada adjetiva explicativa	oração principal
São Paulo,	que é a maior cidade do país,	sofreu apagões.
O Flamengo,	que tem uma torcida gigantesca,	jogou mal ontem.
Minha irmã caçula,	que estuda Gastronomia,	foi para o exterior.
Machado de Assis,	cujas obras são importantíssimas,	será homenageado.

A colocação de vírgulas entre a oração principal e a oração subordinada adjetiva altera sensivelmente o significado que se quer evidenciar.

Ontem foi aniversário do meu irmão, que mora no interior. (oração subordinativa adjetiva **explicativa**).

Ontem foi aniversário do meu irmão que mora no interior. (oração subordinada adjetiva **restritiva**).

A oração explicativa, separada da principal por uma vírgula, expressa o sentido de que o falante tem apenas um irmão e ele mora no interior. Já a oração restritiva afirma que o falante tem mais de um irmão e ontem foi aniversário daquele que mora no interior.

❖ Algumas orações subordinadas adjetivas podem aparecer coordenadas:

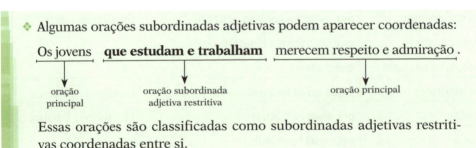

Essas orações são classificadas como subordinadas adjetivas restritivas coordenadas entre si.

Os pronomes relativos, diferentemente das conjunções, desempenham uma função sintática nas orações subordinadas adjetivas, isto é, exercem a mesma função sintática que exerceriam os nomes representados por eles, que podem ser de sujeito, objeto direto, objeto indireto, predicativo, adjunto adnominal, complemento nominal, adjunto adverbial e agente da passiva.

Para classificar a função sintática estabelecida pelo pronome, substitui-se o pronome relativo por seu antecedente, identificando a função exercida na oração anterior:

O antecedente do pronome relativo **que** é **pessoas** (sujeito da oração). Logo, o relativo **que** é o sujeito da oração subordinada adjetiva.

Funções sintáticas exercidas pelos pronomes relativos:

+ **sujeito**: Ela é uma mulher **que** trabalha como fotógrafa.

  (a **mulher** trabalha como fotógrafa – sujeito)

+ **predicativo do sujeito**: O bom companheiro **que** ele era só fazia grandes amigos.

  (ele era **um bom companheiro** – predicativo do sujeito)

+ **predicativo do objeto**: Não era o homem honesto **que** todos o consideravam.

  (todos o consideravam **honesto** – predicativo do objeto)

+ **objeto direto**: As compras **que** ela fez vão pesar no orçamento do mês.

  (ela fez **compras** – objeto direto)

+ **objeto indireto**: Os amigos **em quem** confio fazem parte do projeto.

  (confio **nos amigos** – objeto indireto)

+ **complemento nominal**: As pessoas **nas quais** tínhamos confiança são falsas.

  (tínhamos confiança **nas pessoas** – complemento nominal)

+ **adjunto adnominal**: Os artistas **cujas** obras foram premiadas participam da bienal.

  (as obras **dos artistas** – adjunto adnominal)

+ **adjunto adverbial**: A casa **onde** morei na infância está abandonada.

  (morei **na casa** – adjunto adverbial)

+ **agente da passiva**: O carro **pelo qual** ele foi atropelado estava sem freio.

  (foi atropelado **pelo carro** – agente da passiva)

Exercícios

1. Transforme o adjetivo grifado em uma oração subordinada adjetiva.
   a) O local visitado pelos turistas ficou famoso pelas belezas naturais.
   b) Os danos provocados pelo *tsunami* causaram prejuízos irreparáveis.
   c) Aquele lutador de boxe tem reações muito agressivas diante do público.
   d) A vendedora da loja ouviu palavras bastante ofensivas.
   e) Mesmo depois de muito treino, a letra daquele menino continuava ilegível.

f) As águas paradas e poluídas são <u>transmissoras</u> de doenças.
g) Presenciamos despedidas <u>emocionantes</u> no aeroporto ontem.
h) Agiu de forma <u>inexplicável</u> ao saber da reprovação.
i) Não deixaram de fazer barulhos <u>irritantes</u> durante toda a madrugada.
j) Quando era contrariada, costumava ter atitudes <u>imprevisíveis</u>.

2. **Substitua a oração subordinada adjetiva destacada por um adjetivo.**

   a) Aquela era uma situação <u>que não podia descrever</u>.
   b) A vencedora do concurso possuía uma beleza <u>que não se podia negar</u>.
   c) Foi uma difícil espera <u>que parecia não ter mais fim</u>.
   d) Temos lembranças da infância <u>que não esquecemos nunca</u>.
   e) Conservava uma força <u>que nada parecia abater</u>.

3. **Complete as orações a partir do pronome relativo, formando períodos compostos.**

   a) O bairro onde _____ .
   b) As favelas nas quais _____ .
   c) Os alunos cujos _____ .
   d) O futebol que _____ .
   e) Aquela avenida pela qual _____ .
   f) O rapaz a quem _____ .

4. **Separe e classifique as orações subordinadas adjetivas dos seguintes períodos.**

   a) Existem, nesta casa, móveis que pertenceram à nobreza francesa.
   b) Os fiéis, que estão na igreja, precisam de orientações sinceras.
   c) O filme ao qual a professora se referiu era muito emocionante.
   d) Passamos por várias cidades que pareciam abandonadas.
   e) Estou morando provisoriamente na casa de uma amiga, que viajou por uma semana.

5. **Identifique as orações grifadas: subordinadas substantivas ou adjetivas.**

   a) Emprestei-lhe a bolsa <u>que ela tanto queria</u>.
   b) Esperava-se <u>que ela fosse ao casamento da prima</u>.
   c) Observou <u>que a fila aumentava rapidamente</u>.
   d) Havia pessoas <u>que aguardavam na fila</u>.
   e) Muitas pessoas se esqueceram <u>de que amanhã seria feriado</u>.
   f) Eram os documentos <u>de que eles precisavam</u>.

6. Transforme os períodos simples em compostos introduzindo o pronome relativo e fazendo as adaptações necessárias.

a) Já recebi toda a documentação. Preciso da documentação para a venda do imóvel.
b) Morava em uma cidade histórica. Seus prédios e monumentos foram tombados.
c) Fui visitar a casa de meus avós. Meu pai nasceu nessa casa.
d) A empresa está atravessando sérios problemas. Eu trabalho nessa empresa.
e) O *show* de mímica foi surpreendente. Falei desse *show* a todos os meus amigos.

7. Sublinhe e informe a função sintática dos pronomes relativos.

a) Não reconheceu o rapaz com quem falou.
b) Eram muitas as dificuldades que precisávamos enfrentar.
c) A enxurrada levou a casa que estava abandonada.
d) O lugar onde guardou a mala é seguro?
e) As crianças cujos brinquedos ficaram no chão saíram para o recreio.
f) O jeito como se comporta me incomoda.
g) Deixou de ser o amigo que sempre foi.
h) Aquelas salas em que foram realizados os exames estão lacradas.
i) Ela sabia o que tinha acontecido, mas não contava para ninguém.
j) Não contaram o que encontraram naquela caverna.

Orações subordinadas adverbiais

Exercem a função sintática de adjunto adverbial, própria dos advérbios e das locuções adverbiais. São introduzidas, normalmente, por conjunções subordinativas e expressam diversas circunstâncias (causa, consequência, comparação, conformidade, concessão, condição, proporção, finalidade e tempo). Tais conjunções não desempenham função sintática na oração.

Quando, seu moço,

nasceu meu rebento

não era o momento

dele rebentar

[...]

(BUARQUE, Chico. "O meu guri". Chico Buarque. In: *Almanaque*. Ariola Discos, 1981.)

A conjunção subordinativa **quando** indica o momento, o tempo em que ocorre a ação expressa pelo verbo nasceu. Essa conjunção, classificada como conjunção subordinativa temporal, caracteriza-se como um adjunto adverbial de tempo da oração principal "não era o momento de rebentar".

As orações subordinadas adverbiais podem ser:

Causais

Indicam uma circunstância de causa, a razão que determina o fato ocorrido na oração principal.

Ela saiu-se bem na prova — oração principal
porque estava bem preparada. — oração subordinada adverbial causal

As principais conjunções subordinativas causais são: **porque**, **visto que**, **já que**, **posto que**, **uma vez que**, **desde que**, **que**, **como** (anteposto à oração principal) etc.:

Como era seu primeiro dia de aula, — oração subordinada adverbial causal
foi levado pela mãe à escola. — oração principal

Oração principal	Oração subordinada adverbial causal
Todos se colocaram contra ele,	desde que fumou no local de trabalho.
Não pôde comparecer ao meu casamento,	visto que viajou.
As bilheterias foram cerradas,	já que todos os ingressos foram vendidos.
As crianças gritaram muito,	porque ficaram com medo do escuro.

No caso de a oração subordinada adverbial não se iniciar por uma conjunção subordinativa, ela é classificada como causal **justaposta** por não apresentar conectivo.

Não conseguiu chegar a tempo, tamanho era o trânsito. (porque havia muito trânsito)

❖ É importante distinguir **oração coordenada sindética explicativa** de **oração subordinada adverbial causal**, quando ambas são iniciadas pela conjunção **porque**. A primeira dá uma explicação ou justificativa a respeito de uma declaração:

Não faça barulho, **porque** seu avô está dormindo.

O descanso do avô é a justificativa para não se fazer barulho.

A segunda indica a causa de um fato ou ação expressos na oração principal.

Desisti da academia **porque** estava sem tempo.

A falta de tempo é a causa da desistência da academia.

❖ Se a oração coordenada é uma sindética explicativa, o verbo da primeira oração encontra-se, em geral, no modo imperativo.

Volte logo, **porque** está escurecendo.

❖ A vírgula é empregada na oração coordenada sindética explicativa, mas não aparece na subordinada adverbial causal.

Condicionais

Indicam uma condição, uma hipótese para que determinado fato, na oração principal, possa ou não ocorrer.

Se chover, não faremos a nossa caminhada.

oração subord. adv. condicional   oração principal

As principais conjunções subordinativas condicionais são: **se**, **caso**, **contanto que**, **salvo se**, **a menos que**, **desde que**, **a não ser que**, **sem que** (**se não**) etc.

Oração subordinada adverbial condicional	Oração principal
Caso precise ir ao médico,	avise-me.
Se acabassem com as brigas,	poderiam ser amigos.

Oração principal	Oração subordinada adverbial condicional
Farei a viagem	**desde que** arquem com as despesas.
O trabalho sairá bom	**contanto que** cada um faça a sua parte.
Haverá aula de inglês amanhã	**a não ser que** o professor falte.
Não tomarei nenhuma providência	**a menos que** o gerente autorize.

Comparativas

Estabelecem uma relação de comparação com um elemento da oração principal.

As principais conjunções subordinativas comparativas são: **como**, **assim como**, **tão... como**, **tanto... quanto**, **tal qual**, **tal como**, **mais... do que**, **menos... do que** etc.

Nas orações comparativas, o **verbo** normalmente não vem expresso. É o mesmo da oração principal e está subentendido.

Oração principal	Oração subordinada adverbial comparativa
O nosso projeto é melhor	do **que** o de vocês.
Ela era mais bonita	**que** a irmã mais nova.
Os idosos pareciam tão dispostos	**quanto** os jovens para a natação.
Esperava cavalgar tanto	**quanto** uma amazona.
A cidadezinha não era tão pitoresca	**como** nós esperávamos.
Ganhava menos	do **que** queria.

Concessivas

Expressam uma concessão, um fato admissível, mas contrário ao expresso na oração principal.

As principais conjunções subordinativas concessivas são: **embora**, **ainda que**, **mesmo que**, **por mais que**, **conquanto**, **se bem que**, **nem que**, **sem que** etc.

Oração subordinada adverbial concessiva	Oração principal
Por mais que cavassem,	não conseguiam encontrar o tesouro.
Ainda que meu pai não permita,	viajarei sozinha no fim de semana.
Embora fosse um atleta,	não terminou a maratona.
Se bem que já estivesse escuro,	consegui achar o caminho.
Nem que gritassem,	seriam ouvidos naquela distância.

Oração principal	Oração subordinada adverbial concessiva
Concluiremos o projeto	**mesmo que** acabe a verba prometida.
Não sabia resolver a equação matemática	**por mais que** se esforçasse.
Precisava fazer regime	**ainda que** não fosse de seu agrado.

Consecutivas

Indicam uma consequência, o resultado de um fato mencionado na oração principal.

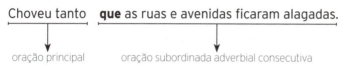

Choveu tanto **que** as ruas e avenidas ficaram alagadas.

oração principal / oração subordinada adverbial consecutiva

As principais conjunções subordinativas consecutivas são: **que** (precedido, na oração principal, de tão, tanto, tal, tamanho), **de modo que**, **de sorte que** etc.

Oração principal	Oração subordinada adverbial consecutiva
Estava tão frio	**que** ficamos com pés e mão congelados.
Sentiu tanta dor de dente	**que** desmaiou.
Prometia com tamanho empenho	**que** todos acreditavam nas suas palavras.
Dançava de tal forma	**que** encantava toda a plateia.
Trabalhou com tanto afinco	**que** conseguiu uma promoção.

Conformativas

Expressam uma ideia de concordância ou conformidade, um acordo entre o fato mencionado e o estabelecido na oração principal.

A divisão dos bens será feita **conforme** combinamos.

oração principal / oração subordinada adverbial conformativa

As principais conjunções subordinativas adverbiais conformativas são: **conforme**, **como**, **segundo**, **consoante**.

O técnico fez todos os cálculos **como** lhe ensinaram.

A conjunção **como** introduz uma oração subordinada adverbial conformativa se for equivalente à conjunção **conforme**.

O técnico fez todos os cálculos **conforme** lhe ensinaram.

Oração principal	Oração subordinada adverbial conformativa
A torcida reagiu	**como** já era esperado.
As crianças se comportaram exatamente	**como** se previu.
Prepare a feira cultural	**conforme** as orientações da professora.

Oração subordinada adverbial conformativa	Oração principal
Como diz o ditado popular,	"cada macaco no seu galho".
Segundo informaram os meios de comunicação,	as chuvas vão continuar.

❖ A conjunção **como** pode ser empregada na subordinativa adverbial:
- causal: **Como** estivesse cansada, decidiu não ir à festa de aniversário da prima.
- comparativa: Sabia dançar **como** ninguém.
- conformativa: Devolveu o dinheiro **como** prometeu.

Finais

Indicam a finalidade, o objetivo proposto para o fato expresso na oração principal.

Cheguem cedo, **para que** possamos aproveitar bem o dia.

oração principal — oração subordinada adverbial final

As principais conjunções subordinativas finais são: **para que**, **a fim de que**, **que**, **porque**.

Oração principal	Oração subordinada adverbial final
Pediu um empréstimo	**para que** pudesse quitar as prestações.
Precisa tomar o remédio na hora certa	**a fim de** que faça melhor efeito.
Falava alto	**para que** a senhora ouvisse melhor.

Proporcionais

Indicam uma noção de proporcionalidade relacionada ao fato declarado na oração principal.

Melhoro meu condicionamento físico, à proporção que pratico mais esporte.

oração principal — oração subordinada adverbial proporcional
(a prática de esporte e a melhora do condicionamento físico ocorrem na mesma proporção)

As principais conjunções subordinativas adverbiais proporcionais são: **à proporção que**, **à medida que**, **ao passo que**, **quanto mais... mais**, **quanto menos... menos** etc.

Quanto mais praticar esporte, mais bem-disposto se sentirá.
[oração subordinada adverbial proporcional] [oração principal]

Oração principal	Oração subordinada adverbial proporcional
Aumentamos nosso conhecimento	**à medida que** estudamos.
O aluno ia ficando mais nervoso	**à proporção que** lhe diziam as notas.

Oração subordinada adverbial proporcional	Oração principal
À medida que o tempo passava,	mais ansiosa ela ficava.
À proporção que subíamos a montanha,	o frio se intensificava.
Quanto mais dinheiro ganhava,	mais queria ganhar.
Quanto menos trabalhava,	menos queria trabalhar.

Temporais

Informam uma circunstância de tempo, o momento em que ocorre o fato mencionado na oração principal.

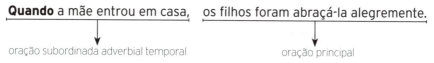

Quando a mãe entrou em casa, os filhos foram abraçá-la alegremente.
[oração subordinada adverbial temporal] [oração principal]

As principais conjunções subordinativas adverbiais temporais são: **quando**, **enquanto**, **logo que**, **antes que**, **sempre que**, **assim que**, **cada vez que**, **depois que**, **antes que**, **mal** etc.

Oração principal	Oração subordinada adverbial temporal
Ela o reconheceu	**assim que** ele entrou na sala.
Não nos víamos	**desde que** ela se mudou para outro estado.
Pare de beber	**antes que** passe mal.
Os torcedores invadiram o campo	**logo que** o juiz apitou o final de jogo.
O marido ficava em casa	**enquanto** fazia compras no *shopping*.

Oração subordinada adverbial temporal	Oração principal
Sempre que viajava,	trazia um presente para mim.
Mal entrava no carro,	já ficava estressado.
Cada vez que saía,	voltava com novidades.

Orações subordinadas **393**

❖ A **vírgula** pode ou não ser empregada para separar as orações subordinadas adverbiais da oração principal.

Eu só queria sossego,   **quando** chegava cansada em casa.
    ↓   ↓
oração principal   oração subordinada adverbial temporal

Ela queria paz **quando** chegava em casa.

É obrigatória a colocação da vírgula quando a subordinada adverbial estiver anteposta à oração principal, ou mesmo intercalada.

Se estiver chovendo,   cancelaremos o jogo de vôlei na praia.
        ↓   ↓
oração subordinada adverbial condicional   oração principal

O trabalho,   **desde que** cada um faça a sua parte,   sairá perfeito.
    ↓   ↓   ↓
oração principal   oração subord. adv. temporal   oração principal

O estudo completo de pontuação será feito na próxima unidade.

❖ Alguns manuais de gramática mencionam outras classificações para as orações subordinadas adverbiais que não são consideradas pela NGB, como de: **modo**, **lugar**, **companhia**, **inclusão**, **exclusão** etc.

Permaneceu no local **sem que ninguém o proibisse**.

Para onde quiser ir, vá sem culpa.

Queria viajar **com quem lhe aprouvesse**.

❖ Orações subordinadas podem parecer **coordenadas** se desempenharem a mesma função:

Estava combinado **que** ela viria de carro **e** (**que**) traria os trabalhos prontos.
            ↓   ↓
oração principal   orações subordinadas substantivas subjetivas

São duas orações subordinadas substantivas subjetivas coordenadas entre si:

Estava combinado   **que** ela viria de carro   **e**
(estava combinado)   **que** traria os trabalhos prontos.

Outros exemplos:

Embora estivesse cansado **e** (**embora** tivesse) trabalhado o dia todo, foi visitar o amigo operado no hospital.

Tinha esperança **de que** conseguiria uma nova colocação **e** (**de que**) seria bem remunerado.

Encontrou os parentes **que** não via há muito tempo **e** (**que**) lhe eram muito queridos.

Exercícios

1. Grife o adjunto adverbial, transforme-o em uma oração subordinada adverbial e classifique-a.

a) Trabalharam horas para o término da feira cultural.
b) Vai estudar Engenharia depois da conclusão do Ensino Médio.
c) Em razão da ausência dos professores, os alunos foram dispensados mais cedo.
d) A garota saiu de casa sem a permissão dos pais.
e) Deixou a chave do apartamento na fechadura por distração.
f) O casal comprou o apartamento apesar das dificuldades financeiras.
g) A briga dos namorados só terminou com a intervenção dos amigos.
h) De acordo com o cronograma, logo receberemos as encomendas.
i) Com a chegada da primavera, as flores começaram a desabrochar.
j) Na despedida, esqueci-me de agradecer-lhe pela hospedagem.

2. Separe e classifique as orações subordinadas adverbiais.

a) Por mais que procurassem, não conseguiram encontrar o meu anel.
b) Estava bem mais preparado que seus companheiros.
c) Caminhou tanto que chegou até o limite da fazenda.
d) Prepare a mesa como eu lhe mostrei.
e) À medida que esfriava, a mãe ia colocando mais agasalho nos filhos.
f) Caso decida ficar, terá de pagar mais uma diária.
g) Empreste-me os óculos para que eu possa assinar o cheque.
h) Já que o preço estava bom, levou para casa dúzias de laranja.
i) Não vamos desistir mesmo que apareçam outros concorrentes.
j) Enquanto aguardava na fila, comia pipoca.

3. Classifique as orações subordinadas adverbiais encontradas nos períodos abaixo.

a) ... *em todo caso, quando tivesse algum receio, a melhor cartomante era ele mesmo.* (Machado de Assis)
b) *Achou tão engraçado esse pensamento que se inclinou sobre o muro e pôs-se a rir.* (Clarice Lispector)
c) *... tecer com os seus belos fios dourados para que o sol voltasse a acalmar a natureza.* (Marina Colasanti)
d) *O visitante acompanhou, fascinado, uma aula como ela seria num futuro em que o computador tivesse substituído o professor.* (Luis Fernando Verissimo)
e) *... e desafiando-a disse: — Já que você de fato é uma águia,... abra suas asas e voe.* (Leonardo Boff)

4. A partir de períodos simples, construa um período composto por subordinação com orações subordinadas adverbiais.

a) Ela estava muito magoada. Não parou de chorar durante todo o jantar.
b) Os tênis estavam bem baratos naquela promoção. Compramos vários pares.
c) Telefonou para o filho várias vezes durante o dia. Estava preocupada com a falta de notícias.
d) A mulher falava alto demais. Chamava a atenção de todos no supermercado.
e) Eles demoraram muito para voltar de viagem. A estrada ficou interrompida por duas horas.
f) A noite estava muito fria. Talvez até caia neve de madrugada.
g) Os mochileiros não conseguiram encontrar o acampamento. Eles não conheciam a região.
h) Corri para alcançar o ônibus. Fiquei muito cansado.
i) Não conseguiu saber o novo endereço da amiga. Perguntou várias vezes.
j) O preço do *notebook* estava caro naquela loja. Não havia muitos no estoque.

5. Informe a classificação das orações subordinadas adverbiais introduzidas pelas conjunções **que** e **como**.

a) Devolveu o dinheiro **como** havia prometido.
b) Ele era muito mais esperto **que** você.
c) **Como** chovia muito, as ruas estavam alagadas.
d) Se era tão rico, **como** parecia, por que não ajudava?
e) Esforçava-se tanto para agradar-lhe **que** encheu a casa de flores.
f) A mulher gritava **como** louca pelos corredores da delegacia.
g) Algumas crianças pareciam mais carentes **que** outras naquele momento.
h) Abra a porta **que** todos devem sair.
i) *Amou daquela vez* ***como*** *se fosse a última.* (Chico Buarque)
j) **Como** estava arrependido, pedia desculpas e chorava.

6. Classifique as orações introduzidas pela conjunção **se**.

a) **Se** tiver alguma dúvida, pergunte ao professor.
b) Não sabia **se** ficaria até o fim do mês.
c) *E **se** vires que pode merecer-te.* (Camões)
d) **Se** está tão magoada com ela, não lhe dirija mais a palavra.
e) *Miguilim queria ver **se** o homem estava mesmo sorrindo para ele...* (Guimarães Rosa)

Orações reduzidas

As orações subordinadas substantivas, adjetivas e adverbiais podem aparecer não só desenvolvidas, mas também em sua forma reduzida.

As orações reduzidas são assim chamadas porque se apresentam sem o conectivo – a conjunção subordinativa ou o pronome relativo – e com o verbo em uma das três formas nominais – infinitivo, gerúndio ou particípio.

	Oração reduzida	Oração desenvolvida
infinitivo	É importante **preservar sempre as boas amizades**. (oração subordinada substantiva subjetiva, reduzida de infinitivo)	É importante **que preservemos sempre as boas amizades**.
gerúndio	Encontrou a amiga **fazendo compras no *shopping***. (oração subordinada adjetiva restritiva, reduzida de gerúndio)	Encontrou a amiga **que fazia compras no *shopping***.
particípio	**Terminada a aula**, as crianças deixaram a sala. (oração subordinada adverbial temporal, reduzida de particípio)	**Quando terminou a aula**, as crianças deixaram a sala.

Para desenvolver a oração, passa-se o verbo da forma nominal para uma forma desenvolvida, do indicativo ou do subjuntivo, e introduz-se o conector adequado sem modificar o sentido original.

As orações reduzidas desempenham, no período composto, a mesma função sintática que desempenhariam na oração desenvolvida.

Existem orações reduzidas que não podem ser desenvolvidas e permanecem sem alteração.

Tinha intenção **de dispensar os alunos mais cedo hoje**.

Entristece-me **saber de sua doença**.

Orações reduzidas de infinitivo

As orações reduzidas de infinitivo podem ser, em sua maioria, subordinadas substantivas e adverbiais. As adjetivas aparecem com menos frequência.

Subordinadas substantivas

+ Subjetivas:

    Não é bom **fazer** dívidas.

    É difícil **ser** aprovado em um vestibular concorrido.

    Custou-lhe muito **desistir** de viajar com os amigos.

+ Objetiva direta:

    Queria **conhecer** outros países.

    A mãe espera **encontrar** a casa em ordem no fim do dia.

+ Objetiva indireta:

    Acostumei-me a **levantar** cedo.

    Desistimos de **esperar** a volta dos turistas.

+ Completiva nominal:

    Tinha um forte desejo de **conhecer** antigos monumentos.

    Estava disposto a **perdoar** as suas mentiras.

+ Predicativa:

    A única saída era **vender** o carro.

    A sorte deles é **morar** perto do metrô.

+ Apositiva:

    Desejava apenas uma coisa: **abrir** o próprio negócio.

❖ Algumas orações vêm precedidas de preposição quando verbos ou nomes assim o exigirem.

❖ As orações reduzidas de infinitivo que vêm após verbos nomeados como causativos ou sensitivos (deixar, ver, olhar, sentir etc.) exigem atenção no momento da analisá-las sintaticamente.

sujeito da oração subordinada (apenas nesse caso o pronome oblíquo exerce a função sintática de sujeito)

Deixou-o dormir até mais tarde.

oração principal

oração subordinada substantiva objetiva direta reduzida de infinitivo

Subordinadas adverbiais

+ Condicional:

   Sem **estudar**, será difícil sair-se bem na prova.

+ Temporal:

   Ao **rever** os amigos, ficou emocionada.

+ Concessiva:

   Apesar de não **estar** com frio, resolveu agasalhar-se melhor.

+ Final:

   Reuniram-se para **entregar** flores à nova diretora.

+ Causal:

   Não foi à festa de formatura por **achar-se** malvestida.

+ Consecutiva:

   Parece ter ficado muito aborrecido para não **conversar** mais comigo.

Subordinadas adjetivas

Aquela é a faca de **cortar** pão.

Não parecia uma pessoa de **fazer** intrigas.

Deparou com jovens a **fumar** no pátio do colégio.

Orações reduzidas de gerúndio

As orações reduzidas de gerúndio são, em maior número, subordinadas adverbiais e, eventualmente, adjetivas.

Subordinadas adverbiais

+ Concessiva:
  Mesmo **conhecendo** o caminho, perdeu-se nas avenidas movimentadas.
+ Causal:
  Sabendo de sua timidez, resolvi não colocá-lo para cantar.
+ Condicional:
  Precisando de ajuda, é só tocar a campainha.
+ Concessiva:
  Mantendo antigas tradições, costumava pedir a bênção ao pai.
+ Temporal:
  Revirando o velho baú, encontrei belas fotos da família.

Subordinadas adjetivas

Por causa da tempestade, apareceram animais **procurando** abrigo.

Apareciam à frente os atletas africanos **completando** a São Silvestre.

> ❖ Uma oração coordenada aditiva pode aparecer sob a forma de reduzida de gerúndio.
> Ele recebeu os documentos **assinando**-os em seguida. (reduzida de gerúndio)
> Ele recebeu os documentos **e assinou**-os em seguida. (oração coordenada sindética aditiva)
>
> ❖ A oração subordinada adverbial classificada como modal e reduzida de infinitivo ou de gerúndio não é reconhecida pela NGB.
> Saiu de mansinho, sem **fazer** barulho.
> Para chamar a atenção, costumava sair à rua **vestindo** fantasias.

Orações reduzidas de particípio

As orações reduzidas de particípio são subordinadas adjetivas e adverbiais, e nunca aparecem como substantivas.

Subordinadas adjetivas

Os locais **tombados** pelo patrimônio histórico precisam ser mais bem-cuidados.

Entregaram às mães todas as lembrancinhas **feitas** por eles.

O filme **dirigido** pela equipe do nosso colégio foi o vencedor do festival.

Subordinadas adverbiais

+ Temporal:

Encerradas as matrículas, preparavam-se para mais um ano letivo.

+ Causal:

Mais bem **preparado** fisicamente, o nadador mais velho venceu.

+ Concessiva:

Compareceu ao encontro anual mesmo **esquecido** pelos colegas de turma.

❖ Em muitas orações, o particípio, considerado um adjetivo, desempenha a função sintática de adjunto adnominal ou predicativo.

Os livros **espalhados** pelo chão atrasavam a limpeza da sala. (adjunto adnominal)

O funcionário entrou **apressado** na sala da gerência. (predicativo)

❖ Os verbos que, eventualmente, aparecem juntos na oração reduzida não formam uma locução verbal. A **locução verbal**, formada por um verbo auxiliar conjugado mais um verbo principal na forma nominal, expressa um sentido único.

O bebê **começou a chorar** assim que acordou.

O bebê **ficou chorando** muito.

O bebê **tinha chorado** a noite toda.

O verbo auxiliar pode ser retirado da frase que o significado permanece o mesmo.

O bebê **chorou**. (assim que acordou/muito/a noite toda)

Já em uma oração reduzida, os dois verbos expressam ideias diferenciadas:

Cresceu **enfrentando** muitos obstáculos.

❖ A classificação das orações reduzidas pode receber mais de uma interpretação de acordo com o contexto em que se apresenta.

Estando triste, não conversava com ninguém. (reduzida de gerúndio)

A oração reduzida permite duas interpretações:

Quando estava triste, não conversava com ninguém. (oração subordinada adverbial temporal)

Como estava triste, não conversava com ninguém. (oração subordinada adverbial causal)

Oração intercalada ou interferente

A oração intercalada ou interferente recebe esse nome porque se coloca entre as demais orações do período com o objetivo de prestar um esclarecimento, fazer uma advertência ou uma ressalva, ou emitir uma opinião:

*Camilo ensinou-lhes as damas e o xadrez e jogavam às noites – **ela mal** –; ele, para lhe ser agradável, menos mal.*

(Machado de Assis)

*Os adultos sempre podem mentir – **e adulto sabe mentir, passa a vida fazendo isso** – que têm um compromisso.*

(Moacir Scliar)

São independentes sintaticamente e, em geral, interpõem-se na sequência natural do período. Podem apresentar-se entre vírgulas, travessão ou parênteses, comportando-se como uma oração absoluta.

Que a vida passa, e não estamos de mãos enlaçadas,

(Enlacemos as mãos)

(Ricardo Reis)

*O pessoal da Alfândega – **tudo malandro velho** – começou a desconfiar da velhinha.*

(Stanislaw Ponte Preta)

Exercícios

1. Transforme as expressões grifadas em orações reduzidas.
   a) Era importante a sua permanência como funcionário da nossa empresa.
   b) É recomendável a viagem no período da manhã por causa do forte calor.
   c) A sorte dos funcionários foi o recebimento dos salários atrasados.
   d) Foi muito conveniente o meu afastamento da direção do clube.
   e) Guardamos tintas e pincéis para a pintura dos quadros da exposição.

2. Classifique as orações do exercício anterior.

3. Todas as orações seguintes são reduzidas de infinitivo. Informe sua classificação após desenvolvê-las.
   a) Encontrou o marido a beber cerveja com os amigos.
   b) Não convém sair à noite.
   c) O jogador tinha um desejo: o time retornar para a primeira divisão.
   d) Apesar de gostar de dirigir, não se sentia mais capaz.
   e) A única saída era mudar a data do evento.
   f) Ao sair de casa, percebeu que deixara as luzes acesas.
   g) Não mudem sem deixar o novo endereço.
   h) Viajaram com a vontade de reencontrar os queridos parentes.
   i) Referindo-se ao novo médico, diziam ser o melhor de toda a cidade.
   j) Por estar distraído, não percebeu o carro aproximar-se.

4. Classifique as orações reduzidas de gerúndio.
   a) Vendo a sua aflição, decidimos dar-lhe a boa notícia.
   b) Viram os urubus sobrevoando a área do lixão.
   c) Mesmo estudando bastante, não conseguiu uma boa nota.
   d) Pegou as moedas, distribuindo-as entre os pedintes.
   e) *Certa vez, escrevendo uma novela, precisei saber se uma salamandra tinha quatro ou seis pernas.* (Fernando Sabino)
   f) Conseguindo uma folga, vou ao dentista.
   g) *Sei que segurava o livro grosso com as duas mãos, comprimindo-o contra o peito.* (Clarice Lispector)
   h) Encontramos as crianças fazendo castelinhos na areia.
   i) Precisando de ajuda, me chame.
   j) Estando nervosa, foi ríspida com os colegas.

5. Desenvolva as orações reduzidas do exercício anterior.

6. Sublinhe e classifique as orações reduzidas de particípio de acordo com as opções abaixo.

   (I) adverbial causal
   (II) adverbial concessiva
   (III) adverbial condicional
   (IV) adverbial temporal
   (V) adjetiva

   a) (   ) Desmentida a notícia, não deverá haver confusão.
   b) (   ) Decidido a vender a moto, não mudará de ideia.
   c) (   ) Mesmo atropelado pelo carro, o cãozinho teve ferimentos leves.
   d) (   ) O vestido escolhido pela noiva era muito caro.
   e) (   ) Concluída a reunião, todos se retiraram rapidamente.
   f) (   ) Feito o acordo, poderá se pensar numa próxima etapa.
   g) (   ) Ainda que dispensados pelo treinador, permaneciam na quadra.
   h) (   ) Ficaram no colégio os alunos convocados pela direção.
   i) (   ) Acabadas as provas, os candidatos saíam aliviados.
   j) (   ) Preocupados com o mau tempo, adiaram a escalada.

7. Grife e classifique as orações reduzidas de infinitivo, de gerúndio e de particípio.

   a) É possível entregar o trabalho ainda hoje?
   b) Os folhetos distribuídos pelas ruas nem eram lidos.
   c) Ao parar no ponto do ônibus, sentiu uma tontura.
   d) Acabando a licença, enfrentará um difícil recomeço.
   e) Confirmado o resultado, os vencedores seriam premiados.
   f) O vizinho não era homem de gostar de conversas.
   g) Recomenda-se dirigir com cautela.
   h) A garota andava apressadamente, desaparecendo na multidão.
   i) Dirigiram-se aos convidados para agradecer-lhes a presença.
   j) O mais certo é dividir as despesas.
   k) Ficando na chuva, você certamente pegará um resfriado.
   l) Ela não desistiria tão facilmente de buscar uma nova oportunidade.
   m) Decepcionado com a atitude do filho, o pai abandonou o projeto.
   n) Voltando das férias, vá me visitar.
   o) Ficou tão assustado a ponto de se esconder em casa.

8. Sublinhe as orações subordinadas desenvolvidas e converta-as em orações reduzidas.

   a) Minha irmã garante que encontrou o grande líder religioso.
   b) Viram a mãe, que saía apressada da garagem.

c) Se venderem o apartamento, poderão realizar o sonho de viajar.
d) Tenho certeza de que fiz o melhor que pude.
e) Assim que os convidados chegarem, serviremos o jantar.
f) Adorei o presente que você me deu.
g) Você foi multado porque ultrapassou o sinal vermelho.
h) É bom que todos estejam em casa antes de anoitecer.
i) Logo que eles receberam o salário, foram fazer as compras.
j) Enquanto andava pelas ruas, refletia sobre minhas decisões.
k) Os engenheiros diziam que eram responsáveis pelo projeto.
l) Quando terminarem a faxina, fechem as janelas.
m) Meu pai decidiu que permaneceria naquela pousada por mais alguns dias.
n) Embora estivesse cansado, foi à casa dos parentes a pé.
o) Sua vontade era que pudesse reencontrar os velhos amigos para matar as saudades.

9. Indique com um X as orações reduzidas que estão classificadas de maneira errada e corrija-as.
a) Andando na praça, admirei as flores.
Oração subordinada adverbial temporal, reduzida de particípio.
b) É urgente resolver a questão da desigualdade social.
Oração subordinada substantiva objetiva direta, reduzida de infinitivo.
c) O político se destacou trabalhando pelos seus eleitores.
Oração subordinada adverbial causal, reduzida de gerúndio.
d) O mais acertado é devolver-lhe o dinheiro.
Oração subordinada substantiva subjetiva, reduzida de gerúndio.
e) Procure a lista publicada no jornal de ontem.
Oração subordinada adjetiva restritiva, reduzida de particípio.
f) Vejo os estudantes passar pela rua e entrar na escola.
Orações subordinadas adjetivas restritivas, reduzida de infinitivo.
g) Insistindo no erro, você só terá prejuízo.
Oração subordinada adverbial consecutiva, reduzida de gerúndio.
h) Tem esperança de conquistar o primeiro prêmio.
Oração subordinada substantiva completiva nominal, reduzida de infinitivo.
i) Comprou um tênis novo para usar nas férias.
Oração subordinada adverbial final, reduzida de particípio.
j) Nada o impediria de delatar os companheiros.
Oração subordinada substantiva objetiva indireta, reduzida de infinitivo.
k) O pai cumprimentou o filho, abraçando-o demoradamente.
Oração coordenada aditiva, reduzida de gerúndio.

l) Acabando a festa, telefone-me.
Oração subordinada adverbial condicional, reduzida de gerúndio.

10. **Analise os períodos compostos a seguir.**
a) Meu amigo visitou-me recentemente e disse estar passando por momentos bem difíceis.
b) Entregues as provas, os alunos saíram da sala, mas se esqueceram de levar o material.
c) Como não encontrou a esposa em casa, saiu para procurá-la pela vizinhança.
d) Peço-lhe que me avise assim que souber como tudo aconteceu.
e) Convém que as mulheres cujas joias foram roubadas façam uma denúncia à polícia para que os ladrões sejam presos.

Questões de vestibulares

1. **(UFF-RJ)** Reescrevendo-se a oração reduzida *Apesar de não diminuir a produção da fábrica* na forma desenvolvida e mantendo-se o sentido original, podem ser dadas as formas abaixo, EXCETO:
a) Conquanto não diminua a produção da fábrica.
b) Embora não diminua a produção da fábrica.
c) Porquanto não diminua a produção da fábrica.
d) Mesmo que não diminua a produção da fábrica.
e) Ainda que não diminua a produção da fábrica.

2. **(FGV-SP)** Observe, nos seguintes períodos, as orações que contêm verbos no gerúndio.
I. Estando as meninas em Araxá, foi Ronaldo ter com elas.
II. Sendo o aluno um jovem estudioso, deverá facilmente obter aprovação.
III. Sendo brasileiro o advogado, poderei atendê-lo; caso contrário, não.
Essas orações são subordinadas adverbiais. Assinale a alternativa que indique, respectivamente, a circunstância de cada uma.
Leve em conta que a oração pode indicar mais de uma circunstância.
a) Causa, causa, consequência.
b) Tempo, causa, finalidade.
c) Consequência, concessão, finalidade.
d) Tempo, causa, condição.
e) Condição, finalidade, tempo.

3. (Ufal-AL) Indique como verdadeiras (V) as frases em que há orações reduzidas e como falsas (F) aquelas em que isso não se dá:
   a) A criança corria pela calçada da casa, procurando pela mãe. ( )
   b) Torna-se necessário mudar o horário do início das aulas, atendendo, assim, a necessidades gerais. ( )
   c) Todos ouviram com emoção as palavras do diretor – palavras merecedoras de apreço e respeito. ( )
   d) Os alunos puseram-se a falar sobre o seminário que está sendo preparado pelos colegas. ( )
   e) Convém que todos se conscientizem da necessidade de revisão de dados princípios. ( )

4. (FMU-SP) No texto *Um se encarrega de comprar camarões*, a oração destacada é uma:
   a) subordinada substantiva completiva nominal, reduzida de gerúndio.
   b) subordinada substantiva objetiva direta, reduzida de infinitivo.
   c) subordinada substantiva subjetiva, reduzida de gerúndio.
   d) subordinada substantiva objetiva indireta, reduzida de infinitivo.
   e) subordinada substantiva apositiva, reduzida de infinitivo.

5. (Unifor-CE) <u>Se fizermos uma comparação com os índios</u>, poderemos dizer <u>que os civilizados são uma sociedade sofrida</u>.
   Assinale a alternativa em que as orações do texto, destacadas na frase acima, estão corretamente transformadas em orações reduzidas.
   a) Caso fizermos uma comparação ___ serem os civilizados ___ .
   b) Quando se faz uma comparação ___ sejam os civilizados ___ .
   c) Feita uma comparação ___ sejam os civilizados ___ .
   d) Fazendo uma comparação ___ sejam os civilizados ___ .
   e) Fazendo uma comparação ___ serem os civilizados ___ .

6. (Cesgranrio-RJ) Em qual das orações reduzidas abaixo há ERRO quanto à circunstância a ela atribuída?
   a) Sem pensar, no futuro, poderá pagar caro por suas decisões. (condição)
   b) Não vendo o mundo ao seu redor, fez um julgamento que o prejudicou. (causal)
   c) Apesar de ser orgulhoso, estava disposto a novas tentativas. (consequência)
   d) Ao criticar o amigo, não se lembrou de que o mundo dá voltas. (tempo)
   e) Para ser finalmente feliz, era preciso mais uma vez analisar seu passado. (finalidade)

7. **(UFRJ/Uerj/Cefet)** *... únicas moradias erguidas no Rio para abrigar flagelados.*

   Substitua a oração reduzida de infinitivo do trecho acima por uma construção nominal.

8. **(Fuvest-SP)** *Bem cuidado como é, o livro apresenta alguns defeitos.* Começando com "O livro apresenta alguns defeitos", o sentido da frase não será alterado se continuar com:
   a) desde que bem-cuidado.
   b) contanto que bem-cuidado.
   c) à medida que é bem-cuidado.
   d) tanto que é bem-cuidado.
   e) ainda que bem-cuidado.

9. **(UFMG-MG)** A oração reduzida está corretamente desenvolvida em todas as alternativas, exceto em:
   a) Mesmo correndo muito, não alcançarás o expresso da meia-noite.
   Se correres muito, ____ .
   b) Assentando-te aqui, não verás os jogadores.
   Se te assentares aqui, ____ .
   c) Estando ela de bom humor, a noite era das melhores.
   Quando ela estava de bom humor, ____ .
   d) Chegando a seca, não se colheria um só fruto, ____ .
   Quando chegasse a seca, ____ .
   e) No princípio, querendo impor-se, adotada atitudes postiças.
   ____ porque queria impor-se, ____ .

10. **(Fatec-SP)** A oração está em forma reduzida (de infinitivo):
    Apesar de só dizer a verdade, não lhe deram crédito.
    Assinale a alternativa em que ela aparece desenvolvida de forma **correta**.
    a) Apesar que só dizia a verdade, não lhe deram crédito.
    b) Apesar que só dissesse a verdade, não lhe deram crédito.
    c) Visto que só dizia a verdade não lhe deram crédito.
    d) Embora só dissesse a verdade, não lhe deram crédito.
    e) Mesmo dizendo a verdade, não lhe deram crédito.

11. **(FSJT-SP)** Leia os períodos abaixo.
    I. **Estando em boa fase**, não fez grande partida.
    II. Não veio **por estar muito cansado**.
    III. **Feitas as ressalvas**, encerremos o assunto.
    As orações em destaque apresentam, respectivamente, as seguintes circunstâncias:

a) condição, consequência, finalidade.
b) concessão, explicação, proporcionalidade.
c) proporcionalidade, causa, concessão.
d) condição, consequência, tempo.
e) concessão, causa, tempo.

12. (ITA-SP) A frase 1 a seguir é transformada morfossintaticamente na frase 2 com o mesmo significado. Assinale a opção que explica a mudança:

1) Sem que tivesse notado que a garota o havia provocado, o velho leão mastiga um pedaço de carne.
2) Sem ter notado a provocação da garota, o velho leão mastiga um pedaço de carne.

a) Houve em 2 a redução da oração subordinada adverbial ao infinitivo, e nominalização ou substantivação da subordinada substantiva.
b) Houve em 2 a redução, ao particípio, da oração subordinada adverbial, e nominalização ou substantivação da subordinada substantiva.
c) Houve em 2 a redução sintática dos termos da 1ª oração e transformação da subordinada adjetiva em objeto direto.
d) Houve em 2 transformação da 1ª oração subordinada em locução conjuntiva e redução da 2ª subordinada em locução adverbial concessiva.
e) Houve em 2 uma transformação que manteve o mesmo número de orações que havia em 1, a despeito da reduções sintáticas.

Período composto por coordenação e subordinação

As **orações coordenadas** e as **subordinadas** podem fazer parte de um mesmo período, que passa a ser composto por coordenação e subordinação, também classificado como período misto.

Entre a 1ª e a 2ª orações há subordinação: a 1ª é subordinada adverbial temporal em relação à 2ª, que é principal em relação à 1ª. A 2ª, além de principal, é também coordenada assindética em relação à 3ª, analisada como coordenada sindética adversativa em relação à 2ª.

A 2ª oração recebe duas classificações, e o período apresenta orações que se relacionam por coordenação e subordinação.

A coordenação também pode aparecer entre orações que apresentam a mesma classificação.

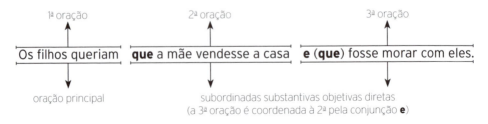

Resumo dos tipos de período e oração

Tipos de período	
Período simples	oração absoluta
Período composto	por coordenação
	por subordinação
	por coordenação e subordinação

Tipos de oração			
Oração absoluta			
Oração coordenada	sindética	aditiva	
		adversativa	
		alternativa	
		conclusiva	
		explicativa	
Oração subordinada	substantiva	subjetiva	
		objetiva direta	
		objetiva indireta	
		predicativa	
		completiva nominal	
		apositiva	
	adjetiva	restritiva	
		explicativa	
	adverbial	causal	
		condicional	
		comparativa	
		concessiva	
		consecutiva	
		conformativa	
		final	
		proporcional	
		temporal	

Exercícios

1. **Os períodos abaixo são mistos. Separe e classifique as orações.**
   a) *Assim que percebeu a derrota do seu lado, o morcego saiu de fininho e se escondeu debaixo de uma tora.* (Wiliam Bennett)
   b) *Quando não entendiam qualquer coisa, as crianças sabiam exatamente que botões apertar para que a professora-robô repetisse a lição ou, em rápidos segundos, a reformulasse, para melhor compreensão.* (Luis Fernando Veríssimo)
   c) *Cuido que ele ia falar, mas reprimiu-se.* (Machado de Assis)
   d) *Seus gestos tornam-se brancos e ela só tem um medo na vida: que alguma coisa venha a transformá-la.* (Clarice Lispector)
   e) *O mar revolvia-se forte e, quando as ondas quebravam junto às pedras, a espuma salgada salpicava-a toda.* (Clarice Lispector)

2. **Classifique as orações grifadas dos períodos.**
   a) *Se não estivesse tão confusa, gostaria <u>infinitamente do que pensara ao cabo de duas horas</u>.* (Clarice Lispector)
   b) *Se fosse possível recomeçarmos, aconteceria <u>exatamente o que aconteceu</u>.* (Graciliano Ramos)
   c) *<u>Se não fossem as costuras da mulher</u>, não sabia <u>bem como poderia ter vivido até ali</u>.* (Lima Barreto)
   d) *Se eu morrer, morre comigo um certo modo de ver, <u>disse o poeta</u>.* (Otto Lara Resende)
   e) *Os desejos são fantasmas <u>que se diluem mal se acende a lâmpada do bom senso</u>.* (Clarice Lispector)
   f) *Ó vergonha, <u>levanto o braço</u>, <u>agito a mão</u>, um tímido pedido de socorro – e o ridículo, já pensou?* (Dalton Trevisan)
   g) *Era a mesma explicação <u>que dava a bela Rita ao moço Camilo</u>, numa sexta-feira de novembro de 1869, <u>quando este ria dela</u>, por ter ido consultar uma cartomante; a diferença é <u>que o fazia por outras palavras</u>.* (Machado de Assis)
   h) *Sozinho no vestiário, esquecido da competição <u>que arrancava gritos de entusiasmo na assistência</u>, Eduardo pensava em novos heróis.* (Fernando Sabino)
   i) *Quando olhei para o retrato do meu bisavô, <u>senti um medo esquisito, uma impressão de que o retrato ia sair correndo atrás de mim</u>.* (Erico Verissimo)
   j) *No instante exato <u>em que o velhinho, aborrecido, ia desistir do ônibus</u>, o escoteiro não teve dúvida: <u>soltou o cachorro em cima dele</u>.* (Millôr Fernandes)

3. Responda o que for pedido de acordo com o seguinte período.

Quando ela se achou velha, calmamente resolveu dependurar as chuteiras (nos negócios do amor, nunca fora uma jogadora do primeiro time) e assumir a velhice com dignidade. (Lygia Fagundes Telles)
a) Quantas orações há no período?
b) Que tipo de período se apresenta?
c) Qual é a oração principal do período?
d) Informe se há uma conjunção subordinativa e classifique-a.
e) Classifique a oração: "e assumir a velhice com dignidade."
f) Existem orações coordenadas assindéticas no período? Quantas e quais?

Questões de vestibulares

1. (Mackenzie-SP) *Se, na capital do estado mais próspero da União, ainda há confusão no uso da urna eletrônica,* **TUDO INDICA QUE, EM OUTRAS PARTES DO PAÍS, O CENÁRIO NÃO SERÁ DIFERENTE.** *É, pois, urgente ampliar as campanhas de esclarecimento do eleitorado.* (*Folha de S.Paulo*)
Assinale a alternativa correta sobre a relação das orações dos períodos anteriores.
a) O trecho em maiúsculo constitui um único bloco, que contém a oração principal do período e uma segunda oração com função de objeto direto.
b) O trecho em maiúsculo, da oração que o antecede, exprime uma circunstância de concessão.
c) Entre o trecho em maiúsculo e o período que o sucede há uma relação de coordenação adversativa.
d) Propõe-se, no final, uma solução ao problema apresentado, por meio de uma reduzida de particípio, com função de sujeito.
e) O trecho subsequente ao bloco em maiúsculo é sintaticamente único, já que "ampliou as campanhas ..." constitui um predicativo de "é urgente".

2. (FGV-SP) Assinale a alternativa em que a oração sublinhada funciona como sujeito do verbo da oração principal.
a) Não queria que José fizesse nenhum mal ao garoto.
b) Não interessa se o trem solta fumaça ou não.
c) As principais ações dependiam de que os componentes do grupo tomassem a iniciativa.

d) Era uma vez um sapo que não comia moscas.
e) Nossas esperanças eram que a viatura pudesse voltar a tempo de sair atrás do bandido.

3. (FAAP-SP) Só uma oração das alternativas pode receber o nome de subordinada substantiva completiva nominal.
   a) era trabalho de gelar qualquer cristão que não levasse o nome de Ponciano de Azevedo Furtado;
   b) garrucha engatilhada, só pedia que o assombrado desse franquia de tiro;
   c) sabidão, cheio de voltas e negaças, deu ele de executar macaquice que nunca cuidei que um lobisomem pudesse fazer;
   d) aquele par de brasas espiava aqui e lá na esperança de que eu pensasse ser uma súcia deles;
   e) o que o galhofista queria é que eu, coronel de ânimo desenfreado, fosse para o barro denegrir a farda.

4. (FEI-SP) Assinale a alternativa que apresenta uma oração subordinada substantiva apositiva.
   a) Ela falou: "eu o odeio".
   b) Não preciso de você: sei viver sozinho.
   c) Sabendo que havia um grande estoque de roupas na loja, quis ir vê-las: era doida por vestidos novos.
   d) Fez três tentativas, aliás, quatro. Nada conseguiu.
   e) Havia apenas um meio de salvá-la: falar a verdade.

5. (UFV-MG) Assinale a alternativa que, em sequência, numera **corretamente** as frases abaixo, indicando, assim, a função sintática do **que**.

   1) sujeito   4) predicativo
   2) objeto direto   5) complemento nominal
   3) objeto indireto

   Perdeu o único aliado a que se unira.
   O artilheiro que o julgaram ser não se revelou na nossa equipe.
   À janela, que dava para o mar, assomavam todos.
   A prova de que tenho mais receio é a de Matemática.
   Os exames que terá pela frente não o assustam.

   a) 3, 2, 1, 4, 1
   b) 5, 4, 4, 3, 2
   c) 3, 1, 2, 5, 4
   d) 5, 2, 2, 3, 1
   e) 3, 4, 1, 5, 2

6. (UFU-MG) Na frase *Argumentei que não é justo que o padeiro ganhe festas*, as orações destacadas introduzidas por **que** são, respectivamente:
   a) ambas subordinadas substantivas objetivas diretas.
   b) ambas são subordinadas substantivas subjetivas.
   c) subordinada substantiva objetiva direta e subordinada substantiva subjetiva.
   d) subordinada substantiva objetiva direta e coordenada assindética.
   e) subordinada substantiva objetiva direta e subordinada substantiva predicativa.

7. (Unirio-RJ) Assinale o item em que há uma oração, quanto à classificação, idêntica à segunda do período *Pernoitamos depois junto a um açude lamacento, onde patos nadavam.*
   a) As virilhas suadas ardiam-me, o chouto do animal sacolejava-me...
   b) De onde vinham as figuras desconhecidas para encontrar-nos?
   c) Fiz o resto da viagem com um moço alegre, que tentou explicar-me as chaminés dos banguês...
   d) Os mais graúdos percebiam que a viagem era alegre.
   e) Surgiam regatos, cresceram tanto que se transformaram em rios.

8. (UFSM-RS) Observe a relação entre a primeira e a segunda oração do período: *É interessante QUE ISSO ACONTEÇA para que os professores e crianças discutam e argumentem*. Em qual dos períodos a seguir a oração iniciada pelo conectivo QUE apresenta, em relação à oração principal, função sintática idêntica à destacada no exemplo?
   a) Esse exercício forma crianças que sabem questionar.
   b) O professor pediu que ele registrasse muitas coisas.
   c) O objetivo do exercício é que a criança aprenda a raciocinar.
   d) Diz-se que a decoreba não tem valor.
   e) A professora quer somente isso: que os alunos raciocinem.

9. (FESP-SP) Em relação ao trecho: *Ao sair o enterro, abraçou-se ao caixão, aflita; vieram tirá-la e levá-la para dentro*, é **incorreto** afirmar que:
   a) há uma oração subordinada adverbial.
   b) uma das orações é reduzida de infinitivo.
   c) trata-se de um período composto por coordenação e subordinação.
   d) há apenas uma oração coordenada sindética.
   e) a primeira oração é principal.

10. **(PUC-SP)** Assinale a alternativa que apresenta um período composto em que a oração é subordinada adjetiva.

    a) ... a nenhuma pedi ainda que me desse fé: pelo contrário, digo a todas como sou.
    b) Todavia, eu a ninguém escondo os sentimentos que ainda há pouco mostrei.
    c) ... em toda a parte confesso que sou volúvel, inconstante e incapaz de amar três dias um mesmo objeto.
    d) Mas entre nós há sempre uma grande diferença; vós enganais e eu desengano.
    e) — Está romântico!... está romântico... exclamaram os três...

11. **(UCMG-MG)** Há oração subordinada substantiva apositiva em:

    a) Na rua perguntou-lhe em tom misterioso: onde poderemos falar à vontade?
    b) Ninguém reparou em Olívia: todos andavam como pasmados.
    c) As estrelas que vemos parecem grandes olhos curiosos.
    d) Em verdade, eu tinha fama e era visto valsista emérito: não admira que ela me preferisse.
    e) Sempre desejava a mesma coisa: que a sua presença fosse notada.

12. **(FMU-SP)** Observe o sublinhado: *Há um tanque lá embaixo que chamam de piscina.*
    O termo sublinhado é ___ e retoma o termo ___ .

    a) uma conjunção subordinada causal/piscina
    b) uma conjunção integrante/embaixo
    c) um pronome interrogativo/tanque
    d) um pronome relativo/tanque
    e) um pronome relativo/embaixo

13. **(Fuvest-SP)** *Foi um técnico de sucesso, mas nunca conseguiu uma reputação no campo à altura de sua reputação de vestiário.* Começando por: *Nunca conseguiu ___ ,* mantém-se a mesma relação lógica:

    a) enquanto foi ___
    b) na medida em que era ___
    c) ainda que tenha sido ___
    d) desde que fosse ___
    e) porquanto era ___

14. **(PUC-PR)** Observe a parte em destaque de cada período.

    1 – <u>Bem marcado</u>, Ronaldinho não tem boa atuação.

2 – <u>Como chegou atrasado</u>, não conseguiu acompanhar a discussão.
3 – Tem um domínio de bola <u>como ninguém</u>.
4 – <u>Se bem que dissesse a verdade</u>, ninguém acreditou.
5 – Choveu tanto <u>que não foi possível realizar o jogo</u>.
A parte em destaque de cada período mantém com a outra parte, na ordem, uma relação significativa de:
a) condição, causa, comparação, concessão, consequência.
b) causa, causa, comparação, causa, consequência.
c) condição, causa, comparação, causa, consequência.
d) causa, causa, conformação, concessão, consequência.
e) causa, condição, conformação, causa, consequência.

15. (Fuvest-SP) Nas frases a seguir, cada lacuna corresponde a uma conjunção retirada.

I. Porém, já cinco sóis eram passados ___ dali nos partíramos [...]
II. ___ estivesse doente, faltei à escola.
III. ___ haja maus, nem por isso devemos descrer os bons.
IV. Pedro será aprovado ___ estude.
V. ___ chova, sairei de casa.

a) quando, ainda que, sempre que, desde que, ainda que.
b) que, como, embora, desde que, ainda que.
c) como, que, porque, ainda que, desde que.
d) que, ainda que, embora, como, logo que.
e) que, quando, embora, desde que, já que.

16. (UFMA-MA) *O avião chacoalhava muito devido ao mau tempo. A aeromoça tentava acalmar os passageiros, quando percebeu que um deles estava tão apavorado que começava a ficar roxo.*
— *Falta de ar, cavalheiro?*
— *Não, senhorita. Falta de terra.* (Ziraldo)
No segundo parágrafo do texto, há duas orações que expressam circunstâncias de:
a) concessão e tempo.
b) tempo e finalidade.
c) consequência e causa.
d) consequência e condição.
e) tempo e consequência.

17. (Cesgranrio-RJ) *Foi aceita a ideia, ainda que houvesse dificuldade de encontrarem-se pares.* Assinale a opção em que se altera o significado da oração: "ainda que houvesse dificuldade em encontrarem-se pares."

a) embora houvesse dificuldade em encontrarem-se pares.
b) conquanto houvesse dificuldade em encontrarem-se pares.
c) sem que houvesse dificuldade em encontrarem-se pares.
d) mesmo havendo dificuldade em encontrarem-se pares.
e) apesar de haver dificuldade em encontrarem-se pares.

18. (Fuvest-SP) *Maria das Dores entra e vai abrir o computador. Detenha-a: não quero luz.*

    Os dois-pontos (:) usados acima estabelecem uma relação de subordinação entre as orações. Que tipo de subordinação?
    a) temporal
    b) final
    c) causal
    d) concessiva
    e) conclusiva

19. (UFF-RJ) Das alterações feitas abaixo na oração subordinada do período *Se realmente praticou o crime, nada me parece mais justo*, foi alterado o sentido original em:
    a) Na hipótese de realmente ter praticado o crime, nada me parece mais justo.
    b) Caso realmente tenha praticado o crime, nada me parece mais justo.
    c) Como realmente praticou o crime, nada me parece mais justo.
    d) Tendo realmente praticado o crime, nada me parece mais justo.
    e) Contanto que tenha realmente praticado o crime, nada me parece mais justo.

20. (PUC-SP) Na organização do período composto, podem ocorrer dois processos: a coordenação e a subordinação.
    a) Explique esses dois processos.
    b) Analise o período composto abaixo, dividindo suas orações e classificando-as.

    Dentro dele um objeto abre-se em flor e cresce e ele pensa, ao sentir esses sonhos ignotos, que a alma é como uma planta.

21. (Fuvest-SP) Explique a diferença de sentido entre:
    a) Os homens, que têm seu preço, são facilmente corrompidos.
    b) Os homens que têm seu preço são facilmente corrompidos.

Pontuação

Os sinais de pontuação são sinais gráficos que representam na escrita recursos específicos da língua falada. Enquanto a fala possibilita transmitir emoção por meio da entonação de voz, do prolongamento do silêncio, das pausas – além dos gestos e das expressões faciais –, a escrita dispõe de sinais que tentam reproduzir esses efeitos no momento da comunicação.

Embora existam normas gramaticais para o emprego dos sinais de pontuação, esses critérios apresentam-se de maneira mais flexível em razão do caráter subjetivo da pessoa que redige o texto na intenção de expressar sua opinião ou emoção.

Para melhor estruturar o texto, o emprego da pontuação tem por objetivo, além de configurar pausa e entonação, separar termos ou orações a fim de garantir a coerência.

Os sinais de pontuação são os seguintes:

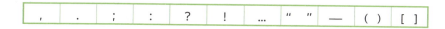

Os sinais de pontuação podem ser assim distribuídos:

- Os essencialmente separadores: vírgula (,), ponto-final (.), ponto e vírgula (;), ponto de interrogação (?), ponto de exclamação (!), reticências (...).
- Os sinais de comunicação ou mensagem: dois-pontos (:), aspas duplas (" "), travessão (—), parênteses (( )) e os colchetes ([ ]).

❖ Há mais alguns sinais que são desdobramentos dos sinais essenciais: aspas simples (' '), travessão simples (–) e chave ([}).

Vírgula

A vírgula é o sinal indicativo de uma pausa de breve duração. Todavia, nem sempre representa uma pausa, já que seu uso pode ser de ordem sintática e não de pronúncia. É empregada entre os termos da oração e entre as orações em um período.

Geralmente, a sequência dos termos não separados por vírgulas apresenta uma ordem direta, ou seja, sujeito – verbo – complemento verbal – adjunto adverbial.

Se os termos apresentarem-se na **ordem indireta**, haverá o emprego da vírgula.

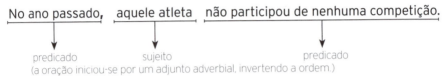
(a oração iniciou-se por um adjunto adverbial, invertendo a ordem.)

A ordem indireta caracteriza-se pela inversão ou intercalação de termos e orações, ou pela omissão desses termos. Essa colocação é marcada pelo emprego da vírgula.

Emprego da vírgula

a) Entre os termos da oração no período simples.

A vírgula é empregada no interior da oração para:

+ separar o adjunto adverbial antecipado ou intercalado.

> *No Hyde Park, em Londres, existe um lugar chamado Speaker's Corner, onde, segundo a tradição...* (Moacyr Scliar)

> *... que vinham pendurar cá fora, na parede, a gaiola do papagaio, e os louros, à semelhança dos donos, cumprimentavam-se...* (Aluísio de Azevedo)

❖ A obrigatoriedade da vírgula não é rígida em casos de anteposição do adjunto adverbial, especialmente se a oração não for extensa.

Amanhã iremos à praia.

Em São Paulo há muito trânsito.

+ separar os elementos de enumeração ou de mesma função sintática.

> *O fogão e as cadeiras, a estante e as prateleiras, os dois vasos de enfeite, esse quadro e essa gaiola com a coleira e o alçapão, tudo é seu...* (Rubem Braga)

> *Estava mal empregado, mal casado, mal tudo.* (Luis Fernando Verissimo)

- separar o aposto.

    Os alunos leram *Vidas secas*, romance de Graciliano Ramos.

- separar os termos de uma enumeração, quando têm idêntica função sintática.

    As obras de Shakespeare *Hamlet*, *Otelo*, *Romeu e Julieta*, *Rei Lear* são reencenadas constantemente.

- separar o vocativo.

    – Dona Glória, a senhora persiste na ideia de meter o nosso Bentinho no seminário? (Machado de Assis)

    Quero que abras os olhos, Eugênio, que acordes enquanto é tempo. (Erico Verissimo)

- separar palavras ou expressões explicativas como: isto é, por exemplo, de fato, a saber, ou melhor, assim, aliás, ou seja, etc.

    Era, de fato, um momento especial para os competidores.

    Não compareceu, aliás, desapareceu.

- separar nome de lugares antepostos a datas.

    Brasília, 21 de abril de 1960.

- indicar a omissão de um termo, na maior parte das vezes, o verbo.

    Vocês trabalham diariamente, mas ele, só duas vezes. (trabalha)

    Alguns dias ela aparece; outros, nem dá sinal de vida. (dias)

b) Entre as orações no período composto.

A vírgula é empregada para separar:

- orações intercaladas ou interferentes.

    Olha, explicou o pintor, pra começo de conversa, não precisamos usar figura nenhuma. (Millôr Fernandes)

    Apanho um pedregulho que aperto com tanta força, ô, ele resiste, posso ficar apertando até o fim dos tempos e ele intacto. (Lygia Fagundes Telles)

- orações coordenadas assindéticas justapostas ou independentes.

    Nosso amigo não veio, não telefonou, não mandou nenhuma notícia.

    Não obteve resposta, voltou à cozinha, foi pendurar-se à saia da mãe. (Graciliano Ramos)

- orações coordenadas sindéticas (exceto as iniciadas pela conjunção aditiva **e**).

    A princípio estávamos juntos, mas esta desgraçada profissão nos distanciou. (Graciliano Ramos)

    ... nunca fala nada quando atende o telefone, porque acha vulgar mulher dizer alô. (Chico B. de Holanda)

❖ Emprega-se a vírgula antes do **e** se as orações coordenadas sindéticas aditivas apresentarem sujeitos diferentes.

O senhor tinha retirado os óculos dele, **e** *Miguilim ainda apontava, falava, contava...* (Guimarães Rosa)

Ele saiu, **e** *seus olhos prometiam vingança.* (Fernando Sabino)

✦ orações subordinadas adverbiais, desenvolvidas e reduzidas, se antepostas à oração principal.

Quando era adolescente, eu andava com a franja do cabelo batendo no nariz. (Walcyr Carrasco)

Apesar de ter mudado de lugar, não podia livrar-se da presença de Sinhá Vitória. (Graciliano Ramos)

Recebeu um doce em cada mão, levantando as duas acima da cabeça, com medo de apertá-los. (Clarice Lispector)

✦ orações subordinadas adjetivas explicativas.

Juvenal, que o observava com olhos parados e inexpressivos, puxou dum pedaço de fumo em rama e... (Érico Veríssimo)

A pombinha, que era branca sem exagero, arrulhava, humilhada e ofendida com o atraso... (Paulo Mendes Campos)

❖ Não se separam da oração principal por vírgula as orações subordinadas substantivas, exceto a **apositiva**, que pode se separar por dois-pontos ou vírgulas.

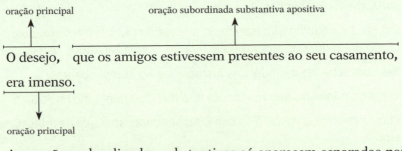

❖ As orações subordinadas substantivas só aparecem separadas por vírgula se estiverem antepostas à principal.

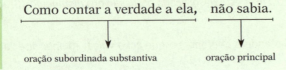

Não se emprega a vírgula

a) Entre sujeito e predicado:

Um número grande de atletas quer disputar a maratona do Rio de Janeiro.

b) Entre verbo e complementos verbais:

Os atletas receberam o *kit* com as identificações.

c) Entre nome e complemento nominal ou adjunto adnominal:

Estavam à procura de um patrocinador.

Todos os competidores da maratona estavam eufóricos.

> ❖ Se os termos da oração não estiverem na ordem direta, pode ocorrer a colocação da vírgula.
>
> A vítima, nervosa e ferida, aguarda a chegada do resgate.

d) Entre termos coordenados pelas conjunções **e**, **ou**, **nem**:

Meu irmão ou minha irmã virão me buscar.

Não queria ajuda nem consolo.

Sentia-se feliz, amparada e amada.

e) Para separar a oração subordinada substantiva da oração principal (exceto a substantiva apositiva):

> Sabia que todos o tinham na conta de mau, de orgulhoso, malvado. (José Lins do Rego)

f) Para separar orações subordinadas adjetivas restritivas:

> ... sons misteriosos de macumba que se perdiam no pisca-pisca das estrelas, na noite silenciosa da cidade. (Jorge Amado)

Ponto

O ponto geralmente é empregado no final de frases declarativas ou imperativas e no fechamento de orações e períodos.

Trabalhei muito hoje.

Não veio nem telefonou.

Usa-se também nas abreviaturas:

Sra., Dr., pág., ex., etc.

Ponto e vírgula

O ponto e vírgula indica uma pausa mais longa que a vírgula e menos longa que o ponto.

Emprega-se para:

a) separar orações já marcadas internamente por vírgulas ao indicar termos de mesma função sintática.

>   Era o sol muito claro e doce, um sol de junho; eram as fisionomias risonhas de transeuntes; e o mundo que até ali lhe aparecia mau e turvo, repentinamente lhe surgia claro e doce. (Lima Barreto)

b) separar orações coordenadas mais extensas.

>   Em certos pontos não se encontrava viva alma na rua; tudo estava concentrado, adormecido; só os pretos faziam compras para o jantar ou andavam no ganho. (Aluísio de Azevedo)

c) separar elementos de uma enumeração.

>   Art. 206. O ensino será ministrado com base nos seguintes princípios:
>
>   I – igualdade de condições para o acesso e permanência na escola;
>
>   II – liberdade de aprender, ensinar, pesquisar e divulgar o pensamento, a arte e o saber;
>
>   III – pluralismo de idéias e de concepções, e coexistência de instituições públicas e privadas de ensino;
>
>   IV – gratuidade do ensino em estabelecimentos oficiais;
>
>   [...]
>
>   **(Constituição da República Federativa do Brasil)**

d) separar orações coordenadas sindéticas adversativas ou conclusivas quando a conjunção estiver colocada após o verbo.

Ele se esforçou; todavia, não conseguiu classificar-se para a competição final.

Os alunos estudaram muito; devem, portanto, obter um bom resultado no vestibular.

Ponto de interrogação

O ponto de interrogação é empregado no final de uma pergunta direta, mesmo que não espere por uma resposta. Oralmente, a interrogação é caracterizada pela elevação do tom de voz.

>   – Você nunca beijou uma mulher antes de me beijar**?**
>   Ele foi simples:

– Sim, já beijei antes uma mulher.
– Quem era ela?, perguntou com dor. (Clarice Lispector)

Se a interrogação for indireta, não será empregado o sinal de interrogação (?) e sim o ponto-final (.).

Perguntou o que é que ela levava no saco e ela respondeu que era areia. (Stanislaw Ponte Preta)

❖ O ponto de interrogação pode vir acompanhado de um ponto de exclamação a fim de enfatizar a surpresa e intensificar a entonação oral.

— Mas e eu?! — disse a pomba. — Sozinha aqui em cima! (Paulo Mendes Campos)

Ponto de exclamação

O ponto de exclamação é utilizado para expressar estados emotivos. Geralmente é usado após interjeições e no final de frases exclamativas e imperativas.

Senhor Deus dos desgraçados!
Dizei-me vós, Senhor Deus! (Castro Alves)

Eh! Gaetaninho! Vem prá dentro.
Grito materno sim: até surdo escuta. (Antônio de Alcântara Machado)

❖ A representação de surpresa, espanto, admiração, indignação, raiva pode ser mais enfática se o sinal aparecer duplicado.

E a única coisa que se pôde ouvir na floresta foi o grito do Curupira:
— Iáááhhh!! Caçador saia daqui com ligeireza ou te transformo em sobremesa!

(Lenda do Curupira – folclore)

Dois-pontos

Empregam-se os dois-pontos para:

a) introduzir uma citação.

Concordo e retruco com Mário Quintana:
Se as coisas são inatingíveis... ora!
Não é motivo para não querê-las...

> *Que tristezas seriam os caminhos, se não fora*
> *A mágica presença das estrelas! (Rubem Alves)*

b) introduzir a fala de um emissor ou personagem.

> *E continuaram o jogo, mas Boa-Vida e Pirulito perderam as moedas de quatrocentão, que Pedro Bala embolsou:*
> *– Eu sou é bamba mesmo. (Jorge Amado)*

c) anunciar uma enumeração.

> *Novos clientes desfilam pela clínica: uma baiana de acarajé, um urso muito resfriado, porque só gostava de neve, um cachorro atropelado pela lotação, outras bonecas de vários tamanhos, um papai noel, uma bola de borracha e até mesmo o pai e a mãe do médico e da enfermeira. (Paulo Mendes Campos)*

d) apresentar um esclarecimento ou um resumo sobre algo dito anteriormente.

> *Bem, o jeito mesmo é começar fazendo uma confissão: a de que sou um pouquinho covarde, tenho meus medos. (Clarice Lispector)*

❖ Colocam-se dois-pontos após os termos: Nota:/Observação:/Exemplo:, e também depois de locuções explicativas como isto é:/por exemplo:/ etc.

Aspas

Empregam-se as aspas para:

a) indicar o início e o fim de uma citação textual.

> *"Neste meio me criei e me fiz jovem. Meus anseios extravasaram a velha casa. Arrombaram portas e janelas, e eu me fiz ao largo da vida." (Cora Coralina)*

b) evidenciar palavras ou expressões estrangeiras e gírias.

> *Ele sempre inventava novas traquinagens, cada vez piores e como era impossível dissuadi-lo, todos acabaram chamando-o de "the naughty boy". (Elias Canetti)*

> *Ela está muito "down" hoje. Espero que melhore para cairmos na "balada" amanhã à noite.*

c) dar destaque a alguma palavra ou enfatizar algum conceito.

> *Antonio Maria escreveu que, sempre que alguém usa "outrossim", a frase é decorada. (Luis Fernando Verissimo)*

d) indicar a fala ou o pensamento de personagens nos textos.

> *A reza acabou lá dentro e ouvi a fala de meu pai: "– Vocês não viram por aí o Xandu?". (Graciliano Ramos)*

Sintaxe

❖ As aspas simples (' ') são empregadas para destacar palavras ou expressões que fazem parte de um texto que já está entre as aspas duplas.

"*Essa datação que o cinema sofre me parece ser o problema que exige que a sétima arte, ou 'The industry', como os americanos a definem, seja um objeto de consumo renovado incessantemente.*" *(Rubem Fonseca)*

Reticências

Empregam-se as reticências para expressar a interrupção da frase ou para:

a) indicar a suspensão da fala ou do pensamento de quem fala.

Você quer dizer... A frase? (Luis Fernando Verissimo)

Bem... eu vou indo... Tenho encontro marcado. Fica a estória para outra ocasião. (Orígenes Lessa)

b) indicar hesitação ou dúvida.

– Pensei que sentava melhor pro senhor... – Coçou de novo a cabeça. – Não sei mesmo... (Jorge Amado)

– Olhe – disse ele –, ou a senhora é muito boa ou não está bem da cabeça... Mas aceito, não vá dizer depois que a roubei, ninguém vai me acreditar. (Clarice Lispector)

c) sugerir o prolongamento da frase ou a continuação do fato.

Vai-se a primeira pomba despertada...
Vai-se outra mais... mais outra... enfim dezenas
De pombas vão-se dos pombais, apenas
Raia sanguínea e fresca a madrugada... (Raimundo Correia)

d) indicar algumas partes suprimidas do texto em uma citação.

Para indicar que algumas partes foram suprimidas, tanto de um texto em prosa quanto em um poema, usam-se as reticências dentro de parênteses ou colchetes.

Ninguém vai prestar atenção no que eu faço. [...] O fato é que a notícia da sua morte me deixou ainda mais prostrado. [...] Não sou um homem especialmente corajoso, e os anos foram me deixando cada vez menos. [...] (Bernardo Carvalho)

Minha terra tem palmeiras,
Onde canta o Sabiá;
As aves, que aqui gorjeiam,
Não gorjeiam como lá.
[...]
Minha terra tem primores,
Que tais não encontro eu cá;

*Em cismar – sozinho, à noite –
Mais prazer encontro eu lá;
Minha terra tem palmeiras,
Onde canta o Sabiá.
[...] (Gonçalves Dias)*

Travessão

Emprega-se o travessão para:

a) indicar a fala de uma personagem ou a mudança de interlocutor em um diálogo.

> – Moço, deixa eu espiar a nota.
> – Olhe bem, garoto. Para você aprender a lutar pelas instituições.
> – O senhor viu o que está escrito aqui?
> – Não. O quê? (Carlos Drummond de Andrade)

b) evidenciar palavras ou orações.

> – Ele farejou carne humana! – disse Pedrinho. – Será Hércules? (Monteiro Lobato)

c) destacar expressões explicativas ou frases intercaladas.

> Naquele dia – uma segunda-feira do mês de maio – deixei-me estar alguns instantes na rua da Princesa a ver onde iria brincar a manhã. (Machado de Assis)

Parênteses

Empregam-se os parênteses para:

a) intercalar, em um período, palavras ou frases geralmente de cunho explicativo.

> O comissário de plantão (um homem) afirmou que o caso (morrer de fome) era da alçada da Delegacia da Mendicância, especialista em homens que morrem de fome. (Fernando Sabino)

> Aracaju, a cidade onde nós morávamos no fim da década de 40, começo de 50, era a orgulhosa capital de Sergipe, o menor estado brasileiro (mais ou menos do tamanho da Suíça). (João Ubaldo Ribeiro)

b) apresentar indicações bibliográficas.

> E não sou rancoroso. Leva a chave para o caso de querer voltar.
> (ÂNGELO, Ivan. *O ladrão de sonhos e outras histórias*. São Paulo: Ática, 1994. p. 12-14.)

c) marcar cenas teatrais.

> O Rico: Estão batendo, vá ver quem é!
> (Aparece um velho mendigo horroroso, de enorme cabeleira de estopa.)
> Tirateima: O que é que você quer, meu velho?
>
> (Ariano Suassuna, *O rico avarento*)

Colchetes

Os colchetes, assim como os parênteses, são colocados para intercalar palavras ou frases em um período. No entanto, seu uso é direcionado, essencialmente, a textos de caráter didático ou científico.

Empregam-se os colchetes para:

a) transcrever a pronúncia de uma palavra.

A transcrição fonética da palavra leve é [lɛvi] .

b) inserir comentário ou observação em textos já publicados.

Ricardo Reis [heterônimo de Fernando Pessoa] é um poeta clássico, racional, que busca, por meio de suas divagações filosóficas, o equilíbrio e a paz de espírito.

c) indicar a supressão de partes de um texto.

No domingo mamãe nos acorda um pouco antes das quatro horas para a missa da madrugada. [...] Estou com tanto sono que nem posso abrir os olhos. [...] (Helena Morley)

d) introduzir indicações editoriais.

BOSI, Alfredo. *História concisa da literatura brasileira*. 2. ed. São Paulo: Cultrix, [s.d.].

Exercícios

1. **Pontue corretamente os trechos abaixo.**

a) *O navio ia muito carregado vários passageiros haviam embarcado em Cingapura indianos chineses malaios e portugueses o tempo mudou o mar ficou forte e o vento batia rijo.*
Uma tarde no convés Fix perguntou a Faz Tudo
Acredita mesmo na história da aposta de seu patrão
Claro e o senhor
Eu eu não

(Júlio Verne, *A volta ao mundo em oitenta dias*)

b) *Pois lhe garanto que estou gostando deste lugar disse Rodrigo quando entrei em Santa Fé pensei cá comigo capitão pode ser que vosmecê só passe aqui uma noite mas também pode ser que passe o resto da vida.*

(Erico Verissimo, *Um certo capitão Rodrigo*)

c) *Palmas e bravos saudaram a luminosa ideia o projeto foi aprovado com delírio só votou contra um rato casmurro que pediu a palavra e disse*
Está tudo muito direito mas quem vai amarrar o guizo no pescoço do Faro-Fino
Silêncio geral um desculpou-se por não saber dar nó outro porque não era tolo todos porque não tinham coragem e a assembleia dissolveu-se no meio de geral consternação.

(Monteiro Lobato, "A assembleia dos ratos", In: *Fábulas de Esopo*.)

2. **Insira adequadamente a vírgula nos períodos abaixo.**

a) Foram vistoriadas dez ambulâncias isto é metade da frota municipal.
b) Pela manhã fomos à escola e à tarde ao cinema.
c) — Professor já terminei a prova.
d) Esse pessoal sem dúvida está trabalhando direito.
e) Durante a reunião o gerente explicou o motivo das demissões.
f) Amigos precisamos marcar um churrasco!
g) Depois de amanhã após o almoço tenho uma consulta médica marcada.
h) Queria falar mas ninguém permitia.
i) Se pudesse compraria um vestido um sapato e uma bolsa novos para a festa de fim de ano.
j) Eu fui visitá-la e ela não me recebeu.
k) Esse time que foi campeão o ano passado tem um novo técnico.
l) Sujo e faminto o mendigo pedia esmolas pela rua.

3. **Explique a diferença de significado entre as duas frases de cada grupo:**

I. a) O diretor reprovou o comportamento dos alunos; a professora não aprovou.
    b) O diretor reprovou o comportamento dos alunos; a professora não, aprovou.

II. a) Paulo, o médico de plantão chegou.
    b) Paulo, o médico de plantão, chegou.

III. a) Os operários indignados colocaram-se em frente à fábrica fechada.
     b) Os operários, indignados, colocaram-se em frente à fábrica fechada.

IV. a) As pessoas acompanhavam o guia turístico pelas escuras cavernas silenciosas.
    b) As pessoas acompanhavam o guia turístico pelas escuras cavernas, silenciosas.

4. Corrija as frases a seguir quanto ao emprego inadequado da vírgula em certas colocações.

a) Todos reclamaram, do local distante, do excesso de gente, e da má conservação das piscinas.
b) É provável, que, devido ao fim das férias escolares as estradas estejam, congestionadas, no próximo fim de semana.
c) Os antigos colegas, de faculdade, que não se viam desde a formatura, ficaram felizes, pelo reencontro.
d) O desejo, que não haja brigas, ou desentendimentos, é comum a todos.
e) Como contar às crianças, a ausência do Papai Noel, os pais não sabiam.

5. Explique a razão do emprego inadequado da vírgula no exercício anterior.

6. Justifique o emprego dos sinais de pontuação nos períodos a seguir.

a) Preparou o material para a caminhada pela trilha: mochila, cantil, colchonete e mantimentos.
b) *Quando ele me pediu fumo, dei. Mas misturei tabaco... um pouco de pólvora (não demais porque eu não queria matá-lo).* (Clarice Lispector)
c) *O trocador olhou, viu, não aprovou.*
— *Ei, moço, quer fazer o favor de levantar?* (Carlos Drummond de Andrade)
d) *A mamãe rata assustou-se e disse:*
— *Como te enganas, meu filho!* (Monteiro Lobato)
e) *— Não fosse tolo — observa dona Bernardina — e confessasse francamente que não sabe o que é plebiscito!* (Artur Azevedo)

7. Assinale a alternativa cuja pontuação esteja correta.

a) Pode-se ir de ônibus, tendo o cuidado de pegar um que não vá para outro lado, ou de trem, desde que se desça na estação.
b) Pode-se ir de ônibus, tendo o cuidado de pegar um, que não vá para outro lado, ou de trem desde que se desça na estação.
c) Pode-se ir de ônibus tendo o cuidado de pegar um, que não vá para outro lado, ou de trem, desde que se desça na estação.
d) Pode-se ir de ônibus, tendo o cuidado de pegar um, que não vá para outro lado, ou de trem, desde que se desça na estação.
e) Pode-se ir de ônibus tendo o cuidado, de pegar um, que não vá para outro lado, ou de trem, desde que se desça na estação.

8. **Pontue as frases abaixo com os sinais gráficos corretos.**
   a) Saia já daqui seu tonto
   b) O patrão perguntou irritado
      Não tinha uma desculpa um pouco melhor para inventar não
   c) O expediente já se encerrava quando o gerente exclamou Atenção pessoal vamos ter de fazer hora extra até às dez horas Essa não e agora como vou cancelar o meu jantar com ela
   d) Atrasado de novo não é seu Felipe
      Desculpe professora foi o trânsito de novo
   e) Não desanimem disse o técnico pois com certeza venceremos

9. **Indique a alternativa em que a ordem dos sinais de pontuação corresponde corretamente aos espaços entre as palavras.**
   Em seguida ___ perguntou-me pelo nome ___ disse-lho e ele fez um gesto de espanto ___ Colombo ___ Não ___ senhor ___ Procópio José Gomes Valongo. (Machado de Assis)
   a) vírgula / travessão / ponto / ponto de interrogação / vírgula / travessão
   b) ponto e vírgula / dois-pontos / vírgula / ponto de interrogação / vírgula / dois-pontos
   c) vírgula / dois-pontos / ponto / ponto de interrogação / vírgula / dois-pontos
   d) vírgula / dois-pontos / vírgula / ponto de interrogação / vírgula / vírgula
   e) ponto e vírgula / travessão / ponto / ponto de interrogação / vírgula / travessão

Questões de vestibulares

1. **(PUCCamp-SP) Identifique a frase corretamente pontuada.**
   a) O autor do texto afirma, que chegada a hora de suspender a impunidade para a elite branca brasileira, as cadeias, deixarão de abrigar unicamente os pobres deste país.
   b) O autor do texto afirma: que chegada a hora de suspender a impunidade para a elite branca brasileira, as cadeias deixarão de abrigar unicamente os pobres deste país.
   c) O autor do texto afirma que chegada a hora – de suspender a impunidade para a elite branca brasileira – as cadeias deixarão de abrigar unicamente os pobres deste país.
   d) O autor do texto afirma que, chegada a hora de suspender a impunidade para a elite branca brasileira, as cadeias deixarão de abrigar unicamente os pobres deste país.

e) O autor do texto afirma que: chegada a hora de suspender a impunidade – para a elite branca brasileira, as cadeias deixarão de abrigar unicamente os pobres, deste país.

2. (Cesgranrio-RJ) Assinale a opção em que a vírgula está empregada para separar dois termos que possuem a mesma função na frase.
a) Minha senhora, seu Mendonça pintou o diabo enquanto viveu.
b) Respeitei o engenho do Dr. Magalhães, juiz.
c) E fui mostrar ao ilustre hóspede a serraria, o descaroçador e o estábulo.
d) Depois da morte do Mendonça, derrubei a cerca...
e) Não obstante essa propaganda, as dificuldades surgiram.

3. (Vunesp-SP) A vírgula, corretamente empregada no trecho *e se desgastassem as engrenagens, o que é um sério prejuízo*, justifica-se pela regra de pontuação que recomenda separar:
a) termo com função de aposto;
b) termo em função de vocativo;
c) termo em coordenação sintética;
d) termo em função de adjunto adverbial;
e) o termo sujeito do termo predicado.

4. (UFSM-RS) Assinale a alternativa que contém os sinais de pontuação adequados à seguinte frase:
Carlos todo domingo segue a mesma rotina praia futebol jantar em restaurante
a) vírgula, vírgula, ponto e vírgula, vírgula, vírgula, ponto.
b) vírgula, vírgula, dois-pontos, vírgula, vírgula, ponto.
c) vírgula, ponto e vírgula, vírgula, vírgula, ponto.
d) vírgula, dois-pontos, vírgula, vírgula, ponto.
e) vírgula, vírgula, vírgula, vírgula, vírgula, ponto.

5. (UFPR-PR) Quais são as frases corretamente pontuadas?
a) Os alunos angustiados esperam o resultado dos exames.
b) Os alunos, angustiados, esperam o resultado dos exames.
c) Os alunos, esperam angustiados, os resultados dos exames.
d) Angustiados, os alunos esperam o resultado dos exames.
e) Os alunos, esperam, angustiados, o resultado dos exames.
f) Os alunos esperam angustiados, o resultado dos exames.

6. (UFRJ-RJ) Leia o trecho abaixo.
A grande arma da vitória é a improvisação, e a grande virtude, a audácia.

A vírgula após "virtude" ocorre porque:
a) "audácia" é um aposto.
b) "audácia" é um sujeito posposto.
c) marca a ausência do verbo.
d) inicia a oração assindética.
e) separa termos da mesma função.

7. (Cefet-MG) No trecho *Moro há 18 anos num prédio da lagoa; tirante os raros e inevitáveis cumprimentos de praxe no elevador ou na garagem, não falo com eles e nem eles comigo*, o uso do ponto e vírgula estabelece relação de:
a) causa.
b) oposição.
c) conclusão.
d) explicação.
e) conclusão.

8. (PUC-PR) Observe o enunciado e preencha os parênteses com os sinais de pontuação adequados: *A partir daquele dia ( ) o filho assumia várias responsabilidades familiares ( ) a de levar o irmão à escola ( ) a de buscar a mãe na loja ( ) a de fazer todas as compras do dia.*
Os espaços foram preenchidos, na sequência, com:
a) ponto e vírgula, vírgula, vírgula, vírgula.
b) vírgula, dois-pontos, dois-pontos, vírgula.
c) ponto e vírgula, ponto e vírgula, ponto e vírgula, ponto e vírgula.
d) vírgula, dois-pontos, ponto e vírgula, ponto e vírgula.
e) dois-pontos, ponto e vírgula, vírgula, vírgula, vírgula.

9. (FGV-SP) Leia atentamente: *A maior parte dos funcionários classificados no último concurso, optou pelo regime de tempo integral.* Na frase há um erro de pontuação, pois a vírgula está separando de modo incorreto:
a) o sujeito e o predicado.
b) o aposto e o objeto direto.
c) o adjunto adnominal e o predicativo do sujeito.
d) o sujeito e o predicativo do objeto direto.
e) o objeto direto e o complemento agente da passiva.

10. (FCC-SP)
I. A classe C deixa de ser "baixa" e começa a ser "média", disputando espaço com os estratos situados imediatamente acima dela — **ou seja, as classes mais tradicionais**.
II. Deixando de lado a dinâmica macroeconômica concentramos nossa atenção em fatores ligados à motivação e à autocapacitação (denominados fatores weberianos).

Os sinais de pontuação que aparecem nos segmentos grifados atribuem-lhes, respectivamente, noção de:
a) inclusão e enumeração.
b) especificação e retificação.
c) enumeração e inclusão.
d) retificação e explicação.
e) explicação e repetição enfática.

11. (Cesgranrio-RJ) *O Brasil é um Titanic negreiro: insensível aos porões e aos icebergs.* **A relação de sentido que os dois-pontos estabelecem, ligando as duas partes, visa a introduzir uma:**
a) ideia de alternância entre as duas partes da frase.
b) ideia que se opõe àquela dada anteriormente.
c) adição ao que foi sugerido na primeira parte da frase.
d) conclusão acerca do que foi mencionado antes.
e) explicação para a visão assumida na primeira parte da frase.

12. (Unisinos-RS) **Ocorre pontuação inaceitável em:**
a) Doutor, ainda que mal pergunte, que negócio é esse?
b) Se queres distrair-te, ouve cantores italianos.
c) Bento era entre todos os empregados, o mais fiel.
d) Perdoo-te; espero, porém, que não reincidas no erro.
e) Não creias naqueles que não acreditam em ninguém.

13. (Cefet-MG) **No trecho** *Havia sempre a promessa: "Troco fotos na primeira carta"*, **as aspas servem para sinalizar:**
a) uma pausa.
b) o deslocamento de um termo.
c) outro registro linguístico.
d) a intercalação de um termo.
e) o início e o fim de uma citação.

14. (FCC-SP) *Em 2006, foi aprovado pela Unesco um projeto para transformar a área de pesquisas arqueológicas da Chapada no primeiro geopark da América – uma região de turismo científico e ecológico que propicia o autocrescimento sustentado da população.*
O emprego do travessão isola:
a) repetição para realçar o termo precedente.
b) afirmativa de sentido explicativo.
c) retificação da afirmativa anterior.
d) introdução de novo assunto no parágrafo.
e) opinião que reproduz a ideia central do texto.

15. (Faap-SP) Justifique as vírgulas empregadas nas seguintes frases:
   a) *Em 1695, sete mil homens veteranos marcharam sobre Palmares.*
   b) *E vive ainda a lembrança do último Zumbi, o rei dos Palmares, o guerreiro que viveu na morte o seu direito de liberdade e de heroísmo...*

16. (FGV-SP) Observe a seguinte frase:
   — Quem quer ir, perguntou o chefe.
   A respeito dela, pode-se dizer que:
   a) Deveria ter sido colocado um ponto de interrogação após a palavra ir.
   b) Deveria ter sido colocado um ponto de interrogação após a palavra chefe.
   c) Deveria ter sido colocado um ponto de exclamação após a palavra chefe.
   d) Bastaria colocar entre aspas a oração " — Quem quer ir".
   e) A frase está correta.

17. (UFRJ-RJ) *Marco Túlio Cícero, tão famoso quanto Demóstenes na área da retórica, sempre dizia: Prefiro a virtude do medíocre ao talento do velhaco.*
   Nesse período está faltando um sinal de pontuação:
   a) vírgula
   b) ponto e vírgula
   c) ponto de exclamação
   d) aspas
   e) reticência

18. (FCC-SP) A pontuação está inteiramente adequada na frase:
   a) Recebi, via internet, de um amigo que há muito não vejo, uma série de fotografias da Terra, tiradas de um satélite.
   b) Tanto os astrônomos antigos como os teólogos, não erravam, na opinião do autor, quando consideravam que, a Terra, essa poeira ínfima, era o centro do Universo.
   c) Nada mais central na casa para os pais, que o lugar onde está o berço do filhinho, nada tendo a ver esse centro afetivo, como o geométrico da casa edificada.
   d) Será que Niezstche interrompia a cada belo crepúsculo, suas leituras e seus escritos, sobretudo estes que, tanto peso tiveram nas ideias de seu tempo?
   e) O astronauta russo, Yuri Gagarin, ao ter a visão de nosso planeta a partir de um satélite, enviou para todos nós, esta primeira mensagem de encantamento, "A Terra é azul!".

Sintaxe de concordância

Sintaxe de concordância é a parte da gramática que trata da correspondência harmoniosa entre palavras de uma frase, isto é, cuida das relações de número e pessoa entre o verbo e o sujeito e das relações de gênero e número entre os nomes.

Nomes e **verbos** são flexionados em uma relação de dependência. Os termos classificados como dependentes relacionam-se harmoniosamente com as palavras das quais dependem, alterando suas terminações e obedecendo a algumas regras.

A concordância pode ser **nominal** ou **verbal**.

Concordância nominal

Como regra geral, **artigo**, **adjetivo**, **pronome adjetivo** e **numeral** concordam com o substantivo em gênero e número.

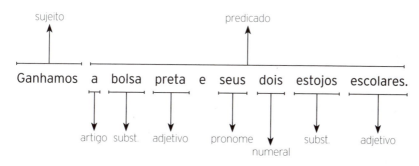

Há situações de concordância que fogem à regra geral e precisam ser consideradas separadamente.

Quando o adjetivo se refere a mais de um substantivo

a) **Adjetivo anteposto** a dois ou mais substantivos de gênero e número diferentes concorda com o mais próximo.

   Antigas roupas e sapatos estavam à venda.

   Antigos sapatos e roupas estavam à venda.

b) **Adjetivo posposto** a dois ou mais substantivos permite duas concordâncias:
   - o adjetivo concorda com o substantivo mais próximo.

     Compramos cadernos e **canetas novas**.
   - o adjetivo vai para o plural e concorda com os substantivos do mesmo gênero:

     Portas e janelas **fechadas** chamavam a atenção.

     Livros e cadernos **novos** foram distribuídos aos alunos.

     Se o gênero dos substantivos for diferente, prevalece o **masculino plural**.

     Portões e portas **fechados** impediam a entrada.

❖ O adjetivo concorda somente com o último substantivo se eles forem sinônimos.

   Apresentaram **conceitos e ideias novas**.

❖ Em referência a substantivos antônimos, o adjetivo é flexionado no plural, prevalecendo o masculino plural no caso de substantivos de gêneros diferentes.

   Não esperavam noite e dia tão **frios**.

❖ Se os substantivos apresentarem uma ideia de gradação, o adjetivo concorda com o mais próximo.

   Um segundo, um minuto, **uma hora demorada** me angustiavam cada vez mais.

Quando dois ou mais adjetivos se referem a um substantivo

Há duas concordâncias possíveis quando o substantivo é determinado pelo artigo.

a) O substantivo fica no singular e o artigo é colocado antes do adjetivo.

   Ela pesquisa **a** literatura **alemã** e **a italiana**.

b) O substantivo vai para o plural e o artigo antes do adjetivo é omitido.

   Ela pesquisa **as** literaturas **alemã** e **italiana**.

Os adjetivos apresentados nesses exemplos desempenham a função sintática de adjunto adnominal na oração.

Quando o adjetivo é um predicativo do sujeito

Há duas possibilidades de concordância quando o sujeito for composto.

a) O **adjetivo posposto** aos substantivos vai para o plural.

O menino e a menina ficaram **quietos**.
(sujeito composto) (predicativo do sujeito)

Prevalece o masculino plural se o gênero dos substantivos for diferente.

b) Com o **adjetivo anteposto** aos substantivos, a concordância pode ser feita de duas maneiras:

+ O adjetivo vai para o plural, prevalecendo o masculino plural em substantivos de gêneros diferentes.

Ficaram **cansados** o treinador e o técnico.
(predicativo do sujeito) (sujeito composto)

Estão **emocionados o médico e a enfermeira**.

+ O adjetivo concorda com o substantivo mais próximo.

Estava **cansado o treinador** e o técnico.

Está **emocionada a enfermeira** e o médico.

> ❖ Quando um pronome de tratamento desempenha a função de sujeito, a concordância do **adjetivo** será feita de acordo com o sexo da pessoa a quem se refere.
>
> Senhor Deputado, **Vossa Excelência** parece **bem-disposto** após o recesso.
>
> **Vossa Alteza** é sempre **justa** e **caridosa**.

Quando o adjetivo é um predicativo do objeto

a) O adjetivo concorda com o núcleo do objeto em gênero e número se esse objeto for representado por um único substantivo.

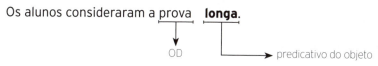

Os alunos consideraram a prova **longa**.
OD → predicativo do objeto

Os moradores encontraram as casas **depredadas**.

b) O adjetivo é flexionado em número e gênero dos substantivos se o núcleo do objeto for composto de dois ou mais substantivos do mesmo gênero.

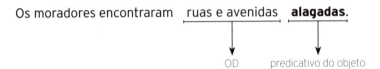

Os moradores encontraram ruas e avenidas **alagadas**.
                                       OD   predicativo do objeto

c) O adjetivo permanece no gênero masculino e plural se o objeto tiver dois núcleos representados por substantivos de gêneros diferentes.

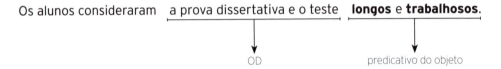

Os alunos consideraram a prova dissertativa e o teste **longos** e **trabalhosos**.
                                         OD   predicativo do objeto

d) O adjetivo predicativo anteposto a dois ou mais núcleos do objeto pode concordar com o núcleo mais próximo.

Ela achou **maravilhosa** a viagem e o hotel.

Ela achou **maravilhoso** o hotel e a viagem
            predicativo do objeto   OD

Caso haja substantivos de gêneros diferentes, o adjetivo predicativo também pode ir para o plural, prevalecendo o gênero masculino.

Ela achou **maravilhosos** o hotel e a viagem.

Outros casos de concordância nominal

Concordância do particípio

O particípio, como os adjetivos, concorda em gênero e número com os substantivos a que se referem:

+ Na voz passiva.

    Foi **divulgado** o resultado do vestibular.

    Nem todas as motos foram **vendidas** na promoção.

+ Na oração reduzida.

    Feita a contagem, faltava dinheiro.

    Encerradas as inscrições, os candidatos aguardam a divulgação da data do exame.

❖ Em relação a substantivos de gêneros diferentes, prevalece o masculino plural.

Divididos em duas turmas, alunos e alunas preparavam-se para o torneio de xadrez.

❖ Nos tempos compostos, o particípio é invariável.

A professora tinha **dividido** a turma.

As professoras tinham **dividido** as turmas.

Concordância do pronome

O pronome concorda com o substantivo a que se refere em gênero e número, quando flexionado:

Nenhuma lembrança trazia-lhe saudade.

Certas palavras não devem ser pronunciadas nunca.

Procurou o amigo para se despedir, mas não **o** encontrou.

Quando, na frase, há gêneros diferentes, prevalece o masculino plural.

Vários pais e mães saíram decepcionados daquela reunião.

Quanto aos pronomes indefinidos neutros **nada**, **muito**, **algo**, os adjetivos regidos da preposição **de** referentes a eles permanecem no masculino singular:

Aquelas ruas escuras tinham algo de **perigoso**.

Os enfeites da festa junina tinham muito de **folclórico**.

Esses adjetivos podem concordar com o substantivo sujeito por atração.

As meninas daquela turma não tinham nada de **bobas**.

Em relação aos pronomes **um... outro**, prevalece o masculino no caso de substantivos de gêneros diferentes:

Pai e filha devem ajudar **um** ao **outro**.

As expressões "um e outro", "nem um nem outro", "um ou outro" mantêm o substantivo no singular, mas o adjetivo flexiona-se no plural:

Um e outro filme premiados causaram polêmica.

Nem um nem outro atleta premiados faltará à competição.

Um ou outro estudante esforçados terá sucesso nas provas.

Concordância do numeral

Numerais cardinais, quando é possível flexionar, concordam com o substantivo a que se referem.

Dois policiais revistaram a casa.

Só **uma** pessoa foi detida para averiguação.

> * Numeral cardinal, ao referir-se à página ou figura, não é flexionado.
>
>   Parei de ler **na página vinte e dois**.
>
>   Todos devem **copiar a figura um**.
>
> * Os numerais milhar e milhões são palavras masculinas e não se flexionam no feminino.
>
>   Os milhares de vítimas do *tsunami* foram socorridos. (e não as milhares)
>
>   Dois milhões de pessoas foram salvas pelos bombeiros. (e não duas milhões)

Adjetivos adverbializados

Alguns adjetivos desempenham, na frase, a mesma função de advérbios terminados em "mente" e são invariáveis.

Era incapaz de falar **claro** com seus funcionários.

Sonhavam **alto** para o futuro.

Aquelas fotos foram enviadas **junto** às joias.

Precisava conversar **sério** com os filhos.

No entanto, quando empregados como adjetivos, concordam com o substantivo.

As alianças foram **caras** para o seu bolso.

Comprou **caro** as alianças.

Concordância de determinadas palavras e expressões

As palavras anexo, obrigado, mesmo, próprio, incluso, quite, leso

Quando essas palavras são empregadas como adjetivos, concordam com o substantivo a que se referem em gênero e número.

Seguem **anexos** os comprovantes da matrícula

– Muito **obrigada**, disse a professora.

Eles **mesmos** querem devolver o dinheiro emprestado.

Ela **própria** custeará seus estudos.

Estão **inclusas** todas as despesas mensais.

Nós estamos **quites** com a receita federal.

Quais seriam os crimes de **lesa**-pátria?

> ❖ **Mesmo** é um termo invariável se considerado um advérbio, com sentido de **realmente**, **de fato**.
>
> Elas desistiram **mesmo** de ir à praia.

As palavras muito, pouco, bastante, meio, caro, barato, longe

Essas palavras podem aparecer como advérbios ou adjetivos. Como advérbios, elas são invariáveis; como adjetivos, pronomes adjetivos ou numerais, concordam com o nome a que se referem.

Aquele garoto estudava **muito**. (advérbio)

Ele comprava **muitos** livros interessantes. (pronome adjetivo)

Ficava **pouco** à vontade na frente de pessoas estanhas. (advérbio)

Contava com **poucas** economias para se manter. (pronome adjetivo)

Havia **bastantes** pessoas aguardando o fim da partida. (pronome adjetivo)

Trabalhou **bastante** no último fim de semana. (advérbio)

Bebeu **meia** garrafa de vinho e foi dormir. (numeral adjetivo)

Vinha se sentindo **meio** esquisita ultimamente. (advérbio)

Comprou uma bolsa muito **cara**. (adjetivo)

As novas motos custam **caro**. (advérbio)

Os itens mais **baratos** acabaram logo. (adjetivo)

As lojas do centro poderiam vender mais **barato**. (advérbio)

Avistavam **longes** pastagens. (adjetivo)

Não pensei que você morasse tão **longe**! (advérbio)

As palavras alerta e menos

São invariáveis, pois funcionam como advérbios.

Os policiais estão sempre **alerta**.

Havia **menos** alunas que alunos naquela aula de Química.

A palavra só

Pode ser empregada como adjetivo e advérbio. Como adjetivo, no sentido de **sozinho(s)**, **sozinha(s)**, é variável; como advérbio ou palavra denotativa, é invariável.

Eles queriam estar **sós** naquele momento. (adjetivo)

Os jovens chegaram **só** de manhãzinha. (advérbio)

A palavra **só** é um adjetivo quando pode ser substituída por **sozinho(a)**, e advérbio quando pode ser substituída por **somente**.

Ele se sentiu **só** quando partiu. (sozinho)

Só a morte me impedirá de chegar lá. (advérbio)

A locução adverbial **a sós** (invariável) significa sozinho, sem qualquer companhia.

O jovem casal preferia ficar **a sós**.

Ficaram **a sós** durante horas.

O adjetivo possível

O adjetivo **possível** aparece como termo variável ou invariável ao concordar com o artigo que o antecede.

É invariável ao concordar com o artigo nas expressões no singular:

Pesquisou os preços n**o** maior número de lojas **possível**.

Queria morar **o** menos longe **possível** do trabalho.

Aquele carro era **o** menos veloz **possível**.

É variável ao concordar com o artigo que precede as expressões no plural:

Estudou n**as** melhores universidades **possíveis**.

Era conhecido por cometer **as** piores gafes **possíveis**.

Aqueles carros eram **os** mais velozes **possíveis**.

As expressões é proibido, é bom, é preciso, é necessário

Há duas concordâncias possíveis:

+ permanece invariável quando o sujeito não for determinado por artigo ou qualquer termo determinante.

É **proibido** entrada naquele local.

Sal não é **bom** para a saúde.

Seria **preciso** vontade e ânimo para levantar tão cedo.

Era **necessário** tempo e disposição para acompanhar aquelas crianças.

+ é variável se o sujeito estiver acompanhado de artigo ou termo determinante. O adjetivo concorda com o sujeito em gênero e número.

É **proibida** a entrada naquele local.

Não é **boa** para a saúde aquela comida gordurosa.

Seriam **precisos** muitos voluntários para ajudar no resgate das vítimas.

Era **necessária** boa disposição para acompanhar as crianças no passeio.

Concordância ideológica

A concordância ideológica ocorre em virtude da ideia subentendida e não por meio das palavras expressas no texto. Essa concordância recebe o nome de **silepse** e é bastante utilizada não apenas na linguagem coloquial, mas também na linguagem de alguns autores.

A **criançada** brincava nos parques, **jogavam** bola e **empinavam** pipas.

A concordância faz-se com a ideia do número de crianças e não com o termo coletivo singular: criançada – silepse de número

Esse assunto será estudado detalhadamente na parte referente à Estilística.

Exercícios

1. Faça a concordância adequada às palavras entre parênteses. Se houver duas possibilidades, apresente-as.

   a) O amor e a amizade ___ são muito valiosos. (verdadeiro)
   b) Estavam ___ o professor e a diretora. (atrasado)
   c) Comprei ___ caixa de laranja. (meio)
   d) Ela colecionava livros e revistas ___ . (antigo)
   e) A secretária não enviou os documentos ___ . (incluso)
   f) Havia ___ cadernos em cima da mesa. (bastante)
   g) É ___ a sua assinatura no documento. (necessário)
   h) Era ___ saída pela porta da esquerda. (proibido)
   i) Aguardavam ainda ___ entrevistas e desfiles. (diverso)
   j) Visitou casa e edifício ___ . (reformado)
   k) Tempo de ___ diversões e passeios. (muito)
   l) No dia e hora ___, os técnicos vão instalar a impressora. (marcado)

2. Complete os espaços, nas orações a seguir, empregando a concordância nominal corretamente.

a) O etanol e a gasolina custam ____ . (caro)
b) Elas ____ vão fazer o bolo e os docinhos. (próprio)
c) Nós chegamos ____ cansadas. (bastante)
d) Os cartões foram enviados ____ com os cheques. (junto)
e) Visitaram ____ terras e apreciaram-nas demais. (longe)
f) Os rapazes estavam ____ com o serviço militar. (quite)
g) Foram ____ às casas das melhores amigas. (direto)
h) Iam levar, ____ , o presente de casamento. (junto)
i) As meninas entraram ____ assustadas. (meio)
j) Foi ____ a saída pela porta de emergência. (permitido)

3. Justifique a concordância nominal das palavras grifadas.
   a) Aquela região vende <u>deliciosas</u> frutas e sucos.
   b) Chegaram-nos <u>bastantes</u> fotos do carro acidentado.
   c) Admiro <u>as artes</u> grega e romana.
   d) Loja e oficina <u>desocupada</u> foram vendidas.
   e) Precisamos estar sempre <u>alerta</u> diante de qualquer eventualidade.

4. Identifique o predicativo das orações e corrija os que apresentarem concordância inadequada.
   a) Ele me pediu emprestado aquela bicicleta.
   b) Estavam vazios a escola e a biblioteca.
   c) As pessoas consideraram maravilhoso o filme e a música.
   d) Ela os encontrou muito sujo.
   e) Parecia insatisfeito o pai e a mãe com o comportamento da filha.

5. Grife os adjuntos adnominais das orações e corrija os que não apresentarem a concordância correta.
   a) Contou para todos a longa e maravilhosa viagem.
   b) O garoto tinha o braço e a perna quebradas.
   c) Eles mesmo fariam o projeto final.
   d) A dona de casa comprou frescas frutas e verduras.
   e) As crianças chegaram ao meio-dia e meia.

6. Informe se as frases estão certas (C) ou erradas (E) de acordo com a concordância nominal. Em seguida, corrija as que estiverem incorretas.
   a) (   ) É proibida a entrada de menores neste recinto.
   b) (   ) Ela parece meia louca, não para de gritar.
   c) (   ) Estamos sempre alertas.
   d) (   ) Tinha tingidos a barba e o cabelo.
   e) (   ) Anexas seguem as receitas que você pediu.
   f) (   ) Estudo os idiomas inglês e espanhol.

g) ( ) É necessária paciência nessa hora.
h) ( ) A minha mãe anda meia estressada.
i) ( ) Em anexo vinha uma autorização para viajar.
j) ( ) Não queriam que as deixasse só.
k) ( ) A porta ficou meia aberta a noite toda.
l) ( ) Não acredito que seja permitido a permanência de menores no local.

7. Preencha os espaços com os pronomes oblíquos adequados.

a) Fui procurá-los na praia, mas não ___ encontrei.
b) As novas professoras e diretora, não ___ conheço.
c) Foram fatos ___ quais se tornaram públicos.
d) Passaram-se várias horas sem que ___ sentíssemos.
e) Precisava de uma mala nova, mas não ___ comprei, pois estava muito cara.

8. Observe as frases abaixo e reescreva as palavras grifadas adequadamente flexionadas.

a) A jovem recebeu as flores e disse: Muito obrigado.
b) Naquele local, era proibido a permanência de estranhos.
c) Nós mesmo traremos os refrigerantes – disseram as meninas.
d) Foi desnecessário sua presença naquele momento.
e) Sol e chuva diário era comum naquela região.

9. Preencha as lacunas de cada frase, escolhendo uma das palavras entre parênteses.

a) Os policiais permaneceram ___ durante a madrugada. (alerta/alertas)
b) Nunca vimos ___ desinteresse e apatia. (tanto/tantos)
c) Eles queriam ___ ficar sozinhos. (só/sós)
d) Seguem ___ nesta pasta as plantas do edifício (anexa/anexas)
e) Atrizes e diretores ___ prestigiaram o festival de cinema (famosos/famosas)
f) Achei ___ a escultura e o quadro. (belos/belas)
g) São amigos ___ simpáticos (bastante/bastantes)
h) Estava ___ com todos os impostos (quite/quites)
i) As garotas, estando ___ , dividiram as despesas. (só/sós)
j) Parecia ___ decepcionada como o resultado do teste. (meio/meia)

10. Assinale a alternativa que completa corretamente a frase:

O afeto e a emoção ___ por elas ___ pareciam ___ sinceros.

a) demonstrada/próprias/bastantes.
b) demonstrados/próprias/bastante.
c) demonstrados/próprias/bastantes.
d) demonstrada/própria/bastante.
e) demonstradas/próprias/bastantes.

11. Indique em cada dupla a opção que apresenta erro na concordância nominal.

   a) Não escolheu momento e hora adequada.
   Não escolheu momento e hora adequadas.
   b) É proibido entrada.
   É proibida entrada.
   c) Um e outro candidato aprovados no vestibular fará o curso.
   Um e outro candidato aprovado no vestibular fará o curso.
   d) Nem um nem outro mochileiro corajoso entrará na caverna.
   Nem um nem outro mochileiro corajosos entrará na caverna.
   e) O júri considerou culpados a mãe e o filho.
   O júri considerou culpado a mãe e o filho.

12. Destaque a alternativa que apresenta concordância adequada.
   a) É permitida a permanência de alunos só até meio-dia e meio.
   b) É permitido a permanência de alunos sós até meio-dia e meia.
   c) É permitido a permanência de alunos só até meio-dia e meio.
   d) É permitida a permanência de alunos só até meio-dia e meia.
   e) É permitida a permanência de alunos sós até meio-dia e meio.

Questões de vestibulares

1. (PUCCamp-SP) Assinale a alternativa em que a concordância nominal está correta.

   a) A vasta plantação e a casa grande caiados há pouco tempo eram o melhor sinal da prosperidade familiar.
   b) Eles, com ar entristecidos, dirigiram-se ao salão onde se encontravam as vítimas do acidente.
   c) Não lhe pareciam útil aquelas plantas esquisitas que ele cultivava na sua pacata e linda chácara do interior.
   d) Quando foi encontrado, ele apresentava feridos a perna e o braço direitos, mas estava totalmente lúcido.
   e) Esse livro e caderno não são meus, mas poderão ser importante para a pesquisa que estou fazendo.

2. (Cesgranrio-RJ) Torna-se ___ , para o povo brasileiro, a percepção de que um estudo profundo se faz preciso, haja ___ os índices altos de criminalidade.

   A opção que completa corretamente as lacunas é:
   a) necessário/vistos
   b) necessária/visto
   c) necessário/visto
   d) necessário/vista
   e) necessária/vista

3. (UM-SP) Marque a alternativa cuja sequência preencha adequadamente as lacunas do seguinte período:

   Nós ___ socorreremos o rapaz e a moça ___ ___ .
   a) mesmos – bastante – machucados.
   b) mesmo – bastantes – machucados.
   c) mesmos – bastantes – machucados.
   d) mesmo – bastante – machucada.
   e) mesmos – bastantes – machucada.

4. (Mackenzie-SP)

   I – Os brasileiros somos todos eternos sonhadores.
   II – Muito obrigadas! – disseram as moças.
   III – Sr. Deputado, Vossa Excelência está enganado.
   IV – A pobre senhora ficou meia confusa.
   V – São muito estudiosos os alunos e as alunas deste curso.

   Há uma concordância inaceitável de acordo com a gramática normativa:
   a) em I e II.
   b) em II, III e V.
   c) apenas em II.
   d) apenas em III.
   e) apenas em IV.

5. (FGV-RJ) Assinale a frase incorreta, considerando que adjetivo em função de predicativo deve concordar no plural.

   a) O caipira e sua mulher ficaram desconfiados.
   b) Tenho o réu e seu comparsa como mentiroso.
   c) Lúcio e Vera caminhavam amuados lado a lado.
   d) Tenho por mentirosos o réu e sua cúmplice.
   e) Julguei-os capacitados, o aluno e a aluna.

6. (Unisinos-RS) O caso de concordância nominal inaceitável aparece em:

   a) Nunca houve divergências entre mim e ti.
   b) Ele tinha o rosto e o corpo arranhados.
   c) Recebeu o cravo e a rosa perfumado.
   d) Tinha vãs esperanças e temores.
   e) É necessário certeza.

7. (Ufes-ES) Nas frases abaixo, o pronome oblíquo destacado se refere a dois ou mais núcleos nominais; a única opção em que a concordância do pronome se faz inadequadamente é:
   a) Os grandes escritores e famosos oradores, conhecemo-*los* pelo domínio que têm do idioma.
   b) A agilidade mental e a facilidade de expressão, como poderemos consegui-*las*?
   c) A inteligência, o amadurecimento mental, a expressão do pensamento, não *as* conseguiremos desse modo.
   d) Aquele escritor e dicionarista, eu *o* conheço através de suas obras.
   e) O quociente de inteligência ou nível mental, não *o* avaliamos apenas através desses conhecimentos.

8. (Unopar-PR) *Neste país é proibido sonhar* (Drummond)
   Tomando por base a frase acima, assinale a alternativa em que a concordância está de acordo com a norma culta.
   a) Neste país é proibido a manutenção de animais selvagens em cativeiro.
   b) Nesta tribo é proibido os casamentos de parentes.
   c) Na faculdade é proibido trotes violentos.
   d) Há tempos é proibida privatização de empresas lucrativas.
   e) Sabe-se que é proibida a exploração do trabalho infantil.

9. (Cesgranrio-RJ) Tendo em vista as regras de concordância, assinale a opção em que as duas formas entre parênteses podem completar corretamente a lacuna do enunciado.
   a) Atitudes e hábitos geralmente ___ (questionados/questionadas)
   b) Vocabulário e fraseologia estritamente ___ (utilizados/utilizadas)
   c) Crítica e objeções inteiramente ___ (infundados/infundadas)
   d) Grupos e pessoas linguisticamente ___ (diferenciados/diferenciadas)
   e) Segredos e originalidade igualmente ___ (desejados/desejadas)

10. (PUC-SP) Apenas uma alternativa preenche corretamente os espaços existentes na sentença abaixo.
    Não foi ___ a pesada suspensão que lhe deram, porque você foi o que ___ falhas apresentou; podiam ter pensado em outras penalidades mais ___ .
    a) justo, menas, cabível
    b) justa, menos, cabível
    c) justa, menos, cabíveis
    d) justo, menos, cabível
    e) justo, menos, cabíveis

11. (PUC-RJ) Preencha as lacunas com a forma adequada das palavras entre parênteses, fazendo a flexão de gênero e número quando necessário.

a) Por ___ que sejam as consequências, esta é a única tentativa possível. (pior)
b) Seus propósitos estão ___ claros. (bastante)
c) As informações prometidas seguem ___ a esta carta. (anexo)

12. (Cesgranrio-RJ) Qual a única concordância indicada entre parênteses aceita pela norma culta?

a) Essa entidade beneficente está aceitando qualquer tipo de roupa usada e até de óculos ___ . (velho)
b) Esses diretores não costumam aceitar nossas reivindicações, ___ que sejam elas. (qualquer)
c) Podem-se ver do alto daquele prédio as bandeiras ___ (brasileira e portuguesa)
d) ___ reclamações foram feitas sobre o descaso das autoridades. (Bastante)
e) Veio ___ ao requerimento a planta da casa a ser reformada. (anexo)

13. (ESPM-SP) Preencha as lacunas da oração abaixo, observando a concordância com **anexo**, **possível**, **meio**, respectivamente.

"Vão ___ aos processos várias fotografias com paisagens, as mais belas ___ , pois ela estava ___ inspirada, naquele dia."

14. (Mackenzie-SP) Indique a frase em que a palavra **só** é invariável.

a) Eles partiram *sós*, deixando-me para trás aborrecida e bastante magoada.
b) Chegaram *sós*, com o mesmo ar exuberante de sempre.
c) *Sós*, aquelas moças desapareceram, cheias de preocupações.
d) Aqueles jovens rebeldes provocaram *sós* essa movimentação.
e) Depois de tão pesadas ofensas, prefiro ficar a *sós* a conviver com essa agressiva companhia.

Concordância verbal

Como regra geral, o **verbo**, termo essencial na oração, concorda com o sujeito em número e pessoa.

Sintaxe de concordância **451**

Regras gerais

Sujeito simples

O verbo concorda com o sujeito no singular ou no plural e pode estar colocado antes ou depois do sujeito.

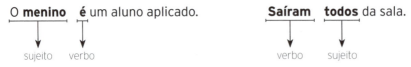

Sujeito composto

Quando o sujeito é composto de elementos de 3ª pessoa gramatical, o verbo vai para o plural, posicionado antes ou depois do verbo, ou poderá concordar com o termo mais próximo.

Quando o sujeito é composto de elementos de pessoas gramaticais diferentes, o verbo vai para o plural, de acordo com a **regra de prevalência**, ou seja:

+ a 1ª pessoa prevalece sobre a 2ª e a 3ª.

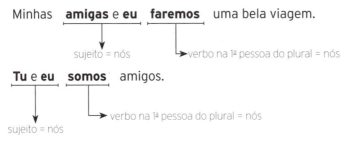

+ a 2ª pessoa prevalece sobre a 3ª.

❖ É comum, mesmo com a regra de prevalência, encontrar o verbo na terceira pessoa do plural: **Tu** e **ela brigam** muito.

Nesse caso, há a prevalência da 3ª pessoa sobre a 2ª.

Casos especiais de concordância com sujeito simples

a) Sujeito formado por **substantivo coletivo** – o verbo concorda com o sujeito coletivo no singular e no plural.

A multidão **aplaudia** os atletas medalhistas.

Os bandos **infernizavam** a vizinhança.

❖ O verbo pode ser flexionado no plural se estiver seguido de adjunto adnominal plural.

O bando de crianças **faziam** muito barulho.

A concordância é ideológica, destacando-se o número de crianças.

b) Sujeito representado por expressão quantitativa: **a maior parte de**, **grande número de**, **a maioria de**, **uma porção de**, **metade de** – o verbo se mantém no singular.

A maior parte dos alunos **fez** a prova de Matemática.

Grande número de pessoas **ficou** ferido.

A maioria dos empregados **foi** dispensada mais cedo.

❖ O verbo pode ir para o plural se a intenção for destacar a ideia de quantidade proposta pelo sujeito.

A maior parte dos alunos **fizeram** a prova de Matemática.

❖ A concordância no singular ou no plural, quando o sujeito for representado por expressões quantitativas, é uma questão de escolha de uma ou de outra opção pelo falante ou escritor, de acordo com o que considerar adequado no momento.

c) Sujeito formado por **pronome de tratamento** – o verbo permanece na 3ª pessoa.

Sabemos que Vossa Excelência **será** homenageado no Senado.

Vossa Senhoria, por favor, **queira dirigir-se** ao palco.

d) Sujeito formado pela expressão **mais de um** – o verbo deve permanecer no singular.

Mais de um candidato **prometeu** o aumento de verbas para a educação.

Sintaxe de concordância

❖ O verbo poderá ficar no plural se indicar reciprocidade ou se a expressão **mais de um** for repetida.

Mais de um jogador se **enfrentaram** em campo.

Mais de um aluno, mais de um professor **participarão** da gincana cultural.

❖ Se a expressão for **mais de dois**, o verbo concordará com o numeral.

Mais de dois alunos **discutiram** na sala.

e) Sujeito formado pela expressão **um ou outro** – o verbo é flexionado no singular.

Toda semana **um ou outro falta** no emprego.

Uma ou outra pode entregar as flores à diretora.

f) Sujeito representado pelo pronome relativo **quem** – o verbo poderá ficar na 3ª pessoa do singular ou concordar com o pronome pessoal antecedente.

Fui eu quem **falou** mais alto.   Fui eu quem **falei** mais alto.

Éramos nós quem **preparava** o almoço.

Éramos nós quem **preparávamos** o almoço.

g) Sujeito representado pelo pronome relativo **que** – o verbo concordará com o antecedente do pronome.

Fui eu que **resolvi** esse problema.   Foram elas que **decidiram** o dia da festa.

h) Sujeito representado pela expressão **um dos que** – o verbo poderá ficar no singular ou no plural.

Aquele rapaz é um dos que **mora** na periferia.

Aquele rapaz é um dos que **moram** na periferia.

A concordância que melhor atende à lógica gramatical leva o verbo para o plural, referindo-se ao substantivo plural antecedente do pronome relativo **que**.

Paula é uma das modelos que **participarão** do desfile.
(dentre as várias modelos que participarão do desfile, Paula é uma delas)

❖ Mesmo que sutil, há uma diferença entre as duas formas. Na frase *Aquele rapaz é um dos que mora na periferia*, o destaque está no rapaz (um entre todos); na frase *Aquele rapaz é um dos que moram na periferia*, valoriza-se todo o grupo de rapazes que moram na periferia.

i) Sujeito representado por **nomes próprios** no **plural** – o verbo será empregado no plural, no caso de substantivos precedidos de artigo.

Os Estados Unidos **são** a maior economia mundial.

As férias **deixam** as pessoas mais felizes.

Se o substantivo não estiver precedido de artigo, permanecerá no singular:

Minas Gerais **é** um estado que pertence à região Sudeste.

Estados Unidos **é** um país democrata.

Férias **faz** bem à saúde.

> ❖ Atualmente, é comum empregar o verbo no plural, mesmo que o nome não venha precedido de artigo.
>
> **Estados Unidos tentam** conter a crise liberando vistos para brasileiros.
>
> **Férias fazem** bem à saúde.

O nome próprio de uma obra artística permite a flexão do verbo no singular e no plural.

Os lusíadas é uma obra consagrada da literatura portuguesa.

Os lusíadas **contam** a história do povo português.

j) Sujeito formado pelas expressões **perto de**, **cerca de**, **mais de**, **menos de**, que indicam uma quantidade aproximada – o verbo permanece na 3ª pessoa do singular ou do plural, de acordo com o numeral ou substantivo que segue essas expressões.

Perto de mil manifestantes **protestaram** na praça da República.

Cerca de uma tonelada de trigo **apodreceu** no depósito.

Mais de vinte animais **foram** envenenados.

> ❖ A expressão **mais de um**, em geral, permanece no singular, mas será empregada no plural quando o numeral for maior que um ou o verbo denotar reciprocidade.
>
> Mais de uma aluna **pediu** dispensa.
>
> Mais de dez pessoas **se abraçaram** calorosamente naquele reencontro.

k) Sujeito representado por **pronome interrogativo** ou **indefinido** no plural, seguido da expressão **de nós**, **de vós** – o verbo é flexionado na 3ª pessoa do plural ou acompanha a expressão pronominal.

Quais de nós **trabalhariam** no fim de semana?

Quantos de nós **trabalharíamos** no fim de semana?

Muitos de nós não **recebemos** aumento.

Muitos de vós não **receberam** aumento.

Quais de vós **sereis** voluntário?

Se o pronome estiver no singular, o verbo permanecerá na 3ª pessoa do singular.

Qual de nós **votou** na equipe do governo?

Nenhum de nós **trabalhou** no sábado.

Apenas um de vós **receberá** aumento.

l) Sujeito formado **por número percentual** ou **fracionário** – o verbo, em geral, concorda com o numeral:

10% dos moradores daquela cidade não **têm** esgoto tratado.

Um quarto dos alunos do 1º ano não **está** alfabetizado.

80% dos estudantes não **compareceram** para a vacinação.

> ❖ Atualmente, é comum concordar o verbo com a expressão que acompanha o numeral.
>
> 20% da **população está** desabrigada.
>
> Dos *e-mails* enviados, 5% não **foram** respondidos.

Casos especiais de concordância com sujeito composto

a) Sujeito composto resumido por pronome indefinido **nada**, **tudo**, **ninguém** etc. – o verbo deve concordar com o pronome.

Bolsas, sapatos, roupas, tudo ela **comprava**.

Professores, coordenadores, alunos, ninguém **esperava** tal resultado.

b) Sujeito composto por núcleos referentes a **seres** ou **objetos semelhantes** – o verbo pode ficar no singular ou plural.

Professora e pianista **trabalhava/trabalhavam** incansavelmente.

c) Sujeito composto pelas expressões **um ou outro**, **nem um nem outro** – o verbo permanece no singular, porque prevalece a ideia de exclusão.

Nem um nem outro **ficou** até o fim da reunião.

Um ou outro **assumirá** o prejuízo.

d) Sujeito composto pela expressão **um e outro** – o verbo pode ficar no singular ou no plural.

Um e outro acidentado **permanecerá/permanecerão** no pronto-socorro.

Um e outro **chegou/chegaram** na última hora.

e) Núcleos do sujeito ligados pela preposição **com** – o verbo flexionará para o plural.

O médico com os enfermeiros **atenderam** várias vítimas do desabamento.

O cantor com sua banda **fizeram** um enorme sucesso.

❖ O emprego do verbo no singular é possível se a intenção for enfatizar o primeiro núcleo do sujeito.

A jovem com as amigas **festejava** o novo emprego.

(A jovem festejava o início de um novo emprego na companhia das amigas.)

O avô com os netos **comprava** novos brinquedos.

(O avô na companhia dos netos comprava brinquedos.)

f) Núcleos do sujeito ligados pela conjunção **nem** – o verbo, em geral, é empregado no plural se a ação for atribuída igualmente aos núcleos.

Nem eu nem ela **tínhamos** condições de assumir aquela despesa.

Nem o homem nem a mulher **imaginariam** tantas transformações.

O verbo fica no singular quando a ação é atribuída a um só núcleo do sujeito.

Nem o pai, nem a mãe, nem ninguém **parecia** entendê-lo.

g) Núcleos do sujeito ligados pela conjunção **ou** – o verbo poderá permanecer no singular ou flexionar para o plural:

+ se prevalecer a ideia de exclusão, o verbo ficará no singular.

  Ou o inglês ou o alemão **vencerá** o campeonato automobilístico.

+ se o processo verbal for atribuído aos núcleos do sujeito composto igualmente, sem exclusão, o verbo ficará no plural.

  Ou o claro ou o escuro **ficam** muito bem em você.

  Ou você ou eu **precisamos** entregar o trabalho.

h) Núcleos do sujeito composto por termos correlacionados a expressões **não só... mas também, assim... como, não só... como também, tanto... como** etc. – o verbo será flexionado no plural.

Não só os carros, mas também as joias **foram** a leilão.

Tanto o irmão como a irmã **cuidavam** do pai idoso.

i) Núcleos do sujeito composto constituídos de **infinitivos** – o verbo admite duas concordâncias:

+ se os infinitivos estiverem acompanhados de termos determinantes, o verbo flexionará para o plural.

  O cantar e o dançar sempre **fizeram** parte de sua vida.

+ se os infinitivos não estiverem determinados, o verbo poderá ficar no singular.

  Ir e vir todo dia **deixava** o senhor exausto.

j) Núcleos do sujeito indicam **gradação de ideias** – o verbo, geralmente, permanece no singular, concordando com o mais próximo, mas também é possível que fique no plural.

Angústia, desespero, pavor **ia/iam** tomando conta de seu pensamento.

Concordância com o verbo ser

O verbo **ser**, quando é empregado como verbo de ligação, pode concordar com o sujeito ou com o predicativo do sujeito. Esse caso é uma exceção à regra.

Casos de concordância com o predicativo do sujeito:

a) quando o sujeito for um dos seguintes pronomes: **isto**, **isso**, **aquilo**, **tudo**.

Tudo **eram** expectativas naquele momento.

Isso **parecem** pesadelos.

Nem tudo **são** doces lembranças.

Aquilo **seriam** sobras de ontem.

❖ Também pode haver concordância do verbo com o sujeito-pronome no singular.

Nem tudo **é** doces lembranças.

b) quando o sujeito estiver representado, no singular, por nome referente a coisas e o predicativo for um substantivo plural.

A roupa do mendigo **eram** panos rasgados e desbotados.

A alegria dela **são** os filhos.

c) quando o sujeito for constituído de uma **expressão coletiva** ou **partitiva**.

A grande maioria **seriam** adolescentes.

Grande parte **são** mantimentos perecíveis.

d) quando for um **pronome pessoal reto**.

Nós **seremos** os vencedores do torneio.

Patrícia **sou** eu.

❖ Se o sujeito e o predicativo forem um **pronome pessoal reto**, o verbo **ser** fará concordância com o sujeito.

Nós não **somos** eles.

e) quando o sujeito da oração for um dos pronomes interrogativos **que** ou **quem**.

Quem **são** eles?

Que **eram** aqueles barulhos no porão?

f) quando o predicativo for representado pelo pronome demonstrativo **o**, o verbo concordará com ele no singular, ainda que o sujeito esteja no plural.

Saudades **era o** que ficou daqueles dias.

O dinheiro e a fama é **o** que importa para ela.

g) quando o sujeito for constituído de **nome próprio**, o verbo concordará com esse nome, estando o predicativo no singular ou no plural.

Carlos **era** a garantia de vitória.

Patrícia **era** as esperanças de vitória.

h) quando o sujeito for formado por expressões que indiquem quantidade, preço ou medida: **é muito, é pouco, é suficiente, é tanto, é mais de, é menos de**.

Cem reais para o passeio **é** muito.

Três metros de tecido para a cortina **é** pouco.

É suficiente dois litros de refrigerante.

Cinco quilos de arroz **era** mais do que precisávamos.

i) quando indicar **dia, hora, distância, período de tempo**. O verbo **ser**, nesse caso, é impessoal e a oração, sem sujeito.

Hoje **é** dia 1º de abril de 2012.

Ontem **foi** dia quinze de maio.

Hoje **são** vinte de agosto.

É vinte de agosto. (a palavra dia está subentendida)

Eram cinco horas da tarde.

Daqui até em casa **são** dois quilômetros.

Foram dez dias de espera.

Verbos impessoais

Os verbos impessoais são flexionados apenas na 3ª pessoa do singular, e o sujeito é classificado como inexistente ou oração sem sujeito.

Verbo haver

+ O verbo haver torna-se impessoal quando significa **existir** e é conjugado somente no singular.

Havia muitos papéis espalhados em cima daquela mesa. (existiam)

Há muitas falhas no seu projeto. (existem)

Houve várias faltas no dia de ontem. (existiram)

+ A **locução verbal** formada com o verbo haver, no sentido de **existir**, torna o verbo auxiliar também impessoal.

Deve haver muitas pessoas aguardando na fila. (devem existir pessoas)

Não **podia haver** erros naqueles cálculos. (não podiam existir erros)

Há de haver novas chances para você. (hão de existir chances)

* O verbo **existir** é pessoal e concorda com o sujeito ao ser conjugado.

    Existem vários candidatos para aquela vaga.

    Não **existiam** mais ingressos para o campeonato brasileiro.

    Será que **existe** alma de outro mundo?

* Nas **locuções verbais**, o auxiliar do verbo **existir** é flexionado concordando com o sujeito.

    Devem existir muitos inscritos para esta prova.

    Não **poderiam existir** pessoas naquele local.

+ É também impessoal o verbo **haver** empregado no sentido de tempo decorrido.

Há dias ele não dá notícias.

O trem partiu **há** duas horas mais ou menos.

Não nos víamos **havia** meses.

* O verbo **ter** torna-se impessoal quando empregado no sentido do verbo **haver**.

    Tem dias que ele não aparece por aqui.

* O verbo **haver**, na função de auxiliar, assim como o verbo **ter**, concorda com o sujeito da oração:

    Elas **haviam preparado** um belo jantar para sábado à noite. (tinham preparado)

    Percebi que **havia esquecido** o celular em casa. (tinha esquecido)

Verbo fazer

✤ O verbo fazer, quando indica tempo decorrido, é impessoal e flexiona-se somente na 3ª pessoa do singular.

Faz duas horas que estou aqui te esperando.

Fazia muitos meses que a casa estava vazia.

✤ Nas **locuções verbais**, o auxiliar do verbo fazer, no sentido de tempo decorrido, permanece na 3ª pessoa do singular.

Deve fazer umas três horas que ela partiu.

Podia fazer uns dez anos que ele morava ali.

> ❖ Os verbos **fazer** e **estar** são também **impessoais** quando indicam condições do clima.
>
> **Deve fazer** muito calor hoje.
>
> **Estava** bastante frio ontem.
>
> **Fez** dois graus abaixo de zero durante a madrugada.

Outros casos de concordância verbal

Verbos que indicam fenômenos meteorológicos

Esses verbos são impessoais e permanecem na 3ª pessoa do singular.

Anoitece cedo no inverno.

Choveu muito a noite passada.

Deve nevar nas próximas horas.

Se esses verbos forem empregados em sentido figurado, serão flexionados de acordo com o sujeito da oração.

Choveram flores durante a cerimônia de casamento.

As pessoas **amanheceram** na rua por causa do terremoto.

Verbo parecer

Para esse verbo são possíveis dois tipos de concordância:

✤ o verbo parecer é flexionado, concordando com o sujeito.

As filas **parecem durar** horas.

As horas **pareciam** não **passar** nunca.

+ o verbo parecer fica no singular e o infinitivo que o acompanha é flexionado.

As filas **parece durarem** horas.

As horas **parecia** não **passarem** nunca.

Verbos bater, soar, dar

Esses verbos, empregados em relação às horas do dia, concordam com o numeral. O sujeito, nessas orações, é simples, e o verbo não é impessoal.

Batiam onze horas quando ele entrou em casa.

Soaram doze badaladas no sino da igreja.

Davam dez horas da noite, e o condomínio continuava em festa.

Verbo na passiva sintética, com pronome apassivador se

O verbo na voz passiva sintética concorda com o sujeito paciente no singular ou no plural.

Alugam-se cadeiras de praia.

Percebia-se um vulto atrás da porta.

Esperavam-se muitos convidados para a festa de inauguração.

> ❖ Na linguagem coloquial, é comum o erro de concordância na passiva sintética, principalmente em placas comerciais.
>
> **Conserta-se** relógios. (em vez de consertam-se)
>
> **Aluga-se** casas na praia. (em vez de alugam-se)

Sujeito indeterminado

O verbo (intransitivo ou transitivo indireto), obrigatoriamente, fica na 3ª pessoa do singular quando o **se** é empregado como índice de indeterminação do sujeito.

Come-se muito bem naquele restaurante.

Precisa-se de operários para as obras recém-lançadas.

Tratava-se de casos muito raros.

Sujeito oracional

O sujeito formado por uma oração admite o verbo apenas na 3ª pessoa do singular.

Convém que você espere até todos saírem.

verbo

sujeito (oração subordinada substantiva subjetiva)

Expressão haja vista

A construção mais frequente da expressão é com o verbo invariável, seja o substantivo que o segue singular ou plural.

O atual prefeito deve ser reeleito, **haja vista** as últimas pesquisas.

Pode, entretanto, ocorrer o plural, considerando-se o substantivo que o segue como sujeito.

O atual prefeito deve ser reeleito, **hajam vista** as últimas pesquisas.

A forma invariável admite a expressão seguida ou não de preposição. A forma variável só é aceita se não for seguida de preposição.

O atual prefeito deve ser reeleito, **haja vista** aos últimos números da pesquisa.

Se o termo seguinte à expressão estiver no singular, é admitida apenas a forma invariável.

O candidato do governo é o preferido, **haja vista** a última pesquisa.

❖ A tendência atual é empregar a forma invariável. A expressão "haja visto" é incorreta.

Formas gramaticais

Sujeitos no plural levam o verbo para o singular quando empregados com sentido gramatical.

"Elas" é o sujeito da segunda oração.

"Micro-ondas" **escreve-se** com hífen.

O "oo" nos encontros vocálicos não **tem** acento: voo/enjoo.

Numerais: milhão/bilhão

Os numerais acompanhados de substantivo no plural farão a concordância verbal, de modo geral, no plural.

Um milhão de jovens **protestavam** nas ruas pela democracia.

Já **foram gastos** um bilhão de dólares na questão da segurança.

Expressão expletiva é que

As expressões de realce ou expletivas permanecem invariáveis.

Eu **é que** mando nessa casa.

Os pais **é que** precisam orientar os filhos.

Paciência é **que** não me falta.

Exercícios

1. Identifique com um X as frases incorretas quanto à concordância verbal.
   a) ( ) Se não houvessem guerras, o mundo seria bem melhor.
   b) ( ) Necessita-se de novos projetos ambientais urgentemente.
   c) ( ) Hoje são vinte e cinco de junho.
   d) ( ) A maior parte dos alunos não terminou a prova.
   e) ( ) Não vejo a hora de dizer: chegou as férias.
   f) ( ) Deve existir muitas pessoas interessadas nesse caso.
   g) ( ) Parece que não haveriam soluções em curto prazo.
   h) ( ) Mais de dez homens empurrava aquela máquina.
   i) ( ) Aluga-se casas para a temporada de verão.
   j) ( ) Isto são sintomas graves.
   k) ( ) O que faltava ao jovem era oportunidades de diálogo.
   l) ( ) Fui eu quem o ensinou a desenhar.
   m) ( ) Os 30% de lucro esperado sumiu.
   n) ( ) Alguns de nós receberemos ingressos para o *show*.
   o) ( ) Nem uma nem outra quiseram cortar o cabelo.
   p) ( ) Mais de uma paciente tiveram alta hoje.
   q) ( ) A mãe com a filha visitaram os parentes no domingo.
   r) ( ) Assaltantes ou malfeitores assaltou a escola no fim de semana.
   s) ( ) Fomos nós que comprou as passagens.
   t) ( ) Uma palavra, um apoio podem ajudá-lo muito.

2. Reescreva as frases incorretas do exercício anterior, corrigindo-as.

3. Informe a razão pela qual o verbo concorda com o sujeito no singular ou no plural de acordo com as regras da norma-padrão.
   a) O álcool ou o fumo são prejudiciais à saúde.
   b) Chegar e partir integra/integram nosso dia a dia.
   c) Tu e ela participareis/participarão de um novo grupo de estudo.
   d) A multidão de crianças aplaudia/aplaudiam a performance dos palhaços.
   e) Isso são desculpas inaceitáveis.

4. Complete as lacunas com a forma verbal adequada entre parênteses.

   a) Agora há pouco ___ três horas da tarde. (deu/deram)
   b) ___ motos naquela oficina. (conserta-se/consertam-se)
   c) ___ cerca de mil aparelhos eletrônicos. (sobrou/sobraram)
   d) ___ contra empresas poluidoras. (protesta-se/protestam-se)
   e) ___ quinze minutos para o término do expediente. (falta/faltam)
   f) Fui eu que ___ a conta. (paguei/pagou)
   g) ___ fazer vinte anos que não nos vemos. (deve/devem)
   h) Eu e tu ___ todo o percurso. (percorreremos/percorrereis)
   i) Nem o pai nem a mãe ___ à reunião escolar. (foi/foram)
   j) ___ de casos de epidemia naquele região. (tratava-se/tratavam-se)

5. Justifique a concordância dos verbos em relação ao sujeito nos exemplos do exercício anterior.

6. Reescreva corrigindo as frases incorretas quanto à concordância com o verbo **ser**.

   a) Isso são falsas promessas.
   b) Duas dúzias é mais que suficiente.
   c) Já é seis horas da tarde.
   d) Ela é as preocupações dos pais.
   e) O vencedor foi eu.
   f) A surpresa eram os sorvetes de merenda.
   g) Daqui até o metrô é dois quilômetros.
   h) Oito quilos de carne são pouco para o nosso churrasco.
   i) A maioria era menores de idade.
   j) As mentiras era o que mais atrapalhava.

7. Justifique a concordância do verbo ser nas frases corrigidas do exercício acima.

8. Complete as lacunas abaixo flexionando o verbo ser, no presente do indicativo, de forma adequada.

   a) O proprietário do imóvel ___ eu.
   b) Agora já ___ duas e meia.
   c) Estados Unidos ___ um país de primeiro-mundo.
   d) Os ganhadores do sorteio ___ nós.
   e) Três horas de viagem ___ muito.
   f) Tudo ___ preocupações.
   g) Hoje ___ treze de abril.
   h) Nossas esperanças ___ o novo treinador.

i) A alegria da casa ___ os gêmeos.

j) Quem ___ os novos moradores do sétimo andar?

9. Efetue a concordância verbal escolhendo um dos verbos entre parênteses.

a) Um ou outro operário ___ dispensado. (será/serão)

b) ___ obras de arte. (compra-se/compram-se)

c) Não seríamos nós que ___ prejudicados. (ficaríamos/ficariam)

d) Perto de um milhão de pessoas ___ à passeata. (iria/iriam)

e) A multidão ___ as mãos em protesto. (agitava/agitavam)

f) Foram meus alunos que ___ o jogo de basquete. (venceu/venceram)

g) O relógio da sala ___ dez horas. (bateu/bateram)

h) Elas disseram que ___ sobrado bolo e refrigerante. (havia/haviam)

i) ___ reclamações no atendimento de emergência. (chover/choveram)

j) Um e outro se ___ no acidente de moto. (machucou/machucaram)

10. Justifique a concordância de emprego do pronome relativo **que** ou **quem** nas frases e corrija a única concordância incorreta.

a) Foram eles **quem** chegou primeiro.

b) Somos nós **que** receberão os convidados.

c) Seremos nós **quem** visitaremos os pontos turísticos.

d) Fui eu **quem** paguei os refrigerantes.

e) Sou eu **que** chegarei em primeiro lugar.

11. Conjugue corretamente os verbos entre parênteses. Informe se eles são pessoais ou impessoais:

a) ___ dez dias que saímos de férias. (fazer – presente do indicativo)

b) ___ vários livros desaparecidos. (haver – pretérito imperfeito do indicativo)

c) Não se ___ calças compridas para mulheres antigamente. (usar – pretérito imperfeito do indicativo)

d) Ainda ___ concursados na lista de espera. (existir – presente do indicativo)

e) Amanhã ___ primeiro de abril. (ser – futuro do presente do indicativo)

f) Tu e ela ___ um bonito casal (formar – presente do indicativo)

g) Mais de oito pessoas ___ no elevador. (estar – pretérito imperfeito do indicativo)

h) Ela soube que ___ muitas demissões nos últimos dias. (haver – pretérito perfeito do indicativo)
i) ___ , no ano passado, várias contratações para o novo setor. (acontecer – pretérito imperfeito do indicativo)
j) ___ haver mudanças de última hora. (poder – presente do indicativo)

12. **Passe as frases para o plural empregando a concordância verbal adequada.**

    a) Conserta-se relógio aqui.
    b) Precisa-se de marceneiro com urgência.
    c) Vende-se uma bicicleta nova.
    d) Ocorreu um assalto na rua de cima.
    e) Necessita-se de doador de sangue.
    f) Admite-se funcionário com experiência.
    g) Fez-se um contrato de aluguel.
    h) Houve um erro de digitação no documento.
    i) Existe uma fraude comprovada.
    j) Deveria haver uma nova rodada de negociação.
    k) Cancelou-se uma reserva para o cruzeiro.
    l) Não se constrói mais aquele tipo de veículo.

13. **Assinale a alternativa que apresenta erro de concordância verbal.**

    a) Os Andes ficam na América.
    b) Nossa vida eram loucuras.
    c) Saiu-se bem hajam vista as notas das provas.
    d) Sobra-lhe motivos para rir à vontade.
    e) Não desistam, hão de vencer mais uma etapa.

14. **Assinale o item correto quanto à concordância verbal.**

    a) Não se tratavam de soluções imagináveis.
    b) Hão de existir bons motivos para tantas comemorações.
    c) 10% dos municípios não oferece redes de esgoto.
    d) As notícias parecem se espalharem rapidamente.
    e) Da cidade à praia é apenas dois quilômetros.

15. **Flexione o verbo indicado entre parênteses, no presente do indicativo, para preencher corretamente a lacuna da frase.**

    a) ___ (fazer) meses que não ___ (acontecer) brigas no colégio.
    b) Nem tudo ___ (ser) surpresas agradáveis.
    c) ___ (poder) existir mais de um interessado naquela vaga.
    d) ___ (dever) fazer dois dias que eles não ___ (dar) notícias.
    e) Alguns de nós ___ (resolver) as equações mais difíceis.

Questões de vestibulares

1. (FGV-SP) A concordância verbal na frase *A maioria das mulheres e dos homens, inclusive das crianças, tem um ar de coisa usada – e abusada* poderia também ser feita com o verbo no plural, por causa do sentido coletivo do núcleo do sujeito, e ainda pelo fato de o núcleo estar seguido de especificadores no plural. Das frases abaixo, todas com o verbo no singular, aquela que admite apenas uma forma de concordância é:
   a) Não só o homem, mas também a mulher, é vítima de desigualdade perversa.
   b) Saía de casa para o trabalho o pai, a mulher e o filho mais velho.
   c) Grande parte dos operários trabalha em condições desfavoráveis.
   d) O cidadão, muitas vezes com toda a família, fica subentendido a inúmeros vexames.
   e) Cada um dos candidatos prometeu investir em transporte público.

2. (Fuvest-SP) Em ... *cada jogador com a mão nas costas e mais ou menos no lugar que lhes foi designado no esquema – e parados*, o autor usa o plural em **lhes** e **parados** porque:
   a) ambas as palavras referem-se a **lugar**, que está aí por **lugares** (um para cada um).
   b) associou **lhes** a **mãos** e **parados** a **times.**
   c) antecipou a concordância com **os jogadores se movimentam**.
   d) estabeleceu relação de concordância entre **lhes** e **mãos** e entre **parados** e **jogadores**.
   e) fez **lhes** concordar com o plural implícito em **cada jogador** (considerados todos um a um) e **parados**, com **os times**.

3. (PUC-BA) Segundo o que ___ os porteiros, ___ precisamente duas horas quando ___ os sinos.
   a) diz – eram – soou
   b) dizem – eram – soaram
   c) dizem – era – soaram
   d) diz – era – soou
   e) diz – era – soaram

4. (Fuvest-SP) *As denúncias não suficientemente esclarecidas quanto ao comportamento ético do Ministro da Fazenda nos deixou ainda mais constrangidos, não só a mim, mas a companheiros do governo.*
   A frase acima contém uma infração às normas da língua escrita culta.

a) Transcreva o segmento em que ela se encontra e explique uma causa provável.
b) Redija novamente a frase, de acordo com aquelas normas.

5. (ESPM-SP) Assinale a alternativa que contenha **erro** de concordância.
   a) Os resultados pareciam depender da vontade do diretor.
   b) A medicina tem avançado pouco, hajam vistas as pesquisas sobra a AIDS.
   c) Os diagnósticos parecia dependerem do resultado dos exames de laboratório.
   d) O poder da propaganda é discutível, haja vista a acentuada queda do consumo.
   e) Se houvesse melhores condições de ensino, existiriam melhores resultados.

6. (Fatec-SP) Assinale a alternativa correta quanto à concordância verbal.
   a) Devem haver outras razões para ele ter desistido.
   b) Queria voltar a estudar, mas faltava-lhe recursos.
   c) Foi então que começou a chegar um pessoal estranho.
   d) Não se admitirá exceções.
   e) Basta-lhe dois ou três dias para resolver isso.

7. (UMC-SP) De acordo com o texto: *Não são os poetas quem **faz** as grandes coisas, nem grandes as coisas, mas são os cantos dos poetas que as **guardam** e **preservam**.* (José W. Dias)
   a) Justifique a concordância verbal no singular: *faz*.
   b) Justifique a concordância no plural: *guardam*.

8. (Fuvest-SP) Para a gramática normativa, a única frase correta é:
   a) Para quem gosta de cinema, é necessário presença de filmes nacionais.
   b) As homenagens se sucediam: não parava de chegar ramalhetes e ramalhetes.
   c) Ele acredita que os laudos assinados em branco tratam-se de recursos para trocar de turno.
   d) São neles que você se mede, se reflete, se encontra.
   e) Em teoria, alguns dos livros a ser traduzidos já tem suas edições críticas.

9. (UnB-DF) Em todas as opções, o verbo pode ir para o plural ou para o singular, exceto em:

a) Um grande número de fugitivos (sair) das montanhas.
b) Um bando de papagaios (pousar) no laranjal.
c) Mais de um ciclista (cair) da bicicleta.
d) Pequena parte dos visitantes (estar) em silêncio.

10. **(FCC-SP)** A concordância verbo-nominal está inteiramente correta na frase:
    a) Urge que seja definido as metas de oferta de energia em quantidade suficiente e preço adequado, para impulsionar o desenvolvimento do país.
    b) É imprescindível que se cumpram os acordos firmados em relação à oferta de energia e aos preços adequados, e que se atenda ao aumento da demanda.
    c) Uma política fiscal aplicada sobre as ofertas de energia devem controlar o cumprimento dos contratos que se estabeleceu nesse setor.
    d) Os países importadores de derivados de petróleo paga o preço estabelecido na Europa, o que gera efeitos negativos na economia.
    e) Existe metas brasileiras que foram estabelecidas em relação à autossuficiência em petróleo e o momento oferece a oportunidade de cumpri-las satisfatoriamente.

11. **(UFPI-PI)** Assinale a alternativa em que o verbo entre parênteses deverá se flexionar no plural, para que a frase fique adequada ao padrão formal da língua.
    a) O costume era as aves (arribar).
    b) As aves pareciam (estar) nervosas.
    c) As aves deviam (deixar) o pombal.
    d) As aves estavam na eminência de (ir) embora.
    e) Os movimentos das aves eram fáceis de (prever).

12. **(UEFS-BA)** Toda a verdade dos fatos ___ , ainda que ___ as revelações.
    a) será apurado – doa
    b) será apurados – doa
    c) serão apurados – doa
    d) serão apurada – doam
    e) será apurada – doam

13. **(Vunesp-SP)** Assinale a alternativa em que a concordância está de acordo com a norma culta.
    a) É possível que hajam ainda brasileiros que se recusam a falar da geração de 68, pois fazem muitos anos que tudo aconteceu.
    b) Com a escravatura legal de africanos e afrodescendentes, destruiu-se e aviltou-se milhões de seres humanos.

c) É geral a ignorância disso entre os jovens, porque se omite intencionalmente tais fatos históricos nos currículos escolares.
d) Deve haver pessoas que se dispensam com leviana facilidade de ajustar contas com o passado.
e) Foi sendo deformado, com a escravatura legal de africanos e afrodescendentes, os nossos costumes e a nossa mentalidade.

14. (Ufac-AC) Reescreva as frases, substituindo os termos destacados conforme se pede, atentando-se para o que prescreve a norma culta da língua.
    a) És tu que deves pensar e querer por mim.
       Substitua o tu por vós.
    b) Luís e Cláudio vão pescar no lago.
       Substitua Luís e Cláudio por tu e ele.
    c) Já deve fazer um mês que ela partiu.
       Substitua um mês por dois meses.

15. (Faap-SP) *Poder tamanho junto não se viu.* Com **poder** no plural e conservando o mesmo sentido, escreveríamos assim:
    a) Poderes tamanhos juntos não se viu.
    b) Poderes tamanhos juntos não se vêm.
    c) Poderes tamanhos juntos não se veem.
    d) Poderes tamanhos juntos não se viram.
    e) Poderes tamanhos juntos não se vê.

16. (Cesgranrio-RJ) No que tange à concordância, qual expressão não completa de acordo com o registro formal culto em "___ já passou a noite em claro?"
    a) Um ou outro
    b) A maior parte das pessoas
    c) Mais de um amigo do escritor
    d) Creio que 100% da população
    e) Tanto o escritor quanto o jornalista

17. (UFSM-RS) Considere a concordância nas seguintes frases.
    I. Qual de nós viajaremos à Itália?
    II. O falso e o verdadeiro, a verdade e a mentira, tudo passa.
    III. Renato ou Fernanda preencherão a vaga existente.
    Assinale a alternativa adequada.
    a) Apenas I está correta.
    b) Apenas II está correta.
    c) Apenas I e II estão corretas.
    d) Apenas II e III estão corretas.
    e) I, II, III estão corretas.

18. (FEI-SP) Assinale a alternativa que apresenta lapso de concordância verbal.

a) Do alto, observam-se as ruas e as casas; via-se também, nas praças, frondosas árvores.
b) Encontrar-nos-emos amanhã à noite.
c) Ouvia-se o farfalhar das folhas das palmeiras e o marulhar das ondas.
d) Para desenvolver este projeto, precisa-se de engenheiros capazes.
e) Restabelecer-se-iam, de imediato, as ligações, se houvesse técnicos de plantão.

19. (Cesgranrio-RJ) Assinale a opção em que a concordância verbal contraria a norma culta no plural.

a) Não se assistia a tais espetáculos aqui.
b) Podem-se respeitar essas convenções.
c) Pode-se perdoar aos exilados.
d) Há de se fazer muitas alterações.
e) Não se trata de problemas graves.

20. (Mackenzie-SP) Assinale a única alternativa incorreta quanto à concordância verbal.

a) A causa da tristeza de Maria eram as ausências dele.
b) Se não houvessem cometido muitos erros no passado, hoje não haveria tantos problemas.
c) Nossos costumes provêm, em parte, da África.
d) Se não existissem motoristas irresponsáveis, deveriam haver menos acidentes fatais.
e) Quem de nós, na próxima reunião do Conselho Administrativo, apresentará as propostas?

21. (Fuvest-SP) Reescreva as frases seguintes, substituindo **existir** por **haver** e vice-versa.

a) *Existiam jardins e manhãs naquele tempo: havia paz em toda parte.*
b) *Se existissem mais homens honestos, não haveria tantas brigas por justiça.*

22. (PUCCamp-SP) A alternativa de forma verbal inadequada à norma culta é:

a) Vai fazer dois meses que não nos vemos.
b) Chegam de besteiras, pensem em coisas sérias!
c) Choveu três dias sem parar um minuto.

d) Nessa cidade, faz frio e calor no mesmo dia.
e) Pelo que nos consta, há duas páginas ilegíveis.

23. (FCC-RJ) *A ocorrência de interferência ___-nos a concluir que ___ uma relação profunda entre homem e sociedade que os ___ mutuamente dependentes.*

a) leva, existe, torna.
b) levam, existe, tornam.
c) levam, existem, tornam.
d) levam, existem, torna.
e) leva, existem, tornam.

24. (Fuvest-SP) Qual a frase com erro de concordância?

a) Para o grego antigo, a origem de tudo se deu com o caos.
b) Do caos, massa informe, nasceu a terra, ordenadora e mãe de todos os seres.
c) Com a terra tem-se assim o chão, a firmeza de que o homem precisava para o seu equilíbrio.
d) Ela mesma cria um ser semelhante que a protege: o céu.
e) Do céu estrelado em amplexo com a Terra, é que nascerá todos os seres viventes.

25. (PUCCamp-SP) A única frase em que não há erro de concordância verbal é:

a) Será que não foi suficiente, neste tempo todo, as provas de fidelidade que lhes demos?
b) Acredito que faltará, ao que tudo indica, acomodações para mais de um terço dos convidados.
c) Se tiver que ser decidido, no último instante, as questões ainda não discutidas, não me responsabilizo mais pelo projeto.
d) Houvessem sido mais explícitos com relação às normas gerais, os coordenadores de programa teriam evitado alguns abusos.
e) É da maioria dos estudantes que depende, pelo que nos falaram os professores, as alterações do calendário escolar.

26. (FGV-SP-Adaptada) Assinale a alternativa correta a respeito das seguintes frases:

I. Joaquim é um banana.
II. Os médicos, muitas vezes, agimos como conselheiros dos pacientes.
III. Vossa Excelência é o responsável por esse tipo de decisão.

a) Todas as frases são consideradas incorretas, pois apresentam erro de concordância.
b) Na frase III, a concordância irregular é de número.
c) Na frase II, a concordância irregular é de número.

Sintaxe de concordância **473**

d) Na frase II, a concordância irregular é de gênero.
e) Na frase I, a concordância irregular é de gênero.

27. (FCC-SP) O verbo indicado entre parênteses deverá flexionar-se no **plural** para preencher corretamente a lacuna da frase:

a) ___ (costumar) seguir os nossos atos de indisciplina a invocação das sábias palavras daquela velha frase.
b) Entre os adolescentes não ___ (ser) de hábito respeitar os limites da liberdade individual.
c) A ninguém da classe ___ (deixar) de tocar, naquela época, seus alertas contra o nosso anarquismo.
d) Nas aulas em que ___ (caber) invocá-las, a professora repetia as palavras daquele velho ditado.
e) Um desafio que aos homens sempre se ___ (impor), em razão dos seus impulsos egoístas, está em respeitar o espaço alheio.

28. (UFV-MG) Assinale a alternativa, abaixo, cuja sequência enumera corretamente as frases.

(1) Concordância verbal **correta**.
(2) concordância verbal **incorreta**.
( ) Ireis de carro tu, vossos primos e eu.
( ) O pai ou o filho assumirá a direção do colégio.
( ) Mais de um dos candidatos se insultaram.
( ) Os meninos parece gostarem dos brinquedos.
( ) Faz dez anos que ocorreram todos esses fatos.

a) 1, 2, 2, 2, 1
b) 2, 2, 2, 1, 2
c) 2, 1, 1, 1, 1
d) 1, 2, 1, 1, 2
e) 2, 1, 1, 1, 2

29. (FCC-SP) A concordância nominal e verbal está inteiramente correta na frase:

a) Os vestígios que a ciência estuda para tentar recompor os hábitos de nossos ancestrais demonstram como se formaram os primeiros agrupamentos humanos.
b) É sabido, hoje, que nas sociedades primitivas o instinto artístico vinham associados aos ruídos produzidos pela própria natureza.
c) Os povos primitivos, cuja origem remonta à África, se espalhou por outra regiões, fato que foi comprovado pelos cientistas.
d) O homem primitivo encontrava na própria natureza os elementos de que precisavam para transformarem em objetos de arte.
e) A natureza, com seus ritmos regulares e irregulares, eram fonte de inspiração para a criação artística que caracterizavam os homens primitivos.

Sintaxe de regência

Sintaxe de regência é a parte da gramática que trata das relações de dependência entre os termos que formam a oração, e também entre as orações que constituem o período composto.

Entre os termos de uma oração, há os que exigem a presença de outro termo para lhes completar a significação. Os termos que exigem complemento são os **regentes** e os que lhes complementam, os **regidos**.

Se o termo regente é um **nome** (substantivo, adjetivo ou advérbio), a regência é **nominal**. Se o termo regente é um **verbo**, a regência é **verbal**.

Observe esta frase:

Sempre gostei de assistir filmes na televisão.

A frase acima é um exemplo de linguagem coloquial, muito utilizada pelos falantes brasileiros. No entanto, ela não está de acordo com a norma-padrão da língua, pois o verbo **assistir** nessa acepção (ver, apreciar) liga-se ao seu complemento pela preposição **a**. Ou seja, é um erro comum de regência verbal.

Portanto, o conhecimento das **preposições**, ou palavras que desempenham a função de preposição, é indispensável na abordagem da regência, tanto nominal quanto verbal.

Regência nominal

Como já foi estudado, a regência nominal trata da relação de dependência que ocorre entre nomes e determinadas palavras necessárias para lhes completar o sentido.

A preposição é, geralmente, o elemento de ligação entre o termo regente e o termo regido.

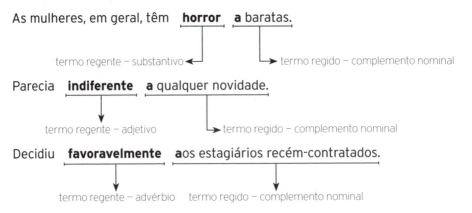

Alguns substantivos abstratos e adjetivos apresentam mais de uma regência. São nomes que admitem mais de uma preposição para introduzir os complementos regidos.

Não teve oportunidade **de** estudar quando criança.	Precisava de uma oportunidade **para** conversar com o patrão.
O aluno não estava satisfeito **com** as notas obtidas.	Ele ficou satisfeito **por** ter conseguido bons resultados.
Fica feliz **em** ajudar os mais velhos.	Parecia feliz **com** os cumprimentos recebidos.
Tinha aversão **a** peixe de rio.	Sempre teve aversão **por** gatos.

❖ A escolha de uma ou de outra preposição pode ou não alterar o sentido de um determinado termo.

O professor não perdoou a **falta** do aluno **à** prova. (ausência)

Sentia-se em **falta com** os antigos colegas de colégio. (em dívida)

As dúvidas quanto à regência nominal são muitas, por isso é recomendada sempre a consulta a um dicionário de regências.

Segue a relação de apenas alguns nomes acompanhados de suas preposições mais frequentes.

acessível a	amor a, por
acostumado a, com	analogia com, entre
afável com, para com	ansioso de, para, por
afeição a, por	antipatia a, por
aflito com, por	apaixonado por
agradável a	apto a, para
alheio a, de	atenção com, para com
aliado a, com	atencioso com, para com

Sintaxe

atento a, com, em	idêntico a
aversão a, por	igual a, para
ávido de, por	imbuído de, em
capacidade de, para	impróprio para
capaz de, para	imune a
carência de	incompatível com
certeza de	indeciso em
compaixão de, para com, por	insatisfeito de, com, em, por
compatível com	insensível a
conforme a, com	junto a, com, de
constituído de, por	lento em
contemporâneo a, de	medo a, de
contente com, de, em, por	natural de
contrário a	necessário a
cuidadoso com, em	necessidade de
curioso de, por	nocivo a
descontente com, de	obediência a
desejoso de	opinião sobre
desprezo a, de, por	oportunidade de, para
devoção a, para com, por	orgulho de
devoto a, de	passível de
diferente de	preferível a
dúvida acerca de, em, sobre	prejudicial a
empenho de, em, por	propenso a, para
entendido em	próprio de, em, para
equivalente a	próximo a, de
essencial para	rente a
fácil de	residente em
falta a, com	respeito a, com, de, para com, por
favorável a	rigoroso com, em
fanático por	satisfeito de, em, com, por
feliz com, de, em, por	saudade de, em
gosto de, em	semelhante a
guerra a, com, contra, entre	suspeito de
hábil em	temor a, de
habituado a	união a, com, entre
horror a, de	útil a
hostil a, para com	versado em

Sintaxe de regência **477**

Exercícios

1. Leia com atenção as frases a seguir e indique com um X as que não atendem à regência nominal adequada.
   a) Ele não estava <u>apto</u> com aquele novo emprego.
   b) O rapaz estava <u>impossibilitado</u> de praticar esportes.
   c) O produto mais vendido nas farmácias era <u>nocivo</u> a saúde.
   d) Não estava <u>habituado</u> à caminhar muito.
   e) Estava <u>imune</u> ao vírus do sarampo.
   f) Houve <u>dúvidas</u> sobre o resultado das pesquisas.
   g) A sua <u>falta</u> na reunião foi muito comentada.
   h) Tenho <u>respeito</u> para com os mais velhos.
   i) É <u>preferível</u> falar a verdade do que mentir.
   j) As atitudes dela eram <u>incompatíveis</u> às minhas.

2. Corrija as orações incorretas do exercício anterior.

3. Reescreva as frases empregando as preposições adequadas. Em alguns casos, há mais de uma possibilidade. Se necessária a contração com o artigo, utilize-a.
   a) Estava <u>atenta</u> ___ todas as explicações.
   b) Seu tênis é <u>idêntico</u> ___ meu.
   c) Continuava <u>insensível</u> ___ qualquer apelo nosso.
   d) A <u>confiança</u> do filho ___ pai era imensa.
   e) Ainda não estava <u>apta</u> ___ dirigir.
   f) Não se sentia capaz ___ assumir o controle das vendas.
   g) Era <u>responsável</u> ___ finalização do projeto.
   h) Aquela comida estava <u>imprópria</u> ___ consumo.
   i) A <u>união</u> ___ os participantes do torneio parecia improvável.
   j) Não parecia <u>contente</u> ___ o resultado.

4. Escolha a alternativa que melhor completa cada questão.
   I) As crianças ficaram <u>felizes</u> ___ patinar no gelo.
   a) a   b) para   c) em
   II) Estava propenso ___ adiar a viagem.
   a) em   b) a   c) de
   III) O animalzinho não parecia <u>acostumado</u> ___ noites frias.
   a) em   b) com   c) para
   IV) Tinha <u>aversão</u> ___ lugares altos.
   a) com   b) em   c) por
   V) Estavam <u>fartos</u> ___ tanta mentira.
   a) de   b) com   c) por

VI) Mantinha-se <u>alheio</u> ____ tudo.
a) a   b) por   c) com
VII) Mostrava <u>empenho</u> ____ agradar aos familiares.
a) em   b) a   c) para
VIII) Chegaram <u>curiosos</u> ____ conhecer o local da competição.
a) em   b) a   c) de
IX) Queria a <u>oportunidade</u> ____ trabalhar fora do país.
a) de   b) em   c) por
X) Era <u>contrário</u> ____ qualquer mudança de planos.
a) com   b) a   c) para

Questões de vestibulares

1. (Cesgranrio-RJ) Em relação à regência nominal, em qual das frases a seguir a preposição empregada não está adequada?

a) A partir daí, estava apto **para** ajudar alguém.
b) Ele, então, estava sedento **por** um futuro melhor.
c) Não seja inconstante **em** suas decisões.
d) Na vida, todos nós somos passíveis **a** equívocos.
e) Temeroso **de** um resultado negativo, não seguiu sua intuição.

2. (Ufal-AL) Tinha aptidão ____ trabalho; era, porém, inclinado ____ farras.

a) para o – à
b) com o – as
c) para o – a
d) ao – as
e) pelo – em

3. (Cefet-PR) Assinale a alternativa que indica, dentre as orações abaixo, as com **erro** de regência nominal.

I. Sou avesso aos abusos de certas autoridades.
II. Ele é versado com a arte de enganar os trouxas.
III. Sua mente é escassa de boas ideias.
IV. Os inseticidas são nocivos às aves que se alimentam de sementes e insetos.
V. Esta função não é compatível de sua dignidade.

a) 1 – 2
b) 3 – 4
c) 2 – 5
d) 3 – 5
e) 2 – 3

4. (Ufal-AL) É sempre preferível ações ____.

a) do que palavras
b) à palavras
c) antes do que palavras
d) a palavras
e) mais do que palavras

5. (PUCCamp-SP) Os depoimentos ___ teve acesso comprovam que a República não cumpriu, nesses cem anos, as promessas ___ foi portadora.
   a) a que – de que
   b) aos quais – de cujas
   c) pelos quais – as quais
   d) os quais – das quais
   e) que – que

6. (FCC-BA) O projeto ___ estão dando andamento é incompatível ___ tradições da firma.
   a) de que – com as
   b) a que – com as
   c) que – a
   d) à que – às
   e) que – com as

7. (PUC-RS) As críticas ___ está sujeito o trabalho dos jornalistas o auxiliam e fortificam a sua crença ___ ainda pode melhorar muito.
   a) a que – em que
   b) que – que
   c) de que – em que
   d) que – de que
   e) em que – que

8. (Unisinos-RS) Ocorre regência nominal inadequada em:
   a) Ele sempre foi insensível a elogios.
   b) Estava sempre pronta a falar.
   c) Sempre fui solícito com a moça.
   d) Estava muito necessitado em carinho.
   e) Era impotente contra tais maldades.

9. (FDB-DF) Assinale a alternativa que preenche corretamente as lacunas.
   As informações ___ teve acesso comprovam as suas suspeitas. Ele só tinha medo ___ algo errado acontecesse.
   a) a que – de que
   b) que – que
   c) a que – que
   d) que – de que
   e) às quais – que

10. Assinale a alternativa que completa corretamente as lacunas da seguinte frase:
    A obra de Huxley, ___ se faz alusão no texto, descreve uma sociedade ___ os atos dos indivíduos são controlados por um sistema de televisão e microfones.
    a) a que – em que
    b) a qual – que
    c) que – de quem
    d) de que – a qual
    e) da qual – cujos

480 Sintaxe

Regência verbal

A regência verbal trata da relação de dependência que ocorre entre os verbos e seus complementos. Essa relação pode acontecer diretamente, isto é, sem a presença de preposição, ou indiretamente, por meio da obrigatoriedade do uso da preposição.

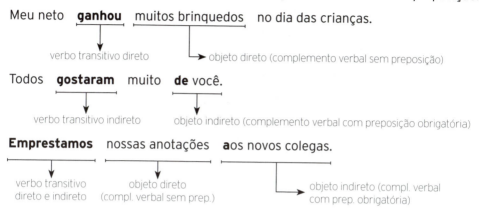

Verbos intransitivos, como já foi visto, não necessitam de complemento verbal para constituir seu significado, mas, em geral, vêm acompanhados de adjuntos adverbiais.

Chegarei a São Paulo na próxima semana.

Não **irei** ao colégio amanhã.

Vive-se bem em um lugar aprazível.

A mudança de regência de um verbo pode levar à mudança de significado da frase.

Aspirava o perfume das flores com prazer.

Aspirar – sentido de inalar, sorver – verbo transitivo direto.

Aspirava ao cargo de diretora daquela escola de fama internacional.

Aspirar a – sentido de pretender, almejar – verbo transitivo indireto.

Há verbos com mais de uma regência sem alteração de significado.

Não **lembrei** o dia de seu aniversário.

Lembrar – verbo transitivo direto.

Precisava **lembrar-se de** seu CPF.

Lembrar-se de – verbo transitivo indireto.

❖ Há verbos que apresentam certa dificuldade em relação à regência porque, muitas vezes, seu emprego na linguagem coloquial costuma ser diferente daquele previsto pela norma-padrão. Para esclarecer dúvidas quanto à regência verbal, o ideal também é consultar um bom dicionário de regências.

Sintaxe de regência

Segue a relação de alguns verbos e suas regências.

Agradar

+ **transitivo direto** – no sentido de acariciar, fazer agrados em alguém.

    Todos **agradavam** aquele bebezinho lindo.

+ **transitivo indireto** – no sentido de contentar, satisfazer, aprazer, ser agradável a; regido pela preposição **a**.

    O filme premiado não **agradou** à plateia presente no festival.

    A decoração do apartamento **agradou-lhe** muito. (**a** ele/ela)

> ❖ Atualmente, na linguagem coloquial, esse verbo pode ser empregado como **transitivo direto** também no sentido de **satisfazer**.
>
> A dona da casa queria **agradar** os parentes.
>
> ❖ Emprega-se como **verbo intransitivo** no sentido de ser agradável ou causar satisfação.
>
> Achava que sempre podia **agradar**.
>
> Procurava sempre a melhor maneira de **agradar**.

Ajudar

+ **transitivo direto** – constrói-se com objeto direto de pessoa.

    Gostava de **ajudar** os amigos.

    Ela **ajudava** os idosos a atravessar a rua.

Aspirar

+ **transitivo direto** – no sentido de inalar, sorver, absorver.

    Infelizmente **aspiramos** um ar muito poluído na capital.

+ **transitivo indireto** – no sentido de desejar, pretender, almejar; regido pela preposição **a**.

    Aspirava a um cargo de gerência ou de diretoria.

Assistir

+ **transitivo direto** – no sentido de ajudar, prestar assistência, confortar.

    Os médicos **assistiam** os acidentados naquele momento.

    Gostaria de **assisti-lo** com assiduidade.

❖ Como transitivo direto, o verbo assistir admite a voz passiva.

Os acidentados **foram assistidos** pelos médicos naquele momento.

✦ **transitivo indireto** – no sentido de ver, presenciar; regido pela preposição **a**.

Não pude **assistir a**o capítulo de ontem.

Faço questão de **assistir a** peças de autores nacionais.

❖ Nesse caso, as formas pronominais **lhe**, **lhes** não são usadas como objeto indireto.

Os ingressos para o espetáculo de dança estavam esgotados. Só vou poder **assistir a ele** na próxima temporada.

✦ **transitivo indireto** – no sentido de caber, pertencer por direito ou ser da competência; regido pela preposição **a**.

Não **assiste** à professora a decisão de cancelar ou não a viagem de formatura.

Atender

✦ **transitivo direto** – no sentido de acolher, receber com atenção, acatar, deferir um pedido.

Os artistas procuravam **atender** todos os espectadores.

O diretor da empresa não pôde **atender** os funcionários.

✦ **transitivo indireto** – no sentido de levar em consideração, dar atenção a, atentar, satisfazer; regido pela preposição **a**.

Era incapaz de **atender a**os meus pedidos.

Os novos carros automáticos **atendem a** um público mais exigente.

Chamar

✦ **transitivo direto** – no sentido de convocar, convidar, fazer vir.

Chamou todos os alunos para o torneio de xadrez.

❖ Com o mesmo sentido, o verbo chamar pode aparecer com a preposição de realce **por**.

Chamava por ele insistentemente.

✦ **transitivo indireto** – no sentido de invocar; regido pela preposição **por**.

Não parava de **chamar por** Deus e **por** todos os santos.

+ **transitivo direto ou indireto** – no sentido de denominar, cognominar, qualificar, normalmente é usado como predicativo do objeto e admite as seguintes construções:

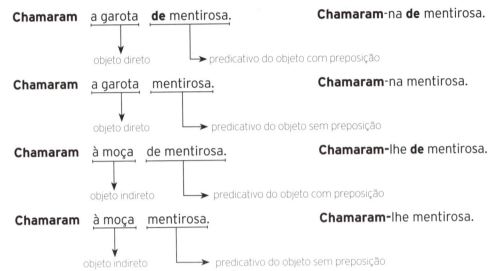

Chegar

+ **transitivo direto** – no sentido de indicar aproximação.

    Ela **chegou** o banco do carro mais perto do volante.

    Chegou a cadeira para trás.

+ **transitivo indireto** – no sentido de indicar melhoria, aperfeiçoamento ou elevação.

    Alguns imóveis estão **chegando a** valores estratosféricos.

+ **intransitivo** – no sentido de indicar destino, local; nesse caso, o adjunto adverbial é regido pela preposição **a**.

    Chegam ao Rio de Janeiro diariamente muitos turistas.

    Não conseguiram **chegar à** rua onde moravam.

> ❖ É comum, na linguagem coloquial, o verbo **chegar** estar acompanhado da preposição **em**.
>
> **Chegava** tarde da noite **em** casa.
>
> **Chegou no** condomínio uma família estrangeira.

+ **intransitivo** – no sentido de bastar, ser suficiente; o adjunto adverbial é regido pelas preposições **de** ou **para**.

    Mil salgados não **chegam para** toda essa gente.

Contentar-se

+ **transitivo indireto** – regido pelas preposições **com**, **de**, **em**.

   Não **se contentava com** nada.

   Os jogadores **contentaram-se de** treinar em um campo improvisado.

   Contentavam-se em receber uma ajuda de custo.

Custar

+ **transitivo direto** – no sentido de valer.

   Os apartamentos custam o dobro do preço nas cidades maiores.

+ **transitivo indireto** – no sentido de ser custoso, ser difícil. Tem, normalmente, como sujeito, uma oração subordinada substantiva reduzida.

   Custava-me acreditar nele após tantas mentiras.

   Custava a mim acreditar nele após tantas mentiras.

   Custou-lhes acreditar nele após tantas mentiras.

> ❖ Na linguagem coloquial, é comum o uso da preposição **a** entre verbo e sujeito.
>
>   Custou-me **a** acreditar nele.
>
> ❖ O verbo custar pode ter o sujeito representando pessoa.
>
>   Meus amigos custaram **a** acreditar nele.

Ensinar

+ **transitivo direto e indireto**.

   A mãe **ensinava** as primeiras letras (objeto direto) **a**os pequenos (objeto indireto).

Se o verbo vier acompanhado de infinitivo, antecedido ou não da preposição **a**, há duas construções possíveis:

A professora **ensinava** os alunos **a** fazer contas de divisão.

A professora **ensinava**-os **a** fazer contas de divisão.

A professora **ensinava a**os alunos fazer contas de divisão.

A professora **ensinava**-lhes fazer contas de divisão.

Sintaxe de regência **485**

Esquecer

Esse verbo possui duas regências principais, sem alteração de significado.

+ **transitivo direto** – no sentido de sair da memória; se não for pronominal.

    Ela **esqueceu** o celular em casa.

    Sempre **esquecia** o aparelho de som ligado.

+ **transitivo indireto** – quando é pronominal, regido pela **preposição de**.

    Esqueceu-se do material de Artes.

    Você **se esqueceu** do meu aniversário.

> ❖ O verbo **esquecer** também pode ser transitivo indireto quando a coisa que foi esquecida torna-se sujeito e a pessoa passa a complemento.
>
> **Esqueceram-lhe** os livros.
>
> **Esqueceu-me** a chave.
>
> Essa construção é empregada pelos portugueses e, no Brasil, foi muito utilizada na literatura clássica do século XIX.
>
> "Nunca **me esqueceu** esse fenômeno." (Machado de Assis)

Implicar

+ **transitivo direto** – no sentido de acarretar, ter como consequência.

    Infrações de trânsito **implicam** sérias multas.

    O atraso no pagamento das prestações **implica** novas sanções.

+ **transitivo indireto** – no sentido de indispor-se com alguém, desgostar de; regido pela preposição **com**.

    Aquele senhor **implicava** sempre **com** os garotos da vizinhança.

> ❖ É inadequada a regência com a preposição **em**, apesar de comum no uso coloquial da língua.
>
> Infrações de trânsito **implicam em** multas.

Informar

+ **transitivo direto e indireto** – no sentido de esclarecer; precedido das **preposições a**, **de** ou **sobre**.

    O advogado **informou** o cliente   **sobre** seus direitos.

    objeto direto de pessoa   → objeto direto de coisa

Lembrar

Esse verbo possui duas regências principais, sem alteração de significado.

+ **transitivo direto** – no sentido de vir à memória, se não for pronominal.

Não **lembrei** o dia de seu aniversário.

Lembrava os bons momentos que passou ao lado da namorada.

+ **transitivo indireto** – quando é pronominal, regido pela preposição **de**.

Lembrei-me de uma querida amiga de infância.

Lembra-se dos dias frios que passamos em Campos de Jordão?

> ❖ Assim como verbo **esquecer** o verbo **lembrar** pode ser transitivo indireto quando a coisa lembrada torna-se sujeito e a pessoa passa a complemento.
>
> **Lembra-me** uma história horrível.
>
> "Ainda **me lembram** as palavras dele." (Mário Barreto)

Morar

+ **intransitivo** – para indicar o adjunto adverbial de lugar, vem regido pela preposição **em**.

Moramos em Belo Horizonte.

Morava na rua 7 de Setembro.

Em que rua você **mora**?

> ❖ A preposição **a** também é utilizada.
>
> **Moro a** duas quadras da praia.
>
> O verbo **residir** vem acompanhado da preposição **em**, assim como o verbo **morar**. A preposição **a** não é adequada à norma-padrão.
>
> O dentista da nossa família **reside na** mesma rua que nós.
>
> Eles **residiam em** uma avenida bem arborizada.

Namorar

+ **transitivo direto** – o complemento verbal não admite preposição.

   Ele **namorava** a filha do patrão.

+ **intransitivo** – também é utilizado como intransitivo, com o sentido de cortejar.

   Comecei a **namorar** muito cedo.

> ❖ A regência verbal indireta é amplamente utilizada na linguagem coloquial da língua e já é incorporada a alguns dicionários.
>
> Há tempos não **namorava com** ninguém.

Obedecer/desobedecer

+ **transitivos indiretos** – são regidos pela preposição **a**.

   Os filhos devem **obedecer a**os pais.

   É essencial **obedecer à** lei.

   Não **desobedeça a**os regulamentos da empresa.

   Desobedeceu às normas do condomínio onde morava.

> ❖ Esses verbos, mesmo transitivos indiretos, permitem a passagem para a **voz passiva**.
>
> Ele **desobedeceu a**os regulamentos da empresa. (voz ativa)
>
> Os regulamentos da empresa **foram desobedecidos por** ele. (voz passiva)

Pagar

+ **transitivo direto** – no sentido de pagar alguma coisa.

   Paguei todas as minhas dívidas.

   Não **pagou** a conta do telefone.

+ **transitivo indireto** – no sentido de pagar a/para alguém.

   Precisava **pagar a**o meu irmão o empréstimo que me fez.

   Paguei-lhe tudo o que devia.

+ **transitivo direto e indireto** – surge com objeto direto de coisa e objeto indireto de pessoa.

488   Sintaxe

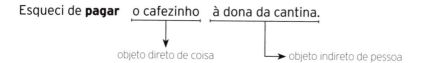

> ❖ É mais comum, na linguagem coloquial, **pagar alguém** e **não a alguém**.
>
> **Paguei** o dentista ontem.
>
> Não **pagou** o professor de música.

Perdoar

+ **transitivo direto** – no sentido de coisa a perdoar.

    Não **perdoava** as palavras caluniosas que ouviu dela.

+ **transitivo indireto** – no sentido de perdoar **a** alguma pessoa.

    Estava difícil **perdoar a**o amigo.

+ **transitivo direto e indireto** com dois objetos – no sentido de perdoar alguma coisa a alguém, regido pela preposição **a**:

Precisar

+ **transitivo direto** – no sentido de indicar com exatidão.

    Era difícil **precisar** a hora em que ocorreu o roubo.

+ **transitivo indireto** – no sentido de necessitar; regido pela preposição **de**.

    Precisava de muito dinheiro para pagar o que estava devendo.

    Parecia não **precisar de** mais nada na vida.

> ❖ Atualmente, a regência verbal **direta** tem sido a preferida, em especial se vier acompanhada de verbo no infinitivo.
>
> As pessoas **precisam aprender** a ser mais tolerantes.

Preferir

+ **transitivo direto e indireto** – no sentido de escolher, sempre regido da preposição **a**.

    Prefere café **a** chá.

    Preferimos nadar **a** jogar futebol.

❖ Segundo as normas gramaticais, são inadequadas expressões como:

Prefiro mais doce do que salgado.

Prefiro nadar do que jogar futebol.

❖ O verbo pode aparecer como **transitivo direto** se não apresentar uma escolha.

Prefiro ficar em casa nas noites de sábado.

Proceder

+ **transitivo indireto** – no sentido de proveniência, origem, descendência; regido pela preposição **de**.

   Música e dança brasileiras **procedem**, em parte, **dos** escravos africanos.

+ **transitivo indireto** – no sentido de realizar, dar continuidade, regido pela preposição **a**.

   Em seguida, **procedeu-se à** leitura do testamento pelo advogado contratado pela família.

+ **intransitivo** – no sentido de ter fundamento, sem regência de preposição.

   Os argumentos defendidos pelo novo advogado não **procedem**.

Querer

+ **transitivo direto** – no sentido de desejar.

   Ela só **queria** um pouquinho de sossego.

   Não **quero** mais comida requentada.

+ **transitivo indireto** – no sentido de gostar, estimar, ter afeto; regido pela preposição **a**.

   Queríamos muito bem **a**o nosso afilhado.

   Sempre afirmou que **lhe queria** como a um filho.

Responder

+ **transitivo direto e indireto** – no sentido de dar uma resposta para alguma pessoa; regido pela preposição **a**.

   Respondi a carta à empresa que me contratará.

   A professora **respondeu a**os alunos que só entregaria as provas no final da aula.

   Respondi-lhe que não iria ao cinema.

+ **transitivo indireto** – no sentido de responder a uma pergunta; regido pela preposição **a**.

Respondemos a todas as perguntas do recenseador.

Não queria **responder à** pergunta do médico.

> ❖ Empregar o verbo responder na voz passiva não é adequado à norma-padrão da língua.
>
> As perguntas eram **respondidas pelos** alunos.
>
> A melhor opção é:
>
> Eram os alunos que **respondiam às** perguntas.

Simpatizar/antipatizar

+ **transitivos indiretos** – regidos pela preposição **com**.

Simpatizei com os novos colegas.

Não **simpatizava com** a vizinha do nono andar.

> ❖ Esses verbos não são pronominais. Portanto, é incorreto dizer: simpatizei-me com ela ou antipatizou-se com ele.

Visar

+ **transitivo direto** – no sentido de dar visto ou fazer pontaria:

Não foi possível **visar** todas as páginas daquele contrato.

Visou o alvo, mas infelizmente não acertou.

+ **transitivo indireto** – no sentido de pretender, desejar, ter por objetivo; regido pela preposição **a**.

Visava à harmonia familiar.

Sempre **visou a** um cargo público de destaque.

> ❖ Não se admite a construção com pronome oblíquo **lhe** nessa significação; usa-se a colocação a ele(s), a ela(s).
>
> Meu amigo sempre **visou a** um cargo de chefia; eu, todavia, não **viso a** ele.
>
> ❖ A regência direta, nesse último caso, é aplicada mesmo em desacordo com a norma-padrão e já aparece em alguns dicionários.

Visavam melhores condições de moradia.

O ocorrido parecia **visar o** cancelamento da festa.

❖ Quando acompanhado da forma infinitiva, a preposição **a** normalmente desaparece.

Visava conseguir um visto permanente para residir naquele país.

Exercícios

1. Reescreva os períodos em que ocorrem erros de regência verbal fazendo as correções necessárias.

    a) Só não lhe chamei de louco porque é meu amigo.
    b) O novo programa de televisão não agradou ao público.
    c) São presentes que gostaríamos de receber.
    d) Ele não se lembrou de trazer o trabalho.
    e) Ela prefere mais o cinema do que a televisão.
    f) A colocação que aspiramos é muito disputada.
    g) Todos os pais prestigiaram ao campeonato escolar.
    h) Nós não assistimos à novela ontem.
    i) Ele esqueceu das regras da boa educação naquela hora.

2. Complete as orações com as preposições, contraídas ou não com artigos, quando for necessário.

    a) Devemos assistir sempre ____ boas apresentações teatrais.
    b) Eles se esqueceram ____ nossas advertências.
    c) Os condôminos desobedeciam ____ regulamentos disciplinares.
    d) Os aposentados ____ a previdência assiste merecem mais atenção.
    e) O perfume ____ que aspiramos era delicioso.
    f) A gerente não perdoou o erro ____ funcionária.
    g) Agradeceu ____ participantes a colaboração.
    h) Foi incapaz de perdoar ____ amigos.
    i) A garota esqueceu ____ celular na gaveta.
    j) Não avisaram ____ alunos que haveria aula hoje à tarde.

3. Em cada grupo de três orações, uma está incorreta quanto à regência verbal. Identifique-a e corrija-a.

    I.
    a) A filha não quis obedecê-la.
    b) Não obedece às leis de trânsito.
    c) Desobedeceram ao regulamento da escola.

492 Sintaxe

II.
a) Aspirava a uma boa colocação.
b) Visava a um cargo naquela empresa.
c) Visou ao alvo e fez o disparo.

III.
a) Custou-me a acreditar nas suas palavras.
b) Custou-lhe resolver um problema tão difícil.
c) Chegou em São Paulo hoje cedo.

IV.
a) Eu convidei-a para jantar.
b) Todos lhe esperavam para o almoço.
c) Esqueceu-se de telefonar cancelando a reunião.

V.
a) Ensinou-o jogar gamão.
b) Não o informou do adiamento do jogo.
c) Começou a namorar a irmã de sua amiga.

4. Classifique a transitividade dos verbos grifados de acordo com seu significado na oração.

(TD) transitivo direto/(TI) transitivo indireto/(TDI) transitivo direto e indireto/(I) intransitivo:

a) (　) Elas chegaram à praia depois do meio-dia.
b) (　) Chamaram o rapaz de sortudo.
c) (　) O médico só conseguiu atendê-lo de madrugada.
d) (　) Não se lembrou de buscar os remédios na farmácia.
e) (　) A mãe costumava chamar ao filho de príncipe.
f) (　) O comandante informou aos passageiros problemas na decolagem.
g) (　) Aqueles vídeos custaram-nos horas de trabalho.
h) (　) A cidade em que moramos é muito próspera.
i) (　) É difícil perdoar uma ofensa.
j) (　) Não soube precisar a hora que deixou os filhos em casa.

5. Complete as lacunas com pronomes relativos que ou quem precedidos ou não de preposição, de acordo com a regência verbal adequada.

a) Ele é uma pessoa ___ devemos admirar.
b) Vi muitos filmes, mas este é o ___ gostei mais.
c) Aquele era um homem ___ não se podia confiar.
d) A pasta ___ se esqueceu era importantíssima.
e) Os amigos ___ me referi deixaram saudades.
f) Não visitei a cidade ___ você reside.
g) Parecia uma proposta ___ ninguém acreditaria.

h) Foram diversas as palestras ___ assistimos no último mês.
i) Aqueles eram os credores ___ precisava pagar com urgência.
j) Estavam escritas no mural as regras ___ devíamos obedecer.

6. **Substitua os termos grifados pelo pronome oblíquo adequado considerando a regência do verbo.**

   a) Entregou a correspondência <u>à secretária</u> ainda na parte da manhã.
   b) Conduziram <u>as testemunhas</u> para uma sala separada.
   c) Esqueceu-se de visar <u>os cheques</u> no intervalo do almoço.
   d) A equipe médica que assistiu <u>a criança</u> foi excelente.
   e) Não enviou a encomenda de tecido <u>aos costureiros</u>.

7. **Reescreva as frases incorretas, escolhendo o pronome oblíquo correto conforme a regência verbal.**

   a) Visitava-lhe todos os fins de semana.
   b) Não lhe pagou a quantia devida.
   c) Nós lhes criticamos injustamente.
   d) Perdoei-o as críticas que me fez.
   e) Ela foi obrigada a obedecê-lo.

8. **Substitua, em cada frase, o verbo grifado pelo verbo apresentado, fazendo as adaptações necessárias.**

   a) Os garotos não <u>viram</u> o filme do Homem-Aranha. (assistir)
   b) O funcionário contratado recentemente <u>pretende</u> um cargo de chefia. (aspirar)
   c) As crianças <u>estimam</u> muito seus avós. (querer)
   d) A apresentação musical não <u>contentou</u> o grande público. (agradar)
   e) O gerente <u>convocou</u> alguns trabalhadores para uma reunião. (chamar)
   f) Duas horas não <u>bastam</u> para fazer o percurso. (chegar)
   g) Eles o <u>denominaram</u> líder da classe. (chamar)
   h) Alguns dos diretores <u>desejavam</u> a presidência da empresa. (visar)

9. **Identifique as orações que não seguem a norma-padrão da língua.**

   a) Esquecemos dos presentes de Natal.
   b) Todos assistiram ao filme premiado.
   c) O perfume a que aspiramos é muito delicioso.
   d) Ele prefere ficar aqui a ir embora.
   e) Alguém lembra do dia da prova?
   f) Ontem eu lhe vi no *shopping*.
   g) O novo programa de televisão não agradou ao público.
   h) Quero muito bem os meus amigos.
   i) Eu lhe conheço de algum lugar.

10. Corrija as orações incorretas do exercício anterior.

11. Grife os verbos das orações abaixo e informe o sentido de acordo com a regência verbal.

a) O novo funcionário visa a um cargo bem remunerado.
b) Ela queria um vestido novo para a festa de formatura.
c) Aspirava o ar poluído das grandes cidades.
d) O médico assistiu a jovem desfalecida.
e) Não me informaram o total das despesas hospitalares.
f) Aquele homem implicava sempre com os vizinhos.
g) Custava-me reviver aquela situação.
h) As novas regras não atendem a todas as recomendações.

12. Forme orações com os verbos pedidos, atentando para a correta regência.

a) assistir no sentido de presenciar
b) lembrar-se – verbo pronominal
c) aspirar – no sentido de pretender, almejar
d) chegar
e) informar
f) esquecer – verbo pronominal
g) obedecer
h) preferir
i) querer – no sentido de estimar, ter afeto
j) visar – no sentido de desejar

13. Passe as frases para a voz passiva analítica.

a) Os índios obedecem às leis da natureza.
b) Eles desobedeceram às ordens do patrão.
c) A professora não visou os cadernos.
d) Aspiramos o ar poluído de nossa cidade.
e) O associado desobedeceu ao regulamento do clube.
f) O médico atendeu várias pessoas com intoxicação alimentar.

14. Assinale a alternativa que completa corretamente a frase a seguir.

A pessoa ____ me refiro mora na mesma avenida ____ você morou.

a) quem – na qual
b) a qual – a qual
c) a quem – na qual
d) que – em que
e) à qual – que

15. Aponte a alternativa que preenche corretamente as lacunas.

Os recursos _____ dispomos não são compatíveis _____ nossas ambições.

a) a que – com
b) que – às
c) com que – com
d) de que – às
e) aos quais – as

Questões de vestibulares

1. (PUCCamp-SP) A frase que mantém o padrão-culto da linguagem é:
   a) O projeto que ele se referiu foi analisado ontem e o texto definitivo que se chegou após as discussões será encaminhado a vocês amanhã.
   b) Aquele assalto a que ele foi vítima só lhe trouxe tristezas, mas as pessoas cujo testemunho ele dependeu são suas amigas hoje.
   c) O grupo de amigos, cujo padrão ele quer pertencer, é o maior responsável por seus problemas, principalmente pelo tipo de lazer que eles estão acostumados.
   d) Afirmou, com maior segurança, de que havia posto o assunto em debate na sessão anterior, a qual acabamos de receber a ata.
   e) O carinho com que ele sempre se dispõe a atender os mais necessitados faz dele uma pessoa da qual devemos orgulhar-nos muito.

2. (UFJF-MG) Considerando a modalidade escrita formal, na estrutura em negrito a seguir, há um problema de regência verbal:
   *Williams estará privado de dedicar-se **ao que mais gosta***.
   A nova sentença que atende ao princípio de regência verbal, nessa modalidade, é:
   a) Williams estará privado de dedicar-se aquilo de que mais gosta.
   b) Williams estará privado de dedicar-se aquilo que mais gosta.
   c) Williams estará privado de dedicar-se àquilo de que mais gosta.
   d) Williams estará privado de dedicar-se àquilo que mais gosta.
   e) Williams estará privado de se dedicar aquilo que mais gosta.

3. (FGV-SP) Assinale a alternativa que *não obedece* à norma culta em relação *à regência*.
   a) Constava que o maestro, nos momentos em que mais dependia dos violinos, tinha um tique nervoso que denunciava sua preocupação.
   b) As normas a que todos obedeciam chamavam-se gerais. As especiais eram aquelas a que poucos obedeciam.
   c) Na história da cantora, desde criança, várias vezes apareciam referências a ela ser a menina que ninguém gostava.

d) O salário que eles recebiam num mês mal dava para cobrir as despesas básicas da família. Costumava-se dizer que sobrava mês no final do salário.
e) Tinha esperança de que o mensageiro trouxesse brevemente as notícias de que mais precisava.

4. (UFPR-PR) Assinale a alternativa que substitui **corretamente** as palavras destacadas.

I. Assistimos à inauguração da piscina.
II. O governo assiste *os flagelados*.
III. Ele aspirava *a uma posição de maior destaque*.
IV. Ela aspira *o aroma das flores*.
V. O aluno obedece *aos mestres*.

a) lhe, os, a ela, a ele, lhes
b) a ela, os, a ela, o, lhes
c) a ela, os, a, a ele, os
d) a ela, a eles, lhe, lhe, lhes
e) lhe, a eles, a ela, o, lhes

5. (FCC-RJ) Está plenamente adequado o elemento sublinhado na frase:

a) O relatório para cujo o autor do texto chama a atenção está no livro Viventes das Alagoas.
b) Trata-se de um relatório de prestígio, para o qual concorreram o talento do escritor e a honestidade do homem.
c) Ao final do período aonde Graciliano ocupou o cargo de prefeito, compôs um primoroso relatório.
d) Às vezes, o estilo de um simples documento, ao qual nos deparamos, torna-o absolutamente enigmático para nós.
e) Sempre haverá quem sinta prazer em produzir uma linguagem da qual é preciso um grande esforço para penetrar.

6. (Fuvest-SP) Indique a alternativa correta.

a) Preferia brincar do que trabalhar.
b) Preferia mais brincar a trabalhar.
c) Preferia brincar a trabalhar.
d) Preferia brincar à trabalhar.
e) Preferia mais brincar que trabalhar.

7. (UCDB-MT) Desobedeceu *ao pai* e assistiu *ao filme*. Substituindo os termos em destaque por pronomes, tem-se:

a) Desobedeceu-lhe e assistiu a ele.
b) Desobedeceu-lhe e assistiu-lhe.
c) Desobedeceu-o e assistiu-o.
d) Desobedeceu-o e assistiu-lhe.
e) Desobedeceu-o e assistiu a ele.

8. **(PUC-SP)** Na relação entre termos regentes e termos regidos, há verbos transitivos que necessitam de uma preposição para estabelecer nexo de dependência sintático-semântica entre as palavras. Assinale a alternativa que apresenta verbo transitivo indireto.

   a) ... *difundindo-se por todas as camadas sociais e irradiando-se do privado para o público.*
   b) ... *voltada para o mercado interno...*
   c) *Apenas no domínio público encontrava alguma rivalidade no português.*
   d) *São Paulo colonial esteve, até certo ponto, à margem da economia de exportação.*
   e) ... *como Luíza Esteves, que em 1636, precisou de um intérprete para dialogar com um juiz de órfãos.*

9. **(ESPM-SP)** Troque o verbo destacado na frase abaixo pelos verbos indicados, fazendo as adaptações necessárias.

   *Este é o filme que todos **viram**.*
   a) assistir
   b) acreditar

10. **(UCDB-MT)** Assinale a alternativa gramaticalmente correta.

    a) Ele chegou atrasado na reunião.
    b) Ele entrou e saiu da sala em segundos.
    c) Ele mandou eu ir embora de casa.
    d) Ele prefere mais cinema do que teatro.
    e) Ele visou o alvo e atirou.

11. **(Cesgranrio-RJ)** Observe a regência do verbo em destaque, no trecho *o que quer que esteja **protegendo** o insone de si mesmo*. Com que verbo, em destaque, ocorre a mesma regência?

    a) A reportagem **mostrava** a importância da sesta.
    b) A menina **criou** o costume de dormir de luz acesa.
    c) Antes de dormir, ela se **esqueceu** de desligar a televisão.
    d) A insônia não **livra** o trabalhador de cumprir seu horário.
    e) O cientista **tinha** orgulho de suas pesquisas sobre o sono.

12. **(UFPR-PR)** Onde há erro de regência verbal?

    a) Esqueceram-lhe os compromissos assumidos.
    b) Nós lhe lembramos o compromisso assumido.
    c) Eu esqueci os compromissos assumidos.
    d) Não me lembram tais palavras.
    e) Lembro-me que tais eram as suas palavras.

13. (Unimep-SP) Considerando as frases:

I. O menino quer *a bola*.
II. A mãe quer muito à filha.

Podemos dizer que:

a) a frase I está errada, pois o verbo *querer* é sempre transitivo indireto.
b) a frase II está errada, pois o verbo *querer* é sempre transitivo direto.
c) ambas estão corretas, pois o verbo *querer* admite duas regências.
d) em ambas, podemos substituir as palavras destacadas pelo pronome oblíquo *a*.
e) em ambas, podemos substituir as palavras destacadas pelo pronome oblíquo *lhe*.

14. (FCMSC-SP) Não há erro de regência em:

a) Custa-me muito entender as tuas evasivas.
b) Não os obedecemos, enquanto forem presunçosos.
c) Que horas você telefonou?
d) Informei-lhe do acontecido durante a Assembleia.
e) Essa será a conclusão que o presidente chegará.

15. (UFS-SE) O Departamento de Pessoal ____ que julgou suficiente os conhecimentos ____ o candidato dispõe.

a) informa-lhe – de que
b) informa-o – a que
c) informa-lhe de – que
d) informa-o de – a que
e) informa-lhe de – de que

16. (FCC-RJ) ... *que faz com que em certas ocasiões* ... A lacuna que deverá ser corretamente preenchida pela expressão grifada está em:

a) O mercado editorial de autoajuda, ____ abrange várias categorias, cresce a olhos vistos em todo mundo.
b) O conteúdo dos livros de autoajuda, ____ os leitores acreditam, serve de inspiração para o sucesso na vida e na carreira profissional.
c) Os leitores estão convictos ____ essas publicações serão a inspiração para uma vida mais harmônica e feliz.
d) Os livros de autoajuda procuram conduzir as pessoas a obterem com tenacidade tudo aquilo ____ sonham.
e) A literatura de autoajuda constitui, no momento, os meios ____ as pessoas recorrem para viver melhor.

17. (UFV-MG) *O grande mentecapto* [...] *preferiu enfrentá-los*.

Das sentenças abaixo, aquela em que o emprego do verbo preferir NÃO contraria o padrão culto da língua é:

a) Viramundo preferia antes ao teatro do que ao cinema.
b) Viramundo preferia mais o teatro do que o cinema.
c) Viramundo preferia antes o teatro do que o cinema.
d) Viramundo preferia o teatro ao cinema.
e) Viramundo preferia o teatro mais do que ao cinema.

18. (FEI-SP) Assinale a alternativa em que a regência do verbo contraria a norma culta da língua.

a) Ela *queria* aos pais, contudo não *queria* os livros.
b) A vida a que *aspirava* era uma ilusão.
c) Peri ficou imobilizado por centenas de lança que *visavam* o seu peito.
d) Jamais me *esquecerei* daquele fato marcante em minha vida.
e) *Avisaram*-no que a reunião começaria no horário marcado.

19. (PUCCamp-SP) Os verbos não têm a mesma regência e, portanto, o complemento não está corretamente relacionado com ambos em:

a) Muitas expedições ao fundo do mar localizaram e recuperaram cargas valiosas de navios naufragados.
b) Esses trabalhos deram início e incentivaram cada vez mais os trabalhos relacionados à exploração oceanográfica moderna.
c) O dólar substitui e supera o ouro nas transações internacionais.
d) Muitos produtos originários da Índia ingressaram e circularam na Europa durante o século XVI.
e) Os índios se rebelam e lutam contra todos os invasores de seu legítimo território.

20. (FCC-RJ) Está correto o emprego do elemento sublinhado em:

a) A obra de ficção *A Guerra dos Mundos*, em cuja Orson Welles se baseou, ganhou dramática adaptação radiofônica.
b) A tecnologia de ponta, sobre a qual por vezes pairam desconfianças, leva-nos apenas aonde queremos ir.
c) O cotidiano contemporâneo deixa-se afetar pelas conquistas técnicas, de cujas muita gente alimenta sérias desconfianças.
d) A segunda metade da década de 1990, aonde se consolidou a multimídia, foi um marco da vida contemporânea.
e) O homem do nosso tempo, diante dos admiráveis recursos nos quais jamais sonhou alcançar, é por vezes um deslumbrado.

21. (Mackenzie-SP) *Esse enlevo inocente da dança entrega a mulher às tentações do cavalheiro.*

Assinale a alternativa em que os complementos verbais são do mesmo tipo dos encontrados na frase acima.

a) Considerou irrecuperável aquele velho piso de madeira.

b) Essa moça sempre responde indelicadamente a qualquer tipo de pergunta.
c) Ditou a carta ao filho recém-alfabetizado.
d) O navio zarpou às primeira horas de calmaria.
e) Bem no alto cintilam as estrelas mais atraentes.

22. (UEL-PR) Assinale a alternativa *incorreta* quanto à regência verbal e/ou nominal.

a) Admirou-se de ver o amigo tão desanimado com a gravidade de seus problemas e incapaz de resolvê-los.
b) Os assessores pediram ao presidente para que lhes dispensasse mais cedo, porque iriam viajar.
c) Ninguém se lembrou de avisá-la de que a reunião tinha sido adiada para a semana seguinte.
d) Todos acabaram tendo de auxiliá-lo na execução da tarefa que lhe fora atribuída.
e) A quantia de que dispúnhamos não foi suficiente para cobrir algumas despesas com as quais não contávamos.

23. (Cefet-MG) Em todos os trechos abaixo, retirados de *Olhai os lírios do campo*, há exemplos de regência verbal. Marque a opção em que a regência foi alterada, tornando-se incorreta.

a) *Lembras-te daquela tarde em que nos encontramos nas escadas da faculdade?*
b) *... pensava vagamente num desquite, mesmo sem se sentir ainda com coragem para propô-lo.*
c) *O dr. Candia é um solitário, foge dos homens, mas gosta muito dos bichos. Simpatizo-me com ele.*
d) *... aqui estou te escrevendo porque não me perdoaria a mim mesma se fosse embora desta vida sem te dizer uma quantas coisas...*
e) *Eles esquecem o que têm de mais humano e sacrificam o que a vida lhes oferece de melhor: as relações de criatura para criatura.*

24. (FGV-RJ) A construção da frase *"tentará descobrir alguma coisa que possuam em comum – um conhecido, uma cidade da qual gostam"* está correta em relação à regência dos verbos possuir e gostar. De acordo com a norma-padrão, assinale a alternativa que apresenta erro de regência.

a) Apresentam-se algumas teses a cujas ideias procuro me orientar.
b) As características com as quais um povo se identifica devem ser preservadas.
c) Esse é o projeto cujo objetivo principal é a reflexão sobre a brasilidade.
d) Eis os melhores poemas nacionalistas de que se tem conhecimento.
e) Aquela é a livraria onde foi lançado o romance recorde de vendas.

Sintaxe de colocação

A sintaxe de colocação estuda as possíveis combinações para dispor as palavras em frases, orações e períodos de maneira harmoniosa.

Colocação dos termos na oração

Na língua portuguesa, os termos de uma oração exercem uma função sintática, de acordo com a estrutura da frase, e podem seguir uma **ordem direta** de colocação. Há ainda a possibilidade de variar a colocação de termos na oração e de orações no período, dispondo-os na **ordem indireta** ou **inversa**.

A **ordem direta**, mais comum, apresenta primeiramente o sujeito, seguido do verbo mais os complementos ou adjuntos.

Quem observasse Aurélia naquele momento não deixaria de notar a nova fisionomia que tomara o seu belo semblante e que influía em toda a sua pessoa. (José de Alencar)

O período acima apresenta os termos das orações dispostos em ordem direta.

A **ordem indireta** ou **inversa** antepõe o verbo ao sujeito ou os complementos e adjuntos aparecem antes do verbo.

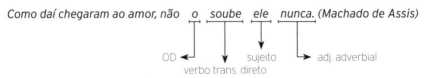

Como daí chegaram ao amor, não o soube ele nunca. (Machado de Assis)

A 2ª oração do período anterior apresenta ordem indireta ou inversa.

O verbo soube está anteposto ao sujeito ele. O termo regido, objeto direto o, é colocado antes do verbo transitivo direto soube, o termo regente.

Quando não se segue a ordem direta, o objetivo, provavelmente, é enfatizar certos termos em prosa ou verso para chamar a atenção daqueles que leem ou ouvem.

A escolha da colocação das palavras na frase considera ritmo e eufonia, e transmite emoção e expressividade.

Nos trechos de poemas abaixo, os versos são exemplos de ordem indireta ou inversa.

> E tudo quanto sinto, um desconcerto;
> da alma um fogo me sai, da vista um rio; (Camões)

> Em que espelho ficou perdida
> a minha face? (Cecília Meireles)

> Quadro nenhum está acabado,
> disse certo pintor; (João Cabral de Melo Neto)

Colocação dos pronomes pessoais oblíquos átonos

Algumas normas gramaticais são empregadas de maneira diferente na língua portuguesa de Portugal e na do Brasil. Por exemplo, no que se refere à **colocação pronominal**, a norma-padrão utilizada pelos portugueses difere em alguns aspectos da norma empregada pelos brasileiros.

A colocação dos pronomes oblíquos átonos considera, ao lado de normas gramaticais já estabelecidas, a sonoridade e a clareza da frase. Eles se colocam em três posições junto ao verbo e são pronunciados como sílabas desse verbo. Essa colocação é classificada de **próclise**, **mesóclise** ou **ênclise**.

Segundo a regra gramatical, a posição mais usual na língua portuguesa seria a ênclise, empregando a próclise de acordo com certas normas especiais. Mesmo assim, os brasileiros privilegiam a próclise e os portugueses a ênclise. A mesóclise, menos comum, é empregada apenas na linguagem mais culta e formal.

Tudo **me** encantava naquele lugar especial.

próclise

Contar-**te**-ei os meus medos e sonhos.
mesóclise

Senti-**me** feliz e agradecida pelo seu apoio.

ênclise

Próclise

A próclise é empregada quando palavras, expressões ou certos tipos de oração atraem o pronome oblíquo para antes do verbo, tais como:

a) palavras de sentido negativo – **não**, **nada**, **nunca**, **ninguém**, **nenhum**, **jamais** etc.

Procurei pelo colégio, mas **não o encontrei** em lugar algum.

Nada me fará desistir de meus projetos.

Ela é incrível, **nunca se queixa** de nada.

Ninguém lhe ofereceu ajuda.

b) advérbios que antecedem o verbo sem que exista pausa.

Finalmente a localizei na lista dos aprovados.

Sempre me esqueço do seu nome.

Aqui se faz um ótimo sanduíche.

Hoje se realizará o tão esperado evento.

> ❖ Se houver vírgula antes do advérbio, será empregada a ênclise.
>
> Conversou bastante com ela e depois, **disse-lhe** adeus.
>
> Lá, **encontram-se** papéis e envelopes.

c) pronomes indefinidos substantivos na função de sujeito.

Tudo nos parecia estranho naquela casa.

Será que **alguém me emprestaria** um guarda-chuva?

Todos se prontificaram a colaborar com os desabrigados.

d) pronomes demonstrativos.

Isso me deixa muito feliz.

Aquele filme **me entristece**.

Aquilo me deixou arrasado.

e) pronomes ou advérbios interrogativos – **quem**, **que**, **quando**, **quanto**, **por que**.

Quem lhe contou tamanha mentira?

Quando nos enviará o convite?

Por que me telefonam tanto?

f) conjunções subordinativas.

Achei **que o encontraria** em casa no sábado.

Estranhou **quando lhe perguntaram** o novo endereço.

Não viria **se a convidassem** em cima da hora.

g) pronomes relativos.

   Existem pessoas **que se julgam** superiores às outras.

   Você conhece o lugar **onde me sinto** bem.

   Foi aquela mulher **quem me ensinou** o caminho.

h) forma nominal de gerúndio precedida da preposição **em**.

   Em se tratando de reclamações, o melhor é dirigir-se à gerência.

i) infinitivo pessoal precedido de preposição.

   Por se acharem tão importantes, perderam o cargo.

j) orações optativas ou exclamativas.

   Como **me enganei** a teu respeito!

   Tomara que **lhe devolvam** os documentos roubados.

   Deus **o acompanhe**!

k) orações coordenadas aditivas com locuções conjuntivas – **não só... mas também**, **não só... como também**.

   Os meninos **não só se preparavam** para jogar bola, **como também se cumprimentavam** euforicamente.

l) orações coordenadas sindéticas alternativas.

   Ora **se preparava** para dançar, ora **se sentava** no fundo da sala.

   As crianças ou gritavam ou **se punham** a correr pelo quintal.

   Agora o couro – o senhor ou **me dá** *dinheiro por ele, ou* **me dá** *farinha. (Rachel de Queiroz)*

❖ A palavra **só**, como advérbio, no sentido de **apenas**, também atrai o pronome para antes do verbo.

Só **me** deixaram um pedacinho do chocolate.

Mesóclise

A mesóclise é empregada no meio de verbos flexionados apenas no futuro do presente e no futuro do pretérito do indicativo.

Realizar-**se**-á um maravilhoso espetáculo de dança moderna no nosso colégio.
(realizará – futuro do presente)

Ajudar-**te**-íamos se tivesse nos pedido no começo do mês.
(ajudaríamos – futuro do pretérito)

❖ A mesóclise só será possível se não houver razão que justifique a próclise.

Não **lhe** direi mais nada.

Quem **me** contaria a verdade?

Não acreditei que **lhe** chamariam para jogar a final.

As formas verbais do futuro do presente e do futuro do pretérito do indicativo não admitem a ocorrência da ênclise. Emprega-se a mesóclise quando não houver palavra que exija a próclise.

A **mesóclise** é utilizada apenas em situações formais ou uso literário da língua. É, geralmente, substituída pela próclise na linguagem comum.

Eu **lhe** enviarei um *e-mail*.

Nós **te** agradeceríamos muito se fizesses esse favor.

Ênclise

A ênclise acontece quando o pronome é colocado após o verbo. Ela é empregada normalmente nos seguintes casos:

a) nas frases iniciadas por verbo.

Procurei-**o** pelo colégio todo, mas foi impossível encontrá-lo.

> *Confunde-**me** os papéis todos, erra a casa, vai a um escrivão em vez de ir a outro...* (Machado de Assis)

❖ A ênclise ocorre nas frases iniciadas por verbo, desde que este não esteja no futuro do presente nem no futuro do pretérito.

b) nas orações reduzidas de gerúndio, desde que essa forma nominal não esteja precedida da preposição **em**.

Encantei-me com as crianças, vendo-**as** e ouvindo-**as** alegres na festinha de aniversário.

c) nas orações que apresentam o verbo no infinitivo impessoal.

Deveria acompanhá-**lo** ao médico.

Espero resolver-**lhe** a pendência.

❖ Mesmo havendo justificativa para a próclise, é possível ocorrer a ênclise.

Convém **não entregar-lhe** as correspondências.

d) em frases em que o verbo se apresenta no modo imperativo afirmativo.

Leve-**me**, por favor, até o ponto de ônibus mais perto.

Peça-**lhes** que tragam as crianças mais cedo hoje.

e) depois de pausa.

Quando entrou no elevador, **olharam-na** com espanto.

Ele sorriu, **mandou-lhe** um beijo e saiu apressado.

❖ A norma-padrão da língua dita que não é correto iniciar frases com a próclise. Entretanto, esse emprego é muito utilizado na linguagem coloquial.

Me ligue amanhã e conversaremos.

Me ajude no dever de casa.

Se lembra daquele nosso colega de escola?

A preferência pela próclise, embora contrarie as normas gramaticais, é amplamente aceita pelos falantes brasileiros, ou seja, nas conversas rotineiras, e mesmo na transcrição da fala, a colocação pronominal proclítica predomina.

Verbo auxiliar seguido de infinitivo ou de gerúndio

O pronome oblíquo átono poderá ser colocado depois do verbo auxiliar ou depois do verbo principal, no infinitivo ou no gerúndio, se não houver razão para o emprego da próclise.

*Naquele dia – uma segunda-feira do mês de maio – deixei-**me** estar alguns instantes na rua da Princesa Isabel... (Machado de Assis)*

*Esta história poderia chamar-**se** "As Estátuas". (Clarice Lispector)*

As batidas foram-se distanciando. (Wander Piroli)

*E foi passando-**a** devagar entre os fios, delicado traço de luz, que a manhã repetiu na linha do horizonte. (Marina Colasanti)*

Caso haja motivo para justificar a próclise, o pronome átono deverá ser colocado antes, depois ou no meio da locução verbal.

Nunca **me** poderiam dizer que não havia tentado de tudo para demovê-lo de tal ideia.

Com certeza, não vão **lhe** emprestar a moto para ir ao trabalho.

Nada mais parecia alegrá-**la** depois da partida do noivo.

*[...] era como se **o** estivesse descobrindo sob a camada da violência, e agora ali restasse não apenas meu pai, mas a própria criatura humana. (Wander Piroli)*

Sintaxe de colocação **507**

Sei que há pessoas que estão **se** perguntando por que nada dá certo na minha vida.

Não era possível que eles estivessem abraçando-**se** depois de terem brigado tanto.

Se houver a **preposição** entre o verbo auxiliar e o infinitivo, o pronome pessoal pode ter mais de uma colocação.

Ele teve **de se** abrigar da chuva e do vento.

Ele teve **de** abrigar-**se** da chuva e do vento.

Quando precedido da preposição **a**, geralmente o pronome é colocado após o infinitivo.

Voltou **a** encontrá-**los** só no ano passado.

Verbo auxiliar seguido de particípio

O pronome oblíquo átono refere-se ao verbo auxiliar e não ao verbo principal no particípio, no caso das locuções verbais ou dos tempos compostos.

É possível ocorrer a próclise e a mesóclise; a ênclise é considerada incorreta.

A posição mais usual é após o verbo auxiliar, no meio da locução verbal.

Tinham **lhe** garantido um aumento de salário para o próximo mês.

Havia **se** esquecido do endereço que o pai lhe passara.

Tê-**la**-ia visitado se soubesse que estava acamada há vários dias.

Quando ocorre a próclise, o pronome é colocado antes do verbo auxiliar:

> Poderão as mulheres não **os** terem amado,
> Podem ter sidos traídos – mas ridículos nunca! (Álvaro de Campos)
>
> – e pode ser mesmo que alguma ocasião **lhe** tivesse ensinado mal –, parece que tal foi a causa da proposta. (Machado de Assis)

O emprego do pronome antes do verbo auxiliar seguido de particípio é incomum.

Os antigos colegas **o** haviam convidado para o reencontro anual.

❖ O **hífen** pode ou não ser empregado se o pronome oblíquo for colocado após o verbo auxiliar:

Ia-**se** despedindo de todos calmamente. (ou **Ia se despedindo**...)

Estava **se** retirando do escritório apressadamente. (ou **Estava-se retirando**...)

Você poderia ter-**lhe** emprestado o carro. (ou **poderia ter lhe emprestado**...)

Colegas devem **se** cumprimentar educadamente. (ou **devem-se cumprimentar**...)

❖ Quando dois elementos que atraem a próclise apresentam-se em sequência, não há predominância de um sobre o outro. Essa colocação é chamada de apossínclise.

Se não me engano, você devia ter vindo ontem. (Forma mais empregada.)

Se me não engano, você não podia ter faltado ontem.

Exercícios

1. **Indique as frases que estão dispostas em ordem direta e as que apresentam ordem inversa.**
   a) *A máquina falava com clareza e estava programada de acordo com os métodos cientificamente testados durante anos.* (Luis Fernando Verissimo)
   b) *... e a noite, suportou-a ele bem...* (Machado de Assis)
   c) *De repente do riso fez-se o pranto* (Vinicius de Moraes)
   d) *Não, não podiam ser de uma apática aqueles olhos vivíssimos e aquelas mãos enérgicas.* (Lygia Fagundes Telles)
   e) *Fabiano, Sinhá Vitória e os dois meninos atravessaram o rio seco, tomaram rumo para o Sul* [...] (Graciliano Ramos)
   Responda:
   I. Qual é a distinção entre ordem direta e ordem indireta?
   II. Qual é o melhor momento de utilizar uma ou outra ordem?

2. **Reescreva as frases inserindo os pronomes oblíquos, entre parênteses, junto ao verbo, de acordo com a norma-padrão da língua. Se houver mais de uma possibilidade, apresente-a.**
   a) Sabia que receberiam com alegria e cordialidade. (nos)
   b) Voltarei a visitar no mês que vem. (o)
   c) Nunca mais encontrei depois daquela noite. (a)
   d) Tinha guardado por vários anos em uma gaveta. (o)
   e) Alguém devolveu os livros de inglês? (lhe)
   f) Sentiria mais tranquilo se ele voltasse logo. (me)
   g) Você pediu que tudo fosse feito em sigilo. (me)
   h) Em tratando de problemas conjugais, o melhor é não interferir. (se)
   i) Contaria quem seriam os dispensados se soubesse. (te)
   j) Em silêncio, devolveu os projetos não aprovados. (nos)

3. **Reconheça, em cada frase do exercício anterior, a ocorrência de próclise, mesóclise e ênclise. Depois, justifique a colocação pronominal em cada uma delas.**

4. **Substitua os termos grifados pelos pronomes oblíquos correspondentes.**

   a) Todos os participantes da prova saudaram o campeão.
   b) Era preciso entregar as provas antes do intervalo.
   c) Realizaria os projetos se pudesse contar com o apoio de vocês.
   d) Jamais repetiria aquele gesto.
   e) Pedi desculpas a ele, mas não adiantou.
   f) Temos certeza de que levaram a pasta por engano.
   g) Você devia ter devolvido a ela o dinheiro.
   h) O menino estava machucando o gatinho.
   i) Aplaudiram muito o tenor.
   j) Suas desculpas não vão convencer os professores.

5. **Informe se as frases seguintes estão certas (C) ou erradas (E).**

   a) (   ) Todos julgavam-no culpado pelo acidente.
   b) (   ) Poucos a conheciam no novo local de trabalho.
   c) (   ) Quanto me ajudam os seus conselhos!
   d) (   ) A garota tinha conhecido-o na academia.
   e) (   ) Quando lembrei-me da reunião, já havia passado da hora.

6. **Corrija as frases incorretas do exercício anterior.**

7. **Nas frases a seguir, coloque junto ao verbo, às locuções verbais ou aos tempos compostos o pronome entre parênteses. Não se esqueça de que pode haver mais de uma possibilidade de colocação. Se houver, escreva-a.**

   a) Vou candidatar nas próximas eleições municipais. (me)
   b) Haviam localizado perto de casa. (a)
   c) Não puderam avisar sobre o acidente. (te)
   d) A espera estava tornando cada vez mais longa. (se)
   e) Todos falavam a respeito do que havia passado naquele local reservado. (se)
   f) Quase ia esquecendo do recado. (me)
   g) Ninguém mais vai fazer nenhum favor. (lhe)
   h) O sol estava escondendo rapidamente. (se)
   i) Quis levantar mais cedo para caminhar. (me)
   j) Tentamos procurar, mas foi em vão. (as)

8. **Informe quais das frases seguem a orientação da norma escrita padrão e as que representam a forma coloquial.**

   a) Me fale quais são seus planos.
   b) Ela feriu-se seriamente naquele acidente.

c) — *Me enganei, ou eram cascas de camarão?* (Luis Fernando Verissimo)
d) Se não me engano, ela deverá voltar hoje.
e) As pessoas tinham se levantado e saído apressadamente do lugar.

9. **Indique, em cada grupo de frases, a concordância pronominal inadequada.**

   I.
   a) Elas nunca me contariam tal segredo.
   b) Elas nunca contariam-me tal segredo.

   II.
   a) Quando levantei-me da mesa, derrubei um copo.
   b) Quando me levantei da mesa, derrubei um copo.

   III.
   a) Eles haviam considerado-a uma farsante.
   b) Eles haviam-na considerado uma farsante.
   c) Eles a haviam considerado uma farsante.

   IV.
   a) Prometeu que o esperaria até as duas horas.
   b) Prometeu que esperá-lo-ia até as duas horas.

   V.
   a) Me conte onde você esteve ontem.
   b) Conte-me onde você esteve ontem.

10. **Informe a correta ocorrência da colocação pronominal.**

    (P) próclise   (M) mesóclise   (E) ênclise
    a) ( ) Ele me encontrou na rua e não me reconheceu.
    b) ( ) Perguntaram-lhe por que faltou à reunião.
    c) ( ) Quem te convidou para o jogo?
    d) ( ) O evento realizar-se-á nos próximos dias.
    e) ( ) ... *o olhar acendia-se, o riso iluminava-se: era outro.* (Machado de Assis)
    f) ( ) — *Pois que casem, e que os leve o diabo!* (Eça de Queirós)

11. **Leia o trecho do conto "Teoria do Medalhão", de Machado de Assis, e faça o que se pede.**

    — [...] *É isto o que te aconselho hoje, dia da tua maturidade.*
    — *Creia que lhe agradeço; mas que ofício, não me dirá?*
    — *Nenhum me parece mais útil e cabido que o de medalhão. Ser medalhão foi o sonho de minha mocidade; faltaram-me, porém, as instruções de um pai, e acabo, como vês, sem outra consolação e relevo moral, além das esperanças que deposito em ti. Ouve-me bem, meu querido filho, ouve-me e entende.*

a) Grife os pronomes oblíquos átonos.
b) Em – *Creia que lhe agradeço; mas que ofício, não me dirá?*, as duas ocorrências de próclise são obrigatórias? Justifique.
c) Indique outra ocorrência da próclise no trecho do conto. Ela é obrigatória ou facultativa? Justifique.
d) Informe qual concordância pronominal ocorre no período: *Ouve-me bem, meu querido filho, ouve-me e entende*. Explique o porquê dessa colocação.
e) Nos dias atuais, um pai empregaria essa mesma colocação pronominal ao se dirigir ao filho? Justifique.

Questões de vestibulares

1. (Cesgranrio-RJ) A alternativa que contraria a colocação pronominal exigida ao padrão escrito culto é:
   a) O político a quem se destina a reportagem é leigo em medicina.
   b) Dever-se-ia discutir esse tema o mais amplamente possível na universidade.
   c) Seu editor, que é experiente, foi-se tomando de fúria ao ouvir tal disparate.
   d) Não espera-se unanimidade de opiniões a respeito desse tema.
   e) O colunista vai enviar-lhe os textos no começo da semana.

2. (PUCCamp-SP) A frase em que a colocação pronominal está adequada à norma culta é:
   a) Guardarei-lhe o lugar até que ele chegue.
   b) Tentei o avisar do perigo, mas ele nem considerou-me as palavras.
   c) Me empresta o seu lápis?
   d) Seu livro está aqui, eu não coloquei-o na estante porque não sei o seu lugar.
   e) Eu lhe recomendaria esses livros se você gostasse de contos fantásticos.

3. (UCDB-MT) Indique a alternativa em que a colocação pronominal não está correta.
   a) Em se tratando de doença grave, o melhor é levá-lo ao hospital.
   b) Dar-lhe-ia dinheiro, se fosse necessário.
   c) Como se acreditasse nos políticos deste país!
   d) A vista fraca jamais lhe permitiu costurar.
   e) A festa, que realizar-se-á na próxima semana, promete ser um sucesso.

4. (Ufes-ES) A única alternativa que foge às possibilidades de colocação do pronome oblíquo átono é:

   a) Não venham dizer-me que a morte oferece vantagens.
   b) Não me venham dizer que a morte oferece vantagens.
   c) Alguém tinha lembrado-me que a morte oferece vantagens.
   d) Vieram-me dizer que a morte oferece vantagens.
   e) Ter-me-iam lembrado que a morte oferece vantagens.

5. (PUC-MG) Assinale a opção que, segundo as regras da norma culta escrita, é possível outra colocação para o pronome em destaque.

   a) Qualquer carta de amor, não importa o que **se** encontre nela escrito, só fala [...].
   b) Se há outras pessoas em casa, ele **as** deixou.
   c) Falta-**lhe** o ingrediente essencial da palavra que é dita sem esperar resposta.
   d) Que **lhe** importa a cadeira?
   e) Num telefonema a gente nunca diz aquilo que **se** diria numa carta.

6. (FEI-SP) Reescreva a frase a seguir, confirmando ou corrigindo a colocação dos pronomes.

   Ana, amanhã farei-lhe uma visitinha e contarei-lhe tudo o que sei a respeito dele. Me espere às nove horas e não me faça esperar muito.

7. (PUC-PR) Assinale a alternativa em cujo enunciado o pronome que está entre parênteses pode ser colocado corretamente em qualquer um dos espaços.

   a) Ninguém ___ irá ___ esquecer ___ tão cedo. (te)
   b) ___ Estou ___ dizendo ___ a pura verdade. (lhe)
   c) Ela ___ quer ___ dizer ___ o que aconteceu de fato. (me)
   d) ___ Haviam ___ encontrado ___ até então duas vezes. (se)
   e) ___ Mandou ___ vir ___ mais cedo. (me)

8. (UFS-SE) *Os projetos que ___ estão em ordem; ___ ainda hoje, conforme ___ .*

   a) enviaram-me, devolvê-los-ei, lhes prometi
   b) enviaram-me, os devolverei, lhes prometi
   c) enviaram-me, os devolverei, prometi-lhes
   d) me enviaram, os devolverei, prometi-lhes
   e) me enviaram, devolvê-los-ei, lhes prometi

9. **(FEI-SP)** Apresente a expressão *A máquina o fará por nós*:
   a) com o pronome mesoclítico.
   b) com próclise dos dois pronomes.

10. **(Vunesp-SP)** *É comum ouvir que celulares são instrumentos da nova barbárie. Que ___ a vida privada das pessoas em público, que incomodam quem está em volta, que ninguém mais respeita ninguém e por aí vai. Com internet e e-mail, a mesma coisa. Pessoas escrevem o que ___ pela cabeça, querem resposta para ontem, ou, ao contrário, demoram demais para responder.*
   a) expõem ___ se passam
   b) expõe ___ passam-lhes
   c) expõem ___ lhes passam
   d) expõe ___ passa-se
   e) expõem ___ lhes passa

11. **(FMU-Fiam-Faam-SP)** Em *Não há como não fazê-las*, o termo assinalado é um pronome em:
   a) próclise, porque o verbo está no infinitivo, independentemente de ser acompanhado de negação.
   b) ênclise, porque o verbo está no infinitivo, independentemente de se ser acompanhado de negação.
   c) mesóclise, porque o verbo está no futuro do pretérito.
   d) ênclise, devido à presença do conectivo como.
   e) próclise, devido à presença da negação.

12. **(FEI-SP)** Assinale a alternativa correta quanto à colocação do pronome pessoal oblíquo.
   a) O lugar para onde nos mudamos é aprazível.
   b) Embora falassem-me, não acreditei.
   c) Sempre lembrar-se-á de ti.
   d) Darei-te o remédio conforme o prescrito.
   e) Isto abalou-me profundamente.

13. **(PUC-MG)** De acordo com o padrão culto escrito, assinale a opção em que o pronome destacado pode colocar-se depois do verbo grifado:
   a) [...] e, bem ordinária, **me** <u>traz</u> um estremecimento de colegial.
   b) Nessa altura, as minhas pernas tinham **me** <u>levado</u> pro mundo da lua.
   c) [...] aposentado é quem **se** <u>recolhe</u> aos aposentos.
   d) Há de ver que ali estavam lado a lado duas almas que **se** <u>procuram</u>.
   e) [...] e, distraídas, disso não **se** <u>deram</u> conta.

14. (Ufal-AL) Indique a alternativa que preenche corretamente as lacunas da frase apresentada.

___ que você ___ conduzir por alguém que ___ tanto mal.
a) Me surpreende – deixe-se – tem-lhe feito
b) Surpreende-me – se deixe – lhe tem feito
c) Surpreende-me – se deixe – tem feito-lhe
d) Surpreende-me – deixe-se – tem-lhe feito
e) Me surpreende – se deixe – lhe tem feito

15. (PUC-RJ) Observe a seguinte passagem do texto: *"Pare aí", me diz você. "O escrevente escreve antes, o leitor lê depois." "Não!" lhe respondo, "Não consigo escrever sem pensar você por perto, espiando o que escrevo."* Nela, o autor, utilizando o discurso direto, apresenta um diálogo imaginário entre o autor e seu leitor, introduzindo a linguagem oral no texto escrito. Por essa razão:

a) os pronomes oblíquos átonos foram colocados depois do verbo.
b) os pronomes oblíquos átonos são enclíticos.
c) os pronomes oblíquos átonos não foram utilizados no diálogo.
d) os pronomes oblíquos átonos são proclíticos.
e) os pronomes oblíquos átonos são mesoclíticos.

Sintaxe de colocação 515

Emprego das palavras que, se e como

As funções morfológicas e sintáticas, ou seja, as relações morfossintáticas desempenhadas pelas palavras **que**, **se** e **como** fecham o estudo da sintaxe.

Que

Classes gramaticais

Entre as classes gramaticais, a palavra **que** pode ser:

a) **Substantivo** – precedido de artigo ou outro determinante.

O rapaz tinha um **quê** de simplório.

O nome da letra é **quê**.

 ❖ Nesse caso, a palavra **que** é tônica; portanto, leva acento circunflexo.

b) **Pronome** – indefinido, interrogativo e relativo.

+ **Indefinido adjetivo** – acompanha o substantivo, funcionando como adjunto adnominal.

Que filme mais emocionante!

+ **Interrogativo** – faz parte das orações interrogativas.

Que houve com ele ontem?

+ **Relativo** – faz referência a um termo antecedente, dando início à oração subordinada adjetiva.

c) **Advérbio** – funciona como advérbio de intensidade: **quão**, **muito**, e acompanha adjetivo ou outro advérbio.

Que depressa você veio! (quão)

Que bonitos seus cabelos! (muito)

d) **Preposição** – faz parte de uma locução verbal quando une o verbo principal no infinitivo ao verbo auxiliar, e equivale a **de**.

Teve **que** esperar por muito tempo até ela chegar. (Teve de esperar)

Teria **que** fingir aceitação. (Teria de fingir)

e) **Conjunção** – liga as orações.

+ **coordenadas**
    - aditiva: Fala **que** fala sem parar.
    - explicativa: Entre logo, **que** vai chover.
    - adversativa: Alguém, **que** não ela, pegou o anel.

+ **subordinadas**
    - integrante: Esperava **que** o tempo melhorasse.
    - causal: Não saiu, **que** estava nevando.
    - consecutiva: Dançou tanto **que** ficou exausto.
    - concessiva: **Que** fosse o último, iria até o fim da competição.
    - comparativa: Cada vestido mais lindo **que** o outro.
    - final: Fez-lhe sinal **que** deixasse a casa.

f) **partícula expletiva** ou **de realce** – colocada para enfatizar algo. Não é essencial para a compreensão da frase e pode, portanto, ser retirada.

Nós é **que** precisamos esperar até o último convidado ir embora.

(Nós precisamos esperar até o último convidado ir embora.)

g) **interjeição** – expressa emoção, espanto, surpresa, e recebe acento.

Quê?! Você não vai mais?

Funções sintáticas do pronome relativo **que**

a) **Sujeito**: Os livros **que** estavam em cima da mesa são meus.

b) **Objeto direto**: O livro **que** eu li é muito interessante.

c) **Objeto indireto**: O filme a **que** assistimos não nos agradou.

d) **Complemento nominal**: Raios a **que** tínhamos horror não paravam de cair.

e) **Predicativo do sujeito**: Nem parecia o amigo **que** um dia foi.

f) **Adjunto adverbial**: A rua em **que** morava era arborizada.

g) **Agente da passiva**: O cão por **que** foi mordido era feroz.

h) **Adjunto adnominal**: **Que** blusa bonita estava usando! (função exercida pelo pronome adjetivo relativo – acompanha o substantivo blusa)

Se

Classes gramaticais

Entre as classes gramaticais, a palavra **se** pode ser:

a) **pronome reflexivo** – é colocado como pronome pessoal oblíquo átono, na voz reflexiva.

Sentou-**se** em frente à televisão em silêncio.

O **se** também pode indicar reciprocidade.

Abraçaram-**se** emocionados depois de tanto tempo.

b) **pronome apassivador** ou **partícula apassivadora** – apresenta-se na voz passiva sintética e não desempenha função sintática.

Vendem-**se** motos.

Aqui ainda **se** veem muitas árvores.

c) **índice de indeterminação do sujeito** – ao lado de verbos intransitivos ou transitivos indiretos, torna o sujeito da oração indeterminado. O verbo permanece na 3ª pessoa do singular e não exerce função sintática.

Precisa-**se** de marceneiros com urgência.

Não **se** trabalha aos domingos.

d) **parte integrante do verbo** – participa integralmente dos verbos pronominais, mas não desempenha função sintática.

Eles arrependeram-**se** de tudo que fizeram.

A senhora queixava-**se** de dor de cabeça.
(Não se apresenta separadamente do verbo.)

e) **partícula de realce** ou **expletiva** – pode ser colocada na oração para enfatizar algo; se for retirada, não comprometerá o significado por não exercer função sintática.

Foi-**se** embora sem se despedir de ninguém.

f) **conjunção** – é empregada para introduzir orações como:

+ **subordinativa integrante**

    Não sei **se** poderei acompanhá-lo à festa de casamento.

+ **subordinativa condicional**

    Se tudo der certo, começo a trabalhar amanhã.

As conjunções não desempenham função sintática na oração.

Funções sintáticas do pronome reflexivo se

O pronome reflexivo **se** pode desempenhar as funções sintáticas de:

a) **sujeito de infinitivo**

O rapaz deixou-**se** levar pelo vício do álcool.

    O pronome oblíquo **se** é sujeito da oração reduzida de infinitivo (**se** – **sujeito** do verbo levar). Esse tipo de construção é o único que apresenta o pronome oblíquo como sujeito de oração.

b) **objeto direto**

João feriu-**se** com um caco de vidro deixado no chão da cozinha.

verbo trans. direto → objeto direto

c) **objeto indireto**

Deu-**se** um descanso merecido depois de anos de trabalho.

verbo trans. direto ou indireto → objeto indireto → objeto direto

> ❖ Quando o verbo indica reciprocidade de ação, os objetos direto e indireto são chamados **recíprocos**.
>
> Os jovens olharam-**se** por vários minutos. (objeto direto recíproco)
>
> João e Maria queriam-**se** muito bem. (objeto indireto recíproco)

Como

Classes gramaticais

Entre as classes gramaticais, a palavra **como** pode ser:

a) **pronome relativo** – quando pode ser substituída por **o qual, a qual, os quais, as quais**.

Preocupava o modo rude **como** tratava os mais velhos.
(Preocupava o modo o qual tratava os mais velhos.)

b) **advérbio** – pode ser um advérbio interrogativo de modo ou um advérbio de intensidade.

Como devo me comportar diante das autoridades? (de que modo?)

Como chorava aquela criança! (chorava muito)

c) **preposição** – tem a função de unir as palavras.

Posso ser a primeira a entrar **como** pessoa idosa.

d) **conjunção** – é conjunção subordinativa:

+ **causal**: **Como** estivesse cansada, não quis sair de casa.
+ **conformativa**: Não fez **como** havíamos combinado.
+ **comparativa**: A garota é bela **como** a mãe.

e) **interjeição** – exprime sensação de espanto, de dúvida, etc.

Como! Ela ainda não chegou?

Como? Não sei o que você quer.

f) **verbo** – 1ª pessoa do singular do presente do indicativo do verbo comer.

Geralmente **como** muito bem.

Funções sintáticas da palavra **como**

A palavra **como** pode desempenhar as funções sintáticas de:

a) **núcleo do predicado verbal**: **Como** pouco à noite.
b) **predicativo do sujeito**: **Como** é seu nome? Meu nome é Paulo.
c) **adjunto adverbial de modo** ou **de intensidade**: **Como** quer o seu café? Com açúcar ou adoçante? (de que modo quer o café: com açúcar ou com adoçante?)

Exercícios

1. Classifique os diferentes empregos da palavra grifada **que** nas frases seguintes.

   a) Que foi aquele barulho na cozinha?
   b) Quase que o cachorro foi atropelado.
   c) Espero que ele não esqueça o celular.
   d) Que maravilhoso o seu vestido de noiva!
   e) O homem que está desaparecido é meu vizinho.

f) Quê! Você não trouxe o trabalho!
g) Há muito que fazer ainda.
h) Ela é mais alta que o irmão.
i) Fala que fala e não resolve nada.
j) Que lugar mais esquisito esse!

2. **Forme frases empregando a palavra que nas classes gramaticais solicitadas.**
   a) substantivo
   b) conjunção subordinativa consecutiva
   c) conjunção coordenativa explicativa
   d) pronome relativo
   e) preposição

3. **Informe a função sintática desempenhada pelo pronome relativo que.**
   a) A casa em que morávamos foi desapropriada.
   b) A criança que é indefesa precisa ser bem orientada.
   c) Devolva-me o livro que lhe emprestei.
   d) Que casaco você perdeu?
   e) Foi perdida a chave de que tínhamos tanta necessidade.
   f) O carro a que nos referimos foi vendido.
   g) Gostaria de lembrar o que faziam lá.
   h) Na rua, que estava alagada, não se conseguia entrar.
   i) A saída que procurávamos estava difícil de encontrar.
   j) Não era mais o homem que foi no passado.

4. **Classifique morfologicamente a palavra se nas frases abaixo.**
   a) Tratava-se de um caso de roubo.
   b) Via-se aquele carro naquela rua diariamente.
   c) Elas não se comunicavam mais.
   d) Machucou-se ao cair da escada.
   e) Queria saber se poderia faltar amanhã.
   f) Arrependeu-se de não ter falado a verdade.
   g) Saiu-se com mais uma piadinha sem graça.
   h) Come-se bem naquele novo restaurante.
   i) Procuravam-se parceiros para mais um projeto.
   j) Ela não se considerava feliz.

5. **Qual função sintática o pronome reflexivo se exerce nas frases a seguir?**
   a) Eles se correspondem há vários anos.
   b) As pessoas deixaram-se ficar entretidas durante horas.

c) Aquela moça dava-se uma importância exagerada.
d) A gente se vê por aí.
e) Reserva-se o direito de permanecer calado.
f) Julgava-se responsável pelos idosos.
g) Fez-se ficar em silêncio por muito tempo.
h) Olhavam-se com carinho.
i) Deixou-se abraçar pelos alunos.
j) Queriam-se como irmãos.

6. Analise morfologicamente a palavra **como** nas frases seguintes.
   a) Considerava Carlos como um pai.
   b) Como chegaria lá sem ajuda?
   c) Como havíamos previsto, não foi possível acabar o trabalho.
   d) Como fazia frio, cancelamos a ida à praia.
   e) Falava como uma pessoa experiente.
   f) Como! Que falta de respeito!
   g) Como sofria sem notícias do filho!
   h) Não fez nada como combinamos.
   i) Tinha a mãe como melhor amiga.
   j) Como havia terminado a prova, foi autorizada a sair da sala.

7. Indique a alternativa em que a palavra **como** desempenha a função sintática de adjunto adverbial de intensidade.
   a) Agia **como** uma pessoa irresponsável.
   b) Queriam-se **como** irmãos.
   c) **Como**? Não saiu ainda?
   d) **Como** encontraria forças para resistir.
   e) **Como** gritava aquela mulher!

8. O **se** como pronome apassivador aparece na alternativa:
   a) Vive-**se** confortavelmente nesta casa.
   b) Trabalha-**se** muito nesta empresa.
   c) Serve-**se** um café delicioso neste estabelecimento.
   d) Fala-**se** bastante nos intervalos.
   e) Precisa-**se** de bons tradutores.

9. Nas alternativas abaixo, o **que** desempenha função sintática apenas em:
   a) Estudou tanto **que** se saiu bem na prova.
   b) Não queria **que** ninguém o visse careca.
   c) Vem para dentro **que** está esfriando.
   d) Não trouxe nada **que** valesse a pena.
   e) Vou ficar **que** preciso acabar o dever de casa.

10. O **se** não desempenha função sintática na alternativa:
    a) Vestiu-**se** rapidamente para sair.
    b) Zangou-**se** com o filho.
    c) Deixou-**se** levar pelas más companhias.
    d) Atribui-**se** vencedora do torneio.
    e) Permitiu-**se** uma folga depois do almoço.

Questões de vestibulares

1. (Fuvest-SP) *A cláusula mostra QUE tu não queres enganar.* A classe gramatical da palavra QUE no trecho anterior é a mesma da palavra QUE na seguinte frase:
    a) Ficam desde já excluídos os sonhadores, os QUE amem os mistérios.
    b) Não foi a religião QUE te inspirou esse anúncio.
    c) QUE não pedes um diálogo de amor, é claro.
    d) QUE foi então, senão a triste, longa e aborrecida experiência?
    e) Quem és tu, que sabes tanto?

2. (UFMG-MG) Leia atentamente o texto e responda, indicando a alternativa *correta*:
    A culpa foi minha, ou antes, a culpa foi desta vida agreste, que me deu uma alma agreste. (Graciliano Ramos)
    A função sintática do **que** é:
    a) adjunto adnominal.
    b) complemento nominal.
    c) sujeito.
    d) objeto direto.
    e) objeto indireto.

3. (UFPI-PI) Em que alternativa a expressão destacada é um complemento nominal?
    a) O livro **de que** tínhamos necessidade foi extraviado.
    b) A cadeira **em que** sentamos era velha demais.
    c) Era grande a alegria **de que** estávamos possuídos.
    d) A pessoa **a quem** me refiro é teu amigo.
    e) A rua **em que** estivemos está desobstruída agora.

4. (Mackenzie-SP) Aponte a alternativa que contém um **que** classificado morfologicamente com partícula expletiva ou de realce.
    a) Oh! **Que** revoada, **que** revoada de asas!
    b) A vida é tão bela **que** chega a dar medo.
    c) O vento **que** vinha desde o princípio do mundo/Estava brincando com teus cabelos...

d) Nós é **que** vamos empurrando, dia a dia, sua cadeira de rodas.
e) Havia uma escada **que** parava de repente no ar.

5. (UFSM-RS) Classifique a oração introduzida pela palavra destacada em *Fiquei muito impressionada com a violência e a rivalidade que existe entre a tribo dos macacos*.
Identifique o período em que a palavra sublinhada introduz uma oração da mesma classificação.
a) Vi que a violência e a rivalidade existem entre a tribo dos macacos.
b) Impressionou-me a informação que recebi sobre a violência e a rivalidade entre as tribos de macacos.
c) A violência e a rivalidade são tão grandes entre as tribos de macacos que me impressionei.
d) A verdade é que a violência e a rivalidade existem entre as tribos de macacos.
e) É impressionante que existam violência e rivalidade entre as tribos de macacos.

6. (Faap-SP)
*Lá tenho a mulher **que** quero
na cama **que** escolherei*
Ambos os **que** em negrito são pronomes relativos, respectivamente exercendo a função sintática de:
a) sujeito e objeto direto.
b) objeto direto e sujeito.
c) sujeito e sujeito.
d) objeto direto e objeto direto.
e) objeto direto e complemento nominal.

7. (PUC-SP) Nos seguintes períodos, há excesso de construções subordinadas, com uso enfadonho de quês. Reescreva-os, eliminando todos os quês destacados. Faça as alterações necessárias, mas mantenha o sentido original. (Não é permitido substituir "que" por "o qual", "a qual" e respectivas flexões).

Estudos recentes indicam QUE o risco é um dos melhores remédios para os males da alma. Os cientistas descobriram que ele é um dos principais processos QUE deflagram a produção de serotonina, QUE é a substância QUE é responsável pela sensação de bem-estar. Gargalhadas e sorrisos francos fazem com QUE aumente a quantidade de serotonina QUE o organismo libera, podendo evitar que as pessoas entrem em estados depressivos.

8. (UCDB-MT) Leia o texto: *Nota-se claramente que nunca perceberam o papel secundário que exerciam naquele período.*
   Em "nota-se claramente que", o **que** é:
   a) pronome relativo;
   b) conectivo subordinativo (integrante);
   c) sujeito;
   d) objeto direto;
   e) objeto indireto.

9. (UEPG-PR) Marque a alternativa do advérbio de intensidade.
   a) Se tiver que ajudar-te, alegrar-me-ei.
   b) Que importa a opinião dele?
   c) O professor resolveu o que pediram.
   d) Que feliz serei eu, se vieres.
   e) Esperamos que os dias melhorem.

10. (Efoa-MG) Assinale a alternativa em que é o pronome que desempenha a função de objeto indireto da frase.
    a) Falo a amigos que envelheceram.
    b) A vida separa os amigos que a morte vem juntar bruscamente.
    c) Gosto desses fotógrafos silenciosos diante da alameda em que a areia estala sob o passo lépido das crianças.
    d) Quero desejar a leitores e amigos as alegrias e suavidades a que o tempo convida.
    e) Meu pobre livro inútil, que sempre sonhei escrever e ainda não me deste a honra de te deixares escrever, por onde andas tu?

11. (PUC-SP) A partir dos seguintes trechos: *... e nunca mais se soube o que era blasfêmia.../ dentro do som movem-se cores...*, assinale a alternativa correta.
    a) o pronome átono *se* exerce a função de partícula apassivadora na voz passiva analítica.
    b) o pronome átono *se* exerce a função de partícula apassivadora na voz passiva pronominal.
    c) o pronome átono *se* exerce a função de partícula apassivadora na voz ativa.
    d) o pronome átono *se* é parte integrante do verbo.
    e) o pronome átono *se* exerce a função de pronome reflexivo.

12. (Cesgranrio-RJ) A palavra SE indica indeterminação do sujeito em:
    a) O segundo é examinar-*se*, em busca de uma resposta.
    b) Caso *se* esteja com dor de dente.

c) ... *se* há algo imprescindível...
d) a porcentagem dos que *se* consideram felizes não se moveu.
e) ... os nigerianos, com seus 1.400 dólares de PIB *per capita*, atribuem-*se* grau de felicidade equivalente ao dos japoneses.

13. (Fatec-SP) Considerando como conjunção integrante aquela que indica uma oração subordinada substantiva, indique em qual das opções nenhum **se** tem essa função.
    a) Se subiu, ninguém sabe, ninguém viu.
    b) Comenta-se que ele se feria de propósito.
    c) Se vai ou fica é o que eu gostaria de saber.
    d) Saberia me dizer se ele já foi?

14. (Uerj-RJ) *As letras fizeram-SE para frases.* A única alternativa em que a palavra SE tem o mesmo valor morfossintático que no trecho destacado é:
    a) *Seja como for, sempre SE morre, muitas vezes um minuto depois de dizer: Vou ali e volto já.* (Millôr Fernandes)
    b) *Enquanto houver escrita e memória as coisas que SE foram voltarão sempre.* (Affonso Romano de Sant'Anna)
    c) *Certamente os leitores conhecem o texto da Constituição Federal em que SE permite a livre manifestação do pensamento pela imprensa.* (Graça Aranha)
    d) *Uma das pragas das relações humanas é a cobrança que todos SE sentem no direito de fazer sobre aqueles que preferem pensar com a própria cabeça.* (Carlos Heitor Cony)

15. (FEI-SP) Em *Nesta casa serve-se comida caseira*, quanto à voz do verbo e à função do **se**, temos, respectivamente:
    a) voz ativa e pronome reflexivo.
    b) voz ativa e índice de indeterminação do sujeito.
    c) voz reflexiva e pronome apassivador.
    d) voz passiva e pronome apassivador.
    e) voz reflexiva e pronome reflexivo.

16. (Faap-SP) Assinale a frase em que o **se** não é pronome apassivador nem índice de indeterminação do sujeito.
    a) Estudou-se esse assunto.
    b) Ele se suicidou ontem.
    c) Falou-se muito sobre aquela festa.
    d) Aos inimigos não se estima.
    e) Fizeram-se reformas na casa.

17. (Cesgranrio-RJ) Em ... *de que você possa arrepender-SE*, o pronome destacado é parte integrante do verbo. Em qual das frases a seguir o SE também é parte integrante do verbo?
    a) Ninguém se queixou de problemas maiores.
    b) Encontrou-se um caminho para um futuro ameno.
    c) Não sei se um dia serei censurado.
    d) Vive-se melhor com a ajuda de um especialista.
    e) Viu-se diante de um problema insolúvel.

18. (PUC-PR) Indique a frase em que o **se** está empregado adequadamente.
    a) O acusado se reserva-se o direito de não dar entrevistas.
    b) Até que ponto a vida no campo se difere da vida urbana?
    c) O lixo se prolifera cada vez mais nos grandes centros.
    d) Estima-se em mais de 4.000 o número de voos ilegais no espaço aéreo brasileiro, anualmente.
    e) Não esqueça-se dos seus remédios, na hora certa!

19. (UM-SP-Adaptada) A questão seguinte refere-se a um trecho do texto "Um epitáfio para Catulo da Paixão Cearense", de Mário Quintana.
    "Catulo não morreu: luarizou-se..."
    Em "luarizou-se", o **se** indica:
    a) reciprocidade.
    b) reflexividade.
    c) passividade.
    d) indeterminação.
    e) condição.

20. (Uerj-RJ) O valor morfossintático da palavra SE na penúltima estrofe está repetido em:
    ... e como a Terra fosse de árvores vermelhas
    e SE houvesse mostrado assaz gentil,
    deram-lhe o nome de Brasil.
    a) *Rosas te brotarão da boca, SE cantares!* (Olavo Bilac)
    b) *Vou expor-te um plano; quero saber SE o aprovas.* (Artur Azevedo)
    c) *Todas as palavras são inúteis, desde que SE olha para o céu.* (Cecília Meireles)
    d) *Cada um deles SE incumbia de fazer porção de requerimentos.* (Mário Palmério)

21. (Cesgranrio-RJ) Nas duas orações dos textos abaixo, as conjunções destacadas podem ser substituídas sem alteração de sentido por:

I. *Depois do minueto foi desaparecendo a cerimônia, e a brincadeira aferventou, como se dizia naquele tempo.*
II. *Foi executado com atenção e aplaudida com entusiasmo, somente quem não pareceu dar-lhe todo apreço foi o pequeno, que obsequiou o pai como obsequiara ao padrinho, marcando-lhe o compasso a guinchos e esperneies.*

a) conforme/do mesmo modo que
b) do mesmo modo que/conforme
c) conforme/porque
d) porque/porque
e) do mesmo modo que/do mesmo modo que

22. (PUCCamp-SP) A alternativa em que se encontra uma oração subordinada substantiva objetiva direta com a conjunção **se** é:

a) Só obteremos a informação **se** tivermos encaminhado corretamente os papéis.
b) Haverá racionamento de água em todo o país, **se** persistir a seca.
c) Falava como **se** fosse especialista no assunto.
d) **Se** um deles entrasse, todos exigiriam entrar também.
e) Queria saber dos irmãos **se** alguém tinha alguma coisa contra o rapaz.

23. (UM-SP) Na frase: *Você é que pensa que a vida flui segundo as leis do poder!*, a palavra que classifica-se, respectivamente, como:

a) palavra de realce – pronome relativo.
b) advérbio de intensidade – conjunção integrante.
c) advérbio de intensidade – pronome relativo.
d) conjunção integrante – pronome relativo.
e) palavra de realce – conjunção integrante.

24. (UM-SP) Marque a alternativa em que a palavra COMO assume o valor de conjunção subordinativa conformativa.

a) Como ele mesmo afirmou, viveu sempre tropeçando nos embrulhos da vida.
b) Como não tivesse condições para competir, participou, com muita insegurança das atividades esportivas.
c) As frustrações caminham rápidas como as tempestades das matas devastadoras.
d) Indaguei-lhe apreensiva como papai tinha assumido aquela contínua postura de contemplação.
e) Como as leis eram taxativas naquele vilarejo, todos os moradores tentavam um meio de obediência às normas morais.

Emprego de mais algumas palavras e expressões

Algumas palavras e expressões causam dúvidas no momento de empregá-las na frase, de acordo com as regras estabelecidas pelos padrões da norma culta da língua.

Seguem algumas dessas palavras e expressões acompanhadas de exemplos e explicações, a fim de esclarecer possíveis dúvidas em situações de uso.

Por que

Escreve-se separado e sem acento:

+ nas frases interrogativas diretas.

    Por que você anda tão triste?

+ nas frases interrogativas indiretas, quando indicam razão ou motivo.

    Não sei **por que** você faltou ontem.

+ em substituição aos pronomes relativos **pelo qual**, **pela qual**, **pelos quais**, **pelas quais**.

    As ruas **por que** passamos estavam alagadas em razão do temporal. (pelas quais)

Porque

Escreve-se junto e sem acento:

+ quando responde a uma pergunta, empregado como conjunção explicativa ou causal, e pode ser substituído por: **uma vez que**, **visto que**, **pois** etc.

    Não compareci ao trabalho ontem **porque** estava gripada.

Por quê

Escreve-se separado e com acento circunflexo:

+ quando estiver no final de uma frase interrogativa.

    Você não respondeu **por quê**?

    Ele disse que o carro não poderia estar ali. **Por quê**?

Porquê

Escreve-se junto e com acento circunflexo:

+ quando for substantivo, antecedido do artigo definido, como sinônimo de motivo, causa ou razão.

    Não entendi **o porquê** de tanta discussão.

Onde

O pronome relativo **onde** informa lugar e é empregado com verbos que indicam permanência; pode ser substituído pela expressão **em que lugar**.

Gostaria de saber **onde** você trabalha?

Aonde

A palavra **aonde** (preposição **a** seguida do pronome relativo **onde**) é empregada com verbos que indicam movimento em direção a algum lugar.

Aonde você foi ontem à noite?

Não sei **aonde** ir para pedir informações.

Mas

A conjunção adversativa **mas** indica oposição ou adversidade, equivale a **porém**, **contudo**, **todavia**.

Queria viajar, **mas** não pude tirar férias.

Mais

O advérbio de intensidade **mais** indica quantidade, em oposição a **menos**.

Falava **mais** alto que todos na sala.

Mais amor, menos confiança. (ditado popular)

Mal

A palavra **mal** é antônima de **bem**. Pode ser empregado como:

+ advérbio

   Foi **mal** na prova de Matemática.

+ **substantivo**, definido pelo artigo **o**.

   Não percebeu **o mal** que fez àquelas pessoas.

+ **conjunção**, no sentido de tempo.

   Mal entrou e já começou a reclamar. (conjunção adverbial temporal)

> ❖ Nas palavras iniciadas pelo advérbio **mal**, emprega-se o hífen se a segunda palavra for iniciada por vogal ou pela letra h: **mal-estar**, **mal-humorado**. Se a segunda palavra for uma consoante, não se coloca hífen: **malfeito, malpassado, malcriado**. O advérbio **bem** segue a mesma regra: **bem-estar, bem-humorado**, mas pode não se aglutinar com palavras começadas por consoante: **bem-criado; bem-nascido**.

Mau

A palavra **mau** é antônima de **bom**. É empregada como adjetivo:

Era um **mau** colega.

Senão

Escreve-se junto quando pode ser substituído por **caso contrário** ou a **não ser**.

Devemos estudar bastante, **senão** seremos reprovados. (caso contrário)

Não fez nada **senão** dormir a tarde toda. (a não ser)

Se não

Escreve-se separado quando pode ser substituído por **caso não**, introduzindo orações subordinadas adverbiais condicionais.

Se não comparecer aos treinos, perderá o lugar de capitão do time.

Há

Emprega-se **há**, do verbo haver, como verbo impessoal:

Emprego de mais algumas palavras e expressões   **531**

- no sentido de tempo passado.

    Há vários dias que não a vejo.

- no sentido de existir.

    Há duas pessoas na sala de espera. (Existem duas pessoas na sala de espera.)

A

Emprega-se a preposição **a**:

- se fizer referência a distância.

    O ponto de ônibus fica **a** quinhentos metros da minha casa.

- se fizer referência a tempo futuro.

    Devem chegar daqui **a** duas horas.

Ao invés de

Emprega-se no sentido de oposição, situação imediatamente contrária.

Ela devia ir viajar **ao invés de** ficar em casa sem fazer nada.

Em vez de

Emprega-se quando pode ser substituído por **em lugar de**.

Ela, em vez de viajar, precisou ficar trabalhando.

Ao encontro de

Emprega-se quando a intenção é indicar:

- **favorável a**.

    Meus planos vão **ao encontro dos** seus; poderemos, portanto, planejar uma próxima viagem juntos.

- **aproximação de**.

    A criança correu **ao encontro dos** pais.

De encontro a

Emprega-se quando a intenção é indicar:

- **colisão, choque**.

    O menino foi **de encontro à** porta de vidro e feriu-se gravemente.

+ **ser contrário a**.

Minhas expectativas vão **de encontro às** suas; logo, não deveremos trabalhar no mesmo setor.

A fim de

A locução prepositiva **a fim de** (que) indica finalidade e é equivalente à preposição **para**; geralmente inicia uma oração subordinada adverbial final.

Escolheu cuidadosamente os ingredientes **a fim de** preparar uma deliciosa feijoada.

Afim de

O adjetivo **afim** é sinônimo de **semelhante** ou **próximo**, e tem a mesma raiz do substantivo afinidade.

Temos interesses **afins**; devemos, pois, conversar com mais frequência.

Demais

O advérbio **demais** pode ser classificado como:

+ **advérbio de intensidade**.

Elas trabalham **demais** para conseguir uma promoção.

Ficou triste **demais** com a reprovação do filho.

+ **pronome substantivo indefinido**.

Os primeiros classificados sentaram-se no palco e **os demais**, na plateia.

De mais

A locução prepositiva **de mais** (duas palavras) é empregada com valor de adjetivo, e acompanha um substantivo ou um pronome substantivo; é o contrário de **de menos**.

Havia gente **de mais** naquela festa.

Os alunos garantiram que não fizeram nada **de mais**.

A par

Emprega-se no sentido de estar ciente, estar informado a respeito de alguma coisa.

Não estávamos **a par** dos novos horários da academia de ginástica.

Ao par

Emprega-se ao par para indicar título ou moeda de valor idêntico.

O euro não está **ao par** do dólar.

Acerca de

A locução prepositiva **acerca de** é equivalente à expressão **a respeito de**.

Falaram **acerca de** eleição municipal.

Há cerca de

Emprega-se no sentido de tempo já transcorrido.

Todos saíram **há cerca de** uma hora, aproximadamente às treze horas.

Cerca de

A locução prepositiva **cerca de** corresponde a uma quantidade aproximada, **perto de**.

Cerca de vinte pessoas aguardavam na fila do caixa do supermercado.

Meio

O advérbio **meio** é palavra invariável no sentido de **um pouco** ou **mais ou menos**.

Ficou **meio** confusa diante de tantas opções de cores e tamanhos.

Meia

O adjetivo **meia** é palavra variável e significa metade.

Bebeu **meia** garrafa de vinho no almoço.

Não conseguiu tomar nem **meio** copo de leite.

Exercícios

1. Preencha os espaços com **por que, por quê, porque, porquê**.
    a) Queria saber ___ eles discutiram.
    b) Você não lê jornais ___ ?

c) ____ o supermercado não abriu hoje?
d) Eles não vieram à festa ____ não foram convidados.
e) Você sabe o ____ da briga?

2. A palavra **porque** apresenta grafias diferentes de acordo com o sentido em que é empregada. Justifique o seu emprego nas frases seguintes.
   a) **Por que** será que ela não veio?
   b) Nem imagino **por quê**.
   c) Eu não posso contar **porque** preciso guardar segredo.
   d) Não sabia explicar **por que** eles faltaram à reunião de família.
   e) Queria saber o **porquê** do adiamento da prova de Matemática.
   f) Entre logo **porque** está começando a chover.

3. Assinale a alternativa correta quanto ao emprego de **por que, por quê, porque, porquê**.
   a) Nem eu sabia o **por que**.
   b) A razão **porque** não viajaram não ficou bem explicada.
   c) Ele chegou atrasado **porquê**?
   d) Queria entender **por quê** os pais se preocupavam tanto.
   e) As estradas **por que** passamos não estavam asfaltadas.

4. Complete as frases com **mas** ou **mais** e justifique o seu emprego.
   a) É ____ fácil falar do que fazer.
   b) Ela sabia de tudo, ____ resolveu calar-se.
   c) Dei-lhe uns conselhos a ____ .
   d) ____ que trabalho mal feito!
   e) Não se viram ____ , ____ guardaram boas lembranças.

5. Considere as frases a seguir:
   I. **Onde** ele vai a esta hora?
   II. Você sabe **aonde** ele trabalha?
   III. Você lembra **onde** deixou seu celular.
   IV. Sua atitude foi **mal** interpretada.
   V. Infelizmente foi um **mau** começo.
   Informe a única alternativa correta:
   a) Todas as alternativas estão corretas.
   b) Todas estão corretas, exceto a V.
   c) As alternativas I, II e IV estão incorretas.
   d) As alternativas III, IV e V estão corretas.
   e) Todas estão incorretas, exceto a II.

6. Complete as frases a seguir, empregando adequadamente **há** ou **a**.
   a) Ele esteve aqui _____ pouco, mas precisou sair logo.
   b) Eles devem voltar daqui _____ pouco para iniciar os treinos.
   c) _____ três dias da estreia, a atriz principal quebrou a perna.
   d) Aguardava a chegada dela _____ várias horas.
   e) O acidente ocorreu _____ vinte metros daqui.
   f) O advogado está radicado _____ anos em São Paulo.
   g) Não conseguiram chegar _____ tempo.

7. Escolha a palavra adequada e relacione as colunas.
   a) Eles não virão de carro, ___ de avião.   ( ) onde/aonde
   b) Todos estão passando ___ hoje.   ( ) há/a
   c) Aguardava o resultado ___ vários dias.   ( ) mau/mal
   d) Foi ___ agressiva com os novos colegas.   ( ) mas/mais
   e) ___ estarão aquelas fotos antigas?   ( ) meio/meia.

8. Empregue corretamente **senão** ou **se não**:
   a) Afaste-se das drogas, ___ será mais uma vítima.
   b) ___ confessar sua culpa, não poderei defendê-lo.
   c) Vou apressar-me ___ não o encontrarei em casa.
   d) Vocês precisam aceitar o resultado, ___ não chegaremos a um consenso.
   e) Marcaremos a reunião para amanhã, ___ houver nenhum imprevisto.
   f) É necessário que faça a declaração hoje, ___ perderá o prazo de entrega.

9. Preencha as lacunas com as locuções adequadas: **ao encontro de/de encontro a** ou **em vez de/ao invés de**:
   a) Os alunos vieram ___ professor e cumprimentaram-no.
   b) Preferiram ficar em casa ___ sair para jantar.
   c) Deveria ficar calado ___ falar sem parar.
   d) A criança foi ___ mesa e derrubou o vaso de cristal no chão.
   e) A família, ___ acampar, decidiu ir para um hotel-fazenda.
   f) As ideias do diretor foram ___ do produtor e não se chegou a nenhum acordo.

10. Complete as frases com **demais** ou **de mais**.
    a) Estávamos todos curiosos ___ para saber o final do filme.
    b) A garota não havia dito nada ___ .
    c) Eles falam ___ durante a aula.
    d) Há gente ___ aguardando na fila.

e) Fizeram perguntas ___ para o entrevistado.
f) Esperou ___ para ser atendido no pronto-socorro.

11. Assinale, nas frases abaixo, se o emprego das expressões **cerca de**, **acerca de** e **há cerca de** está certo (C) ou errado (E). Corrija as frases que apresentarem a colocação inadequada.
    a) ( ) O acidente ocorreu **acerca de** duas horas.
    b) ( ) Ele viajou para a Europa **há cerca de** dez dias.
    c) ( ) Debateram durante horas **acerca de** problemas na empresa.
    d) ( ) Os professores conversaram **há cerca da** utilização das novas tecnologias em sala de aula.
    e) ( ) **Cerca de** vinte pessoas aguardavam na sala de espera.

12. Escolha a opção que completa a frase de maneira adequada.
    a) Ela parecia ___ cansada depois daquela caminhada. (meio/meia)
    b) Saí cedo ___ de não pegar congestionamento. (afim/a fim)
    c) A senhora sentiu-se ___ durante a viagem. (mau/mal)
    d) Certamente não estava ___ dos problemas que iria enfrentar. (a par/ao par)
    e) Parecia que nada ___ poderia interessá-la. (mas/mais)

Questões de vestibulares

1. (Fuvest-SP) Assinale a frase gramaticalmente correta.
   a) Não sei por que discutimos.
   b) Ele não veio por que estava doente.
   c) Mas porque não veio ontem?
   d) Não respondi porquê não sabia.
   e) Eis o porquê da minha viagem.

2. (UFPI-PI) Complete as lacunas, usando adequadamente **mas/mais, mau/mal**.

   Pedro e João, ___ entraram em casa, perceberam que as coisas não estavam bem, pois sua irmã caçula escolhera um ___ momento para comunicar aos pais que iria viajar nas férias; ___ seus dois irmãos deixaram os pais ___ sossegados quando disseram que a jovem iria com as primas e a tia.
   a) mau – mal – mais – mas
   b) mal – mal – mais – mais
   c) mal – mau – mas – mais
   d) mal – mau – mas – mas
   e) mau – mau – mas – mais

3. (Anhembi Morumbi-SP) *A gente se acostuma a acordar de manhã sobressaltado, **porque** está na hora.*

Observe a grafia do *porque* na frase acima. Agora, analise as seguintes:
   I. Porque desistir de uma vida porque lutamos há tanto tempo?
   II. Todos ignoram o porquê de nossa luta.
   III. A vida seguia tranquilamente porque lutávamos muito.
   IV. A situação não deve mudar por quê?
   V. Pergunto por que a vida dói tanto em nós.
   VI. Luto porque amo a vida.
   Assinale a única alternativa correta.
   a) As frases I e III são as únicas corretas.
   b) As frases I, III e V são corretas.
   c) A frase VI é a única correta.
   d) Somente a frase IV é incorreta.
   e) Na frase II, o porquê é um substantivo.

4. (UGF-RJ) *Lembrei, agora, sabe lá Deus **por quê**.*

Apenas uma das opções será preenchida com por quê, idêntico em ortografia e de mesma classe gramatical que a expressão destacada no exemplo acima. Assinale-a.
   a) Ele abandonou a Faculdade ___?
   b) O motivo ___ ele abandonou o Curso de Letras é evidente.
   c) Foi este o ___ de ele ter desistido da Faculdade de Letras.
   d) Ele não acabou o curso ___ não quis.
   e) ___ ele alegou motivos pessoais, abandonou a Faculdade de Letras.

5. (FEI-SP) Assinale a alternativa que completa corretamente as lacunas.

___ dias não se consegue chegar ___ nenhuma das localidades ___ que os socorros se destinam.
   a) Há – à – a
   b) A – a – a
   c) À – à – a
   d) Há – a – a
   e) À – a – à

6. (Fuvest-SP) Preencha as lacunas com **por que, porque, porquê** ou **por quê**.
   a) ___ é que você disse isso?
   b) Não sei bem ___ .
   c) Não será ___ tem inveja dele?
   d) Acho que não. Vou dizer-lhe a razão ___ o disse.

Semântica

A Semântica é o estudo do significado das expressões das línguas naturais.

Relação de significado entre as palavras

A Semântica estuda a significação das palavras.

É natural que, para falar e escrever um idioma, seus falantes conheçam o significado das palavras que o compõem. Ao dominar esse conhecimento, faz-se a escolha das palavras mais adequadas na formação da mensagem.

O estudo do significado das palavras é complexo, pois saber usá-las com competência equivale não só a compreender o que elas significam, mas também o que elas querem dizer em determinadas épocas, lugares e contextos.

Este livro pretende apenas introduzir o assunto, a fim de auxiliar escritores e falantes no uso da língua portuguesa.

Considerando, portanto, que uma mesma palavra pode apresentar diferentes significados conforme o contexto em que foi empregada, seguem alguns processos que ocorrem no desenvolver da escrita ou da fala.

Denotação e conotação

A **denotação** é o emprego da palavra em seu sentido usual, próprio, o primeiro informado no dicionário, sem dar margem a outras interpretações:

"Foi servido um café muito amargo após o almoço."

No dicionário, a palavra "amargo" consta como adjetivo, que tem sabor penetrante e desagradável, amargoso, amargado, acre. Portanto, a noção de algo desagradável ao paladar é o que fica como significado próprio.

Em outro contexto, pode-se ter a frase: Tenho muitas lembranças amargas.

A noção amarga, nessa frase, não está relacionada ao sabor acre do café, mas sim à sensação ruim que muitas lembranças trazem.

Ao continuar a leitura do verbete do dicionário, "amargo" também apresenta uma definição figurada: cruel, duro, cheio de ressentimento, magoado, amargurado, sofrido. Portanto, a palavra "amargo" pode ser utilizada de maneira **conotativa**, ou seja, transpassa o sentido denotativo e transmite uma impressão emotiva e pessoal.

A carga semântica das palavras possibilita uma grande variação de significados, de acordo com o momento em que cada uma delas é empregada.

Sinonímia

Sinônimos são palavras de som e grafia diferentes, mas de significados semelhantes. Uma palavra pode estar em lugar da outra em determinado contexto, apresentando pequenos matizes de significação.

garoto, menino, rapaz

belo, bonito, garboso

segregar, marginalizar, expelir, afastar, isolar

inefável, encantador, indizível, inebriante

alegre, contente, vivo

Como não existem sinônimos perfeitos, geralmente um sinônimo pode substituir determinada palavra dependendo do contexto em que ela está empregada. Para fazer a escolha entre uma e outra, é preciso considerar a situação, a intenção do escritor e o efeito que este quer provocar. No exemplo abaixo, "ver" e "enxergar" são sinônimos, têm significados semelhantes, mas o uso de uma ou outra palavra revela uma nuance de sentido.

Você está **vendo** aquele rapaz bonito, de camisa vermelha, ao lado do palco?

Você está **enxergando** aquele rapaz bonito, de camisa vermelha, ao lado do palco?

Selecionar entre os sinônimos, termos formais e eruditos, coloquiais e populares, para cada situação de comunicação, requer habilidade e discernimento.

Utilizar sinônimos diversificados enriquece o texto escrito e contribui para o falante expressar sua opinião de modo coerente.

Antonímia

Antônimos são palavras de som e grafia diferentes e significados opostos: bonito, feio; claro, escuro; dia, noite; aberto, fechado etc.

Aquele lugar fica muito **claro** ao entardecer.

Aquele lugar fica muito **escuro** ao entardecer.

- A antonímia é usada como recurso em algumas figuras de linguagem de estilo, como a antítese e paradoxo (ver página 573).
- Alguns antônimos são compostos de prefixos de sentidos opostos: feliz, infeliz; necessário, desnecessário; explícito, implícito; normal, anormal; habitado, desabitado etc.

Homonímia

As palavras homônimas têm som e/ou grafia iguais, mas apresentam significados diferentes. Distinguem-se os homônimos em:

+ **homógrafos heterofônicos** – possuem a mesma grafia, mas apresentam diferenças na pronúncia.

    Vou organizar um **almoço** em minha casa. (substantivo)

    Eu **almoço** no mesmo horário durante a semana. (verbo "almoçar")

+ **homófonos homógrafos** – têm grafia e pronúncia idênticas.

    Cedo-lhe meu lugar na fila. (verbo "ceder")

    Costuma levantar **cedo**. (advérbio de tempo)

+ **homófonos heterógrafos** – têm a mesma pronúncia, mas diferem na grafia e no sentido.

    O **censo** demográfico ainda não foi concluído. (conjunto de dados estatísticos dos habitantes de uma localidade)

    Mostrou bom **senso** ao desistir daquela discussão absurda. (juízo, siso, tino)

Algumas palavras homônimas			
acender – pôr fogo	ascender – subir	censo – recenseamento	senso – juízo
acento – sinal gráfico	assento – local para sentar	cerrar – fechar	serrar – cortar
aço – metal	asso – verbo	cervo – veado	servo – serviçal, escravo
afim – semelhante	a fim (de) – para (finalidade)	cessão – ato de ceder	seção – divisão / sessão – reunião
banco – assento	banco – estabelecimento financeiro	concerto – musical	conserto – reparo
caçar – abater caça	cassar – anular	coser – costurar	cozer – cozinhar
cela – aposento	sela – arreio	cumprimento – saudação	cumprimento – ato de realizar

Semântica

espiar – olhar, espionar	expiar – sofrer, padecer	paço – palácio	passo – passada
estático – imóvel	extático – admirado	ruço – desbotado, surrado	russo – referente à Rússia
estrato – tipo de nuvem	extrato – resumo, trecho	são – verbo ser	são – saudável / são – santo
incerto – impreciso	inserto – incluído, inserido	serração – nevoeiro	serração – ato de serrar
incipiente – iniciante	insipiente – ignorante, imprudente	sexta – numeral ordinal	cesta – balaio
laço – nó	lasso – cansado, gasto	Viagem – jornada	Viajem – do verbo viajar
manga – fruta	manga – parte do vestuário	tachar – pôr defeito, censurar	taxar – regular o preço
nós – pronome pessoal	nós – plural de nó	xeque – lance do jogo de xadrez	cheque – ordem de pagamento

Hiperonímia e hiponímia

A palavra **hiperônima** apresenta um significado mais abrangente em relação à palavra **hipônima**, mais específica: dengue, sarampo, catapora são hipônimos da palavra doença (hiperônimo); cobra, lagarto, jacaré são hipônimos da palavra réptil (hiperônimo).

A relação entre **hiperônimos** (abrangência) e **hipônimos** (especificidade) é importante para a coesão e o entendimento do texto:

> Era a hora do almoço dos **trabalhadores**. Enquanto os **homens** comiam lá dentro, o fazendeiro velho sentava-se na rede do alpendre, à frente da casa, espiando o sol no céu, que tinia como vidro; procurando desviar os olhos da água do açude, lá além, que dentro de mais de um mês estaria virada em lama.

(QUEIROZ, Rachel de. *O caçador de tatu*. Rio de Janeiro: José Olympio, 1967. p. 154-156.)

Nesse trecho estabelece-se a relação entre hiperônimo (homens) e trabalhadores (hipônimo).

> Pesquisadores da Universidade Federal de São Paulo (Unifesp) acabam de concluir o maior e mais minucioso levantamento sobre o perfil do **ex-fumante brasileiro**. Poucos países apresentam um índice desses tão alto quanto o Brasil. Mais numerosos que os fumantes (15% da população), eles somam **22% dos habitantes** do país, o que equivale a **40 milhões de pessoas**.

(Revista *Veja*. n. 2.217, 18 maio 2011, p. 112.)

O trecho da reportagem utiliza substantivos colocados em uma sequência do hipônimo aos hiperônimos: ex-fumante, habitantes, pessoas.

Paronímia

As palavras **parônimas** são semelhantes na grafia e na pronúncia, mas diferentes no significado.

Acidente com moto acontece diariamente. (ocorrência grave)

A discussão entre os nossos vizinhos foi um **incidente** lamentável. (ocorrência eventual)

Alguns exemplos de palavras parônimas			
absolver – perdoar	absorver – sorver	emergir – vir à tona	imergir – mergulhar
acidente – ocorrência grave	incidente – episódio sem gravidade	emigrar – sair da pátria	imigrar – entrar em um país para morar
acurado – feito com cuidado	apurado – refinado	enformar – colocar na forma	informar – prestar informação
afear – tornar feio	afiar – amolar	estádio – praça de esporte	estágio – aprendizado
amoral – contra a moral	imoral – indiferente à moral	flagrante – evidente	fragrante – aromático
aprender – instruir-se	apreender – assimilar	florescente – em flor	fluorescente – luminoso
arrear – pôr arreio	arriar – abaixar	inflação – aumento dos preços	infração – violação
bocal – abertura (frasco, vaso)	bucal – relativo à boca	infligir – aplicar castigo	infringir – transgredir
cavaleiro – que anda a cavalo	cavalheiro – homem bem-educado	peão – operário da construção, amansador de cavalo	pião – brinquedo infantil
chalé – casa rústica	xale – manta para os ombros	plaga – região	praga – maldição
comprimento – extensão	cumprimento – saudação	pleito – disputa eleitoral	preito – homenagem
decente – limpo, decoroso	descente – que desce	procedente – antecedente	precedente – proveniente
deferir – conceder	diferir – adiar	ratificar – informar	retificar – corrigir
delatar – denunciar	dilatar – ampliar	recreação – recreio	recriação – ato de recriar
descriminar – inocentar, isentar de crime	discriminar – diferenciar	soar – produzir som	suar – transpirar
despensa – local para mantimentos	dispensa – licença	sustar – suspender (pagamento)	suster – sustentar (peso), refrear
despercebido – não notado	desapercebido – desprevenido	tráfico – comércio, negócio	tráfego – grande atividade
discente – relativo ao aluno	docente – relativo ao professor	vultoso – grande	vultuoso – inchado, congestionado

544 Semântica

Polissemia

Polissemia (do grego *poli* e significa "muito") é como se designa a multiplicidade de significados que uma palavra pode assumir além do original, de acordo com a evolução da língua.

A polissemia é um fenômeno comum nas línguas naturais; são raras as palavras que não a apresentam; difere da homonímia por ser a mesma palavra, e não palavras com origens diferentes que convergiram foneticamente. As causas da polissemia são, entre outros: os usos figurados, por metáfora ou metonímia, por extensão de sentido, analogia etc.; empréstimo de acepção que a palavra tem em outra língua.

A palavra "pena", com o sentido de "castigo", por exemplo, apresenta diferentes significados compreensíveis, de acordo com o contexto em que for empregada.

Os réus receberam uma **pena** capital. (condenação à morte)

Passamos por duras **penas** até superarmos todos os problemas.

Sinto **pena** dos moradores de rua.

A palavra "pena" com o sentido de "pluma", porém, tem origem diferente, e é homônima de "pena" com os sentidos acima apresentados.

As **penas** dos galos e das galinhas espalhavam-se pelo terreiro.

Outros exemplos de polissemia:

Brasília é a **capital** de nosso país.

Ele não dispõe de **capital** suficiente para adquirir um bem tão valioso.

Foi até o **caixa** pagar o carnê.

Tenho uma **caixa** onde guardo os meus tesouros.

É importante ressaltar que cabe ao falante ou ao escritor reconhecer os possíveis significados das palavras para empregar as mais adequadas a cada contexto.

Exercícios

1. Relacione as palavras sinônimas corretamente:
   a) insólito   ( ) implacável
   b) esquálido   ( ) afeito
   c) inexorável   ( ) anormal
   d) leviano   ( ) imprudente
   e) habituado   ( ) imundo

Relação de significado entre as palavras

2. Dê o sentido conotativo dos seguintes provérbios:
   a) *De grão em grão a galinha enche o papo.*
   b) *Dize-me com quem andas e eu te direi quem és.*
   c) *Mais vale um pássaro na mão do que dois voando.*
   d) *Quem sai na chuva é para se molhar.*
   e) *A união faz a força.*

3. Use as palavras abaixo para formar frases com sentido denotativo e conotativo.
   a) pedra
   b) cabeça
   c) calor
   d) tesouro
   e) amargo

4. Informe o significado das seguintes palavras homônimas.
   a) espiar/expiar
   b) cerrar/serrar
   c) incerto/inserto
   d) estático/extático
   e) censo/senso

5. Complete as frases com as palavras parônimas adequadas.
   a) O erro cometido pelo juiz foi ___ . (fragrante/flagrante)
   b) O ___ judicial foi expedido ontem. (mandado/mandato)
   c) Aquela árvore corre o risco ___ de cair. (eminente/iminente)
   d) Ele ameaçou ___ os verdadeiros culpados. (delatar/dilatar)
   e) A prefeitura ___ uma rigorosa multa ao infrator. (infringiu/infligiu)

6. Dê exemplos que apresentem diferentes sentidos (polissemia) em que podem ser utilizadas as palavras abaixo.
   a) abacaxi
   b) estrela
   c) ponto
   d) boca
   e) espinho

7. Forme orações com os pares de homônimos, estabelecendo a diferença de sentido.
   a) concerto/conserto
   b) taxar/tachar
   c) cheque/xeque
   d) cesta/sexta
   e) estrato/extrato

8. Formule frases com os antônimos das palavras seguintes.
   a) humano
   b) moral
   c) feliz
   d) responsável
   e) possível

9. Escolha a palavra que completa corretamente cada frase.
   a) O supermercado não estava bem ___ naquela semana. (sortido/surtido)
   b) Os itens mais caros não foram ___ na relação de compras. (descriminados/discriminados)
   c) Não recebi o ___ mensal de minhas despesas no cartão de crédito. (estrato/extrato)
   d) O motorista da *van* escolar não poderia ter ___ tantas regras. (infligido/infringido)
   e) Todos os pedidos de dispensa foram ___ . (diferidos/deferidos)

10. Leia os textos abaixo e procure o melhor sinônimo para as palavras grifadas.
    a) *Duas <u>hipóteses</u> <u>benignas</u>, existentes desde que a mente humana tomou forma, conduzem a um <u>enigma</u>, sempre que ocorrem <u>desastres</u> naturais como o que <u>assolou</u> a Região Serrana do Rio de Janeiro.*

    Revista *Veja*. n. 2.201, 26 jan. 2011, p. 122.

    b) *Os estádios estarão vazios, e os atletas em suas casas. Mas o <u>fogo que alimentará</u> a Olimpíada de Londres <u>queimará</u> a partir de 10 de maio. [...] Uma comitiva fixa de 370 membros acompanhará a <u>jornada</u>, incluindo seguranças, para <u>conter multidões interessadas</u> em se aproximar do graal do esporte, seja para <u>louvá-lo</u> ou para <u>atacá-lo</u> [...].*

    Revista *Época*. n. 729, 7 maio 2012, p. 54.

Questões de vestibulares

1. **(PUC-RS)** As palavras destacadas na passagem:

   A leitura propicia conhecimento e, muitas vezes, um **inefável** prazer. É por isso que ela é um direito **inalienável** do homem.
   significam, respectivamente:
   a) raro, inelutável
   b) estranho, inseparável
   c) indizível, intransferível
   d) infindável, insubstituível
   e) sutil, fundamental

2. **(CEETPS)** *Um dos motivos pelos quais a teoria da sustentabilidade não chega, muitas vezes, à prática é que as atitudes predatórias são muito **arraigadas** nas elites política e empresarial.*

   Assinale a alternativa que contém **sinônimo** para a palavra destacada do texto.

a) essas atitudes estão fixadas nas elites.
b) essas atitudes são deixadas de lado pelas elites.
c) essas atitudes são rejeitadas pelas elites.
d) essas atitudes são desaprovadas pelas elites.
e) essas atitudes são repelidas pelas elites.

3. (Fuvest-SP)

Contra a maré

A tribo dos que preferem ficar à margem da corrida dos bits e bytes não é minguada. Mas são os renitentes que fazem a tecnologia ficar mais fácil.

Nessa nota jornalística, a expressão "contra a maré" liga-se, quanto ao sentido que ela aí assume, à palavra:
a) tribo
b) minguada
c) renitentes
d) tecnologia
e) fácil

4. (Fuvest-SP) *A sua vida era uma decepção, uma série, melhor, um encadeamento de decepções.*

Explique a diferença entre **série de decepções** e **encadeamento de decepções**.

5. (Banco do Nordeste do Brasil–Adaptada) Assinale a alternativa que apresenta o sinônimo da palavra em negrito na oração: *A mudança de diretrizes dos bancos de investimento é digna de **encômios**.*

a) alegrias
b) elogios
c) tristezas
d) cuidados
e) críticas

6. (Vunesp-SP) Na expressão – "sinais de alerta de eventuais tremores" – o antônimo de eventuais é:

a) imprevistos
b) ocasionais
c) inexistentes
d) imprescindíveis
e) frequentes

7. (Fuvest-SP) *Meditemos na **regular** beleza que a natureza nos oferece.*

Assinale a alternativa em que o homônimo tem o mesmo significado do empregado na oração acima.
a) Não consegui regular a marcha do carro.
b) É bom aluno, mas obteve nota regular.
c) Aquilo não era regular; devia ser corrigido.
d) Admirava-se ali a disposição regular dos canteiros.
e) Daqui até a sua casa tem uma distância regular.

8. (FEI-SP) Entre as alternativas abaixo, qual é a que contém um verbo sem a conotação de **adiar**?
   a) aprazar, contemporizar, delongar.
   b) demorar, deferir, transferir.
   c) espaçar, procrastinar, prolongar.
   d) prorrogar, remanchar, retardar.
   e) dilatar, atrasar, protelar.

9. (Mackenzie-SP) Assinale a alternativa que completa adequadamente as lacunas da frase indicada.

   I. Na _____ de um debate televisivo, já sofrem tanto, que temos a certeza _____ terão de _____ publicamente.
   II. Sem _____ ou delicadeza, _____ o regulamento, gritando muito e tumultuando a _____ posse do novo diretor.
   III. O _____ descrédito junto _____ nova clientela acelerou o processo da elevação das _____ sobre os serviços prestados.
   IV. _____ vestidos com linha que inventava, _____ bolos com farinha docemente peneiradas e, assim, _____ do lodo e da mesmice.
   V. Corrijo, ou seja, _____ tudo o que eu disse, você sabe muito bem o _____ .

   a) I – eminência, que, espiar.
   b) II – descrição, infligiu, sessão.
   c) III – incipiente, a, taxas.
   d) IV – cosia, cozia, emergia.
   e) V – ratifico, porque.

10. (Fuvest-SP)

    Amar solenemente as palmas do deserto,
    *o que é entrega ou adoração **expectante**,*
    *e amar o **inóspito**, o cru,*
    um vaso sem flor, um chão vazio,
    *e o peito **inerte**, e a rua vista em sonho, e*
    uma ave de rapina

    Nos versos de Carlos Drummond de Andrade, as palavras destacadas significam, respectivamente:
    a) radiante, seco, sem atividade.
    b) que espera, inabitável, sem atividade.
    c) incondicional, inabitável, sem forças.
    d) que espera, sem finalidade, sem forças.
    e) incondicional, seco, inerte.

11. (FGV-SP) Assinale a alternativa correta quanto à relação grafia/significado.
    a) Para sonhar, basta serrar os olhos.
    b) Receba meus comprimentos pelo seu aniversário.
    c) A secretária agiu com muita discrição.
    d) Seus gastos foram vultuosos.
    e) Tinha ainda conhecimentos insipientes de Matemática.

12. (UCB-MT) Assinale a alternativa incorreta.
    a) absolver = perdoar/absorver = sorver
    b) coser = costurar/cozer = cozinhar
    c) cerrar = fechar/serrar = cortar
    d) cela = arreio/sela = pequeno quarto
    e) comprimento = extensão/cumprimento = saudação

13. (Fuvest-SP) *No último ___ da orquestra municipal houve ___ entre os convidados, apesar de ser uma festa ___ .*
    a) conserto, fragrantes discriminações, beneficiente.
    b) concerto, flagrantes descriminações, beneficiente.
    c) conserto, flagrantes descriminações, beneficiente.
    d) concerto, fragrantes discriminações, beneficente.
    e) concerto, flagrantes discriminações, beneficente.

14. (PUCCamp-SP) O emprego inadequado de palavras torna contraditória a seguinte frase:
    a) É recomendável o uso do cinto de segurança na cidade; há quem pense em torná-lo compulsório.
    b) A ética na política deve ser vista como inalienável, não como hipótese de virtude.
    c) Aquele comerciante é intransigente quanto ao preço, sendo generoso no prazo do pagamento.
    d) Ele se envolveu na campanha com grande empenho, sincero e desinteressado.
    e) Aos estudantes foi facultado o uso de avental, sem o qual só excepcionalmente poderão assistir às aulas.

15. (Cesgranrio-RJ) Na frase "...ficou marcada pela REITERAÇÃO rotineira da crueldade.", o termo em destaque só NÃO apresenta o valor semântico de:
    a) confirmação.
    b) ratificação.
    c) reafirmação.
    d) retificação.
    e) repetição.

Estilística

A Estilística é o estudo dos recursos da linguagem e dos efeitos expressivos que fazem da língua um meio de exteriorização da linguagem afetiva.

Linguagem e comunicação

O ser humano, desde sempre, utiliza-se de diferentes tipos de linguagem para se comunicar. Por meio das linguagens verbal e não verbal, de palavras, sons, cores, mímicas e desenhos, transmite informações e expressa sentimentos.

A palavra é pronunciada pelo ser humano com o objetivo de descrever e ordenar a realidade. É por intermédio da linguagem verbal que se criam conceitos não apenas para nomear seres e coisas, mas para estabelecer uma comunicação mútua.

A língua portuguesa é o código de linguagem verbal que possibilita a interação social no Brasil.

A comunicação oral e escrita

Em sua obra *Linguística e comunicação*, o linguista russo Roman Jakobson (1896-1982) concluiu que, para haver comunicação, são necessários seis componentes essenciais:

- **emissor** – aquele que diz alguma coisa: o locutor;
- **receptor** – aquele com quem o emissor estabelece a comunicação: o interlocutor;
- **mensagem** – o texto transmitido pelo emissor ao receptor;
- **código** – conjunto organizado de signos (palavras) comum ao emissor e ao receptor;
- **canal** ou **contato** – o meio físico que transmite a mensagem (a língua oral ou escrita e o suporte material);
- **referente** – o contexto social envolvendo interlocutores e mensagem.

Na articulação desses elementos, acontece o processo de interação entre os indivíduos. O emissor sempre tem como objetivo provocar uma reação no receptor quando emite uma mensagem. Por meio de um estímulo, o emissor recebe uma resposta do receptor, seja ela breve, longa, amigável, desagradável, ou até mesmo a indiferença. A intenção do emissor se revela na mensagem: dependendo de sua intenção, ele organiza a linguagem de maneira que ela fique mais voltada para determinado elemento do ato comunicativo.

Segue um exemplo de como esse "mecanismo" funciona na prática:

> [...]
>
> – Ah, Jorge!
>
> E veio ao seu encontro, com a mão estendida. Inicialmente o médico estranhou: "Me chamou de Jorge e não de dr. Jorge". Isso, sendo muito bom, muito doce, era também muito esquisito. [...]
>
> – Como vai, Lúcia?
>
> – Bem. E você?
>
> – Assim, assim. E a nossa doente?
>
> – Dormindo.
>
> A expressão "nossa doente" pareceu uni-los mais, criar entre eles uma confiança maior. [...]
>
> (RODRIGUES, Nelson. *Núpcias de fogo*. São Paulo: Companhia das Letras, 1997. p. 114.)

No trecho acima temos:

+ **emissor**: Lúcia, que vai ao encontro do médico Jorge;
+ **receptor**: o médico Jorge;
+ **mensagem**: o estado de saúde de um membro da família de Lúcia;
+ **código**: a língua portuguesa;
+ **canal**: linguagem oral;
+ **referente**: as personagens dr. Jorge e Lúcia estão, provavelmente na casa de Lúcia, dialogando sobre o estado de saúde de um membro da família da mulher.

A partir do enfoque predominante em relação aos elementos da comunicação é que são estabelecidos os tipos de **funções da linguagem**.

Funções da linguagem

Relacionadas aos seis elementos de comunicação, também são seis as funções da linguagem:

Função emotiva ou expressiva

A subjetividade do **emissor** ou **locutor** é evidente nos textos apresentados a seguir. Eles expressam, por meio de verbos e pronomes relacionados à primeira pessoa, opiniões e sentimentos de quem emite a mensagem. A pontuação marcada por pontos de exclamação e reticências, o surgimento de interjeições e de adjetivos caracterizam textos como poemas, depoimentos, entrevistas, cartas, memórias etc., que dão ênfase à voz do emissor.

Poema

*Que poderei do mundo já querer,
que naquilo em que pus tamanho amor,
não vi senão desgosto e desamor
e morte, enfim; que mais não pode ser?*

*Pois vida me não farta de viver,
pois já sei que não mata grande dor,
se cousa há que mágoa dê maior,
eu a verei; que tudo posso ver.*

*A morte, a meu pesar, me assegurou
de quanto mal me vinha; já perdi
o que perder o medo me ensinou.*

*Na vida desamor somente vi,
na morte a grande dor que me ficou:
parece que para isto só nasci!*

(**Que poderei do mundo já querer**, Luís de Camões.)

Entrevista

Trecho de uma entrevista de Lady Gaga.

– Por que você sempre coloca imagens religiosas em seus clipes?

Fui criada como católica, mas, quando uso simbolismos católicos nos meus vídeos, eles têm mais a ver com a minha visão de arte do que com a de religião. Veja o caso de Judas. Ele foi inspirado nos filmes de Fellini e nas pinturas de Botticelli.

(Revista *Veja*. São Paulo, n. 2.217, 18 maio 2011, p. 152.)

Função conativa ou apelativa

O **receptor** ou **interlocutor** é o destaque. Por meio de sugestões, ordens, apelos propostos pelo emissor, o receptor é estimulado a expressar alguma reação diante de uma mensagem. A intenção é que o receptor seja convencido a mudar seu comportamento sob a influência do emissor. Para caracterizar essa função, os verbos normalmente são empregados no modo imperativo, na segunda ou terceira pessoa, e sob o pronome de tratamento "você".

A expressão conativa, do latim *conari*, significa "esforçar-se para conseguir algo em relação ao outro". Os textos publicitários (anúncios e propagandas) são exemplos de linguagem destinada a influenciar o pensamento ou a atuação das pessoas. Isso acontece porque os textos são cuidadosamente elaborados para atingir um determinado público-alvo em determinado momento.

Texto publicitário

Subaru Forester

SAWD inteligente.

Uma tecnologia avançada, com um resultado simples: segurança absoluta.

Todo Subaru já vem de fábrica com o que existe de mais avançado em estabilidade e segurança automotiva: um sistema que combina tração SAWD 4X4 controlada eletronicamente e motor Boxer com baixo centro de gravidade. Venha conhecer de perto.

Logo na primeira curva você vai sentir a diferença de dirigir um Subaru.

(Revista *Época*. Ed. Globo, n. 729, 7 maio 2012, p. 43.)

Os textos publicitários expõem mensagens a fim de envolver o leitor/consumidor, levando-o a adquirir os produtos anunciados.

Além dos textos publicitários, textos sobre horóscopos, livros de autoajuda, discursos políticos, pregações religiosas fazem parte dessa propaganda para transformar o comportamento do público-alvo a que os textos se destinam.

Função poética

A **mensagem** é o foco nos textos que enfatizam essa função. O emprego de cada palavra que compõe a mensagem é cuidadosamente pensado pelo emissor, que considera a disposição e a sonoridade dos termos em um texto, o qual pode ser em prosa ou verso.

Este texto explora os sentidos e os sentimentos pela voz do eu lírico.

> Cheguei. Chegaste. Vinhas fatigada
> E triste, e triste e fatigado eu vinha.
> Tinhas a alma de sonhos povoada,
> E a alma de sonhos povoados eu tinha...

(*Nel mezzo del camin...*, Olavo Bilac.)

A função poética pode estar presente nos textos em prosa, nos ditados, provérbios e textos publicitários, mesmo não sendo a principal função em destaque.

Provérbios que apresentam recursos sonoros, como a repetição de um mesmo fonema, são exemplos de sonoridade:

> *Quem com ferro fere com ferro será ferido.*
> *De grão em grão a galinha enche o papo.*

O escritor prioriza a elaboração de seu texto ao expor a mensagem. A escolha minuciosa de palavras que destaquem o sentido denotativo, o emprego das figuras de linguagem e a harmonia de sons são recursos que proporcionam ao leitor um efeito prazeroso.

> *Se era forte demais o sol, e no jardim prendiam as pétalas, a moça colocava na lançadeira grossos fios cinzentos de algodão mais felpudos. Em breve, na penumbra trazida pelas nuvens, escolhia um fio de prata, que em pontos longos rebordava sobre o tecido. Leve, a chuva vinha cumprimentá-la à janela.*
>
> *Mas, se durante muitos dias o vento e a chuva brigavam com as folhas e espantavam os pássaros, bastava a moça tecer com seus belos fios dourados, para que o sol voltasse a acalmar a natureza.*

(COLASANTI, Marina. *Doze reis e a moça no labirinto do vento.* São Paulo: Global, 1978.)

A leitura atenta do trecho do texto de Marina Colasanti mostra a ênfase que a autora dá à função poética. A maneira como relata os acontecimentos é o que mais cativa o leitor. O emprego de figuras de linguagem sugere o contraste entre chuva e sol por meio das imagens sugestivas de fios cinzentos e fios dourados. A personificação está presente quando a chuva cumprimenta a moça à janela, e o sol, reaparecendo, acalma a natureza.

Função metalinguística

O **código** linguístico é o destaque nessa função. A linguagem é tema ao falar da própria linguagem, ou seja, o emissor emprega seu código para explanar sobre termos e situações que envolvem a linguagem.

A metalinguagem é a função predominante em dicionários ou gramáticas nos quais são definidos os termos de uma língua em questão.

Significado da palavra "paródia":
Paródia - s.f. 1. Imitação cômica de uma composição literária. 2. p.ext. Imitação burlesca [Cf. paródia do v. parodiar.]

(FERREIRA, Aurélio Buarque de Holanda. *Médio Dicionário Aurélio.*
Rio de Janeiro: Nova Fronteira, 1985.)

O dicionário é o suporte material empregado, nessa situação, para esclarecer a significação de uma palavra que faz parte do código dos falantes da língua portuguesa.

São exemplos de função metalinguística filmes cuja temática seja o processo de realização de um filme, peças teatrais discorrendo sobre o trabalho em teatro, programas televisivos enfocando a televisão como tema.

Função fática

Destaca um **canal** para a comunicação. Nesse caso, a linguagem tem a função de confirmar que a interação entre emissor e receptor se faz presente, caracterizando o vínculo social. Por meio de diálogo, são estabelecidas as condições para o sucesso da interação verbal.

– Alô! Quem fala?
– Seu velho amigo Pedro.
– Oi, cara, tudo bem?
– Tudo, e você?
– Também. E aí, como vai o trabalho?
– Vai indo. E o teu?
– Vou levando. Quando a gente se vê?
– Vamos marcar pra amanhã? Você pode?
– Hunhum. Lá pelas seis no bar do Zé.
– Tá! Te encontro lá. Tchau!

Pode-se perceber a preocupação dos interlocutores em prolongar o contato social por meio de expressões muitas vezes vazias de significado.

Hunhum/Tá... tá/Certo... certo/Sim... sim são alguns exemplos.

É comum também o emprego de certas expressões coloquiais nos encontros diários:

Bom-dia/Como vai?/Calor hoje, não?/Será que vai chover? etc.

A preocupação é destacar o canal de comunicação para que as pessoas mantenham o contato mesmo nos poucos momentos que permaneçam juntas, seja dentro do elevador, em fila de supermercado, seja na sala de espera. Não tem importância o que vai ser dito, desde que se quebre o silêncio e garanta a interação social.

Função referencial

Destaca-se o **contexto** ou a referência daquilo de que se fala. A intenção é transmitir a mensagem ou a informação de maneira precisa, sem possibilidade de interpretação senão a de uma realidade objetiva. Para atender a essa exigência, é necessária a escolha de palavras que digam exatamente o que se pretende dizer.

Também nomeada **informativa** ou **denotativa**, essa função é predominante em textos jornalísticos, técnicos, didáticos, dissertativos, em que as frases são elaboradas predominantemente na ordem direta, com os verbos empregados na terceira pessoa e, em geral, no modo indicativo.

A função referencial está presente na maior parte dos textos. A linguagem, nessa função, é o caminho que permite ao indivíduo não apenas adquirir conhecimento para transformar sua realidade, como também ser capaz de conviver com o grupo social a que pertence.

Texto jornalístico

Multas por desrespeito aos ciclistas causam dúvidas

[...]
Sem saber o que fazer quando encontrar um ciclista na via, motoristas apostam no bom senso no trânsito para não serem multados. É que a partir de hoje os marronzinhos da Companhia de Engenharia de Tráfego (CET) vão autuar quem não der prioridade ao ciclista. [...]
Na quinta-feira, o JT entrevistou oito motoristas e somente dois sabiam do início da fiscalização hoje. E nenhum deles tinha conhecimento de quais infrações são consideradas desrespeito aos ciclistas. [...]

(**Jornal da Tarde**. São Paulo, 14 maio 2012, Cidade, 3A.)

O texto acima, retirado de um jornal de grande circulação na cidade de São Paulo, traz informações a respeito de uma nova medida de trânsito que entrou em vigor para conhecimento de todos os cidadãos. O objetivo do jornal é transmitir as informações de forma direta e clara, com o intuito de possibilitar ao cidadão o acesso ao que acontece na cidade, no país e no mundo.

Texto informativo

Biogeografia

O estudo sobre a distribuição dos seres vivos ao redor do mundo, por que eles vivem em determinado lugar e, sobretudo, como chegaram lá é conhecido como biogeografia. Cada espécie está adaptada a seu próprio hábitat, que pode ser contínuo, como uma grande pradaria, ou descontínuo, como um grupo de ilhas no oceano.

(*Enciclopédia Ilustrada da Terra* – parte integrante da revista *IstoÉ*, edição 2.153, Editora Três.)

O texto acima, retirado de uma enciclopédia, traz informações didáticas a respeito da distribuição dos seres vivos no mundo. Transmite as informações do assunto a que se refere de forma direta e clara, com o intuito de possibilitar ao indivíduo a aquisição de novos conhecimentos.

Pode haver mais de uma função de linguagem em um mesmo texto, mas, conforme o tipo de mensagem, pode-se falar em predominância de determinada função naquele texto.

Elementos da comunicação e funções da linguagem

A ênfase no	determina	a função
Emissor	⇒	emotiva
Receptor	⇒	conativa
Mensagem	⇒	poética
Código	⇒	metalinguística
Canal	⇒	fática
Receptor	⇒	referencial

Exercícios

1. Identifique a função de linguagem que predomina nos textos a seguir.

   a) *Olha que coisa mais linda*
   Mais cheia de graça
   E ela, a menina
   Que vem e que passa
   Num doce balanço
   A caminho do mar...

   MORAES, Vinicius; JOBIM, Tom. *História da música popular brasileira*. São Paulo: Abril Cultural, 1982.

   b) **A propaganda é necessária?**
   Para que existe a propaganda e por que ela tem que ser persuasiva? Por que os anunciantes não informam simplesmente os consumidores sobre a disponibilidade e o preço da mercadoria e os deixam resolver se compram ou não? A resposta às duas questões está nas condições sociais que tornam a propaganda possível e nas quais se efetua o consumo.

   VESTERGAARD, Torben; SCHRODER, Kim. *A linguagem da propaganda*. São Paulo: Martins Fontes, 1988. p. 3-4.

   c) **Boba**
   Boba,
   a vida é simples,
   olhos de ver
   pés de andar
   mãos de fazer
   mares de navegar
   morte de morrer.

   Boba, *Lira*, Paulo Vanzolini.

d) **Compre com segurança**
   Confira sempre a qualidade dos serviços e produtos antes de utilizá-los. Certifique-se de que o anunciante possui referências confiáveis.
   Sugestões para classificados? classificados@abril.com.br
   Para anunciar: www.abrilclassificados.com.br

   Veja São Paulo. 12 out. 2011. Disponível em: <http://vejasp.abril.com.br>.

e) **Dois e dois: quatro**
   Como dois e dois são quatro
   sei que a vida vale a pena
   embora o pão seja caro
   e a liberdade pequena

   "Dois e dois: quatro". *Dentro da noite veloz*, Ferreira Gullar.

f) *Era sábado e estávamos convidados para um almoço de obrigação. Mas cada um de nós gostava demais de sábado para gastá-lo com quem não queríamos. Cada um fora feliz e ficara com a marca do desejo. Eu, eu queria tudo. E nós ali presos, como se nosso trem tivesse descarrilado e fôssemos obrigados a pousar entre estranhos. Ninguém ali me queria, eu não queria a ninguém.*

   Trecho do conto "A repartição dos pães", da obra *A legião estrangeira*. In: *Clarice Lispector, Clarice na cabeceira*, Contos, organização Teresa Montero. Rio de Janeiro: Rocco, 2009. p. 105.

g) *Num feito inédito, um grupo de pesquisadores da Universidade Duke, nos Estados Unidos, liderados pelo neurocientista brasileiro Miguel Nicolelis, desenvolveu implantes cerebrais que possibilitam a primatas controlar braços virtuais e sentir que tocam com eles. Esse pode ser o primeiro passo para criar sensores que permitirão paraplégicos e tetraplégicos a distinguir a forma, a textura e a temperatura do que manipulam com pernas e braços mecânicos.*

   Revista *Veja*. São Paulo, n. 2.238, 12 out. 2011, p. 87.

h) **Frases nominais**
   Há outro tipo de frase que também prescinde de verbo, constituída que é apenas por nome (substantivo, adjetivo, pronome): "Cada louco com sua mania", "Cada macaco no seu galho", "Dia de muito, véspera de nada". Nessas frases chamadas nominais – e também, mas indevidamente, elípticas – na realidade não existe verbo, o qual, entretanto, pode ser "mentado": cada louco (tem, revela, age de acordo com) sua mania. A frase em si mesma não é elíptica; o máximo que se poderia dizer é que o verbo talvez o seja.

   GARCIA, Othon M. *Comunicação em prosa moderna*. Rio de Janeiro: Fundação Getúlio Vargas, 1969. p. 9.

i) **Posto 5 — Cena acre-doce de praia**
   [...]
   — Oi, Alzira!
   [...]
   — Como vai, Rogério?
   — Legal, e você? Tá boazinha?
   [...]
   — Você parece ótima.
   — Eu estou ótima.
   — Então, ótimo.
   — E você?
   — Vai se levando.
   [...]

   VERISSIMO, Luis Fernando. *O melhor das comédias da vida privada*, Rio de Janeiro: Objetiva, 2004. p. 72.

j) **Escorpião**
   Clima de hoje acena para bons papos e relacionamentos bons para a alma — no sentido de melhorar seu bem-estar, consciência tranquila, contentamento com amigos. Vênus e Netuno aumentam poder das fantasias. Amizades em alta.

   Disponível em: <http://www1.folha.uol.com.br/horoscopo/previsoes/previsoes-diarias.shtml#escorpiao>. Acesso em: 12 maio 2012.

2. Justifique a predominância de determinadas funções da linguagem nos textos do exercício anterior.

Questões de vestibulares

1. **(Cesgranrio-RJ)**

Nova poética

Vou lançar a teoria do poeta sórdido.
Poeta sórdido:
Aquele em cuja poesia há a marca suja da vida.
Vai um sujeito.
Sai um sujeito de casa com a roupa de brim branco muito bem engomada, e
    [na primeira esquina passa um caminhão, salpica-lhe
    [o paletó ou a calça de uma nódoa de lama:
É a vida.

O poema deve ser como a nódoa no brim:
Fazer o leitor satisfeito de si dar o desespero. [...]

Manuel Bandeira

As funções de linguagem predominantes na "Nova poética" são:
a) metalinguística – referencial.
b) conativa – metalinguística.
c) poética – conativa.
d) emotiva – conativa.
e) referencial – fática.

2. **(Efoa-MG)** Pelo fato de expressar ideia de aconselhamento, pedido, ordem ou proibição, a forma verbal do imperativo é utilizada na função de linguagem:

a) referencial.
b) fática.
c) metalinguística.
d) conativa.
e) poética.

3. **(PUC-SP)** Identifique a frase em que a função predominante da linguagem é a referencial:
a) Dona Casemira vivia sozinha com seu cachorrinho.
b) — Vem, Dudu!
c) — Pobre Dona Casemira...
d) — O que... O que foi que você disse?
e) Um cachorro falando.

4. **(UFG-GO)** A frase abaixo foi extraída de um anúncio que "vende" produto hidratante para a pele.

Hoje você é uma uva.
Mas, cuidado, uva passa.

(*Cláudia*, ago., 1996)

a) Comente a superposição de funções gramaticais que recai sobre a palavra passa.
b) Explique os efeitos persuasivos provocados por essa superposição.
c) Discorra sobre a função de linguagem que predomina na frase.

5. **(Ufal-AL)** *No Brasil de hoje já seria um avanço se as pessoas passassem a usar, entre outros exemplos, a palavra "entrega" em vez de "delivery".*

Na frase a linguagem está empregada em função:
a) poética.
b) fática.
c) metalinguística.
d) conativa.
e) emotiva.

6. (Efoa-MG) Indique a alternativa em cuja frase predomina a função emotiva da linguagem.
   a) O que é literatura? — É ficção, produto de imaginação.
   b) Esta faca corta até baralho.
   c) Não faças versos sobre acontecimentos.
   d) Vivendo se aprende; mas o que se aprende mais é só a fazer outras maiores perguntas.
   e) Eu queria tanto conversar com Deus.

7. (FEI-SP) Assinale a alternativa em que a função apelativa da linguagem é a que prevalece.
   a) Trago no meu peito um sentimento de solidão sem fim...
   b) Não discuto com o destino, o que pintar eu assino.
   c) Machado de Assis é um dos maiores escritores brasileiros.
   d) Conheça você também a obra desse grande mestre.
   e) Semântica é o estudo da significação das palavras.

8. (UFPA-PA)

Como tá na moda ensinar português, também meto aqui minha colher, não pra ensinar a ninguém, só pra ser um pouquinho mais sofisticado do que distinguir "ao encontro" de "de encontro". Quem não sabe isso fala javanês. O curioso, em procrastinar e postergar, é que usamos as duas palavras indiferentemente, como se tivessem o mesmo significado. Não têm. Mas têm. O significado dicionário de procrastinar é "transferir para outro dia, delongar, adiar, demorar, deixar para amanhã". E o significado de postergar é "deixar atrás ou em atraso". Na prática não se nota a diferença. Língua tem disso. Todo cuidado é pouco.

FERNANDES, Millôr. *A província do Pará*. 9 nov. 1997. (Adaptado)

Identifique a função predominante no texto acima. Em seguida, empregando as expressões "ao encontro" e "de encontro", elabore um pequeno texto (com duas a quatro linhas) em que manifeste a mesma função que você considerou predominante no texto lido.

Figuras de linguagem

As figuras de linguagem, também chamadas figuras de estilo, são recursos utilizados por escritores e falantes a fim de dar à linguagem maior expressividade de maneira não convencional.

Para conseguir esse efeito, emprega-se a linguagem figurada ou conotativa ao escolher palavras ou expressões que transmitam emoção, beleza, ironia, colorido e sonoridade.

As figuras de linguagem apresentam-se subdivididas em:

a) **figuras de palavras** ou **tropos**;
b) **figuras de construção** ou **de sintaxe**;
c) **figuras de pensamento**;
d) **figuras de harmonia** ou **som**.

Figuras de palavras ou tropos

As figuras de palavras são recursos empregados quando há a intenção de transferir o sentido original de um termo para o sentido figurado ou conotativo.

Comparação

A comparação consiste em estabelecer a aproximação entre dois elementos que possam apresentar características semelhantes. Geralmente, essa aproximação entre os elementos tem como objetivo realçar a qualidade do primeiro elemento.

*O meu olhar é nítido **como** um girassol.* (Alberto Caeiro)

Normalmente, os dois termos de comparação aparecem ligados pelas conjunções comparativas expressas: **como**, **tal como**, **assim como**, **tal qual**, **tanto... quanto** etc.

Trabalhava **tal qual** um escravo: de sol a sol.

❖ A expressão **símile** (comparação de coisas semelhantes) é, em geral, empregada quando se estabelece uma comparação entre elementos pertencentes a categorias distintas.

Serviu um bife duro **como** uma pedra.

Por meio de comparação feita entre um pedaço de carne e uma pedra, compreende-se a impossibilidade de ingerir tal alimento nas condições em que se apresenta.

Metáfora

A metáfora acontece quando se emprega a uma pessoa ou objeto uma qualidade que não lhe cabe logicamente, mas que, de alguma forma, apresenta alguma aproximação do ponto de vista do emissor da mensagem. É, portanto, uma comparação subjetiva, que se baseia em semelhanças que o escritor ou falante encontra entre os termos comparados:

> Estas **altas árvores**
> **são** umas **harpas verdes**
> com **cordas de chuva**
> que tange o vento. (Cecília Meireles)

Neste poema, a comparação está subentendida, pois expressa uma imagem mental na qual o conectivo comparativo não está explícito.

> Cada **alma é uma escada** para Deus. (Fernando Pessoa)

A imagem neste verso remete à ideia de subida da alma humana ao céu, simbolizada pela palavra escada, como elemento de ligação possível para esse encontro com Deus.

❖ A metáfora também é uma comparação, mas as duas figuras de linguagem não se confundem, pois a primeira não apresenta elemento linguístico de ligação entre os termos comparados.

Catacrese

A catacrese consiste na utilização de uma palavra, já existente e com significação própria, em outro sentido, por falta de um termo apropriado para designar determinadas ações ou objetos.

Embarquei no trem hoje pela manhã.

O verbo **embarcar** tem o sentido apropriado para a embarcação/entrada em barco e não em trem, ônibus ou avião.

O **pé da mesa** está quebrado há tempos.

Não existe termo próprio para designar essa parte que sustenta a mesa.

Alguns exemplos de catacrese:

céu da boca
braço da poltrona
língua de fogo
leito do rio
dente de alho
barriga da perna
pé de laranja
folha de papel

> ❖ Expressões como **pé da mesa**, **céu da boca**, **braço da poltrona** etc., quando foram utilizadas pela primeira vez, eram entendidas como metáforas. No entanto, por causa do uso contínuo dessas expressões pelos falantes, passaram a fazer parte do vocabulário comum, perdendo seu valor metafórico. Portanto, a catacrese é, em suma, uma metáfora que se desgastou com o uso contínuo dos falantes.

Sinestesia

A sinestesia é a figura de linguagem que mescla as diferentes sensações percebidas pelos cinco órgãos do sentido (visão, audição, tato, olfato e gustação) em uma mesma expressão.

Ó ***sonora audição colorida*** *do **aroma**. (Alphonsus de Guimarães)*

Nesse simples trecho fez-se a mescla de três sensações: **colorida**, que remete à visão; **aroma**, que remete ao olfato; **sonora**, que remete à sensação auditiva já expressa na palavra **audição**.

> ❖ A sinestesia é também classificada, por alguns gramáticos, como um tipo de **metáfora**.
>
> *Vem da sala de linotipos a **doce música** mecânica.* (Carlos Drummond de Andrade)
>
> Existe nesse trecho uma comparação mental que relaciona a sensação auditiva (música) e a sensação gustativa (doce) ao prazer sentido quando se ouve tal som vindo da sala de linotipos.

Metonímia

A metonímia consiste em substituir uma palavra por outra quando há entre elas uma relação de sentido semelhante que possibilite essa transferência.

> *Passa o dia inteiro no hotel lendo **Agatha Christie**.* (Luis Fernando Verissimo)
> (Passa o dia inteiro no hotel lendo **os livros** de Agatha Christie.)

A metonímia ocorre porque existe uma relação objetiva entre os elementos que a compõem, expressando assim uma forma de contiguidade (proximidade).

Existem diferentes modos de estabelecer a substituição:

a) o continente pelo conteúdo

O garoto comeu **uma caixa de bombons**.
(O garoto comeu os bombons que estavam dentro da caixa.)

Tomei **dois copos de água** antes de dormir.
(Toma-se a água que contém no copo.)

b) o autor pela obra

Procurou no **Aurélio** o significado daquela palavra.
(O autor é Aurélio Buarque de Holanda Ferreira, cujo dicionário é muito conhecido.)

Li **Eça de Queirós** numa única tarde.
(Li o livro de Eça de Queirós numa única tarde.)

c) o lugar de origem pelo produto

Ganhei uma garrafa do legítimo **porto**.
(O vinho do porto originário da cidade portuguesa Porto.)

d) o efeito pela causa e vice-versa

Muitos pintores não conseguem viver da **pintura**.
(A palavra **pintura** substitui a palavra **quadros**, que o pintor pinta para vender e tirar seu sustento.)

O trabalho ficou pronto à custa de muito **suor**.
(O trabalho ficou pronto à custa de muito trabalho.)

e) o símbolo pela ideia simbolizada

A **coroa** era disputada pelos diversos grupos revolucionários.
(A palavra **coroa** simboliza o poder governamental em determinado território.)

A **cadeira da ponta** sempre foi muito cobiçada.
(A cadeira da ponta pode significar poder, *status*.)

f) a matéria pelo produto

Os **cristais** brilhavam sobre a bandeja.
(A matéria cristal de que é feito o copo ou outro utensílio.)

g) o abstrato pelo concreto e vice-versa

A **velhice** deve ser respeitada por todos.
(As pessoas mais velhas merecem respeito.)

h) o instrumento pela pessoa que o utiliza

Os **microfones** perseguiam as celebridades no festival de cinema.
(Os repórteres que se utilizam do microfone para executar seu trabalho.)

i) a parte pelo todo

Não havia **teto** para todos os desabrigados.
(A palavra **teto** em lugar de **casa** ou **abrigo**.)

j) o singular pelo plural

O **ser humano** é racional.
(Ser humano simboliza todas as pessoas.)

k) o gênero pela espécie

O povo está decepcionado com a **política** brasileira.
(A palavra política no lugar de políticos eleitos pelo povo.)

l) o indivíduo pela classe

Era considerado o **Judas** do colégio.
(Judas usado para designar um traidor.)

m) o inventor pelo invento

Edison iluminou a Terra.
(Thomas Edison é o inventor da eletricidade.)

- A metonímia não se confunde com a metáfora, pois, enquanto a primeira se baseia numa relação de caráter subjetivo entre dois termos, a segunda estabelece uma relação lógica, constante entre dois termos.

- Alguns gramáticos distinguem **metonímia** e **sinédoque**. Segundo eles, a sinédoque consiste também na substituição de um termo por outro; nesse caso, porém, é estabelecida uma redução ou uma ampliação do significado da palavra.

*Mesmo com toda **Brahma***
com toda a cama
com toda a lama
a gente vai levando
[...]

(Caetano Veloso)

A marca do produto substitui o produto, demonstrando que uma noção, a de redução (Brahma – termo de extensão menor), está contida na outra, a de ampliação (cerveja – termo de extensão maior).

Optou-se, nesta obra, por empregar apenas o termo **metonímia** para classificar todas as manifestações de determinada figura de palavra.

Antonomásia

A antonomásia é um tipo de metonímia. Consiste em substituir o nome de uma pessoa por alguma característica ou qualidade que a represente.

O **Poeta dos Escravos** morreu na flor da mocidade.
(O poeta Castro Alves é reconhecido como poeta dos escravos por sua luta a favor da abolição da escravatura.)

Nome de lugares também podem ser reconhecidos por suas características:

A **Cidade Maravilhosa** oferece uma das paisagens mais bonitas do planeta.
(A cidade do Rio de Janeiro é chamada de Cidade Maravilhosa por causa de suas belezas naturais).

Perífrase

A perífrase consiste em empregar algumas palavras ou expressões em substituição a um nome próprio ou comum, a fim de realçar uma ideia.

> **Última flor do Lácio**, inculta e bela,
> és a um tempo esplendor e sepultura. (Olavo Bilac)
> (Última flor do Lácio em substituição à Língua Portuguesa.)

Os filmes infantis celebram o **rei dos animais**. (leão)

> ❖ A **perífrase** é semelhante à **antonomásia** e é empregada por diversos autores, sem distinção entre as figuras. Eis alguns exemplos:
>
> O rei do futebol – Pelé   O pai da aviação – Santos Dumont
> O redentor – Jesus Cristo   A terra da garoa – a cidade de São Paulo
> A cidade luz – Paris   A terra santa – Jerusalém
> O rei sol – Luís XIV
>
> É possível fazer a diferenciação de **perífrase** e **antonomásia** ao considerar que a perífrase pode substituir qualquer palavra, nome próprio ou não, pelas características que os identificam; já a antonomásia refere-se apenas aos nomes próprios de pessoas.

Alegoria

É empregada a figura de linguagem alegoria para classificar um texto repleto de metáforas e comparações, que transporta a narrativa para um plano simbólico.

> Enfim, que havemos de pregar hoje aos peixes. [...] Haveis de saber, irmãos peixes, que o sal, filho do mar como vós, tem duas propriedades, as quais em vós mesmos se experimenta: conservar o sal e preservá-lo para que não se corrompa [...]
>
> **(Padre Antônio Vieira)**

Esta é uma transcrição do início do "Sermão de Santo Antônio aos peixes", texto em que o Padre Vieira, por meio de alegorias, critica a insensibilidade dos homens e afirma ser preferível a pregação aos peixes.

Figuras de construção ou de sintaxe

As figuras de construção ou de sintaxe são caracterizadas pelas transformações que causam na estrutura regular das orações por meio do deslocamento, da repetição ou da omissão de termos que constituem a frase.

Elipse

A elipse é a figura de construção que omite uma palavra, ou mesmo uma oração, que pode ser identificada pelo contexto. Verbos, pronomes, preposições ou conjunções podem ser suprimidos sem prejudicar a significação da frase.

Entraram em casa, as armas na mão, os olhos atentos, procurando. (Jorge Amado)
(Entraram em casa, **com** as armas na mão; os olhos **estavam** atentos, procurando.)

Zeugma

A zeugma é considerada um tipo de elipse, porém omite um termo que já foi expresso anteriormente na frase.

Ao colégio compareceu fardado; à diretoria, de casaca. (Raul Pompeia)
[à diretoria (compareceu) de casaca]

Silepse

A silepse ocorre quando a concordância de gênero, número e pessoa é feita não com palavras, mas com ideias associadas a elas.

Os três tipos de silepse são:

+ **de gênero**

    Há desenganos que fazem a gente velho. (Machado de Assis)
    (**a** – artigo definido feminino; velh**o** – adjetivo singular masculino – concorda com a ideia de narrador masculino.)

+ **de número**

    Esta gente está furiosa e com medo; por consequência, capazes de tudo. (Almeida Garrett)
    (gente furios**a** – singular; capaz**es** – plural – concorda com a ideia de muitas pessoas implícita no termo gente.)

+ **de pessoa**

    A gente não sabemos escolher presidente.
    A gente não sabemos tomar conta da gente.

    (*Inútil*, Roger Moreira, Ultraje a Rigor)

    (verbo na 1ª pessoa do plural incluindo a ideia de **nós** em **a gente**)

Pleonasmo

O pleonasmo ocorre quando um termo é repetido ou expressões de significado semelhante são colocadas próximas uma da outra na frase com o objetivo de enfatizar a mensagem.

Vi claramente *visto* o lume vivo. (Camões)

Todo dia ela faz tudo sempre igual
Me sacode às seis horas da manhã
Me **sorri** um **sorriso** pontual
E me beija com a boca de hortelã. (*Cotidiano*, Chico Buarque de Hollanda)

> ❖ É considerada **pleonasmo vicioso** a repetição desnecessária de uma mesma ideia.
>
> Vou **subir lá em cima** para pegar o livro.
> Todos nós temos **laços de ligação** para toda a vida.
> **Saí lá fora** e não encontrei nada.
>
> É aconselhável evitar esse tipo de construção.

Assíndeto

O assíndeto ocorre quando se omite o conectivo entre termos coordenados: orações ou palavras:

Vim, vi, venci.
(Vim, vi **e** venci.)

Assim um homem só naquele dia,
Naquele escasso ponto do universo
Língua, história, nação, armas, poesia,
Salva das frias mãos de Tempo adverso. (Machado de Assis)

Polissíndeto

Ao contrário do assíndeto, o polissíndeto consiste na enfática repetição de um conectivo (geralmente a conjunção coordenativa aditiva **e**) entre as orações ou os versos.

E o olhar estaria ansioso esperando
e a cabeça ao sabor da mágoa balançando
e o coração fugindo **e** o coração voltando
e os minutos passando **e** os minutos passando (Vinicius de Moraes)

Repetição ou iteração

A repetição ou iteração das mesmas palavras ou expressões tem a finalidade de enfatizar uma ideia.

> **Queremos saber**
> O que vão fazer [...]
>
> **Queremos saber**
> Quando vamos ter [...]
>
> **Queremos saber...**
> **Queremos saber...**
> Todos **queremos saber** [...]
>
> (Gilberto Gil)

❖ Quando uma palavra ou expressão for repetida, porém com sentidos diferentes, ocorre a **diáfora**, e seu resultado estilístico é diferente do obtido na repetição.

— Também lá na minha **terra**
de **terra** mesmo pouco há. (João Cabral de Melo Neto)

Hipérbato ou inversão

O hipérbato ou inversão consiste na alteração da ordem direta dos termos na oração.

> **Ouviram** do Ipiranga **as margens plácidas**
> De um povo heroico **o brado retumbante** [...]
>
> (Hino Nacional. Letra: Osório Duque Estrada. Música: Francisco Manuel da Silva)

A ordem direta seria: As margens plácidas do Ipiranga ouviram o brado retumbante de um povo heroico.

❖ Quando a alteração na ordem dos termos é mais "suave", como a anteposição do predicado ao sujeito, ocorre a **anástrofe**.

Abrirão no vale *as flores*. (Álvares de Azevedo)
↓ ↓
predicado sujeito

Entretanto, quando a alteração é radical na inversão dos termos da oração, dificultando, inclusive, seu entendimento, ocorre a **sínquise**.

Enquanto manda as ninfas amorosas grinaldas nas cabeças pôr de rosas. (Camões)
(Enquanto manda as ninfas amorosas pôr grinaldas de rosas nas cabeças.)

Anáfora

A anáfora consiste em repetir intencionalmente uma palavra no início de um verso, de uma frase ou de um período.

> *É* quereres estar preso por vontade;
> *É* servir a quem vence, o vencedor;
> *É* ter com quem nos mata, lealdade. (Luís Vaz de Camões)

 ❖ A diferença entre **anáfora** e **repetição** está no fato de a anáfora ocorrer em local determinado no verso ou na frase.

Anacoluto

O anacoluto ocorre quando se rompe a estrutura lógica de uma oração. Coloca-se uma palavra ou expressão, em geral no início da frase, sintaticamente desconectada dos demais termos.

> Eis das formigas o caso
> **A rosa**... fale por ela
> Outra que é nova no vaso
> De Dona Estela! (Alberto de Oliveira)

> **Eu** não me importa a desonra do mundo. (Camilo Castelo Branco)

Figura de pensamento

As figuras de pensamento são recursos estilísticos empregados com a intenção de introduzir uma ideia diferente daquela que a palavra normalmente expressa.

Antítese

A antítese tem como objetivo aproximar expressões de sentido oposto a fim de opor uma ideia à outra.

> De repente do **riso** fez-se o **pranto**
> silencioso e branco como a bruma
> [...]
> De repente da **calma** fez-se o **vento**
> Que dos olhos desfez a última chama
> [...]
>
> (Vinicius de Moraes)

Paradoxo

Ocorre quando ressalta, em uma unidade frasal, ideias antagônicas que se contradizem.

*Eu sou a vela que **acende***
*Eu sou a luz que se **apaga***
Eu sou a beira do abismo
*Eu sou o **tudo**, e o **nada**.* (Raul Seixas)

Alguns autores empregam também o termo **oxímoro** para classificar ideias paradoxais ou inconciliáveis:

*Amor é fogo que **arde** sem se ver;*
*É ferida que **dói** e não se sente;*
*É um **contentamento** descontente;*
*É **dor que desatina** sem doer.* (Luís Vaz de Camões)

❖ A diferença entre **antítese** e **paradoxo** está na maneira como os opostos se relacionam. Na antítese, temos duas teses contrárias, antônimas; no paradoxo a oposição de ideias se dá num só referente: É um ***contentamento descontente***.

Apóstrofe

A apóstrofe acontece ao invocar, interpelar pessoa ou algo imaginário, presente ou ausente. Essa figura de pensamento é empregada para enfatizar a expressão e corresponde à função sintática de vocativo.

***Deus**, ó **Deus**, onde está que não respondes?*
Em que mundo, em que estrela Tu te escondes,
Embuçado nos céus? (Castro Alves)

***Ó mar salgado**, quanto do teu sal*
são lágrimas de Portugal. (Fernando Pessoa)

O interlocutor não se encontra presente e, em geral, é um ser abstrato.

Eufemismo

O eufemismo substitui uma palavra ou expressão de sentido grosseiro ou chocante por outra que atenue a sensação desagradável. A intenção do emissor é amenizar o impacto que certos termos mais fortes possam causar.

Um dia hei de ir embora
***Adormecer no derradeiro sono**...* (Manuel Bandeira)
(derradeiro sono = a morte)

Infelizmente acrescentei em quilos e logo me cansei. (Vinicius de Moraes)
(acrescentei em quilos = engordei)

Gradação

A gradação caracteriza-se por uma sequência de palavras empregadas de forma gradativa, crescente (clímax) ou decrescente (anticlímax), a fim de apresentar uma ideia.

*Eu era **pobre**. Era **subalterno**. Era **nada**.* (Monteiro Lobato)

*E **rola**, e **tomba**, e **se despedaça**, e **morre**...* (Olavo Bilac)

Hipérbole

A hipérbole consiste em empregar uma expressão exagerada com a finalidade de realçar uma ideia.

Rios *te correrão dos olhos, se chorares!* (Olavo Bilac)

Estou **morto** de sede.

Quase **morri** de tanto rir.

Personificação

A personificação consiste em atribuir qualidades e sentimentos de seres humanos a seres irracionais, inanimados ou mortos.

O tempo passou na janela *e só Carolina não viu.* (Chico Buarque de Hollanda)

*Uma talhada de melancia com seus **risonhos** caroços.* (Clarice Lispector)

> ❖ A personificação também é denominada **prosopopeia** ou **animismo** e é um recurso literário extensamente utilizado nas fábulas, em que animais assumem comportamentos humanos, e nas alegorias, em que noções abstratas se revestem de características e atitudes humanas:
>
> *O **vento** está **dormindo** na calçada,*
> *O vento enovelou-se como um cão...*
> ***Dorme ruazinha**... Não há nada...* (Mário Quintana)

Ironia

A ironia é a figura que expressa o contrário do que as palavras dizem. Percebe-se a verdadeira intenção do emissor pelo contexto ou pela entonação empregada no momento de dizer determinadas palavras ou expressões.

Parece até **um santo** com essa cara!

Que bonito papel você fez hoje! (Comportou-se de maneira indesejável.)

> ❖ A ironia pode ser sarcástica, depreciativa e chegar a ridicularizar e ofender:
>
> *Moça linda, bem tratada,*
> *três séculos de família,*
> *burra como uma porta:*
> *um amor!* (Mário de Andrade)

Figuras de linguagem **575**

Reticências

As reticências são três pontos (...) que representam a suspensão do pensamento. Seu objetivo é revelar certa hesitação e aguardar que o interlocutor ou leitor conclua a mensagem.

> *Depois, repreendeu-a; disse-lhe que era imprudente andar por essas casas. Vilela podia sabê-lo, e depois...* (Machado de Assis)

Figuras de harmonia ou de som

As figuras de harmonia destacam os efeitos sonoros obtidos nas frases e nos versos.

Aliteração

A aliteração consiste em repetir os mesmos fonemas consonantais, geralmente no início de versos ou frases.

> **B**oi **b**em **b**ravo, **b**ate **b**aixo, **b**ota **b**arba, **b**oi **b**errando... (Guimarães Rosa)

Este é um recurso muito empregado em composições poéticas ou musicais, pois intensifica o ritmo e ressalta o efeito sonoro.

> O **p**ato **p**ateta **p**intou o caneco
> surrou a galinha, bateu no marreco
> **p**ulou no **p**oleiro no **p**é do cavalo
> [...] (Vinicius de Moraes)

Assonância

A assonância é a repetição de sons vocálicos em palavras cujas sílabas sejam semelhantes.

> A bela bola
> Rola
> A bela bola do Raul.
> Bola amarela
> a da Arabela.
> A do Raul,
> azul. (Cecília Meireles)

A repetição de palavras com sons semelhantes (os fonemas vocálicos "**o**" e "**a**") transmite a sensação de movimento da bola passando de um lado para o outro.

> a onda anda
> aonde anda
> a onda?

a onda ainda
ainda onda
ainda anda
a onde?
aonde?
a onda anda. (Manuel Bandeira)

Paronomásia

A paronomásia caracteriza-se pela aproximação, na prosa ou no verso, de sons semelhantes em palavras de significação diversa.

Berro *pelo* **aterro** *pelo* **desterro**
Berro *por seu* **berro** *pelo seu* **erro**... (Caetano Veloso)

O verbo berro e os substantivos aterro, desterro e erro, de diferentes sentidos, reproduzem o mesmo som de dois erres (**rr**). O efeito resultante da sonoridade parece expressar a sensação de alívio pelo rompimento de uma tensão contida.

Há um pinheiro ***estático*** *e* ***extático***. (Rubem Braga)

A escolha das palavras parônimas permite, por meio dessa **paronomásia**, perceber também a figura da personificação atribuída ao pinheiro; além de estático encontra-se em estado de encantamento.

> ❖ Nota-se, nos trechos de poemas citados acima, o jogo entre vogais e consoantes envolvendo as três figuras de harmonia, aliteração, assonância e paronomásia ao mesmo tempo. A repetição intencional de sons iguais ou semelhantes em um verso caracteriza o emprego de mais de uma figura de linguagem em poemas e letras de músicas.

Onomatopeia

A onomatopeia representa sons ou ruídos por meio de uma palavra ou um conjunto de palavras.

Em cima do meu telhado,
Pirulin lulin lulin*,*
Um anjo todo molhado
soluça no seu flautim. (Mário Quintana)

O agrupamento de sons quer reproduzir o ruído da chuva que cai no telhado por meio do angelical flautim "pirulin, lulin lulin".

Vários são os recursos fônicos empregados em diferentes tipos de texto para demonstrar a imitação de sons característicos de vozes de animais, de gritos de alegria ou desespero, de ruídos de bombas, de quedas etc.

Tchbum! Mais um garoto pula na piscina.

Toc! **Toc**! Não paravam de bater à porta.

AAAAHHHH! Socorro! Me ajudem!

Vícios de linguagem

É considerado vício de linguagem o emprego de palavras ou expressões que contraria as regras estabelecidas pelas normas gramaticais.

Se as figuras de linguagem podem apresentar desvios da norma culta, utilizadas pelo usuário com a intenção de realçar determinados termos a fim de alcançar maior expressividade na hora de falar ou escrever, os vícios de linguagem são inadequações cometidas, resultado do descuido ou desconhecimento da norma-padrão da língua.

Os vícios de linguagem mais comuns são:

Ambiguidade

A ambiguidade ocorre quando se apresenta uma frase com duplo sentido.

Carlos, nós vimos Paulo conversando com **seu** irmão.
(Irmão de quem? De Paulo ou de Carlos?)

Existem duas construções possíveis para o esclarecimento do enunciado:

Carlos, nós vimos Paulo conversando com o irmão dele.

Carlos, nós vimos o seu irmão conversando com Paulo.

A colocação inadequada dos termos em uma oração não permite clareza na exposição das ideias.

Barbarismo

O barbarismo abrange qualquer desvio das normas gramaticais estabelecidas pela língua-padrão, seja no significado, na pronúncia, na grafia, seja na forma das palavras.

Vai organizar um bazar <u>beneficiente</u> para o Natal. (beneficente)

Não agiu com bom <u>censo</u>. (senso)

A diretora <u>interviu</u> na discussão. (interveio)

Cacofonia

O cacófato ocorre quando o encontro de sílabas finais de uma palavra com as iniciais de outra produz um som desagradável ao formar uma nova palavra.

Recebeu um bônus <u>por cada</u> venda efetuada. (porcada)

A criança comeu chocolate e a <u>boca dela</u> ficou suja. (cadela)

Na vez passada você não veio. (na vespa assada)

Colisão

A colisão consiste numa sucessão de consoantes idênticas, o que provoca um efeito sonoro desagradável.

Não **s**e **s**abe **s**e **s**aiu **s**ati**s**feita no **s**ábado.

 ❖ Já foi visto, na **aliteração**, que esse efeito pode ser intencional quando um artista deseja imprimir sonoridade a um texto. No entanto, na fala cotidiana, esse efeito pode ser incômodo.

Eco

O eco acontece quando são empregadas palavras que apresentam a mesma terminação.

No mo**men**to o sofri**men**to é i**men**so.

O cora**ção** do Jo**ão** n**ão** suportou a emo**ção** naquela ocasi**ão**.

Hiato

O hiato caracteriza-se pela sequência das mesmas vogais, produzindo efeito dissonante.

V**ou** eu **ou** o **ou**tro vai?

❖ Já foi visto, na **assonância**, que esse efeito também pode ser intencional. Todavia, na fala cotidiana, convém evitar.

Estrangeirismo

O estrangeirismo é a utilização de palavras ou expressões de língua estrangeira no lugar de termos da língua portuguesa.

A *performance* dos jogadores brasileiros não correspondeu às expectativas. ("Desempenho" seria o termo equivalente em português.)

Nos casos em que o vocábulo estrangeiro é muito utilizado pelos falantes brasileiros, a tendência é adaptá-lo à pronúncia e à grafia do português, ocorrendo o "aportuguesamento".

Relação de alguns estrangeirismos em uso no Brasil			
aficionado	simpatizante, admirador	*gafe*	disparate
beef	bife	*hall*	vestíbulo
blefar	enganar	*menu*	cardápio
buquê	ramalhete	*mídia*	meios de comunicação
charge	caricatura	*outdoor*	cartaz
chofer	motorista	*revanche*	desforra
comitê	comissão	*show*	espetáculo
delivery	entrega	*videogame*	videojogo

❖ Os estrangeirismos de origem inglesa são anglicismos; de origem francesa, galicismo; de origem italiana, italianismo etc.

Pleonasmo vicioso

O pleonasmo vicioso consiste na repetição desnecessária de uma palavra ou de um conceito já expresso na frase.

Ganhou grátis um CD autografado pelo cantor.

São pleonasmos viciosos:

entrar para dentro	sair para fora	tornar a repetir
subir para cima	descer para baixo	ver com os olhos

Solecismo

O solecismo é a ocorrência de erros de sintaxe: concordância, regência e colocação pronominal.

Fazem dez dias que a esposa o deixou. (faz)
A gente vamos sair mais cedo hoje. (vai)
Assiste o filme do Homem-Aranha. (assisti ao filme)
Não vou no colégio amanhã. (vou ao colégio)
Me empresta o livro de inglês? (empreste-me)
Prefiro chá do que café. (prefiro chá a café)

Plebeísmo

O plebeísmo (ou popularismo) consiste no emprego de gírias ou de termos considerados vulgares, de forma que contraste com a linguagem aceitável em determinadas situações sociais que exijam maior formalidade.

Viu aquele coroa na esquina?

Ele entrou pelo cano com aquele negócio do carro.

Arcaísmo

O arcaísmo acontece quando se usam termos que caíram em desuso e, portanto, não fazem mais parte da linguagem atual.

Forma arcaica	físico	fremoso	mui	nojo	vosmecê
Forma atual	médico	formoso	muito	luto	você

❖ Classifica-se como **neologismo** a criação ou adaptação de novas palavras que são introduzidas ao idioma pela ausência de termos que possam atender às necessidades culturais, científicas e da comunicação de modo geral. Alguns desses termos já estão incorporados à língua portuguesa e vigoram nos dicionários mais recentes.

Deletou meia página do trabalho.

Pedia o *login* e a senha.

Exercícios

1. Identifique as comparações e as metáforas nas frases abaixo.
   a) *Ó mar salgado, quanto do teu mar são lágrimas de Portugal.* (Fernando Pessoa)
   b) *O amor é um grande laço.* (Djavan)
   c) *O amor da gente é como um grão.* (Gilberto Gil)
   d) *O gato é preguiçoso como uma segunda-feira.* (Mário Quintana)
   e) *O Pão de Açúcar era um teorema geométrico.* (Oswaldo de Andrade)
   f) *Estou muda que nem a lua.* (Clarice Lispector)

2. Destaque o elemento de comparação em cada um dos versos e explique a relação de semelhança presente nessas metáforas.
   a) *A esperança é um urubu pintado de verde.* (Mário Quintana)
   b) *As favelas do Rio transbordam sobre Niterói.* (Carlos Drummond de Andrade)
   c) *Meu coração é um pórtico partido.* (Fernando Pessoa)
   d) *Minhas mãos ainda estão molhadas do azul das ondas entreabertas.* (Cecília Meireles)
   e) *Sei que a miséria é mar largo.* (João Cabral de Melo Neto)

3. Classifique, nos períodos abaixo, as seguintes figuras de palavras: metonímia, metáfora, sinestesia, perífrase.
   a) Palavras duras e amargas marcaram aquela separação.
   b) Mãos pediam esmolas e alimentos.
   c) *E assim o operário ia*
      Com suor e com cimento
      Erguendo uma casa aqui
      adiante um apartamento. (Vinicius de Moraes)
   d) O "atleta do século" viaja o mundo recebendo homenagens.
   e) *A chuva é uma carícia de dedos longos.* (Cecília Meireles)

4. Relacione as duas colunas.
   (1) *O meu olhar é nítido como um girassol.* (Alberto Caeiro)
   (2) *Teu sorriso é uma aurora.* (Castro Alves)
   (3) *As folhas do livro espalhavam pelo chão.*
   (4) *O bonde passa cheio de pernas.* (Carlos Drummond de Andrade)
   (5) O mártir da Independência foi enforcado.
   (   ) metáfora
   (   ) metonímia
   (   ) catacrese
   (   ) comparação
   (   ) antonomásia

5. Indique as figuras de construção presentes nas frases a seguir.
   a) *Vi uma estrela tão alta,*
      Vi uma estrela tão fria
      Vi uma estrela luzindo... (Manuel Bandeira)
   b) *E o olhar estaria ansioso, esperado*
      e a cabeça ao sabor da mágoa balançando
      e o coração fugindo e o coração voltando
      e os minutos passando e os minutos passando... (Vinicius de Moraes)
   c) *Raios não peço ao criador do mundo,*
      Tormentas não suplico ao rei dos mares... (Bocage)
   d) *... eu sou a flor*
      Das graças, o padrão da eterna meninice
      E mais a glória, e mais o amor. (Machado de Assis)
   e) *Venceu ao pudor a lascívia, ao temor, a audácia, à razão a loucura.* (Cícero)
   f) *Que fez ela? Que fiz eu? – Não sei;*
      Mas nessa hora a viver comecei... (Almeida Garrett)
   g) *A felicidade anda a pé*
      Na Praça Antônio Prado... (Oswald de Andrade)

h) O pobre homem entregou a alma a Deus.
i) *Tu, que da liberdade após a guerra,*
   Foste hasteado dos heróis na lança... (Castro Alves)
j) *Morrerá morte vil da mão de um forte.* (Gonçalves Dias)

6. Reconheça e informe quais são os termos elípticos nas frases abaixo.
   a) Primeiro apareceu o pai para buscar o filho; depois, a mãe.
   b) *Já não enxergo meus irmãos*
      E nem tampouco os rumores
      Que outrora me perturbavam. (Carlos Drummond de Andrade)
   c) Sobre as carteiras, livros e cadernos esquecidos.
   d) Àquela hora, nenhuma alma pelas ruas e avenidas.
   e) *Cheguei! Chegaste! Vinhas fatigada.* (Olavo Bilac)

7. Identifique os tipos de silepse: de gênero, de número e de pessoa nos trechos seguintes.
   a) *... e o casal esqueceram que havia mundo.* (Mário de Andrade)
   b) O estádio inteiro aplaudiam os atletas.
   c) *Os portugueses somos do Ocidente.* (Camões)
   d) Não sabiam por que a gente estava tão furioso.
   e) Os convidados chegamos atrasados ao casamento.

8. Assinale a alternativa que contenha a mesma figura de pensamento do seguinte verso: *O mito é o nada que é tudo.* (Fernando Pessoa)
   a) *Colombo, fecha a porta dos teus mares.* (Castro Alves)
   b) É um contentamento descontente. (Camões)
   c) *Passeiam, à tarde, as belas na Avenida.* (Carlos Drummond de Andrade)
   d) *Em terra, em pó, em cinza, em sombra, em nada.* (Gregório de Matos)
   e) *No azul da adolescência as asas soltam.* (Raimundo Correia)

9. Indique a figura de pensamento presente nos períodos a seguir.
   a) *A lua foi ao cinema*
      Passava um filme engraçado.
      A história de uma estrela
      Que não tinha namorado. (Paulo Leminski)
   b) Que belo comportamento o seu!
   c) *Para tão longo amor, tão curta a vida.* (Camões)
   d) *O bonde vacilava nos trilhos, entrava em ruas largas.* (Clarice Lispector)

e) Fazia séculos que não ia ao cinema.
f) O aluno não alcançou a aprovação.
g) *A excelente Dona Inácia era mestre na arte de judiar das crianças.* (Monteiro Lobato)
h) *Não basta inda de dor, ó Deus terrível!* (Castro Alves)
i) *Eu possa dizer do amor (que tive)*
   Que não seja imortal posto que é chama
   Mas que seja infinito enquanto dure. (Vinicius de Moraes)
j) *E rola, e tomba, e se despedaça, e morre...* (Olavo Bilac)

10. Classifique as figuras de harmonia encontradas nos versos abaixo.
    a) *De sino em sino*
       o silêncio ao som
       ensino. (Paulo Leminski)
    b) *Sino de Belém, pelos que ainda vêm!*
       Sino de Belém, bate bem, bem, bem. (Manuel Bandeira)
    c) *Pedro pedreiro penseiro*
       esperando o trem. (Chico Buarque de Hollanda)
    d) Adorava assistir a filmes de *bang-bang* na TV.
    e) *A brisa do Brasil beija e balança.* (Castro Alves)
    f) *A arara*
       É uma ave rara
       Pois o homem não para
       De ir ao mato caçá-la... (José Paulo Paes)

11. Aponte e classifique os vícios de linguagem que ocorrem nas frases abaixo.
    a) Me avise assim que você chegar na escola.
    b) Haviam vários mendingos naquela praça.
    c) Pisou com os pés no sofá novinho.
    d) Explique-me já aonde você estava até essa hora.
    e) Esperava ter uma chance para a vaga de chofer particular daquele empresário.

12. Leia atentamente as frases abaixo. O duplo sentido permite extrair diferentes significados de cada uma delas. Explique quais são os sentidos possíveis de cada frase.
    a) As pessoas viram o acidente do ônibus.
    b) João conversou com o amigo na academia e foi embora depois com a sua bicicleta.
    c) O policial encontrou o ladrão em sua casa.
    d) O homem estava perto do carro parado.
    e) O jogo de basquete será adiado pela terceira vez neste mês.

13. Em cada um dos trechos abaixo encontram-se duas ou mais figuras de linguagem. Identifique-as.
    a) *Ó mar salgado, quanto do teu sal*
       são lágrimas de Portugal. (Fernando Pessoa)
    b) *Foge, bicho*
       Foge, povo
       Passa ponte
       Passa poste
       Passa boi (Manuel Bandeira)
    c) *Mudam-se os tempos, mudam-se as vontades,*
       muda-se o ser, muda-se a confiança. (Camões)
    d) *De repente do riso fez-se o pranto*
       [...]
       De repente da calma fez-se o vento
       [...]
       De repente não mais que de repente. (Vinicius de Moraes)
    e) *E homem há de viver como morreu: sozinho!*
       Sem ar! sem luz! sem Deus! sem fé! sem pão! sem lar! (Olavo Bilac)

14. Informe a figura de linguagem de acordo com o seguinte código:
    (a) metáfora   (b) antítese   (c) assíndeto
    (d) apóstrofe   (e) anáfora
    a) ( ) *Desteceu os cavalos, as carruagens, as estrebarias, os jardins.* (Marina Colasanti)
    b) ( ) *Se lembra da fogueira*
       Se lembra dos balões
       Se lembra dos luares dos sertões. (Chico Buarque de Hollanda)
    c) ( ) *Desde o instante que se nasce*
       já se começa a morrer. (Cassiano Ricardo)
    d) ( ) *o amor esse sufoco*
       agora há pouco era muito,
       agora, apenas um sopro. (Paulo Leminski)
    e) ( ) *Meu Deus! meu Deus! meu Deus!*
       Quantos Césares fui! (Álvaro de Campos)

15. Assinale as alternativas em que há erro de classificação de figura de linguagem e corrija-as.
    a) Gastei rios de dinheiro na reforma do meu quarto. (Hipérbole)
    b) *A noite é como um olhar longo e calmo de mulher.* (Vinicius de Moraes) (Metáfora)
    c) O carro subiu a ladeira gemendo. (Personificação ou prosopopeia)

d) *Iam vinte anos*
   Quando com os olhos eu quis ver de perto... (Alberto de Oliveira) (Anáfora)
e) A teia de rua e avenidas cortava toda a cidade. (Eufemismo)
f) *Se me pergunta alguém porque assi ando* (Camões) (Elipse)
g) Rapidamente todos embarcaram no trem. (Catacrese)
h) *Faísca a brasa latente,*
   Arde, arqueja e, afinal morre... (Raimundo Correia) (Apóstrofe)
i) *E o olhar estaria ansioso esperando*
   e a cabeça ao sabor da mágoa balançando
   e o coração fugindo e o coração voltando
   e os minutos passando e os minutos passando... (Vinicius de Moraes) (Aliteração)
j) Tomei um champanhe delicioso. (Metonímia)

Questões de vestibulares

1. (Fuvest-SP) Na frase [...] *data da nossa independência política, e do meu primeiro cativeiro pessoal,* ocorre o mesmo recurso expressivo de natureza semântica que em:
   a) Meu coração/ Não sei por que/ Bate feliz, quando te vê.
   b) Há tanta vida lá fora,/ Aqui dentro, sempre/ Como uma onda no mar.
   c) Brasil, meu Brasil brasileiro,/ Meu mulato inzoneiro,/ Vou cantar-te nos meus versos.
   d) Se lembra da fogueira,/ Se lembra dos balões,/ Se lembra dos luares, dos sertões?
   e) Meu bem querer/ É segredo, é sagrado,/ Está sacramentado/ Em meu coração.

2. (Unicamp-SP) A conhecida ironia de Machado de Assis fica evidente na conhecida passagem do romance *Memórias Póstumas de Brás Cubas.*
   [...] *Marcela amou-me durante onze meses e quinze contos de réis* [...]
   Nesse, como em muitos outros trechos de seus romances, o escritor usa com maestria as palavras, obtendo através de sua combinação, o efeito irônico desejado.
   Diga qual é a ironia presente na passagem citada e explique de que maneira Machado de Assis consegue obter o efeito irônico através das relações de significação que se estabelecem entre as palavras que escolheu.

3. **(PUC-PR)** Marque a opção em que há metáfora.
   a) *Minha vida é uma colcha de retalhos, todos da mesma cor.* (Mário Quintana)
   b) Trata-se de uma pessoa que falta sempre com a verdade.
   c) Cada qual procura cuidar de si mesmo.
   d) Caminhar para a morte, pensando em vencer na vida.
   e) *Olhe, meu filho, os homens são como formigas.* (Erico Verissimo)

4. **(ITA-SP)** Relacione as colunas e, a seguir, assinale a opção correspondente.

   (1) Aliteração   (4) Metonímia   (7) Hipérbole
   (2) Anacoluto   (5) Hipérbato   (8) Prosopopeia
   (3) Sinestesia   (6) Metáfora

   I. Esses políticos de hoje a gente não deve confiar na maioria deles.
   II. Ao longe, avistava-se o grito ruidoso dos retirantes.
   III. *E flui, fluente, frouxa claridade/ flutua como as brumas de um letargo.*

   a) I – 5, II – 4, III – 2   c) I – 7, II – 8, III – 3   e) I – 5, II – 2, III – 4
   b) I – 7, II – 6, III – 5   d) I – 2, II – 3, III – 1

5. **(Cesgranrio-RJ)** Na frase *O fio da ideia cresceu, engrossou e partiu-se*, ocorre processo de gradação. Não há gradação em:
   a) O carro arrancou, ganhou velocidade e capotou.
   b) O avião decolou, ganhou altura e caiu.
   c) O balão inflou, começou a subir e apagou.
   d) A inspiração surgiu, tomou conta de sua mente e frustrou-se.
   e) João pegou um livro, ouviu um disco e saiu.

6. **(Faap-SP-Adaptada)** Observe a construção:

   Ontem a Serra Leoa
   A guerra, a caça ao Leão
   [...]
   Hoje... o porão negro, fundo,
   Infecto, apertado, imundo...

   No texto acima ocorre o processo de construção e figura de linguagem a que chamamos:
   a) anacoluto.   c) pleonasmo.   e) antítese.
   b) silepse.   d) idiomatismo.

7. **(Efoa-MG)** Leia o texto abaixo:

   Os homens não melhoraram,
   e matam-se como percevejos.
   Os percevejos heroicos renascem.

Inabitável, o mundo é cada vez mais habitado.
E, se os olhos reaprendessem a chorar,
seria um segundo dilúvio.

(Carlos Drummond de Andrade)

No verso 5, o poeta utiliza a parte (olhos) pelo todo (homens). A essa figura damos o nome de:

a) metonímia.   c) antítese.   e) pleonasmo.
b) metáfora.   d) elipse.

8. **(FEI-SP) Leia o texto a seguir:** *O protagonista deste romance diz que não quer casar no primeiro capítulo, mas concorda em fazê-lo no quarto.*

Observe que, no texto, há um vício de linguagem. Identifique-o.

a) redundância   c) cacofonia   e) silepse
b) ambiguidade   d) pleonasmo

9. **(UFPA-PA)** O trecho em que a decadência do jogo do bicho está expressa por metáfora é:

a) *Corria o carnaval de 1993, o último ano de ouro vivido por esse bicheiro elegante.*
b) *Passados dois meses de sua morte, o jogo do bicho enfrenta uma crise sem precedentes.*
c) *Seus líderes perdem dinheiro sem parar.*
d) *Os sorrisos fenecem nos lábios dos contraventores. Eles sabem, mais do que ninguém, que o bicho está anêmico.*
e) *Já vai longe o tempo em que a contravenção empregava tanta gente quanto a indústria naval no Rio de Janeiro.*

10. **(UM-SP)** Assinale a alternativa que indica o nome da figura relacionada às construções: *Olha o Tejo a sorrir-me, o rouxinol suspira.*

a) metonímia   c) onomatopeia   e) sinédoque
b) prosopopeia   d) símile

11. **(Fuvest-SP)**

Tarde de olhos azuis e seios morenos.
Ó tarde linda, ó tarde doce que se admira,
Como uma torre de pérolas e safira
Ó tarde como quem tocasse violino. (Emílio Perneta)

Nesses versos, o flagrante apelo aos sentidos humanos, que se misturam e se confundem no efeito emocional que provocam no leitor, caracteriza figura de harmonia altamente expressiva.

a) metonímia   c) hipérbato   e) aliteração
b) anacoluto   d) sinestesia

Noções de versificação

Versificação é a arte de compor versos. Consiste no emprego de técnicas ou recursos estabelecidos em frases ritmadas que constituem o texto poético.

Lua adversa

Tenho fases, como a lua
Fases de andar escondida,
fases de vir para a rua...
Perdição da minha vida!
Perdição da vida minha!
Tenho fases de ser tua,
tenho outra de ser sozinha.

Fases que vão e que vêm,
no secreto calendário
que um astrólogo arbitrário
inventou para meu uso.

E roda a melancolia
seu interminável fuso!

Não me encontro com ninguém
(tenho fases, como a lua...)
No dia de alguém ser meu
não é dia de eu ser sua...
E, quando chega esse dia,
o outro desapareceu...

(MEIRELES, Cecília. *Obra completa*. Rio de Janeiro: Nova Aguilar, 1997.)

A solidão, a fugacidade do tempo e a transitoriedade da vida são temas constantes na obra de Cecília Meireles. Por meio de uma cuidadosa seleção de palavras repleta de figuras de linguagem, o eu lírico expõe sua vivência por meio de uma estrutura poética.

O poema é composto de versos que, distribuídos em quatro estrofes, transmitem ritmo e musicalidade, revelando o sentimento de melancolia diante das fases da vida.

A composição de versos requer arte e técnica.

Verso

Verso é o nome dado a cada linha poética, constituída por um número determinado de palavras cuidadosamente escolhidas para transmitir sonoridade e ritmo.

Os versos podem ser regulares ou livres.

São considerados **versos regulares** aqueles que apresentam o mesmo número de sílabas poéticas. A primeira estrofe do poema "Carta" de Carlos Drummond de Andrade contém o mesmo número de sílabas poéticas (dez).

1º verso *Há muito tempo, sim, que não te escrevo* Há/ mui/to/ tem/po,/ sim,/ que/ não/ te es/cre/vo
2º verso *Ficaram velhas todas as notícias.* Fi/ca/ram/ ve/lhas/ to/da/s as/ no/tí/cias.
3º verso *Eu mesmo envelheci: Olha em relevo,* Eu/ mes/mo en/ve/lhe/ci:/ O/lha em /re/le/vo,
4º verso *Estes sinais em mim, não das carícias.* Es/tes/ si/nais/ em/ mim,/ não/ das/ ca/rí/cias.

São considerados **versos livres** aqueles que não obedecem a uma regularidade no número de sílabas:

Poema tirado de uma notícia de jornal

João Gostoso era carregador de feira livre e morava no morro da Babilônia
[num barracão sem número
Uma noite ele chegou no bar Vinte de Novembro
Bebeu
Cantou
Dançou
Depois se atirou na lagoa Rodrigo de Freitas e morreu afogado.

(BANDEIRA, Manuel. *Antologia poética*. Rio de Janeiro: José Olympio. 1982.)

O verso livre não tem a sílaba métrica ou poética como unidade de medida, nem a disposição das sílabas tônicas apresenta regularidade. As pausas e as entoações melódicas constroem o ritmo.

A vontade de amar, que me paralisa o trabalho,
vem de Itabira, de suas noites brancas, sem mulheres e sem horizontes.
E o hábito de sofrer, que tanto me diverte,
é doce herança itabirana.

(Trecho de *Confidência do Itabirano*, Carlos Drummond de Andrade.)

Os versos recebem a denominação de acordo com o número de sílabas poéticas que possuem. Portanto, podem ser:

+ **monossílabo** – verso com apenas uma sílaba;

- **dissílabo** – verso com duas sílabas;
- **trissílabo** – verso com três sílabas;
- **tetrassílabo** – verso com quatro sílabas;
- **pentassílabo** ou **redondilha menor** – verso com cinco sílabas;
- **hexassílabo** – verso com seis sílabas;
- **heptassílabo** ou **redondilha maior** – verso com sete sílabas;
- **octossílabo** – verso com oito sílabas;
- **eneassílabo** – verso com nove sílabas;
- **decassílabo** – verso com dez sílabas;
- **hendecassílabo** – verso com onze sílabas;
- **dodecassílabo** ou **alexandrino** – verso com doze sílabas.

❖ Os versos que apresentam mais de doze sílabas são chamados **bárbaros** e aparecem raramente.

Estrofe

Estrofe é o agrupamento de versos que compõe o poema. Faz-se a classificação de acordo com o número de versos; portanto, podem ser:

- **monóstico** – com apenas um verso;
- **dístico** – com dois versos;
- **terceto** – com três versos;
- **quarteto** ou **quadra** – com quatro versos;
- **quintilha** – com cinco versos;
- **sextilha** – com seis versos;
- **septilha** ou **sétima** – com sete versos;
- **oitava** – com oito versos;
- **nona** – com nove versos;
- **décima** – com dez versos.

As estrofes podem ser classificadas como:

- **simples** – os versos mantêm o mesmo número de sílabas métricas em toda a estrofe:

> *Sete anos de pastor Jacó servia*
> *Labão, pai de Raquel, serrana bela;*
> *Mas não servia ao pai, servia a ela,*
> *E a ela só por prêmio pretendia.* (Camões)

✦ **composta** – os versos apresentam um número diferente de sílabas poéticas na estrofe.

> Como é linda a minha terra!
> Estrangeiro, olha aquela palmeira como é bela:
> parece uma coluna reta reta reta
> com um grande pavão verde pousado na ponta,
> a cauda aberta em leque.
>   E na sombra redonda
> sobre a terra quente
>   (Silêncio!)
>   ... há um poeta. (Guilherme de Almeida)

❖ É chamado **estribilho** ou **refrão** o verso que se repete no final das estrofes:

Lira IV

Marília, teus olhos
São réus, e culpados,
Que sofra, e que beije
Os ferros pesados
De injusto Senhor.
Marília, escuta
Um triste Pastor.

Mal vi o teu rosto,
O sangue gelou-se,
A língua prendeu-se,
Tremi, e mudou-se

Das faces a cor.
Marília, escuta
Um triste Pastor.

A vista furtiva,
O riso imperfeito,
Fizeram a chaga,
Que abriste no peito,
Mais funda, e maior.
Marília, escuta
Um triste Pastor.
[...]

Lira IV, Marília de Dirceu, Tomás Antônio Gonzaga.

A *balada* e o *rondó* são tipos de poesia que têm refrão.

Metro

O metro é a extensão da linha poética do verso. Para se medir o verso, contam-se suas sílabas poéticas. Esse processo é denominado **metrificação**.

As **sílabas poéticas** nem sempre coincidem com as sílabas gramaticais, pois contam-se as sílabas dos versos pela audição, isto é, pelos grupos de som que puderem ser ouvidos de uma só vez. Essa contagem é nomeada **escansão**.

As **sílabas gramaticais**, como já foi estudado, são consideradas pela pronunciação, pelo número de sílabas pronunciadas de uma só vez e assim grafadas.

Sílabas gramaticais

To/do/ o/ sen/ti/do/ da/ vi/da/ (Cecília Meireles)
1 2 3   4 5 6 7 8 9

Sílabas poéticas

To/do o/ sen/ti/do/ da/ vi/da
1   2   3   4   5   6   7

A metrificação obedece a certos critérios:

+ Contam-se as sílabas poéticas até a última sílaba tônica do verso:

    E/ pa/ra/mos/ de/ sú/bi/to/ na es/**tra**/da/   (Olavo Bilac)
    1   2   3   4   5   6   7   8   9   10
    (última sílaba tônica do verso – es/**tra**/da)

> ❖ Conta-se até a última sílaba tônica nos versos terminados por palavras oxítonas. Esses versos são chamados **versos agudos**.
>
> *Quando Ismália enlouque/**ceu***
> *Pôs-se na torre a so/**nhar***
> *Viu uma lua no /**céu***
> *Viu outra lua no /**mar*** (Alphonsus Guimarães)
>
> ❖ Nos versos terminados por palavras paroxítonas (chamados **versos graves**) e nos terminados por palavras proparoxítonas (chamados **versos esdrúxulos**), vale a contagem até a última sílaba tônica do verso.

+ Os encontros vocálicos (no caso, ditongos crescentes) equivalem, de modo geral, a uma sílaba poética apenas.

    E eu/ so/li/tá/r**io**,/ vol/to a/ fa/ce e/ tre/mo/ (Olavo Bilac)
    1   2   3 4   5   6   7   8   9   10
    (ditongo crescente – solitár**io**)

+ duas ou mais vogais (átonas ou tônicas) juntas, no final de uma palavra e no início de outra, podem unir-se em uma só sílaba métrica.

    Na **e**x/tre/ma/ cur/va/ do/ ca/mi/nh**o e**x/tre/mo/ (Olavo Bilac)
    1   2   3   4   5   6   7   8   9   10

Por exigência métrica, pode-se recorrer a alguns tipos de processos classificados como:

+ **crase**: fusão de duas vogais iguais em uma só.

    a alma [*al-ma*]; ard**e e** mata [*ar-de-ma-ta*]

+ **elisão**: funde-se a vogal átona do final de uma palavra com a vogal inicial da próxima palavra.

    com**o u**m bravo [*co-mum-bra-vo*]

+ **ditongação**: formação de ditongo decorrente da fusão de uma vogal átona final com a seguinte.

    aquela imagem [*a-que-lai-ma-gem*]; moço infeliz [*mo-çuin-fe-liz*]; este amor [*es-tia-mor*]

+ **sinérese**: na mesma palavra, a transformação de um hiato em ditongo.

    crueldade [*cruel-da-de*]; magoado [*ma-gua-do*]

+ **diérese**: dissolve-se um ditongo em hiato, colocando as vogais em sílabas distintas.
  saudade [sa-u-da-de]; piedade [pi-e-da-de]
+ **ectlipse**: supressão de um fonema nasal final com a intenção de permitir a crase ou a sinérese.
  com a manhã [coa manhã]
+ **aférese**: supressão de sílaba ou fonema inicial.
  ainda estamos [inda 'stamos]

❖ O encadeamento ou *enjambement* ocorre quando há quebra de um segmento sintático no final de um verso, de modo que o sentido é complementado no verso seguinte. O verso em que o *enjambement* se inicia não pode ser lido com a habitual pausa descendente no final, e sim com uma pausa mais curta ou sem pausa, com entonação ascendente, que indica continuação da frase. Leia o poema a seguir respeitando os vários encadeamentos nele existentes.

Ao desconcerto do mundo
Os bons vi sempre passar
No mundo graves tormentos;
E para mais me espantar,
Os maus vi sempre nadar
Em mar de contentamentos.

Cuidando alcançar assim
O bem tão mal ordenado,
Fui mal, mas fui castigado.
Assim que, só para mim
Anda o mundo concertado.

CAMÕES, Luís de. In: *Lírica*. Seleção, prefácio e notas de Massaud Moisés. São Paulo: Cultrix, 1995.

Poemas de forma fixa

Os poemas de forma fixa obedecem a algumas regras quanto ao número de versos e estrofes e quanto à disposição das rimas.

Os mais conhecidos são:

+ **soneto** – poema composto de catorze versos, sendo dois quartetos e dois tercetos. Apresenta, geralmente, versos decassílabos ou alexandrinos.
+ **haicai** – poema curto, de origem japonesa, composto de dois **pentassílabos** (versos inicial e final) e um **heptassílabo** (verso intermediário).

Nos *haicais* japoneses, explorava-se o tema "natureza", mas os poetas brasileiros modernos escolhem temas variados e não são mais tão rígidos quanto à métrica.

+ **balada** – poema composto de três oitavas ou três décimas, que apresentam as mesmas rimas, seguidas de uma quadra ou quintilha.
+ **rondó** – poema composto de três estrofes: quintilha, terceto, quintilha, com refrão constante.

- **sextina** – poema composto de seis sextilhas e um terceto e apresenta versos decassílabos.
- **vilancete** – poema composto de um terceto e duas oitavas.

Ritmo

A essência de uma poesia é o ritmo. Pode-se ter poesia sem métrica ou sem rima; porém, jamais pode lhe faltar ritmo. Sucedem-se sílabas tônicas (fortes) e átonas (fracas) para marcar o ritmo de um poema. As sílabas tônicas devem ser repetidas em pausas regulares para buscar a melodia cadenciada indispensável ao verso.

Os acentos tônicos recaem, nos versos, em determinadas sílabas métricas. Na língua portuguesa, alguns tipos de verso são empregados com maior frequência e outros se apresentam mais raramente.

Rima

Rima é a conformidade de sons entre palavras no final ou no meio do verso. Ainda que as rimas não pertençam à essência do poema, esse recurso auxilia o ritmo melódico dos versos e realça a beleza do poema.

Rimas no final do verso:

> *Vai-se a primeira pomba **despertada**...*
> *Vai-se outra mais... mais outra... enfim **dezenas**,*
> *De pombas vão-se dos pombais, **apenas***
> *Raia sanguínea e fresca a **madrugada**...* (Raimundo Correia)

Rimas no meio de versos diferentes, classificadas como rima interna:

> *Olhos, olhos de **boi** pendidos vertem*
> *Prantos por quem se **foi**. Ouvidos ouvem,*
> *calam. Crepes enlu<u>tam</u> as janelas.*
> *Fundas ouças escu<u>tam</u> seus gemidos.* (Jorge de Lima)

Existem diferentes tipos de rima. São classificadas quanto à qualidade ou valor, quanto à posição do acento tônico e quanto à disposição nas estrofes.

Quanto à qualidade ou valor

- **rimas pobres** – são comuns e frequentes, formadas por palavras da mesma classe gramatical.

> *Quando cheio de gosto e de **alegria***
> *estes campos diviso **fluorescentes***
> *então me vem as lágrimas **ardentes***
> *com mais ânsia, mais dor, mais **agonia**.* (Cláudio Manuel da Costa)

- **rimas ricas** – são formadas com palavras de classes gramaticais diferentes.

   > Tanto do meu estado me acho **incerto**,
   > que em vivo ardor tremendo estou de **frio**;
   > sem causa, justamente choro e **rio**,
   > o mundo todo abarco e nada **aperto**. (Camões)

- **rimas raras** – ocorrem entre palavras que apresentam poucas rimas possíveis.

   > Vergam da neve os olmos dos caminhos,
   > A cinza arrefeceu sobre o **brasido**
   > Noites de serra, o casebre **transido**...
   > Ó mues olhos cismai com o velhinhos. (Camilo Peçanha)

- **rimas preciosas** – são construídas artificialmente.

   > Não fui eu, que te não ousei **dizê-lo**.
   > Não foi o outro, porque não o sabia.
   > Mas quem roçou da testa o **cabelo**
   > E te disse ao ouvido o que sentia?
   > Seria alguém, seria? (Fernando Pessoa)

Quanto à posição da sílaba tônica

- **rimas agudas** – entre palavras oxítonas ou monossílabos tônicos.

   > Ai que pra**zer**
   > Não cumprir um de**ver**
   > Ter um livro para **ler**
   > E não o fa**zer**. (Fernando Pessoa)

- **rimas graves** – entre palavras paroxítonas.

   > Nosso céu tem mais es**tre**las,
   > Nossas várzeas têm mais **flo**res,
   > Nossos bosques têm mais **vi**da,
   > Nossa vida mais a**mo**res. (Gonçalves Dias)

- **rimas esdrúxulas** – entre palavras proparoxítonas.

   > Pensem nas crianças
   > Mudas telepáticas
   > [...]
   > Pensem nas feridas
   > Como rosas **cálidas**
   > [...]
   > Da rosa de Hiroshima
   > A rosa hereditária
   > A rosa radioativa
   > Estúpida e **inválida**
   > A rosa com cirrose
   > A antirrosa atômica [...] (Vinicius de Moraes)

Quanto às combinações

+ **rimas emparelhadas** – rimam duas a duas (AABBCC).

Quebraram-se as cadeiras, é livre a terra inteira;	A
A humanidade marcha com a Bíblia por bandeira;	A
São livres os escravos... quero empunhar a lira,	B
Quero que est'alma ardente um canto desfira,	B
Quero enlaçar meu hino aos murmúrios dos ventos,	C
As harpas das estrelas, ao mar, aos elementos! (Castro Alves)	C

+ **rimas alternadas** ou **cruzadas** – rimam em versos alternados (ABAB).

Ora (direis) ouvir estrelas! **Certo**	A
"Perdeste o senso!" E eu vos direi, no **entanto**,	B
Que, para ouvi-las, muita vez **desperto**	A
E abro as janelas, pálido de **espanto**... (Olavo Bilac)	B

+ **rimas interpoladas**, **intercaladas** ou **opostas** – rimam em versos que se opõem (ABBA).

É um não querer mais que bem **querer**;	A
É solitário andar por entre a **gente**;	B
É nunca contentar-se de **contente**;	B
É cuidar que se ganha em se **perder** (Luís Vaz de Camões)	A

+ **rimas mistas** – rimam em diversas combinações.

Eu, Marília, não fui nenhum **vaqueiro**,	A
Fui honrado pastor da tua **aldeia**;	B
Vestia finas lãs e tinha **sempre**	C
A minha choça do preciso **cheia**.	B
Tiraram-me o casal e o manso **gado**,	D
Nem tenho, a que me encoste, um só **cajado**.	D
(Tomás Antônio Gonzaga)	

Quanto à coincidência de sons:

+ **perfeitas ou consoantes** – é completa a identidade de sons ou fonemas, em geral, a partir da última vogal tônica do verso.

    Ó Formas alvas, brancas, Formas cl**aras**
    De luares, de neves, de neb**linas**!...
    Ó Formas vagas, fluídas, crista**linas**...
    Incensos de turíbulos das **aras**... (Cruz e Souza)

+ **imperfeitas** ou **toantes** – não acontece a completa identidade de fonemas ou sons.

    O mito é o nada que é tudo.
    O mesmo sol que abre os **céus**

É um mito brilhante e mudo –
*O corpo morto de **Deus**,*
Vivo e desnudo (Fernando Pessoa)

Uma vogal de timbre aberto (céus) rima com uma vogal de timbre fechado (Deus).

❖ São chamados **versos brancos** ou **soltos** aqueles que não rimam.

(LXXIV – Salmo I)
Ditoso o justo que afastado vive
do concílio dos maus e do caminho
trilhado por perversos pecadores!
E que nunca ensinou, bem como o ímpio,
do negro vício, as máximas corruptas! (Fagundes Varela)

Exercícios

1. Leia a primeira estrofe do poema "Poética" de Manuel Bandeira e responda às questões.

   Estou farto do lirismo comedido
   Do lirismo bem comportado
   Do lirismo funcionário público com livro de ponto expediente protocolo
   [e manifestações de apreço ao Sr. Diretor.

   a) Como se caracterizam os versos na estrofe? Justifique.
   b) Que figura de linguagem se destaca no trecho acima? Exemplifique.
   c) Qual função de linguagem prevalece nos versos acima? Explique.

2. Relacione as colunas abaixo quanto ao número de sílabas métricas.

   a) *Não baixava aquela estrela?* (Manuel Bandeira)   (   )
   b) *Quando os sons dos violões vão soluçando* (Cruz e Souza) (   )
   c) *você que é sem nome* (Carlos Drummond de Andrade)   (   )
   d) *busco a alvorada* (Cecília Meireles)   (   )
   e) *Entregava-se ao sol a terra como escrava* (Olavo Bilac) (   )

   I) redondilha menor/pentassílabo
   II) redondilha maior/heptassílabo
   III) decassílabo
   IV) tetrassílabo
   V) dodecassílabo

3. Faça a escansão dos versos do exercício acima.

4. Leia o poema de Guilherme de Almeida e responda às questões.

   Esvoaça a libélula.
   Esponja verde. Uma concha.
   O lago é uma pérola.

a) Informe o nome desse poema de forma fixa.
b) Faça a escansão dos versos e informe o número de sílabas poéticas.
c) Como são classificadas essas sílabas métricas?

5. Pesquise em livros de poemas e transcreva versos que apresentem:
   a) rimas ricas.
   b) rimas pobres.
   c) rimas raras.
   d) rimas preciosas.

6. Informe os tipos de rima dispostos nas estrofes a seguir.
   a) *Estranho mimo aquele vaso! Vi-o*
      Casualmente, uma vez, de um perfumado
      Contador sobre o mármore luzidio,
      Entre o leque e o começo de um bordado. (Alberto de Oliveira)
   b) *Como são belos os dias*
      Do despontar da existência!
      – Respira a alma inocência
      Como perfumes a flor;
      O mar é – lago sereno,
      O céu – um manto azulado
      O mundo – um sonho dourado,
      A vida – um hino d'amor! (Casimiro de Abreu)
   c) *Enfim a terra é livre! Enfim lá do Calvário*
      A águia da liberdade, no imenso itinerário,
      Voa do Calpe brusco às cordilheiras grandes,
      Das cristas do Himalaia aos píncaros dos Andes!
      Quebraram-se as cadeiras, é livre a terra inteira,
      A humanidade marcha com a Bíblia por bandeira (Castro Alves)
   d) *Longe do estéril turbilhão da rua,*
      Beneditino, escreve! No aconchego
      Do claustro, na paciência e no sossego
      Trabalha, e teima, e lima, e sofre, e sua! (Olavo Bilac)

Questões de vestibulares

1. **(Mackenzie-SP)** *Sempre que vou me embora*
   é com silêncio maior.
   As solidões deste mundo
   Conheço-as todas de cor.

   (Cecília Meireles – *Vaga Música*)

   Assinale a alternativa incorreta sobre a estrofe acima.

a) Toda a estrofe está centrada no eu que fala, o que ratifica o lirismo.
b) Em redondilha menor, marca-se o ritmo regular, pelo qual a solidão é expressa.
c) Partidas e ausências constroem a coerência semântica.
d) O pronome *me*, do verso 1, tem emprego enfático.

2. (UFRS-RS) O soneto é uma das formas poéticas mais tradicionais e difundidas nas literaturas ocidentais e expressa, quase sempre, conteúdo:
a) dramático.
b) satírico.
c) lírico.
d) épico.
e) cronístico.

3. (Unifor-CE) *A maior pena que eu tenho,*
punhal de prata,
não é de me ver morrendo,
mas de saber quem me mata.
Na quadra acima, de Cecília Meireles,
a) os versos ímpares rimam entre si e têm diferentes números de sílabas.
b) os versos pares rimam entre si e têm o mesmo número de sílabas.
c) predominam os versos de sete sílabas.
d) predominam os versos de cinco sílabas.
e) alternam-se versos de cinco e sete sílabas.

Caderno de respostas

Fonética, Fonologia e Ortografia

Produção dos sons e classificação dos fonemas

Exercícios

1. a) esguichar: 9 letras, 7 fonemas
   b) carro: 5 letras, 4 fonemas
   c) ambivalência: 12 letras, 10 fonemas
   d) manhã: 5 letras, 4 fonemas
   e) exceção: 7 letras, 6 fonemas
   f) labirinto: 9 letra, 8 fonemas
2. c, d, a, b
3. a) V b) F c) F d) V e) F
4. 1. (b)   3. (a)   5. (a)
   2. (d)   4. (d)   6. (c)
5. **Encontro consonantal**
   pobreza   letra
   gramatical   palavra
   plano   claridade
   pneu   crédito
   reflexão   floresta
   Dígrafo
   adolescente   tempo
   limpeza   exceto
   guitarra   galho
   assunto   ninho
   queda   cachimbo
6. c) du-as; as-so-bi-o; dis-tra-í-da; la-go-a
7. I [zê]   II [chê]
   exausto   caxumba
   exaltado   enxurrada
   executar   enxame
   exato   xale
   exagero

   III [sê]   IV [ks]
   máximo   oxigênio
   extensão   boxe
   texto   fixar
   expectativa   nexo
   auxílio   táxi
                     flexão

Questões de vestibulares

1. e
2. demar**ção**: ditongo nasal crescente
   j**u-í**-zo: hiato
   interpenetr**am**: ditongo nasal decrescente (am – ãu)
   ig**uai**s: tritongo oral
3. d 4. e 5. c 6. c

Sílaba

Exercícios

1. a) es-pé-cie, jor-nais, tré-gua, lei-te, ca-mi-nhão, loi-ra
   b) sa-guão, sa-ú-va, ra-í-zes, bo-a-to, de-si-guais, ca-a-tin-ga
   c) quer-mes-se, cons-ci-en-te, in-ter-rup-tor, ex-ce-len-te, lín-gua, cha-lei-ra
   d) a-plau-so, ad-vo-ga-do, te-lha-do, de-cep-ção, téc-ni-co, bra-si-lei-ro
2. ca-be-lei-rei-ro: polissílaba
   i-de-a-li-zar: polissílaba
   bai-xo: dissílaba
   po-ei-ra: trissílaba
   noi-te: dissílaba
   gai-o-la: trissílaba
3. ru**im**: oxítona
   gra**tui**to: paroxítona
   lanche: paroxítona

médico: proparoxítona
autor: oxítona
pesado: paroxítona

4. | Átonos | Tônicos |
|---|---|
| sob | teu |
| sem | pôr |
| se | mim |
| mas | pó |
| nem | mal |

Questões de vestibulares
1. c, e, f **2.** c **3.** b **4.** a

Ortofonia

Exercícios
1. a) fogos – aberta fornos – aberta
postos – aberta crosta – fechada
lateja – fechada
assemelha – fechada
bocejo – fechada
coleta – aberta caroços – aberta
corpos – aberta
destroços – aberta
poça – fechada

b) estouram – es-tou-ram (ditongo decrescente)
mágoa – má-goa (ditongo crescente)
água – á-gua (ditongo crescente)
afrouxo – a-frou-xo (ditongo decrescente)
feixe – fei-xe (ditongo decrescente)
poupam – pou-pam (ditongo decrescente)
glória – gló-ria (ditongo crescente)
ouro – ou-ro (ditongo decrescente)
queijo – quei-jo (ditongo decrescente)
roubam – rou-bam (ditongo decrescente)
couro – cou-ro (ditongo decrescente)
frequente – fre-quen-te (ditongo crescente)
coelho – coe-lho (ditongo crescente)

traidor – trai-dor (ditongo decrescente)
diabo – dia-bo (ditongo crescente)

2. privilégio   pirulito
engolir   jabuti
desperdício   bússola
chover   focinho
empecilho   escárnio
moleque   suar (transpirar)

3. a) V
b) F (modas – /ó/)
c) F (cateter – oxítona)
d) V
e) F (em quase e aguado o **u** é pronunciado)

4. a) designar d) infligir
b) garagem   e) eletricista
c) recém

Questões de vestibulares
1. c **2.** b **3.** e **4.** a **5.** e

Ortografia

Exercícios
1. enxada, cochichar, imersão, caxumba, decisão, berinjela, tigela, analisar, dispensado, estrangeiro.

2. a) tosse, bueiro, engolir, capoeira, chuvisco, mágoa, camundongo, polido, tábua, engolir.
b) pátio, antecipação, requisito, recreação, arrepio, disfarce, disenteria, irrequieto, labirinto, seringa.
c) trajetória, tigela, trajeto, trejeito, traje, rejeição, faringite, vagem, rabugento, sarjeta.
d) enchente, enxurrada, mexer, pichado, xingar, laxante, colcha, enxerido, rixa, flecha.
e) através, escassez, baliza, deslizar, pesquisar, fusível, marquise, vazar, jeitosa, pobreza.
f) dançar, descansar, ultrapassar, remorso, maciez, muçulmano, paçoca, fracasso, fluminense, progresso.

g) consciência, sucessão, exceção, florescimento, excentricidade, adolescente, auxiliar, agressão, excepcional, acréscimo.
3. a) beneficente   d) privilégio
   b) disenteria   e) cabeleireiro
   c) de repente
4. a) certeza, delicadeza, surpresa, camponesa, firmeza, esperteza, gentileza, consulesa, turquesa, grandeza.
   b) canalizar, traumatizar, analisar, cicatrizar, improvisar, simbolizar, alisar, paralisar, escravizar, pesquisar.
5. expressão, expulsão, detenção, conversão, concessão, repressão, demissão, retenção, impressão, inversão.
6. a) desonesto   d) desabitado
   b) inábil   e) desidratar
   c) deserdar   f) desarmonia.
7. b

Questões de vestibulares
1. e 2. a 3. a 4. b 5. c 6. e
7. a) limpeza, defesa, baronesa, surdez, freguesia
   b) analisar, sintetizar, paralisar, civilizar, alisar
8. e (pretensioso)
9. a) De repente / atrás
   b) Não há erros.
10. a) aspersão   c) mutação
    b) consecução   d) isenção

Acentuação gráfica

Exercícios
1. a) possível: paroxítona terminada em **l**.
   b) após: oxítona terminada em **o (s)**.
   c) fórum: paroxítona terminada em **um**.
   d) ruído: hiato, **i** formando sílaba sozinho.
   e) série: paroxítona terminada em ditongo crescente.
   f) bônus: paroxítona terminada em **us**.
   g) lençóis: ditongo aberto **ói(s)** na oxítona.
   h) órgão: paroxítona terminada em **ão**, **ãos**.
   i) ínterim: proparoxítona.
   j) má: monossílabo tônico terminado em **a(s)**.
2. a) ju-í-zes: **i** isolado na sílaba
   b) ca-ir: sem acento, acompanhado de **r** na sílaba.
   c) ra-i-nha: **i** não acentuado, seguido de **nh**.
   d) sa-í-da: **i** sozinho na sílaba.
   e) ci-ú-me: **u** sozinho na sílaba.
   f) a-men-do-im: sem acento, acompanhado de **m** na sílaba.
3. a) cérebro, eletrônico.
   b) República, indissolúvel, Municípios, Democrático (República)
   c) têm
   d) domínio, ciências, única, é
   e) fábula, alegórica, ética
4. a) mantém, mantêm.
   b) convém, contêm
   c) leem
   d) intervêm
   e) retêm, retém.
5. b   6. a
7. a) Esperamos que as professoras deem aula amanhã.
   b) Elas sempre nos mantêm informadas.
   c) Meus amigos não creem em milagres nem em duendes.
   d) Nem sempre os juízes intervêm na hora certa.
   e) As questões contêm erros gramaticais.

Questões de vestibulares
1. e 2. d 3. d 4. b 5. b
6. **vários**: paroxítona terminada em ditongo; **incumbência**: paroxítona terminada em ditongo; **analisá-los**: oxítona terminada em **a**; **órgãos**:

Caderno de respostas **603**

paroxítona terminada em **ao(s)**;
públicos: proparoxítona.

7. a 8. a 9. a 10. d

Notações léxicas

Exercícios
1. super-homem   ex-ministro
    mal-educado   subsolo
    superinteressante ultrassom
    micro-ondas   sem-terra
    paraquedas   guarda-chuva
    antiaéreo   cooperação
    tetracampeão   bioquímica
    autoescola   vitória-régia
    antissocial   pré-história
    recém-nascido   pós-operatório
2. c) contrarregra
    f) antepassados
    i) extraterrestre, supermercado

Questões de vestibulares
1. a 2. b 3. d

Morfologia

Estrutura e formação das palavras

Exercícios
1. a) radical – livr/   d) radical – nov/
    b) radical – fum/   e) radical – leg/
    c) radical – fog/
2. Sugestões:
    a) maremoto, marinheiro
    b) povoado, povaréu
    c) garotada, garotinha
    d) ferreiro, enferrujado
    e) cafezal, cafeicultor
    f) brancura, esbranquiçado
    g) desonesto, honestidade
    h) novíssimo, renovar
3. a) vogal temática – a; tema – olha
    b) vogal temática – i; tema – assisti
    c) vogal temática – e; tema – vence
    d) vogal temática – a; tema – sonha
4. a) a – desinência de gênero /
       s – desinência de número
    b) á – vogal temática / sse – desinência de tempo e modo / mos – desinência de pessoa e número
    c) o – desinência de gênero / s – desinência de número
    d) a – vogal temática / ria – desinência de tempo de modo / m – desinência de pessoa e número
5. a) des – prefixo / ido – sufixo
    b) mente – sufixo
    c) em – prefixo / ecer – sufixo
    d) hipo – prefixo
    e) dade – sufixo
    f) ante – prefixo / dade – sufixo
    g) peri – prefixo
    h) inho – sufixo
6. a) cheg – radical / á – vogal temática / va – desinência de tempo e modo / mos – desinência de pessoa e número
    b) in – prefixo / feliz – radical / mente – sufixo
    c) nad – radical / a – vogal temática / dor – sufixo / es – desinência de número
    d) vend – radical / e – vogal temática / ria – desinência de tempo e modo / am – desinência de pessoa e número
7. a) substantivos: engenharia e realidade
       advérbio: incrivelmente
    b) busc – radical / ou – desinência de tempo e modo, e pessoa e número
       torn – radical / a – vogal temática / re – desinência de tempo e modo / m – desinência de pessoa e número
       conhec – radical / e – vogal temática / m – desinência de pessoa e número
    c) submarino – prefixo / famoso – sufixo
    d) invent – radical / o – desinência de gênero / s – desinência de número

604 Caderno de respostas

pint – radical / ou – desinência de tempo e modo, e pessoa e número
8. f, i, h, g, j, b, d, a, e, c
9. 4, 5, 3, 1, 2
10. 3, 1, 2, 5, 4
11. 3, 1, 4, 2, 5
12. a) intramuscular   e) autobiografia
    b) rever   f) imberbe
    c) emudeceu   g) subsolo
    d) hipertensão   h) tricampeã

Questões de vestibulares
1. b 2. d 3. d 4. b 5. e 6. e
7. b 8. e 9. b 10. b

Processos de formação das palavras

Exercícios
1. a) ataque: derivação regressiva / mortalmente: derivação sufixal
   b) policiamento: derivação sufixal / supermercado: derivação prefixal
   c) despedaçada: derivação parassintética
   d) porquê: derivação imprópria
   e) estudo: derivação regressiva
   f) enlouquecidos: derivação parassintética
   g) coexistência: derivação prefixal e sufixal / delicada: derivação sufixal
   h) liberdade: derivação sufixal / inquestionável: derivação parassintética
   i) trabalho: derivação regressiva / desperdiçado: derivação sufixal
   j) jantar: derivação imprópria
2. Sugestões:
   a) desiludir   g) sobrevoar
   b) anormal   h) compartilhar
   c) interurbano   i) desmentir
   d) indecente   j) desdizer
   e) insensível   k) ilegível
   f) ilegal   l) reler
3. Sugestões:
   a) divulgação   c) poupança
   b) investimento   d) correção
   e) juramento   i) rendimento
   f) absolvição   j) frustração
   g) captação   k) tolerância
   h) alteração   l) lembrança
4. Sugestões:
   a) desalmado   g) despedaçar
   b) enlouquecer   h) entardecer
   c) adocicado   i) amanhecido
   d) esburacar   j) anoitecer
   e) enraizar   k) resfriado
   f) enterrado   l) enfraquecer
5. a) ataque   g) venda
   b) castigo   h) briga
   c) atraso   i) fuga
   d) choro   j) censura
   e) pesca   k) apelo
   f) salto   l) saque
6. a) aglutinação   g) aglutinação
   b) justaposição   h) justaposição
   c) aglutinação   i) justaposição
   d) justaposição   j) aglutinação
   e) aglutinação   k) justaposição
   f) justaposição   l) aglutinação
7. a) outrora – composição por aglutinação
   b) esclarecer – derivação parassintética
   c) fidalgo – composição por aglutinação
   d) conterrâneo – derivação parassintética
   e) aguardente – composição por aglutinação
8. a) O material daqueles uniformes é lavável.
   b) Nós fomos os penúltimos a chegar.
   c) A região lacustre será muito valorizada.
   d) O horário vespertino pode ser cancelado.
   e) Os problemas conjugais trazem tristeza e decepção.
9. a) demos – povo / kratós – poder
   b) fono – voz

c) termo – calor / metro – que mede
d) neuro – nervo / algia – dor
e) etno – raça, povo

10. a) quem tem mania de grandeza.
b) quem fala vários idiomas.
c) quem escreve a própria história.
d) que marcam o tempo.
e) história fantástica dos deuses.

Questões de vestibulares
1. b   2. e   3. b   4. e   5. d   6. d
7. a) F – sufixação   f) V
   b) F – parassíntese   g) V
   c) F – abreviação   h) F – prefixação
   d) V   i) V
   e) V
8. derivação imprópria: novas – adjetivo na função de substantivo
   derivação imprópria: amado – adjetivo na função de substantivo
9. a   10. d

Substantivo

Exercícios
1. bicho, homem, animal, cachorro, faca, metralhadora, bomba, cão, defesa, amigos, garra, dente, homem, braços, dentes, parte, dentadura, meios, destruição
2. abertura   excesso
   admissão   ilusão
   advertência   interpretação
   armação   inversão
   beijo   manutenção
   capacitação   operação
   cobrança   punição
   colheita   receio
   destruição   recuperação
   detenção   rescisão
   digestão   restrição
   escritura   sorteio
3. aguardente; pontapé; guarda-roupa; amor-perfeito; obra-prima; passatempo; bate-boca; ferro-velho
4. a) A matilha atacou um animal indefeso.
   b) A frota em frente ao aeroporto era grande.
   c) A alcateia rondava pela mata.
   d) A clientela daquele médico famoso cancelou todas as consultas.
   e) O elenco foi muito aplaudido depois da peça.
   f) A preservação da natureza é tema de discussão para o próximo século.
   g) O arquipélago situava-se próximo à costa litorânea.
   h) A flora deve ser bem pesquisada.
5. a) lobisomem – composto e derivado, mula sem cabeça – composto e primitivo, criançada – simples e derivado
   b) infeliz – simples e derivado, desesperançada – simples e derivado, noite – simples e primitivo
   c) guarda-chuvas – composto e primitivo, salinha – simples e derivado
   d) amanheceu – simples e derivado, abandonada – simples e derivado
6. a) olhar – substantivo
   c) velho – substantivo
   d) não – substantivo
   e) bastante – substantivo
7. Sugestões:
   a) rio – riacho, córrego, regato
   b) menino – garoto, guri, piá
   c) casa – moradia, morada, lar
   d) lugar – local, espaço, sítio
8. amazona   campeã
   anfitriã   solteirona
   freguesa   espiã
   dama   atriz
   monja   madre
   maestrina   hebreia
   madrinha   freira
   ladra   baronesa
   ré   ovelha
   consulesa   cabra
9. **Epicenos**   **Sobrecomuns**
   tartaruga   a criança
   zebra   o animal

jacaré
gavião
onça

a vítima
a criatura
a testemunha
o ídolo
o indivíduo

Comuns de dois
fã
artista
rival
cliente
imigrante
colega
paciente
jovem

10. o dó   o telefonema   a apendicite
    a cal   a alface   o eczema
    a derme   a entorse   o eclipse
    o estratagema   a sentinela
    o apêndice
    o champanha   a dinamite
    o pampa

11. o capital – riqueza ou valores disponíveis
    a capital – cidade administrativa de um estado ou país
    o moral – ânimo, conjunto das faculdade morais
    a moral – conjunto de regras de conduta
    o grama – unidade de medida
    a grama – relva, tipo de vegetação
    o guia – pessoa que guia, orienta a outra
    a guia – formulário, documento para pagar imposto
    o cabeça – o chefe, o líder
    a cabeça – parte do corpo humano
    o estepe – pneu sobressalente
    a estepe – tipo de vegetação

12. álbuns   répteis/reptis
    degraus   ases
    meses   túneis
    sóis   sais
    gizes   males
    adeuses   canis

hifens   rãs
raízes   nuvens
dólares   tribunais
éteres   reféns

13. a) férias – dias destinados ao descanso
    b) costas – a parte superior do tronco humano
    c) o vencimento – data limite para cumprir alguma obrigação
    d) a féria – jornada ou salário do trabalhador
    e) a costa – litoral
    f) vencimentos – salário

14. pães   anões
    corações   bênçãos
    cidadãos   foliões
    órgãos   alemães
    corrimãos   mães
    vulcões   órfãos
    capitães   capelães
    cirurgiões   peões
    mãos   escrivães
    vilões   afegãos

15. a) Eles não pagaram os impostos devidos. X
    b) Os jogos do campeonato foram adiados. X
    c) Os meus cachorros ficaram doentes.
    d) Esqueceram os fornos ligados. X
    e) Os postos de gasolina foram lacrados porque estavam irregulares. X

16. beija-flores   bons-dias
    cachorros-quentes   guarda-roupas
    guardas-noturnos   corre-corres
    curtos-circuitos   bananas-maçã
    sextas-feiras   más-línguas
    amores-perfeitos   canas-de-açúcar
    vice-presidentes   carros-pipa
    decretos-lei   subgerentes
    pés de moleque   boias-frias
    alto-falantes   peixes-boi

17. barcaça   rapagão   manzorra

vozeirão	fogaréu	dentuça
animalaço	febrão	copázio
homenzarrão	cabeçorra	casarão
corpanzil	narigão	mulherona
18. cãozinho maleta ruela
riacho película saleta
portinhola namorico bandeirola
lugarejo velhote gotícula
jornaleco ilhota versículo
19. papeizinhos   florezinhas
pasteizinhos   animaizinhos
chapeuzinhos   colherezinhas
irmãozinhos   trenzinhos
coraçõesinhos   pazinhas
20. a) (4) b) (1) c) (2) d) (3)

Questões de vestibulares
1. a
2. a) aspersão c) isenção
   b) mudança
3. d
4. Os livres-docentes, em seus abaixo-assinados, pediram demissão dos cargos.
5. e   6. e   7. a
8. a) magreza c) autenticidade
   b) semelhança
9. b 10. e 11. d 12. c 13. c
14. c

Artigo

Exercícios
1. a) Não se coloca o artigo após o pronome relativo cujo.
   b) Elas não concordaram com **a** minha proposta. (facultativo)
   c) **O** aluno leu todo **o** livro.
   d) Não se usa o artigo diante de palavras empregadas em sentido geral, indeterminado.
   e) Ambos **os** candidatos são talentosos.
2. uma lojinha, a sineta da (de + a) porta, uma segunda vez, um tom, um momento, uma olhada, à (a + a) nossa volta

(quando **a** fechamos – o **a** é pronome pessoal oblíquo, referente ao substantivo porta)

3. a) a temperatura, dos (de + os) graus
   b) um instante, o celular, na (em + a) escola
   c) embaixo da (de + a) mesa / (eles a encontraram – **a** é pronome pessoal oblíquo)
   d) o pai, uma saída, a questão
4. a) Esta bolsa não é a minha. – uma bolsa determinada
      Esta bolsa não é minha. – uma bolsa entre várias
   b) Discutiu com uma professora – qualquer professora naquele momento
      Discutiu com a professora. – uma professora em especial, por uma razão definida

Questões de vestibulares
1. c 2. e
3. A preposição **de** não está relacionada à palavra **homens**, sujeito da oração, e sim às palavras **possibilidade** (**de**) e **unirem**. O artigo **os** determina o substantivo homens, portanto, não pode haver a contração **de** + **os**.
4. O substantivo **homem**, precedido do artigo indefinido **um**, tem um sentido impreciso, relacionado a homens no sentido geral, a qualquer ser humano. E, precedido do artigo definido **o**, o homem representa a própria raça humana.
5. b

Adjetivo

Exercícios
1. a) má – biforme; grave – uniforme
   b) bela – biforme; castanhos – uniforme; verdes – uniforme
   c) descalço – biforme; esburacadas – biforme; escuras – biforme

d) gentil – uniforme; triste – uniforme
e) famoso – biforme; promissora – biforme
2. a) período matutino
   b) armas bélicas
   c) região lacustre
   d) ambição ilimitada
   e) líquido inodoro
   f) fases lunares
   g) trabalho magistral
   h) comida insípida
   i) problemas urbanos
   j) doença cardíaca
3. a) diário c) popular e) escolar
   b) florido d) enluarado
4. a) simples exame: um exame de rotina
      exame simples: exames sem maiores dificuldades
   b) falso médico: não era médico realmente
      médico falso: médico mentiroso, desleal
   c) grande homem: de elevado valor moral, de bons princípios
      homem grande: de estatura alta
   d) único prêmio: apenas um prêmio
      prêmio único: prêmio de valor, merecido, ímpar
5. a) Os aparelhos azul-marinho eram para as meninas surdas-mudas.
   b) Os tapetes verde-oliva não combinam com as cortinas amarelo-ouro.
   c) Os acordos luso-brasileiros serão celebrados com entusiasmo.
   d) Os guardas-noturnos usavam capas verde-escuras.
   e) Os novos programas socioculturais da empresa foram adiados.
6. a) superlativo absoluto sintético – felicíssima
   b) comparativo de superioridade – mais triste do que preocupada
   c) comparativo de inferioridade – menos travesso do que o dela
   d) comparativo de igualdade – tão decepcionado quanto eu
   e) superlativo relativo de superioridade – o melhor
7. a) superlativo relativo de superioridade: o mais baixo
   b) superlativo absoluto sintético: um ótimo
   c) superlativo absoluto analítico: muito demorada
   d) superlativo absoluto sintético: simpaticíssimo
   e) superlativo relativo de inferioridade: o menos bagunceiro da turma
8. a) jogadora inglesa
   b) amiga judia
   c) pastora cristã
   d) trabalhadora europeia
   e) escritora japonesa
   f) menininha chorona

Questões de vestibulares
1. b 2. d 3. d
4. a) vespertino; b) vital; c) discente
5. e 6. b
7. cívico-religiosas; azul-marinho (invariável)
8. e 9. d
10. "... mais contentes que os..." – grau comparativo de superioridade analítico
11. b

Numeral

Exercícios
1. a) Capítulo dezessete
   b) seiscentas e sessenta e quatro caixas de papelão
   c) Século oitavo
   d) quinquagésimo sexto lugar
   e) setecentos e oitenta e seis mil, seiscentos e quatorze
   f) Henrique quinto

g) trecentésimo nonagésimo terceiro colocado
h) Portaria oitenta e dois
i) apartamento sessenta e sete
j) três bilhões, doze milhões, oitocentos mil e quarenta e um

2. a) período de cem anos
b) quinhentas folhas de papel
c) grupo de mil coisas
d) período de nove dias
e) período de cinco anos
f) estrofe de três versos

3. d, h, f, g, a, c, e, b

4. a) quarto centenário / mil novecentos e cinquenta e quatro
b) A trezentos e trinta / dois mil e nove / duzentas e vinte e oito
c) doze bilhões e seis milhões
d) quatrocentos e noventa e nove milhões e quinhentos mil

5. a) quinhentos e oitenta – cardinal
b) primeiro – ordinal / dobro – multiplicativo / segundo – ordinal
c) metade – fracionário
d) um terço – fracionário
e) triplo – multiplicativo

Questões de vestibulares
1. c   2. e
3. a) triplo e terço
b) milésimo septuagésimo quinto
4. b   5. a   6. b   7. d   8. c

Pronome

Exercícios
1. a) **algum** – pronome adjetivo
você – pronome substantivo
seu – pronome adjetivo
b) **nós** – pronome substantivo
aquelas – pronome adjetivo
c) **Eu** – pronome substantivo
este – pronome adjetivo
d) **nele** (em + ele) – pronome substantivo
que – pronome substantivo
sua – pronome adjetivo

2. a) **Ela** – reto
ele – reto
abraçá-la – oblíquo
b) **Eles** – reto
consigo – oblíquo
c) **lhe** – oblíquo
me – oblíquo
d) **encontraram-na** – oblíquo
si – oblíquo

3. a) comprá-**las**   c) vendê-**lo**
b) guardem-**nos**   d) emprestou-**lhes**

4. a) **a** nova estagiária – artigo definido
a encontrei – pronome pessoal oblíquo
n**o** *shopping* – contração de em – preposição + o – artigo definido
b) **o** gabarito – artigo definido
guardei-**o** – pronome pessoal oblíquo
c) **a** viu – pronome pessoal oblíquo
n**a** excursão – contração da preposição **em** + o artigo definido **a**
a hora – artigo definido
d) procurei-**o** – pronome pessoal oblíquo
os andares – artigo definido

5. a) **nossos** – pronome possessivo adjetivo
seus – pronome possessivo substantivo
b) **meu** – pronome possessivo adjetivo
seu – pronome possessivo substantivo
c) **meu** – pronome possessivo adjetivo
teu – pronome possessivo substantivo
d) **tuas** – pronome possessivo adjetivo
minha – pronome possessivo adjetivo

6. a) **Este** celular na minha mão é de última geração.
b) **Aquele** garoto ali não é mais aluno **desta** turma aqui.

c) A questão é **esta**: não temos mais ingressos para sábado.
d) Ele não cumpriu o prometido e **isso** me deixou revoltada

7. a) tanto / tanta
   b) Todos / nada
   c) muitas / ninguém
   d) uns / outros
8. a) fotos – antecedente / <u>que</u> – pronome relativo
   b) casa – antecedente / <u>cujos</u> – pronome relativo
   c) casa – antecedente / <u>onde</u> – pronome relativo
   d) roupa – antecedente / <u>que</u> – pronome relativo
9. a) pronome relativo
   b) pronome indefinido
   c) pronome interrogativo
   d) pronome relativo indefinido (sem antecedente)
10. dia em **que** – pronome relativo
    ela não veio – pronome pessoal reto
    votei-**lhe** – pronome pessoal oblíquo
    de morte **que** durou – pronome relativo
    Era a decepção **que** sempre – pronome relativo
    sempre **nos** deixa – pronome pessoal oblíquo
    de que não **nos** faltará – pronome pessoal oblíquo
    na **outra** noite – pronome indefinido
    lá veio **ela** – pronome pessoal reto
    sombra para **outra** – pronome indefinido
    Nesse encontro – pronome demonstrativo (em + esse)
    encontro **nos** juramos – pronome pessoal oblíquo
    em **nossas** palavras – pronome possessivo

Questões de vestibulares
1. e   2. b
3. 1ª) A foto pode ter a imagem da pessoa com quem se fala.
   2ª) A foto pode pertencer a ela.
   3ª) A foto pode ter sido feita para ela.
   4ª) A foto pode ter sido feita por ela.
4. a) O barbeiro não parou de falar, enquanto cortava-**me** os cabelos.
   b) Amigo algum me ajudará.
5. c 6. e 7. d 8. c 9. e 10. c
11. d
12. Na frase, o pronome indefinido **algum**, por estar colocado após o substantivo **emprego**, tem um sentido negativo e significa **nenhum**.
13. a 14. c
15. Conheci o poeta mineiro **cujos** poemas foram publicados na edição de ontem do *Jornal do Brasil*.
16. e

Verbo

Exercícios
1. a) Se ele souber a verdade, ficará decepcionado.
   b) Talvez nós consigamos um bom lugar na plateia.
   c) Tudo acabará bem se ela disser o que sabe.
   d) Se você fizer um trabalho completo, será elogiado.
   e) Não havia mais alunos na sala após o sinal.
   f) Assim que saírem os resultados, façam a matrícula.
2. a) eu enxáguo
   b) eles contêm
   c) ele interveio
   d) que eu peça
   e) nomeardes vós
   f) quando tu quiseres
   g) nós fôramos
   h) ele fosse
   i) eu pude
   j) venha você
3. a) 1ª pessoa do singular do presente do indicativo

- b) 3ª pessoa do singular do imperativo afirmativo
- c) 1ª pessoa do plural do pretérito perfeito do indicativo
- d) 3ª pessoa do plural do futuro do pretérito do indicativo
- e) 3ª pessoa do plural do presente do indicativo
- f) 3ª pessoa do plural do futuro do presente do indicativo
- g) 2ª pessoa do singular do presente do subjuntivo
- h) 2ª pessoa do plural do imperativo negativo
- i) 1ª pessoa do plural do pretérito mais que perfeito do indicativo
- j) 3ª pessoa do plural do pretérito imperfeito do indicativo

4. d, e, b, a, c

5.
- a) Não nos interprete mal, só dizemos o que pensamos.
- b) Se vocês virem meus primos, convidem-nos também.
- c) Deixem-nos ajudá-los.
- d) Se vocês forem à praia, convidem-nos.
- e) Nós descansávamos enquanto elas preparavam o almoço.
- f) Vós andais muito calados ultimamente.

6.
- a) reflexiva (reciprocidade)
- b) ativa
- c) passiva (analítica)
- d) passiva (sintética)
- e) ativa
- f) reflexiva
- g) passiva (analítica)
- h) ativa
- i) passiva (analítica)
- j) passiva (sintética)

7.
- a) Boas informações foram obtidas sobre ele.
- b) Várias plantações foram destruídas pela geada.
- c) O processo será examinado ainda hoje pelo advogado.
- d) A presença, com certeza, será confirmada por alguns.
- e) Um esquema de dinheiro público foi denunciado pelo repórter.
- f) A dívida foi paga com minhas economias.
- g) Ele foi apoiado por nós nessa hora difícil.
- h) Cestas básicas estão sendo distribuídas pelo governo.
- i) Uma recepção para o artista plástico foi programada.
- j) Ele foi levado para o hospital.

8.
- a) Publicar-se-ão os resultados ainda hoje.
- b) Recebiam-se os competidores com entusiasmo.
- c) Construiu-se um novo *shopping* naquele bairro.
- d) Revelam-se casos curiosos com frequência.
- e) Exibir-se-á o filme vencedor no próximo domingo.
- f) Viam-se manifestantes pelos corredores.
- g) Retiraram-se os invasores.
- h) Inaugurou-se a ponte dentro do prazo.
- i) Conceder-se-iam muitos benefícios.
- j) Derrubaram-se as árvores.

9.
- a) Viram-nas na saída do teatro.
- b) O júri absolveu o réu.
- c) Recebiam-na com carinho sempre.
- d) Convocaram-no às pressas.
- e) Todos aplaudiam o jovem pianista.
- f) Ninguém ouviu a explicação do professor.
- g) O médico socorreu a criança.
- h) Vigiavam-nos constantemente.
- i) A nova empreendedora executará os trabalhos.
- j) A imprensa tem criticado o desempenho da atriz.

10.
- a) Você teria chegado mais cedo hoje?

b) Assim que ela tiver saído, avise-me.
c) A jovem tinha recebido flores de um admirador.
d) Talvez nós devêssemos tê-lo visitado no hospital.
e) O funcionário tinha comunicado a sua falta à diretoria.
11. a) Ouça com atenção.
b) Divulguem os resultados.
c) Volte para casa!
d) Façam as pazes.
e) Dirija devagar!
f) Amem seus amigos.
g) Fuja das tentações.
h) Espere-me em casa.
i) Terminem os trabalhos.
j) Venha depressa!
12. a) queríamos atrapalhar
b) vou indo
c) estou lendo
d) andam fazendo
e) continua estudando
f) parecem gostar
g) podemos fazer
h) pretendem viajar
i) terá de trabalhar
j) vêm entrando
13. a) Há
b) faz
c) interveio
d) entretemos
e) obtenha
f) proveem
g) vá
h) diferem
i) reavemos
j) requeira
14. a) mantiveram
b) se contradisse
c) se precaveu
d) reconstruiu
e) repuseram
f) advertiu
15. a) pudermos
b) forem
c) disser
d) trouxerem
e) vier
f) vir
g) fizer
h) for
i) quiser
j) estiver
16. a) tenha conseguido
b) ter concluído
c) tivessem dito
d) têm insistido
e) tivermos conversado
f) tinham resolvido
g) teríamos feito
h) tenha comprado
i) tem aparecido
j) têm apoiado
17. a) – / aboles, abole, abolimos, abolis, abolem
b) reouve, reouveste, reouve, reouvemos, reouvestes, reouveram
c) adéque, adéques, adéque, adequemos, adequeis, adéquem
d) precavesse, precavesses, precavesse, precavêssemos, precavêsseis, precavessem
e) –/ –/ –/ falimos, falis/ –/
f) –/ –/ doía/ – /– /doíam
g) caiba, caibas, caiba, caibamos, caibais, caibam
18. a) foram dispensados
b) tinham prendido
c) serão repostos
d) de ser refeitas
e) haviam imprimido
f) foram acesas
g) foi solto
h) teria dispersado
i) foram invadidas
j) ficaram submersas

Questões de vestibulares
1. e
2. a) pretérito mais-que-perfeito do indicativo
b) tinha dado ou havia dado
c) O pretérito mais-que-perfeito é usado para indicar um fato anterior a outro fato também no passado: "dar o rebate falso" aconteceu antes de "perceber".
3. a) Sucessivas e medonhas descargas de um tiroteio foram ouvidas.
b) A prova foi anulada
c) Os remos eram metidos na água pelos canoeiros.
4. a

5. a) A; b) P; c) P; d) P; e) P;
   f) R; g) R; h) P; i) A; j) A
6. b   7. d
8. ...e se às vezes eu era repreendido, à vista de gente, isso era feito por simples formalidade.
9. Não saias daqui! Não fujas! Não abandones o que é teu e não me esqueças.
10. c   11. c   12. d   13. c   14. d
15. a) Se ele vir o filme, eu também verei.
    b) Se tu te dispuseres, eu também me disporei.
16. e   17. c   18. d   19. d
20. a) reouver; b) se mantêm, se manterão, se mantiveram; c) contivessem; d) compuser
21. e   22. e   23. a   24. b   25. a
26. d
27. a) Se você se pusesse em meu lugar, perceberia melhor o problema.
    b) Quando virem o logro em que caíram, ficarão furiosos.

Advérbio

Exercícios

1. a) Sem dúvida – locução adverbial de afirmação
   b) talvez – advérbio de dúvida; não – advérbio de negação; tarde – advérbio de tempo
   c) com displicência – locução adverbial de modo; às pressas – locução adverbial de modo
   d) rapidamente – advérbio de modo; mais – advérbio de intensidade; cedo – advérbio de tempo
   e) certamente – advérbio de afirmação; ainda – advérbio de tempo; hoje – advérbio de tempo
2. a) comparativo de igualdade
   b) superlativo sintético
   c) comparativo de superioridade
   d) superlativo analítico
   e) comparativo de inferioridade
3. a) sem interrupção – ininterruptamente
   b) quem sabe – provavelmente
   c) por completo – completamente, finalmente
   d) aos poucos – paulatinamente, gradativamente
   e) de propósito – propositadamente
4. a) bastante – advérbio; meio – advérbio; depois – advérbio
   b) meio (chateada) – advérbio; muito – advérbio
   c) muitos – pronome adjetivo indefinido; bem – advérbio
   d) mau – adjetivo; mal – advérbio
   e) meio (litro) – numeral; pouco – advérbio
5. a) exceto – exclusão
   b) só – realce
   c) até – inclusão
   d) afinal – situação
   e) eis – designação

Questões de vestibulares

1. a) gradativamente, paulatinamente
   b) prazerosamente
   c) irrefletidamente
   d) casualmente
2. e   3. d
4. a) tacitamente, silenciosamente
   b) monotonamente
   c) resignadamente
   d) fraternalmente
5. b
6. a) de soslaio, de esguelha
   b) gradualmente
7. a

Preposição

Exercícios

1. a) Nunca houve desentendimentos **entre** mim e você.
   b) **Sem** você ficarei muito triste.
   c) Ele estava **com** vontade **de** revê-la **para** matar as saudades.

d) Discursava **para** uma multidão.
e) Procurava uma resposta **com** o olhar.

2. h, j, i, g, b, e, d, f, a, c

3. a) Na (contração da preposição em + artigo a); da (contração da preposição de + artigo a); pelos (contração da preposição por + artigo os); do (contração da preposição de + artigo o)
b) ao (combinação da preposição a + artigo o); naquele (contração da preposição em + pronome demonstrativo aquele)
c) pela (contração da preposição por + artigo a); daquela (contração da preposição de + pronome demonstrativo aquela)
d) na (contração da preposição em + artigo a); de (preposição); naquele (contração da preposição em + pronome demonstrativo aquele)
e) nesta (contração da preposição em + pronome demonstrativo esta)

4. a) por e) sobre h) com
b) para f) contra i) a
c) em g) sob j) de
d) até

5. a) a Roma – preposição
b) a chuva – artigo
c) a porta – artigo
d) a encontramos – pronome pessoal
e) a ninguém – preposição; a perturbava – pronome pessoal
f) a todo – preposição; até a praia – artigo
g) a fingir – preposição
h) a trouxe – pronome pessoal; para a festa – artigo; a namorá-la – preposição
i) a bolsa – artigo; era a que – pronome demonstrativo

6. a) de acordo com – locução prepositiva
b) por ali – locução adverbial
c) em conformidade com – locução prepositiva
d) acima de – locução prepositiva
e) por certo – locução adverbial
f) de repente – locução adverbial
g) ao invés de – locução prepositiva
h) de perto – locução adverbial
i) de propósito – locução adverbial

7. a) a Deus – preposição essencial
b) durante a viagem – preposição acidental
c) como prêmio – preposição acidental
d) de / a – preposição essencial
e) segundo a – preposição acidental

Questões de vestibulares

1. c **2.** a **3.** d
4. a) expulso da sala – indica o local;
b) com piadinhas – indica instrumento ou modo
5. b **6.** a **7.** c **8.** d

Ocorrência da crase

Exercícios

1. c) **à** espera do ônibus
e) está **à** janela
g) ria **à** vontade
i) um *e-mail* **à** amiga

2. a) **A** professora perdoou **as** faltas dos alunos.
b) Aprecio muito andar **a** cavalo.
c) De hoje a trinta dias começarão **as** férias.
d) Estou **a** seu dispor **a** menos que haja algum imprevisto.
e) Cheguei **às** nove horas como prometi.
f) Fui **à** escola para entregar **a** pesquisa **à** professora.
g) *E abro **as** janelas, pálido de espanto...*
*E conversamos toda **a** noite, enquanto*

A via láctea, como um pálio aberto,
Cintila. E, ao vir do sol, saudoso e em pranto,
Inda **a** *procuro pelo céu deserto.*

3. a
4. a) a prazo; à vista
   b) à vontade; à noite
   c) à direita; à esquerda
   d) a pé; às duas horas
   e) às escondidas; a tempo
   f) a caráter
   g) à prova d'água
   h) às segundas-feiras; à exceção
   i) à mão; a lápis
   j) a sete chaves
5. a) compramos **aquela** poltrona
   b) dirigiu-se **àquela** avenida
   c) chegar **àquele** lugar
   d) refiro-me **àquela** questão
   e) encontro **aquele** remédio
   f) acostumar **àquela** cidade
6. a) Submeteram a mulher **a provações**... – não se usa o acento da crase em locuções constituídas de **a** + substantivos no plural.
   b) Informamos **a Vossa Excelência**... – não ocorre crase diante de pronomes de tratamento, exceto **senhora** e **senhorita**.
   d) Peça **a qualquer um**... – não ocorre crase diante de pronomes que repelem o artigo, como a maioria dos pronomes indefinidos.
   e) Não parecia disposto **a falar**... – não ocorre crase diante de verbos.
   Os demais itens estão corretos.

Questões de vestibulares
1. e   2. c
3. Há, à, à, às, a, a, a, a, à
4. d   5. c   6. d   7. d   8. a   9. d
10. b   11. b   12. d   13. c
14. ... contar tudo à senhora – o verbo contar exige a preposição **a** e o substantivo feminino senhora apresenta artigo **a** (a + a = à).
15. c

Conjunção

Exercícios

1. a) porém – conjunção coordenativa adversativa
   b) não só; como também – aditiva
   c) ora; ora – alternativa
   d) pois – explicativa
   e) por isso – conclusiva
   f) pois – explicativa
   g) no entanto – adversativa
   h) logo – conclusiva
   i) mas – adversativa
   j) que – explicativa
2. a) assim que – conjunção subordinativa temporal
   b) porque – causal
   c) para que – final
   d) se – conjunção integrante
   e) embora – concessiva
   f) tão; que – consecutiva
   g) à medida que – proporcional
   h) como – causal
   i) caso – condicional
   j) como – comparativa
   k) como – conformativa
   l) mais... que – comparativa
   m) porque – causal
   n) tantas... que – consecutiva
   o) ainda que – concessiva
   p) que – conjunção integrante
   q) que – conjunção integrante
   r) tão... que – consecutiva
   s) para que – final
   t) (de) que – conjunção integrante
3. a) como – causal
   b) como – conformativa
   c) como – comparativa
   d) como – causal
   e) como – conformativa
4. a) que – consecutiva
   b) que – comparativa

c) que – final
d) que – comparativa
e) que – consecutiva

5. a) mas – conjunção coordenativa adversativa; que – conjunção subordinativa integrante; e – conjunção coordenativa aditiva; e – conjunção coordenativa aditiva; não só... como – locução conjuntiva coordenativa aditiva
   b) que – conjunção subordinativa integrante; se – conjunção subordinativa condicional; nem – conjunção coordenativa aditiva; que – conjunção subordinativa integrante; e – conjunção coordenativa aditiva; que – conjunção subordinativa integrante

Questões de vestibulares
1. e   2. d   3. e   4. e
5. b   6. b   7. c

Interjeição

Exercícios
1. a) Alô! – saudação
   b) Cuidado! – advertência
   c) Puxa vida! – impaciência
   d) Ai de mim! – lamento, comiseração
   e) Psiu! – silêncio
   f) Credo! – medo
   g) Francamente! – reprovação
   h) Ai! – dor
   i) Nossa! – admiração, surpresa
   j) Obrigada! – agradecimento
2. Sugestões:
   a) Ei! Entre aqui embaixo da barraca!
   b) Psiu! O bebê está dormindo.
   c) Pois não! Em que posso ajudá-la?
   d) Francamente! Não esperava tal atitude de quem se dizia amigo.
   e) Ufa! Até que enfim terminei o dever de casa.
   f) Até logo! Espero revê-los em breve.
3. d, c, a, b

Questões de vestibulares
1. b   2. b
3. A interjeição "ah" expressa um sentimento de aceitação da personagem em relação ao modo de viver das pessoas daquela cidadezinha.
4. d

Sintaxe

Análise sintática

Exercícios
1. Sugestões:
   a) declarativa: Sempre viajo no fim de semana.
   b) interrogativa: Quando você vai viajar?
   c) exclamativa: Que bela paisagem!
   d) imperativa: Volte sempre.
   e) optativa: Como gostaria de revê-lo!
   f) imprecativa: Vá para o inferno!
2. a) Coitadinho!
   d) Que noite agradável!
   e) Fila à direita, por favor!
3. a) optativa   d) imperativa
   b) declarativa   e) interrogativa
   c) exclamativa
4. a) *Os garotos <u>reclamam</u> esta ou aquela escolha, / mas o padre <u>deve ter</u> fama de zangado, / pois <u>basta</u> alguém/ <u>reclamar</u>/ que ele, com um simples olhar, <u>cala</u> o reclamante.*
   Período composto por cinco orações.
   b) *<u>Ia</u> eu <u>passando</u> de carro pela Lagoa/ quando <u>vi</u> na calçada uma moça/ <u>esperando</u> o ônibus com seu jeans e bolsa a tiracolo.*
   Período composto por três orações.
   c) *Às vezes <u>dava</u> para <u>pensar</u> comigo mesmo,/ e solitário <u>andava</u> por debaixo das árvores da horta,/ <u>ouvindo</u> sozinho a cantoria dos pássaros.*
   Período composto por três orações.

d) — *Para dizer/ o que eu sinto,/ quero saber antes/ se o que eu sinto/ é o mesmo/ que se deve sentir/ quando se está realizado,/ ou julga/ estar.*
Período composto por nove orações.

5. a) *Não esperaria mais/que elas podiam voar*. Período composto – duas orações.
b) *As suas violetas, nas janelas, não lhes poupei água/e elas murcham*. Período composto – duas orações.
c) *Acredito/que não tenha sido uma coincidência/você ter me encontrado aqui,/portanto quero/que me dê uma explicação*. Período composto – cinco orações.
d) *Ainda não fui visitá-lo,/porque não tive tempo*. Período composto – duas orações.
e) *O barulho das conversas na esquina perturbou meu sono a noite toda*. Período simples – uma oração.

Questões de vestibulares

1. A frase é um enunciado que estabelece um significado completo, mesmo que não haja verbo. O contexto – provavelmente pessoas dentro de um transporte coletivo –, e as falas comuns de um cobrador levam ao entendimento do texto.
2. d 3. b 4. c

Termos essenciais da oração

Exercícios

1. a) sujeito indeterminado
b) sujeito oculto – elíptico (eu)
c) oração sem sujeito
d) oração sem sujeito
e) sujeito simples – os turistas
f) sujeito composto – ruas e avenidas
g) sujeito indeterminado
h) sujeito oculto – elíptico (você)
i) oração sem sujeito
j) sujeito simples – um local ensolarado
k) sujeito indeterminado
l) sujeito simples – o resultado
m) sujeito composto – lápis e borracha
n) sujeito simples – outras provas contrárias
o) sujeito oculto – elíptico (nós)
p) sujeito indeterminado
q) oração sem sujeito
r) sujeito simples – todos
s) oração sem sujeito
t) sujeito inexistente

2. a) Vários copos descartáveis sobraram pelos cantos.
sujeito simples: vários copos descartáveis; núcleo: copos
b) Os convocados saíram correndo pela porta da frente.
sujeito simples: os convocados; núcleo: convocados
c) Novos interessados aparecíam de vez em quando.
sujeito simples: novos interessados; núcleo: interessados
d) O presidente francês chegou ontem a Brasília.
sujeito simples: o presidente francês; núcleo: presidente
e) Todos os documentos necessários estavam sobre a mesa.
sujeito simples: todos os documentos necessários; núcleo: documentos
f) Pais, professores e alunos foram ao colégio.
sujeito composto: pais, professores e alunos; núcleo: pais, professores, alunos
g) Todo aquele trânsito barulhento deixava-me nervosa.
sujeito simples: todo aquele trânsito barulhento; núcleo: trânsito
h) Grande parte dos manifestantes ficou concentrada perto de casa.

sujeito simples: grande parte dos manifestantes; núcleo: parte
i) Um pressentimento horrível tomou conta de nós.
sujeito simples: um pressentimento horrível; núcleo: pressentimento
j) Muitos fantasmas divertidos apareceram naquela madrugada.
sujeito simples: muitos fantasmas divertidos; núcleo: fantasmas

3. a) falaram: verbo pessoal, as pessoas falaram mal.
b) choveu: verbo pessoal, está empregado em sentido figurado, e "bolinha de papel" é o sujeito da oração.
c) trovejou: verbo impessoal, indica fenômeno da natureza.
d) faz: verbo impessoal, indica tempo passado.
e) precisa-se: verbo pessoal, alguém precisa de.
f) eram: verbo impessoal, indica tempo, mas está flexionado para concordar com o numeral dez.
g) abraçamos: verbo pessoal, na 1ª pessoa do plural – nós.
h) havia: verbo impessoal, no sentido de existir.
i) era: verbo impessoal, indica tempo (noite de Natal).
j) tocaram: verbo pessoal, alguém tocou a campainha de todas as casas.

4. a) eu (estou) – 1ª pessoa do singular
b) você (venha) – 3ª pessoa do singular
c) tu (desistas) – 2ª pessoa do singular
d) nós (compareçamos) – 1ª pessoa do plural
e) nós (entendemos) – 1ª pessoa do plural
f) ele/ela (devia) – 3ª pessoa do singular
g) vós (fazei) – 2ª pessoa do plural
h) tu (chores) – 2ª pessoa do singular
i) eu (queria) – 1ª pessoa do singular
j) nós (estamos) – 1ª pessoa do plural

5. a) sujeito paciente, mas a voz é ativa – o pobre animal
b) sujeito paciente – o resultado das pesquisas
c) sujeito paciente – muitos livros didáticos
d) sujeito agente – ninguém
e) sujeito paciente, mas a voz é ativa – as crianças

6. a) Cancelaram-se as reuniões previstas.
b) Materiais para escritório são vendidos neste local.
c) Devolver-se-ia mercadoria entregue por engano.
d) Todas as ligações locais foram conferidas.
e) Alugam-se caiaques e *jet skis* na temporada de verão.
f) Os velhos edifícios do centro foram implodidos.

7. a) sujeito – alguém
predicado – veio procurá-lo no outro dia
b) sujeito – vários acidentes
predicado – ocorreram naquela tarde chuvosa
c) sujeito – um bando de garotos
predicado – empinava pipa na rua
d) oração sem sujeito
predicado – houve muita briga e gritaria por causa do jogo de basquete
e) sujeito indeterminado
predicado – aguardaram até de madrugada a chegada do ônibus
f) sujeito oculto/elíptico (eu)
predicado – não consegui localizar a sua casa de campo

8. a) deixou muitas pessoas preocupadas (PVN)
b) pareciam bem cansados depois da caminhada (PN)
c) deixaram o estádio eufóricos (PVN)
d) não confiavam nos jovens (PV)
e) andam descontentes com os políticos (PN)
f) assistimos ao espetáculo durante várias horas (PV)
g) alugamos um apartamento bem barato perto da praia (PV)
h) entrei em casa muito apressado (PVN)
i) continuava apreensiva por causa das revoltas (PN)
j) acenderam-se (PV)

9. a) deixou / preocupadas
b) cansados
c) deixaram / eufóricos
d) confiavam
e) descontentes
f) assistimos
g) alugamos / barato
h) entrei / apressado
i) apreensiva
j) acenderam

10. a) predicado nominal – permanecia interditado
verbo de ligação – permanecia; predicativo do sujeito – interditado
b) predicado nominal – andava cada vez mais desinteressada
verbo de ligação – andava; predicativo do sujeito – desinteressada
c) predicado nominal – ficamos muito aborrecidos com o seu comportamento
verbo de ligação – ficamos; predicativo do sujeito – aborrecidos
d) predicado nominal – encontram-se abertas a partir de hoje
verbo de ligação – encontram-se; predicativo do sujeito – abertas
e) predicado nominal – virou um belo cão
verbo de ligação – virou; predicativo do sujeito – cão
f) predicado nominal – continuava inabalável
verbo de ligação – continuava; predicativo do sujeito – inabalável

11. a) parecia gostar (VS); gostar – verbo transitivo indireto
b) anoiteceu (VS) – verbo intransitivo
c) continuavam (VL) – verbo de ligação
d) continuavam (VS) – verbo transitivo direto
e) obedecemos (VS) – verbo transitivo indireto
f) acreditamos (VS) – verbo transitivo indireto
g) foi (VL) – verbo de ligação
h) fica sendo (VL); ser – verbo de ligação
i) pareciam (VL) – verbo de ligação
j) olhou (VS) – verbo transitivo direto

12. a) foi – verbo intransitivo; carregando – verbo transitivo direto
b) digo – verbo transitivo direto e indireto; vale – verbo transitivo direto
c) teve – verbo transitivo direto; levantar – verbo intransitivo; desfazia – verbo transitivo direto; viu – verbo transitivo direto; desaparecendo – verbo intransitivo; sumindo – verbo intransitivo
d) recolhe – verbo transitivo direto; ajuda – verbo transitivo direto e indireto
e) confiará – verbo transitivo indireto
f) houve – verbo transitivo direto; imagina – verbo intransitivo; morava – verbo intransitivo; advertiu – verbo transitivo direto; convidar – verbo transitivo direto

13. Sugestões:
a) Eles caminhavam pela rua maravilhados.
b) Assistimos emocionados ao filme em casa.
c) Eu a vi muito bonita na festa.
d) Encontramos meu amigo chateado na balada.
e) A moça saiu de casa bem apressada.
f) Os ladrões fugiram desarmados.
g) Os novos empregados estão trabalhando muito satisfeitos na loja.
h) O bebezinho dormia tranquilo no carrinho.

14.
a) tão feliz – predicativo do objeto
b) faminto – predicativo do sujeito
c) mais confusa – predicativo do sujeito
d) enjoada – predicativo do objeto
e) emocionado – predicativo do sujeito
f) emocionado – predicativo do objeto
g) felizes – predicativo do sujeito
h) desanimada – predicativo do objeto
i) inesperada – predicativo do sujeito
j) incoerente – predicativo do objeto
k) *designer* de interiores – predicativo do objeto
l) em um tigre – predicativo do sujeito

15. Sugestões:
a) irritada
b) muito esperta
c) muito simples
d) inocente
e) infeliz
f) enfurecido

16.
a) sem experiência – inexperiente
b) com vergonha – envergonhada
c) sem consciência – inconsciente
d) com pressa – apressados
e) sem preparo – despreparado
f) sem esperança – desesperançados

17.
a) pensei – incorreto, transitivo indireto
b) lembramos – incorreto, transitivo direto e indireto
c) encontraram-se – correto
d) continuavam – incorreto, verbo de ligação
e) perguntam – incorreto, transitivo direto e indireto / é – correto
f) havia – correto
g) contou – correto / despediu – correto
h) permaneceu – correto
i) permaneceram – incorreto, intransitivo
j) falar – correto

18. b) a regra – sujeito simples

19. c) minha irmã: objeto direto; muito nervosa: predicativo do objeto

Questões de vestibulares
1. c **2.** a **3.** c **4.** e
5. d **6.** e **7.** a **8.** d
9.
a) está – verbo de ligação
b) encontro – transitivo direto
c) pensei – transitivo indireto
d) vagou – intransitivo

10. c **11.** a **12.** c **13.** a **14.** b
15. d **16.** c **17.** c **18.** b **19.** d
20. c **21.** a **22.** e

Termos integrantes da oração

Exercícios
1.
a) com os novos **colegas** – objeto indireto
b) **vocês** – objeto direto
c) ao antigo **inquilino** – objeto indireto
d) **lhe** – objeto indireto / uma carona – objeto direto
e) **na** – objeto direto
f) da boa **vontade** dele – objeto indireto
g) uma **parte** da viagem – objeto direto
h) aos **movimentos** grevistas – objeto indireto

i) a **todos** – objeto direto preposicionado
j) a **palavra** dada – objeto direto
2. a) OD c) OD e) OI g) OI
   b) OI d) OD f) OD h) OD
3. a) Trancava-<u>as</u>...
   b) ... <u>lhe</u> pertenciam...
   c) Alguém <u>os</u> chamou...
   d) Prometeu dar-<u>lhe</u>...
   e) O médico atendeu-<u>o</u>...
   f) Nada <u>os</u> incomodava.
   g) A menina não <u>lhe</u> deu o recado.
   h) ... agradeceu-<u>lhes</u> a ajuda.
4. a) a todos – objeto direto preposicionado
   b) os – objeto direto pleonástico
   c) lhe – objeto indireto pleonástico
   d) a todos – objeto direto preposicionado
   e) as – objeto direto pleonástico
   f) a ela – objeto indireto pleonástico
   g) o – objeto direto pleonástico
   h) a quem – objeto direto preposicionado
5. a) com a sua volta
   b) pelo sucesso da festa
   c) de todos
   d) pelos ingressos
   e) para os estudos
   f) aos estudantes
   g) a todas as pessoas
   h) a todos
   i) aos desabrigados
   j) na boa atuação
6. a) O vidro da janela foi quebrado <u>pelos meninos</u> com uma bolada.
   b) Várias exigências foram feitas à diretoria <u>pelos funcionários</u>.
   c) Plantações foram destruídas <u>pelos insetos</u> em muitas regiões do estado.
   d) O artista circense foi aplaudido com entusiasmo <u>pela multidão</u>.
   e) Quase todo o bairro era rodeado <u>pelas ruas e avenidas alagadas</u>.
   f) O local dominado pelos assaltantes foi cercado <u>pela polícia</u>.
   g) Remédios sem receita médica são utilizados <u>pela população</u>.
   h) Medalhas e troféus foram ganhos dos organizadores do evento <u>pelos melhores jogadores</u>.
7. a) Talvez os habitantes do lugarejo o tenham visto.
   b) Assaltaram a mesma loja diversas vezes.
   c) Enviaram dezenas de convites para um evento muito aguardado.
   d) Os moradores abandonaram a casa em reforma.
   e) Esperava que mandassem todos os cães para o mesmo abrigo.
   f) O medo de uma explosão nuclear tomou a população.
   g) Os excursionistas aguardavam o passeio às cataratas com ansiedade.
   h) As autoridades alertam, em geral, os responsáveis pelo setor de telefonia.
8. a) Sempre temeu a altura.
   b) As pessoas necessitam de amigos.
   c) Grande parte dos atletas confiava na vitória.
   d) Todos devem obedecer às leis.
   e) Certos medicamentos prejudicam muito a saúde.
   f) Os programas que combatem a fome estão sendo revistos.
9. a) CN c) OI e) OI g) AP
   b) OI d) AP f) OI h) CN
10. a) aquele balãozinho de papel – objeto direto
    b) me – objeto indireto; se – objeto direto
    c) me – objeto indireto; me – objeto direto
    d) lo – objeto direto; a madrinha – predicativo do sujeito

e) essa história – sujeito; por nenhum homem – agente da passiva; algum anjo tagarela – sujeito; a – objeto direto
f) aquele – predicativo do sujeito; outro – objeto direto; a gente – sujeito; em tudo – objeto indireto
g) vaqueiro – predicativo do sujeito; ninguém – sujeito; o – objeto direto
h) tudo – sujeito; me – objeto indireto; certeza – objeto direto

Questões de vestibulares
1. e   **2.** b
3. a) às vezes **o** repreendia
b) porque **lhe** negara uma colher de doce
4. e
5. a) A emoção do povo era disfarçada pela impassibilidade dos rostos.
b) Os viajantes eram assustados pelo negrume da noite.
6. a) tal como ele foi visto por mim em uma noite de luar
b) o – objeto direto na frase original; ele – sujeito na frase transformada
7. d   **8.** e   **9.** d
10. d   **11.** e   **12.** a   **13.** b
14. a   **15.** c   **16.** a   **17.** e

Termos acessórios da oração

Exercícios
1. a) O muro do nosso colégio foi pichado de madrugada.
b) Aquele homem comeu dois sanduíches de presunto e bebeu um litro de água.
c) Esse belo móvel pertenceu ao meu saudoso avô.
d) Ela estava sentada em uma antiga cadeira de balanço.
e) Todos os jogadores do time receberam uma severa crítica de seu treinador.
f) As brincadeiras dos alunos deixaram o professor novato descontente.
g) Muitas ruas da cidade ficaram interditadas durante o dia inteiro.
h) O jovem casal residia no décimo andar daquele moderno edifício.
i) A difícil decisão dependia dos votos dos senhores juízes.
j) A primeira página do jornal trazia o retrato das diversas vítimas.

2. a) muro
b) homem; sanduíches; litro
c) móvel; avô
d) cadeira
e) jogadores; crítica
f) brincadeiras; professor
g) ruas; dia
h) casal; andar; edifício
i) decisão; votos
j) página; retrato

3. a) CN c) AA e) AA g) CN i) AA;
b) AA d) CN f) CN h) AA j) CN

4. a) I. **do aluno** é adjunto adnominal – sentido ativo – o aluno redigiu
II. **do artigo** é complemento nominal – sentido passivo – o artigo foi redigido
b) I. **nos pais** é complemento nominal – ele tinha confiança nos pais
II. **dos pais** é adjunto adnominal – os pais confiavam nele
c) I. **à mãe** é complemento nominal – a mãe é amada – sentido passivo
II. **de mãe** é adjunto adnominal – a mãe é que ama – sentido ativo
d) I. **dos alunos** é adjunto adnominal – os alunos é que produziram – sentido ativo
II. **de carros populares** – é complemento nominal – os carros foram produzidos – sentido passivo

5. a) aposto
b) adjunto adnominal
c) aposto

Caderno de respostas   **623**

d) adjunto adnominal
e) aposto
6. Sugestões:
a) no Rio de Janeiro
b) bastante, muito
c) em breve
d) rapidamente
e) com a pá
7. a) adjunto adverbial de causa
b) adjunto adverbial de finalidade
c) adjunto adverbial de lugar; de causa
d) adjunto adverbial de modo; de tempo
e) adjunto adverbial de instrumento
f) adjunto adverbial de lugar
g) adjunto adverbial de dúvida; de companhia
h) adjunto adverbial de modo
8. a) sempre – advérbio / no fim de semana – locução adverbial
b) geralmente, tarde, cedo – advérbios
c) às pressas – locução adverbial / no escritório – expressão adverbial
d) nesta sala – expressão adverbial / à vontade – locução adverbial
e) deveras – advérbio
f) às escondidas, de surpresa – locuções adverbiais
g) ainda, não – advérbios
h) talvez, amanhã – advérbios
i) em silêncio – locução adverbial / durante a aula – expressão adverbial
j) já – advérbio / dentro do avião – expressão adverbial
9. a) AAV d) AAN g) CN / AAV j) AAV
b) CN   e) CN   h) OI
c) OI   f) OI   i) AAN / AAV
10. Sugestões:
a) a respeito de política
b) apesar dos contratempos
c) graças ao meu esforço
d) de acordo com o cronograma
e) junto a tanta discórdia
11. a) no meu tempo de criança – tempo / não – negação / mesmo – modo
b) tão – advérbio de intensidade / adjunto adverbial de intensidade
c) antigamente – tempo / quase – intensidade
d) o verbo "cortava"
12. a) amor, fama e dinheiro – aposto
b) professor – vocativo
c) garota – vocativo
d) pai – vocativo
e) enfermeiros neste hospital – aposto
f) adolescente – vocativo
g) mulher de Popeye – aposto
h) Maria – vocativo
i) meninos e meninas dessa escola – aposto
j) Joãozinho – vocativo
13. Sugestões:
a) Terei uma folga amanhã, sexta-feira. (aposto)
b) Amanhã, amiga, irei ao cinema. (vocativo)
c) Compramos esta revista, *Bravo*. (aposto)
d) Avise-me, Carminha, quando chegar. (vocativo)
e) O chefe, Sr. Manuel, ajudou-nos muito. (aposto)
f) Qual é o preço dessa blusa, senhora, por favor? (vocativo)
14. a) Alunos responderam a questões com facilidade.
b) Escola atraía pessoas.
c) Discussões entre vizinhos precisam ser resolvidas imediatamente.
d) Porta permaneceu aberta dia de ontem.
e) Jogo entre turmas atraiu pais até a quadra.
f) Desenho ainda não ficou pronto

g) Tipo alcançou popularidade.
h) Use verde para pintar quadros.

15. a) todos os novos funcionários da empresa – sujeito simples
núcleo – funcionários
adjunto adnominal – todos / os / novos / da empresa
b) a mim – objeto indireto
me – objeto indireto pleonástico
c) o antigo secretário de turismo – objeto direto
núcleo – secretário
adjunto adnominal – o antigo / de turismo
d) o seu olhar – sujeito simples
núcleo – olhar
adjunto adnominal – o seu
distante – predicativo do sujeito
e) de Natal – adjunto adnominal
muito – adjunto adverbial de intensidade
emocionadas – predicativo do sujeito
f) alienados – predicativo do sujeito
de tudo – complemento nominal
g) quebrados – predicativo do objeto
h) acostumadas – predicativo do sujeito
com tanto frio – complemento nominal
i) chalés de madeira – sujeito simples
núcleo – chalés
adjunto adnominal – de madeira
j) Minha amiga – vocativo
de um assunto bem delicado – objeto indireto
núcleo – assunto
adjunto adverbial de modo – bem
adjunto adnominal – um / delicado
k) muitas pessoas desabrigadas – objeto direto
núcleo – pessoas
adjunto adnominal – muitas / desabrigadas
com a chuva – adjunto adverbial de causa
l) de intensa movimentação – complemento nominal
m) muito – adjunto adverbial de intensidade
aquele filme de terror – sujeito simples paciente
núcleo – filme
adjunto adnominal – aquele / de terror
n) ao parque – complemento nominal
as – objeto direto
felizes – predicativo do objeto
o) o local – objeto direto
revoltado – predicativo do sujeito
p) pelas autoridades – agente da passiva
q) da boa notícia – complemento nominal
a todos – objeto direto preposicionado
r) se – objeto direto reflexivo
com uma tesoura enferrujada – adjunto adverbial de instrumento
s) o ar da nossa cidade – sujeito simples
núcleo – ar
adjunto adnominal – o / da nossa cidade
irrespirável – predicativo do sujeito

Questões de vestibulares
1. b   2. a
3. me: adjunto adnominal; significa minhas (fibras)
me: objeto indireto; significa em mim (inspira fúrias em mim)
4. a   5. d
6. a) II; b) IV; c) III; d) I
7. b   8. e   9. c
10. Sugestões:
a) O velho morreu de frio.
b) O rapaz veio de longe.
11. c   12. e
13. a   14. a
15. e   16. a
17. b

Orações coordenadas

Exercícios

1. a) O rapaz parou, olhou para os lados, mas não reconheceu o lugar.
   b) A governadora era uma mulher íntegra, por isso todos a elogiavam.
   c) Embora acreditassem em sua inocência, o réu foi condenado.
   d) Não disse nada, não falou com ninguém e foi-se embora.
   e) Aqueles políticos expressam-se muito bem, convencem os eleitores, mas não cumprem o prometido. (outra possibilidade: ... eleitores; não cumprem, porém, o prometido.)
   f) Estava desempregada, queria viajar no fim de semana, logo a solução seria pedir um empréstimo.

2. a) coordenada   f) coordenada
   b) subordinada   g) coordenada
   c) subordinada   h) subordinada
   d) coordenada   i) subordinada
   e) subordinada   j) subordinada

3. a) S; b) CS; c) C; d) S; e) CS;
   f) C; g) S; h) S; i) C; j) S

4. a) Encontramo-nos na praça – assindética
      conversamos bastante – assindética
      e matamos as saudades – sindética
   b) entraram na sala – assindética
      guardaram o material – assindética
      saíram em silêncio – assindética
   c) quer você goste – sindética
      quer não goste – sindética
      vou buscá-lo no colégio – assindética
   d) corro o lápis em torno da mão – assindética
      e me dou uma luva – sindética
   e) comprou o papel de seda – assindética
      cortou-o com amor – assindética
      compôs os gomos oblongos – assindética

5. a) Decida-se logo / _assindética_
      ou não disputará a prova final. _sindética alternativa_
   b) Era um bom rapaz, / _assindética_
      teve, **no entanto**, um comportamento reprovável. _sindética adversativa_
   c) Não se preocupe com as compras, / _assindética_
      que eu vou ao supermercado. _sindética explicativa_
   d) O treino já terminou por hoje; / _assindética_
      deve, **pois**, retornar amanhã. _sindética conclusiva_
   e) Desistimos do passeio à praia, / _assindética_
      porque está ficando muito frio. _sindética explicativa_
   f) As garotas entraram na loja, / _assindética_
      experimentaram vários vestidos, / _assindética_
      /**mas** não compraram nenhum. _sindética adversativa_
   g) Não obteve resposta, / _assindética_
      voltou à cozinha, / _assindética_
      foi pendurar-se à saia da mãe. _assindética_
   h) Ela, com certeza, estava triste, / _assindética_
      pois não esboçou nenhum sorriso. _sindética explicativa_
   i) As suas violetas na janela, não lhes poupei água/ _assindética_
      e elas murcham. _sindética aditiva_
   j) Estavam todos em segurança; / _assindética_

<u>aguardavam</u>, entretanto, novos temporais.
sindética adversativa

6. a **7.** b
8. Sugestões:
   a) Elas não só ajudavam, mas também davam palpites.
   b) Deve desistir agora ou não terá outra chance.
   c) Proteja-se, pois está começando a nevar.
   d) Gostou da surpresa, porém queria uma comemoração mais tranquila.
   e) Está esfriando, por isso não se esqueça de levar o casaco mais quentinho.
9. b **10.** c

Questões de vestibulares
1. d **2.** d
3. Os homens queimam a vegetação perigosamente, por isso (logo) o desequilíbrio ecológico se espalha.
4. d
5. c **6.** d **7.** c **8.** c **9.** b **10.** a
11. e **12.** a **13.** d **14.** e **15.** d

Orações subordinadas substantivas

Exercícios

1. a) Ainda não consegui visitar os lugares /
or. principal
que tanto aprecio.
or. sub. adjetiva
   b) Procurou uma estrada alternativa /
or. principal
para fugir do trânsito /
or. sub. adverbial (reduzida)
que estava se formando na rodovia.
or. adjetiva
   c) Conta-se que, /
or. principal
antigamente, por aqui viveram povos antropófagos.
or. sub. substantiva
   d) Disse palavras /
or. principal
das quais se arrependeria mais tarde /
or. sub. adjetiva
ao discutir com o irmão.
or. sub. adverbial (reduzida)
   e) À medida que nos aproximávamos do caminho da praia, /
or. sub. adverbial
os sinais de tempestade iam aumentando.
or. principal

2. a) O resultado vai depender <u>de que todos se esforcem</u>.
   b) As crianças hospitalizadas aguardavam ansiosamente <u>que o Papai Noel viesse</u>.
   c) É prioridade <u>que se mantenham essas salas limpas e arejadas</u>.
   d) Contava <u>com que os pais o apoiassem em mais um importante desafio</u>.
   e) Sua expectativa é que <u>vença a final do campeonato de rúgbi</u>.

3. a) depender <u>do esforço</u> – objeto indireto; or. sub. subst. objetiva indireta
   b) aguardavam <u>a vinda</u> – objeto direto; or. sub. subst. objetiva direta
   c) <u>a manutenção</u> – sujeito; or. sub. subst. subjetiva
   d) contava <u>com o apoio</u> dos pais – objeto indireto; or. sub. subst. objetiva indireta
   e) expectativa é <u>a vitória</u> – predicativo do sujeito; or. sub. subst. predicativa

4. a) Os jogadores garantem /
or. principal
que vencerão o campeonato.
or. sub. substantiva objetiva direta

b) Tinha certeza /
   or. principal
   de que aceitaria a nossa proposta.
   or. sub. substantiva completiva nominal
c) Parece /
   or. principal
   que ninguém apareceu na festa de despedida.
   or. sub. substantiva subjetiva
d) É possível /
   or. principal
   que algumas pessoas nos ajudem.
   or. sub. substantiva subjetiva
e) A verdade é /
   or. principal
   que ela nunca confiou em você.
   or. sub. substantiva predicativa
f) Uma coisa me entristece: /
   or. principal
   ela não fala mais comigo.
   or. sub. substantiva apositiva
g) Não sabemos /
   or. principal
   se ele resolveu o problema.
   or. sub. substantiva objetiva direta
h) Envergonho-me /
   or. principal
   de que tenha se portado tão mal.
   or. sub. substantiva objetiva indireta
i) Estava decidido /
   or. principal
   que vocês ficariam na escola.
   or. sub. substantiva subjetiva
j) Duvidou /
   or. principal
   de que eles seriam capazes de perdoar.
   or. sub. substantiva objetiva indireta

5. Sugestões:
   a) A professora exigiu que ninguém faltasse à aula.
   b) É provável que ela não venha hoje.
   c) O pai insistiu em que o filho o acompanhasse à reunião.
   d) O melhor é que entraremos em férias amanhã.
   e) Nós estamos certos de que você comparecerá ao nosso casamento.
   f) O resultado depende de que ela termine bem todos os testes.
   g) Foi comentado que ele não pagou o que devia.
   h) Peça-lhe que me empreste a bicicleta nova.
   i) O objetivo era que todos fossem à praia.
   j) Convenceu-se de que deveria ter viajado na semana passada.

6. a) or. sub. substantiva objetiva direta
   b) or. sub. substantiva subjetiva
   c) or. sub. substantiva objetiva direta
   d) or. sub. substantiva subjetiva
   e) or. sub. substantiva completiva nominal
   f) or. sub. substantiva objetiva indireta
   g) or. sub. substantiva completiva nominal
   h) or. sub. substantiva predicativa
   i) or. sub. substantiva apositiva
   j) or. sub. substantiva subjetiva

7. a) Trancado no quarto, gritava para o irmão que queria saber quando ele iria abrir aquela maldita porta.
   b) A mãe queria saber qual tinha sido a nota da prova de Matemática do(a) filho(a).
   c) O pai disse que pretendia comprar um carro novo no próximo ano.
   d) A velha senhora sentou-se e exclamou que estava exausta depois dessa caminhada.
   e) A professora dizia aos alunos menores que não queria ouvir um barulhinho ali na classe.

Orações subordinadas adjetivas

Exercícios

1. a) O local <u>que os turistas visitaram</u> ficou famoso pelas belezas naturais.
   b) Os danos provocados pelo *tsunami* causaram prejuízos <u>que não se podem reparar</u>.

c) Aquele lutador de boxe tem reações <u>que agridem</u> o público.
d) A vendedora da loja ouviu palavras <u>que a ofenderam bastante</u>.
e) Mesmo depois de muito treino, o menino continuava com uma letra <u>que não se podia</u> <u>ler</u>.
f) As águas paradas e poluídas são as <u>que transmitem doenças</u>.
g) Presenciamos despedidas <u>que nos emocionaram</u> ontem no aeroporto.
h) Agiu de uma forma <u>que não se explica</u> ao saber da reprovação.
i) Não deixaram de fazer barulhos <u>que irritavam</u> durante toda a madrugada.
j) Quando era contrariada, costumava ter atitudes <u>que não se podiam prever</u>.

2. a) Aquela era uma situação <u>indescritível</u>.
b) A vencedora do concurso possuía uma beleza <u>inegável</u>.
c) Foi uma difícil espera <u>infindável</u>.
d) Temos lembranças da infância <u>inesquecíveis</u>.
e) Conservava uma força <u>imbatível</u>.

3. Sugestões:
a) O bairro onde moro tem ruas mal iluminadas.
b) As favelas nas quais são realizados projetos educacionais estão livres de traficantes.
c) Os alunos cujos pais não assinaram as provas não foram dispensados.
d) O futebol que emocionou os torcedores foi vencido pela turma do 1º E.
e) Aquela avenida pela qual passamos diariamente foi interditada hoje.
f) O rapaz a quem a garota se referiu era o de camisa polo vermelha.

4. a) Existem, nesta casa, móveis / or. principal
que pertencem à nobreza francesa. or. sub. adjetiva restritiva
b) Os fiéis, / or. principal
que estão na igreja, / or. sub. adjetiva explicativa
precisam de orientações sinceras. or. principal
c) O filme / or. principal
ao qual a professora se referiu / or. sub. adjetiva restritiva
era muito emocionante. or. principal
d) Passamos por várias cidades / or. principal
que pareciam abandonadas. or. sub. adjetiva restritiva
e) Estou morando provisoriamente na casa de uma amiga, / or. principal
que viajou por uma semana. or. sub. adjetiva explicativa

5. a) sub. adjetiva restritiva
b) sub. substantiva subjetiva
c) sub. substantiva objetiva direta
d) sub. adjetiva restritiva
e) sub. substantiva objetiva indireta
f) sub. adjetiva restritiva

6. a) Já recebi toda a documentação de que preciso para a venda do imóvel.
b) Morava em uma cidade histórica cujos prédios e monumentos foram tombados.
c) Fui visitar a casa de meus avós onde meu pai nasceu.
d) A empresa na qual trabalho está passando por sérios problemas.
e) O *show* de mímica sobre o qual falei com todos os meus amigos foi surpreendente.

7. a) Não reconheceu o rapaz com <u>quem</u> falou. – objeto indireto
b) Eram muitas as dificuldades <u>que</u> precisávamos enfrentar. – objeto direto

c) A enxurrada levou a casa que estava abandonada. – sujeito
d) O lugar onde guardou a mala é seguro. – adjunto adverbial
e) As crianças cujos brinquedos ficaram no chão saíram para o recreio. – adjunto adnominal
f) O jeito como se comporta me incomoda. – adjunto adverbial
g) Deixou de ser o amigo que sempre foi. – predicativo do sujeito
h) Aquelas salas em que foram realizados os exames estão lacradas. – adjunto adverbial
i) Ela sabia o que tinha acontecido, mas não contava para ninguém. – sujeito
j) Não contaram o que encontraram naquela caverna. – objeto direto

Orações subordinadas adverbiais

Exercícios

1. a) para o término da feira cultural
   Trabalharam horas / para que terminassem a feira cultural.
   or. sub. adverbial final
   b) depois da conclusão do Ensino Médio
   Vai estudar engenharia / depois que concluir o Ensino Médio.
   or. sub. adverbial temporal
   c) em razão da ausência dos professores
   Como os professores se ausentaram, / os alunos foram dispensados mais cedo.
   or. sub. adverbial causal
   d) sem a permissão dos pais
   A garota saiu de casa / sem que os pais permitissem.
   or. sub. adverbial condicional
   e) por distração
   Como estava distraída, / deixou a chave do apartamento na fechadura.
   or. sub. adverbial causal
   f) apesar das dificuldades financeiras
   O casal comprou o apartamento / embora estivesse com dificuldades financeiras.
   or. sub. adverbial concessiva
   g) com a intervenção dos amigos
   A briga dos namorados só acabou / porque os amigos intervieram.
   or. sub. adverbial causal
   h) de acordo com o cronograma
   Conforme estiver (for) o cronograma, / receberemos as encomendas logo.
   or. sub. adverbial conformativa
   i) com a chegada da primavera
   Como a primavera chegou / as flores começaram a desabrochar.
   or. sub. adverbial causal
   j) na despedida
   Quando me despedi, / esqueci-me de agradecer-lhe a hospedagem.
   or. sub. adverbial temporal

2. a) Por mais que procurassem /
   or.sub. adv. concessiva
   não conseguiram encontrar meu anel.
   or. principal
   b) Estava bem mais preparado /
   or. principal
   que seus companheiros.
   or. sub. adv. comparativa
   c) Caminhou tanto /
   or. principal
   que chegou até o limite da fazenda.
   or. sub. adv. consecutiva
   d) Prepare a mesa /
   or. principal
   como eu lhe mostrei.
   or. sub. adv. conformativa
   e) À medida que esfriava, /
   or. sub. adv. proporcional
   a mãe ia colocando mais agasalho no filho.
   or. principal
   f) Caso decida ficar, /
   or. sub. adv. condicional
   terá de pagar mais uma diária.
   or. principal

g) Empreste-me os óculos /
   or. principal
   para que eu possa assinar o cheque.
   or. sub. adv. final

h) Já que o preço estava bom /
   or. sub. adv. causal
   levou para casa dúzias de laranja.
   or. principal

i) Não vamos desistir /
   or. principal
   mesmo que apareçam outros concorrentes.
   or. sub. adv. concessiva

j) Enquanto aguarda na fila, /
   or. sub. adv. temporal
   comia pipoca.
   or. principal

3. a) quando tivesse algum receio – or. sub. adv. temporal
   b) que se inclinou sobre o muro – or. sub. adv. consecutiva
   c) para que o sol voltasse a acalmar a natureza – or. sub. adv. final
   d) como ela seria no futuro – or. sub. adv. conformativa
   e) já que você de fato é uma águia – or. sub. adv. causal

4. a) Ela estava tão magoada que não parou de chorar o jantar todo.
   b) Como os tênis estavam bem baratos naquela promoção, compramos vários pares.
   (Os tênis estavam tão baratos naquela promoção que compramos vários pares.)
   c) Como estava preocupada com a falta de notícias, telefonou para o filho várias vezes durante o dia.
   d) A mulher falava tão alto que chamava a atenção de todos no supermercado.
   e) Como a estrada ficou interrompida duas horas, eles demoraram muito para voltar de viagem.
   f) A noite estava tão fria que talvez até caísse neve de madrugada.
   g) Como os mochileiros não conheciam a região, não conseguiram encontrar o acampamento.
   h) Corri tanto para alcançar o ônibus que fiquei muito cansado.
   i) Embora perguntasse várias vezes, não conseguiu saber o novo endereço da amiga.
   j) O preço do *notebook* estava muito caro naquela loja uma vez que não havia muitos no estoque.

5. a) **como** havia prometido – or. sub. adverbial conformativa
   b) (... mais esperto) **que** você – or. sub. adverbial comparativa
   c) **como** chovia muito – or. sub. adverbial causal
   d) **como** parecia – or. sub. adverbial conformativa
   e) (... tanto para agradá-la) **que** encheu a casa de flores – or. sub. adv. consecutiva
   f) **como** louca pelos corredores da delegacia – or. sub. adverbial comparativa
   g) (... mais carentes) **que** outras naquele momento – or. sub. adv. comparativa
   h) **que** todos devem sair – or. sub. adverbial causal
   i) **como** se fosse a última – or. sub. adverbial comparativa
   j) **como** estava arrependido – or. sub. adverbial causal

6. a) **se** tiver alguma dúvida – or. sub. adverbial condicional
   b) (... sabia) **se** ficaria até o final do mês – or. sub. subst. objetiva direta
   c) **se** vires – or. sub. adverbial condicional
   d) **se** (já que) está tão magoada com ela – or. sub. adverbial causal
   e) (queria ver) **se** o homem estava mesmo sorrindo para ele – or. sub. subst. objetiva direta

Orações reduzidas

Exercícios

1.
   a) Era importante você permanecer como funcionário da empresa.
   b) É recomendável viajar no período da manhã por causa do forte calor.
   c) A sorte dos funcionários foi receber os salários atrasados.
   d) Foi muito conveniente afastar-me da direção do clube.
   e) Guardamos tintas e pincéis para pintar os quadros da exposição.

2.
   a) Era importante /
      or. principal
      você permanecer como funcionário da empresa.
      or. sub. subst. subjetiva, reduzida de infinitivo
   b) É recomendável /
      or. principal
      viajar no período da manhã por causa do forte calor.
      or. subordinada substantiva subjetiva, reduzida de infinitivo
   c) A sorte dos funcionários foi /
      or. principal
      receber os salários atrasados.
      or. sub. subst. predicativa, red. de infinitivo
   d) Foi muito conveniente /
      or. principal
      afastar-me da direção do clube.
      or. sub. subst. subjetiva, reduzida de infinitivo
   e) Guardamos tinta e pincéis /
      or. principal
      para pintar os quadros da exposição.
      or. sub. adverbial final, reduzida de infinitivo

3.
   a) Encontrou o marido, /
      or. principal
      que bebia cerveja com os amigos.
      or. sub. adjetiva explicativa
   b) Não convém /
      or. principal
      que saia à noite.
      or. sub. subst. subjetiva
   c) O jogador tinha um desejo: /
      or. principal
      que o time retornasse para a primeira divisão.
      or. sub. subst. apositiva
   d) Embora gostasse de dirigir, /
      or. sub. adverbial concessiva
      não se sentia mais capaz.
      or. principal
   e) A única saída era /
      or. principal
      que mudasse a data do evento.
      or. sub. subst. predicativa
   f) Logo que saiu de casa, /
      or. sub. adv. temporal
      percebeu que deixara as luzes acesas.
      or. principal
   g) Não mudem /
      or. principal
      sem que deixem o novo endereço.
      or. sub. adverbial condicional
   h) Viajaram com a vontade /
      or. principal
      de que encontrariam os queridos parentes.
      or. sub. subst. completiva nominal
   i) Quando se referiam ao novo médico, /
      or. sub. adverbial temporal
      diziam /
      or. principal
      que era o melhor da cidade.
      or. sub. subst. objetiva direta
   j) Como estava distraído, /
      or. sub. adverbial causal
      não percebeu o carro /
      or. principal
      que se aproximava
      or. sub. adjetiva restritiva

4.
   a) or. sub. adverbial causal
   b) or. sub. adjetiva restritiva
   c) or. sub. adverbial concessiva
   d) or. coordenada sindética aditiva
   e) or. sub. adverbial temporal
   f) or. sub. adverbial condicional/temporal
   g) or. sub. adverbial temporal
   h) or. sub. adjetiva restritiva
   i) or. sub. adverbial condicional/temporal
   j) or. sub. adverbial causal

5.
   a) Como vimos a sua aflição, decidimos dar-lhe a boa notícia.

b) Viram os urubus que sobrevoavam a área do lixão.
c) Embora estudasse bastante, não conseguiu uma boa nota.
d) Pegou as moedas e distribuiu-as entre os pedintes.
e) Certa vez, enquanto escrevia uma novela, precisei saber se uma salamandra tinha quatro ou seis pernas.
f) Se conseguir uma folga, vou ao dentista. (Quando conseguir...)
g) Sei que segurava o livro grosso na mão, enquanto o comprimia contra o peito.
h) Encontramos as crianças, que faziam castelinhos na areia.
i) Se precisar de ajuda, me chame. (Quando precisar...)
j) Como estava nervosa, foi ríspida com os colegas.

6. a) III; b) I; c) II; d) V; e) IV; f) III; g) II; h) V; i) IV; j) I

7. a) É possível <u>entregar o trabalho ainda hoje</u>?
   or. sub. substantiva subjetiva, reduzida de infinitivo
b) Os folhetos <u>distribuídos pelas ruas</u> nem eram lidos.
   or. sub. adjetiva restritiva, reduzida de particípio
c) <u>Ao parar no ponto do ônibus</u>, teve uma tontura.
   or. sub. adverbial temporal, reduzida de infinitivo
d) <u>Acabando a licença</u>, enfrentará um difícil recomeço
   or. sub. adverbial temporal, reduzida de gerúndio
e) <u>Confirmado o resultado</u>, os vencedores seriam premiados.
   or. sub. adverbial condicional, reduzida de particípio
f) O vizinho não era homem <u>de gostar de conversas</u>.
   or. sub. adjetiva restritiva, reduzida de infinitivo
g) Recomenda-se <u>dirigir com cautela</u>.
   or. sub. subst. subjetiva, reduzida de infinitivo
h) A garota andava apressadamente, <u>desaparecendo na multidão</u>.
   or. coordenada aditiva, reduzida de gerúndio
i) Dirigiram-se aos convidados <u>para agradecer-lhes a presença</u>.
   or. sub. adverbial final, reduzida de infinitivo
j) O mais certo é <u>dividir as despesas</u>.
   or. sub. substantiva predicativa, reduzida de infinitivo
k) <u>Ficando na chuva</u>, você certamente pegará um resfriado.
   or. sub. adverbial condicional, reduzida de gerúndio
l) Ela não desistiria tão facilmente <u>de buscar uma nova oportunidade</u>.
   or. sub. substantiva objetiva indireta, reduzida de infinitivo
m) <u>Decepcionado com a atitude do filho</u>, o pai abandonou o projeto.
   or. sub. adverbial causal, reduzida de particípio
n) <u>Voltando das férias</u>, vá me visitar.
   or. sub. adverbial temporal, reduzida de gerúndio.
o) Ficou tão assustado <u>a ponto de se esconder em casa</u>.
   or. sub. adverbial consecutiva, reduzida de infinitivo

8. a) Minha irmã garante <u>que encontrou o grande líder religioso</u>.
   Minha irmã garante ter encontrado o grande líder religioso.
b) Viram a mãe, <u>que saía apressada da garagem</u>.
   Viram a mãe saindo apressada da garagem.
c) <u>Se venderem o apartamento</u>, poderão realizar o sonho de viajar.
   Vendendo o apartamento, poderão realizar o sonho de viajar.
d) Tenho certeza <u>de que fiz o melhor que pude</u>.
   Tenho certeza de ter feito o melhor que pude.
e) <u>Assim que os convidados chegarem</u>, serviremos o jantar.
   Chegando os convidados, serviremos o jantar.
f) Adorei o presente <u>que você me deu</u>.
   Adorei o presente dado por você.

g) Você foi multado <u>porque ultrapassou o sinal vermelho</u>.
Você foi multado por ultrapassar o sinal vermelho.
h) É bom <u>que todos estejam em casa</u> antes de anoitecer.
É bom todos estarem em casa antes de anoitecer.
i) <u>Logo que eles receberam o salário</u>, foram fazer as compras.
Recebido o salário, foram fazer as compras.
j) <u>Enquanto andava pelas ruas</u>, refletia sobre minhas decisões.
Andando (Ao andar) pelas ruas, refletia sobre minhas decisões.
k) Os engenheiros diziam <u>que eram responsáveis pelo projeto</u>.
Os engenheiros diziam ser responsáveis pelo projeto.
l) <u>Quando terminarem a faxina</u>, fechem a janela.
Ao terminarem (Terminada) a faxina, fechem as janelas.
m) Meu pai decidiu <u>que permaneceria</u> naquela pousada por mais uns dias.
Meu pai decidiu permanecer naquela pousada por mais uns dias.
n) <u>Embora estivesse cansado</u>, foi à casa dos parentes a pé.
Mesmo estando cansado, foi à casa dos parentes a pé.
o) Sua vontade era <u>que pudesse reencontrar os velhos amigos</u> para matar as saudades.
Sua vontade era poder reencontrar os amigos para matar as saudades.

9. a) or. sub. adverbial temporal, reduzida de gerúndio
b) or. sub. substantiva subjetiva, reduzida de infinitivo
d) or. sub. substantiva predicativa, reduzida de infinitivo

g) or. sub. adverbial condicional, reduzida de gerúndio
i) or. sub. adverbial final, reduzida de infinitivo
l) or. sub. adverbial temporal, reduzida de gerúndio

10.
a) 1ª oração
Meu amigo <u>visitou-me</u> recentemente /
2ª oração   3ª oração
e <u>disse</u> / <u>estar passando</u> por momentos bem difíceis.
1ª or. – or. coordenada assindética
2ª or. – or. coordenada sindética aditiva em relação a 1ª e or. principal em relação à 3ª
3ª or. – or. sub. substantiva objetiva direta, reduzida de gerúndio
Período composto por coordenação e subordinação (misto)

b) 1ª oração
<u>Entregues</u> as provas, /
2ª oração
os alunos <u>saíram</u> da sala, /
3ª oração
mas se <u>esqueceram</u> /
4ª oração
de <u>levar</u> o material.
1ª or. – or. sub. adverbial temporal, reduzida de particípio
2ª or. – or. principal em relação à 1ª e or. coordenada assindética em relação à 3ª
3ª or. – or. coordenada sindética adversativa em relação à 2ª e oração principal em relação à 4ª
4ª or. – or. sub. substantiva objetiva indireta, reduzida de infinitivo em relação à 3ª
Período composto por coordenação e subordinação (misto)

c) 1ª oração
Como não <u>encontrou</u> a esposa em casa, /
2ª oração   3ª oração
<u>saiu</u> / para <u>procurá-la</u> pela vizinhança.
1ª or. – or. sub. adverbial causal

2ª or. – or. principal em relação à 1ª e à 3ª orações
3ª or. – or. sub. adverbial final, reduzida de infinitivo
Período composto por subordinação

d) ¹ªoração Peço-lhe / ²ªoração que me avise / ³ªoração assim que souber / ⁴ªoração como tudo aconteceu.
1ª or. – principal
2ª or. – or. sub. substantiva objetiva direta em relação à 1ª e principal em relação à 3ª
3ª or. – or. sub. adverbial temporal em relação à 2ª
4ª or. – or. sub. substantiva objetiva direta em relação à 2ª
Período composto por subordinação

e) ¹ªoração Convém / ²ªoração que as mulheres / ³ªoração cujas joias foram roubadas / ²ªoração façam um boletim de ocorrência.
1ª or. – or. principal
2ª or. – or. sub. substantiva subjetiva em relação à 1ª
3ª or. – or. sub. adjetiva restritiva em relação à 2ª
Período composto por subordinação

Questões de vestibulares
1. c 2. d 3. a) V; b) V; c) F; d) F; e) F
4. d 5. e 6. c
7. ... únicas moradias no Rio para abrigo de flagelados.
8. e 9. a 10. d 11. e 12. a

Período composto por coordenação e subordinação

Exercícios
1. a) ¹ªoração *Assim que percebeu a derrota do seu lado,* /
²ªoração *o morcego saiu de fininho* /
³ªoração *e se escondeu debaixo de uma tora.*
1ª – or. sub. adv. temporal em relação à 2ª
2ª – or. principal e coordenada assindética
3ª – or. coordenada sindética aditiva

b) ¹ªoração *Quando não entendiam qualquer coisa,* /
²ªoração *as crianças sabiam exatamente* /
³ªoração *que botões apertar* /
⁴ªoração *para que a professora-robô repetisse a lição* /
⁵ªoração *ou, em rápidos segundos, a reformulasse.*
1ª – or. sub. adv. temporal em relação à 2ª
2ª – or. principal
3ª – or. sub. subst. objetiva direta em relação à 2ª
4ª – or. sub. adv. final em relação à 2ª e or. coord. assindética
5ª – or. coord. sindética alternativa

c) ¹ªoração *Cuido* / ²ªoração *que ele ia falar,* /
³ªoração *mas reprimiu-se.*
1ª – or. principal
2ª – or. sub. subst. objetiva direta e or. coord. assindética
3ª – or. coord. sind. adversativa

d) ¹ªoração *Seus gestos tornam-se brancos* /
²ªoração *e ela só tem um medo na vida:* /
³ªoração *que alguma coisa venha a transformá-la.*
1ª – or. coord. assindética
2ª – or. coord. sind. aditiva e or. principal
3ª – or. sub. subst. apositiva

e) *O mar revolvia-se forte/* (1ª oração) *e,* (2ª) */ quando as ondas quebravam junto às pedras/* (3ª oração)
a espuma salgada salpicava-a toda. (2ª oração)
1ª – or. principal em relação à 3ª e coord. assindética em relação à 2ª
2ª – or. coord. sind. aditiva
3ª – or. sub. adv. temporal

2. a) or. sub. subst. objetiva indireta
   b) or. sub. subst. subjetiva
   c) or. sub. adv. condicional; or. sub. subst. objetiva direta
   d) or. principal
   e) or. sub. adjetiva restritiva; or. sub. adv. temporal
   f) or. coord. assindética; or. coord. assindética
   g) or. sub. adjetiva restritiva; or. sub. adv. temporal; or. sub. subst. predicativa
   h) or. sub. adjetiva restritiva; or. principal
   i) or. principal; or. sub. subst. completiva nominal
   j) or. sub. adjetiva restritiva; or. sub. subst. apositiva

3. *Quando ela se achou velha, /* (1ª oração)
   calmamente, resolveu dependurar as chuteiras / (2ª oração)
   (nos negócios do amor, nunca fora uma jogadora do primeiro time) / (3ª oração)
   e assumir a velhice com dignidade. (4ª oração)
   a) Há quatro orações no período.
   b) Período composto por coordenação e subordinação (período misto).
   c) "calmamente resolveu dependurar as chuteiras"
   d) Sim, a conjunção subordinativa temporal *quando*.
   e) Oração coordenada sindética aditiva.
   f) Sim, duas: 1) "calmamente resolveu dependurar as chuteiras"; 2) "nos negócios do amor, nunca fora do primeiro time."

Questões de vestibulares
1. a 2. b 3. d 4. e 5. e
6. c 7. c 8. d 9. e 10. b
11. e 12. d 13. c 14. a 15. b
16. e 17. c 18. c 19. c
20. a) No período composto por coordenação, as orações são sintaticamente independentes e, no composto por subordinação, são sintaticamente dependentes. Uma das orações, a subordinada, funciona como um termo da outra oração, classificada como principal.
    b) *Dentro dele um desejo abre-se em flor /* (1ª oração) *e cresce /* (2ª oração) *e ele pensa, /* (3ª oração) *ao sentir esses sonhos ignotos* (4ª oração) */ que a alma é /* (5ª oração) *como uma planta.* (6ª oração)
    1ª – or. coordenada assindética
    2ª – or. coordenada sindética aditiva
    3ª – or. coordenada sindética aditiva em relação à 2ª e principal em relação à 4ª e 5ª
    4ª – or. subordinada adverbial temporal, reduzida de infinitivo em relação à 3ª
    5ª – or. subordinada substantiva objetiva direta em relação à 3ª e principal em relação à 6ª
    6ª – or. subordinada adverbial comparativa
21. a) Todos os homens têm seu preço e todos são facilmente corrompidos.
    b) Somente uma parte dos homens tem seu preço e somente tais homens são facilmente corrompidos.

Pontuação

Exercícios

1. a) "O navio ia muito carregado. Vários passageiros haviam embarcado em Cingapura: indianos, chineses, malaios e portugueses. O tempo mudou, o mar ficou forte e o vento batia rijo. Uma tarde, no convés, Fix perguntou a Faz Tudo:
   — Acredita mesmo na história da aposta de seu patrão?
   — Claro! E o senhor?
   — Eu? Eu não.".

   b) " — Pois lhe garanto que estou gostando desse lugar — disse Rodrigo. — Quando entrei em Santa Fé, pensei cá comigo: Capitão, pode ser que vosmecê só passe aqui uma noite, mas também pode ser que passe o resto da vida...".

   c) "Palma e bravos saudaram a luminosa ideia. O projeto foi aprovado com delírio. Só votou contra um rato casmurro, que pedia a palavra e disse:
   — Está tudo muito direito, mas quem vai amarrar o guizo no pescoço do Faro-Fino?
   Silêncio geral. Um desculpou-se por não saber dar nó, outro porque não era tolo. Todos porque não tinham coragem. E a assembleia dissolveu-se no meio de geral consternação."
   (Outras possibilidades de colocação dos sinais de pontuação são aceitas.)

2. a) Foram vistoriadas dez ambulâncias, isto é, a metade da frota municipal.
   b) Pela manhã, fomos a escola e, à tarde, ao cinema.
   c) — Professor, já terminei a prova.
   d) Esse pessoal, sem dúvida, está trabalhando direito.
   e) Durante a reunião, o gerente explicou o motivo das demissões.
   f) Amigos, precisamos marcar um churrasco!
   g) Depois de amanhã, após o almoço, tenho uma consulta médica marcada.
   h) Queria falar, mas ninguém permitia.
   i) Se pudesse, compraria um vestido, um sapato e uma bolsa novos para a festa de fim de ano.
   j) Eu fui visitá-la, e ela não me recebeu.
   k) Esse time, que foi campeão o ano passado, tem um novo técnico.
   l) Sujo e faminto, o mendigo pedia esmolas pela rua.

3. I. a) O diretor e também a professora não aprovaram o comportamento dos alunos.
      b) O diretor reprovou, mas a professora aprovou o comportamento dos alunos.
   II. a) O emissor dirige-se a Paulo avisando que o médico de plantão chegou. (Paulo é vocativo)
       b) Paulo é o médico de plantão. (Paulo é sujeito da oração e o médico de plantão é aposto)
   III. a) Apenas os operários indignados estão em frente à fábrica.
        b) Naquela hora, em frente à fábrica, os operários estavam indignados. (indignados é predicativo do sujeito)
   IV. a) As pessoas acompanhavam o guia pelas cavernas escuras e silenciosas. (silenciosas é adjunto adnominal)
       b) As pessoas estavam silenciosas enquanto acompanhavam o guia. (silenciosas é predicativo do sujeito)

4.
a) Todos reclamaram do local distante, do excesso de gente e da má conservação das piscinas.
b) É provável que, em razão do fim das férias escolares, as estradas estejam congestionadas no próximo fim de semana.
c) Os antigos colegas de faculdade que não se viam desde a formatura ficaram felizes pelo reencontro.
d) O desejo, que não haja brigas ou desentendimentos, é comum a todos.
e) Como contar às crianças a ausência do Papai Noel, os pais não sabiam.

5.
a) não se insere a vírgula para separar verbo de complemento verbal (reclamar do local); não se emprega vírgula para separar termos que exercem a mesma função sintática (local distante, excesso de gente); também não se aplica antes da conjunção e quando há enumeração de itens.
b) não se insere a vírgula para separar orações subordinadas substantivas (exceto substantivas apositivas); emprega-se a vírgula para separar a expressão explicativa; não se aplica para separar verbos de seus complementos ou termos em ordem direta na oração.
c) não se insere a vírgula para separar substantivo e adjunto adnominal; também não é adequado aplicá-la em oração subordinada adjetiva restritiva nem na ordem direta da oração.
d) emprega-se a vírgula na oração subordinada substantiva apositiva, mas não se emprega antes de termos coordenados pela conjunção **ou**.
e) insere-se a vírgula se a oração subordinada substantiva estiver anteposta à oração principal; não se aplica a vírgula para separar verbo de complemento (contar a ausência do Papai Noel).

6.
a) dois-pontos – uma das possibilidades é indicar uma enumeração
vírgulas – para separar os termos que exercem a mesma função sintática
b) reticências – suspensão de ideias ou fala das personagens
parênteses – isolar frases de caráter explicativo
c) vírgulas – indicar uma sequência de ações
travessão – indicar a fala da personagem no diálogo
vírgula – isolar o vocativo, moço
ponto de interrogação – indicar uma pergunta direta
d) dois-pontos – introduzir a fala da personagem
travessão – indicar a fala da personagem no diálogo
vírgula – para isolar o vocativo
ponto de exclamação – depois de frases exclamativas que expressam emoção ou chamamento
e) travessão – indicar a fala do emissor ou da personagem
travessão – para separar orações intercaladas
ponto de exclamação – depois de frases exclamativas que expressam estados emotivos

7.
a) Pode-se ir de ônibus, tendo o cuidado de pegar um que vá para outro lado, ou de trem, desde que se desça na estação.

8.
a) — Saia já daí, seu tonto!
b) O patrão perguntou, irritado:
— Não tinha uma desculpa um pouco melhor para inventar, não?

c) O expediente já se encerrava quando o gerente exclamou:
— Atenção, pessoal! Vamos ter de fazer hora extra até as dez horas.
— Essa não! E agora, como vou cancelar o meu jantar com ela?

d) — Atrasado de novo, não é, seu Felipe?
— Desculpe, professora, foi o trânsito de novo.

e) — Não desanimem – disse o técnico – pois, com certeza, venceremos.

9. c) *Em seguida, perguntou-me pelo nome: disse-lho e ele fez um gesto de espanto. Colombo? Não, senhor: Procópio José Gomes Valongo.*

Questões de vestibulares
1. d 2. c 3. a 4. b
5. três alternativas: a; b; d
6. c 7. b 8. d 9. a 10. d
11. e 12. c 13. e 14. b
15. a) A vírgula separa o adjunto adverbial temporal.
   b) A vírgula separa o aposto.
16. a 17. d 18. a

Concordância nominal

Exercícios

1. a) amor e amizade verdadeira / verdadeiros
   b) atrasados o professor e a diretora
   c) meia caixa de laranja
   d) livros e revistas antigas / antigos
   e) os documentos inclusos
   f) bastantes cadernos
   g) É necessária a sua assinatura
   h) Era proibido saída
   i) diversas entrevistas e desfiles / diversos desfiles e entrevistas
   j) casa e edifício reformado / reformados
   k) muitas diversões e passeios / muitos passeios e diversões
   l) dia e hora marcada / marcados

2. a) custam caro
   b) Elas próprias
   c) bastante cansadas
   d) junto com os cheques
   e) longes terras
   f) estavam quites
   g) foram direto às casas
   h) iam levar, junto, o presente de casamento
   i) meio assustadas
   j) foi permitida a saída

3. a) Adjetivo anteposto a dois ou mais substantivos concorda com o substantivo mais próximo.
   b) A palavra bastante empregada como pronome adjetivo concorda com o substantivo a que se refere.
   c) Dois ou mais adjetivos, referindo-se a um único substantivo determinado por artigo, admite duas concordâncias: as artes grega e romana e a arte grega e a romana.
   d) Adjetivo posposto ao substantivo concorda com o mais próximo ou passa para o plural quando substantivos do mesmo gênero.
   e) Alerta é expressão invariável quando advérbio.

4. a) Ele me pediu <u>emprestada</u> aquela bicicleta.
   b) Estavam <u>vazias</u> a escola e a biblioteca.
   c) As pessoas consideraram <u>maravilhosos</u> o filme e a música.
   d) Ela os encontrou muito <u>sujos</u>.
   e) Parecia <u>insatisfeito</u> o pai e a mãe com o comportamento da filha.

5. a) Contou para todos <u>a</u> <u>longa</u> e <u>maravilhosa</u> viagem.
   b) O garoto tinha o braço e a perna <u>quebrada</u> / <u>quebrados</u>
   c) Eles <u>mesmos</u> fariam <u>o</u> projeto <u>final</u>.

d) A dona de casa comprou <u>frescas</u> frutas e verduras.
e) <u>As</u> crianças chegaram ao meio-dia e meia. (<u>meio</u> dia e <u>meia</u> hora)

6. a) C
b) E – Ela parece meio louca, não para de gritar.
c) E – Estamos sempre alerta.
d) E – Tinha tingida a barba e o cabelo.
e) C
f) C
g) E – É necessário paciência nessa hora.
h) E – A minha mãe anda meio estressada.
i) C
j) C – Não queriam que as deixasse só (sozinhas) / sós.
k) E – A porta ficou meio aberta a noite toda.
l) E – Não acredito que seja permitida a permanência de menores no local.

7. a) ... mas não os encontrei
b) ... não as conheço
c) ... os quais se tornaram públicos
d) ... sem que as sentíssemos
e) ... mas não a comprei

8. a) Muito obrigada
b) Era proibida a permanência
c) Nós mesmas
d) foi desnecessária sua presença
e) Sol e chuva diária / diários eram comuns

9. a) alerta   f) belos
b) tanto   g) bastante
c) só   h) quite
d) anexas   i) sós
e) famosos   j) meio

10. b

11. a) Não escolheu momento e hora adequadas.
b) É proibida a entrada.
c) Um e outro candidato aprovado no vestibular fará o curso.

d) Nem um nem outro mochileiro corajoso entrará na caverna.
e) O júri considerou culpado a mãe e o filho.

12. d

Questões de vestibulares
1. d 2. e 3. a 4. e 5. b
6. c 7. c 8. e 9. d 10. c
11. a) piores b) bastante c) anexas
12. c
13. anexas; possíveis; meio
14. e

Concordância verbal

Exercícios
1. a; e; f; g; h; i; k; m; p; r; s; t
2. a) Se não houvesse guerras, o mundo seria bem melhor.
e) Não vejo a hora de dizer: chegaram as férias.
f) Devem existir muitas pessoas interessadas nesse caso.
g) Parece que não haveria soluções em curto prazo.
h) Mais de dez homens empurravam aquela máquina.
i) Alugam-se casas para a temporada de verão.
k) O que faltava ao jovem eram oportunidades de diálogo.
m) Os 30% de lucro esperado sumiram.
p) Mais de uma paciente teve alta hoje.
r) Assaltantes ou malfeitores assaltaram a escola no fim de semana.
s) Fomos nós que compramos as passagens.
t) Uma palavra, um apoio pode ajudá-lo.
3. a) Sujeito com a conjunção **ou**: o verbo vai para o plural quando não há ideia de exclusão em relação ao sujeito.

O álcool e também o fumo são prejudiciais à saúde.
b) Sujeito composto de verbos no infinitivo: o verbo pode ser flexionado no singular ou no plural se os infinitivos não estiverem determinados.
Chegar e partir integra/integram nosso dia a dia.
Mas: o chegar e o partir integram nosso dia a dia.
c) Sujeito composto de pessoas diferentes: o verbo vai para o plural de acordo com a "regra de prevalência".
Tu e ela participareis / participarão
d) Sujeito coletivo: o verbo pode ser flexionado no singular ou no plural. Nesse caso, a concordância é feita no plural, porque concorda com a ideia do número de crianças.
A multidão de crianças aplaudia / aplaudiam...
e) Concordância com o verbo ser – quando o sujeito for um pronome: tudo, isto, isso, a concordância é feita de preferência com o predicativo do sujeito.
Isso são desculpas inaceitáveis.

4. a) deram três horas
b) consertam-se motos
c) sobraram cerca de mil aparelhos
d) protesta-se contra empresas
e) faltam quinze minutos
f) fui eu que paguei
g) deve fazer vinte anos
h) eu e tu percorreremos
i) nem o pai nem a mãe foram à reunião
j) tratava-se de casos de epidemia

5. a) Verbo **dar** concorda com o sujeito na indicação de horas.
b) O verbo transitivo direto concorda com o sujeito na voz passiva sintética com o pronome apassivador **se**.
c) A expressão **cerca de** leva o verbo para o plural.
d) O verbo transitivo indireto permanece na 3ª pessoa do singular quando a indeterminação do sujeito é caracterizada pela partícula **se**.
e) O verbo concorda com o sujeito posposto.
f) O pronome relativo **que** concorda com o antecedente.
g) Verbo fazer, no sentido de tempo decorrido, permanece na 3ª pessoa do singular e o auxiliar que o acompanha também.
h) É aplicada a regra da prevalência, a 1ª pessoa vem antes da 2ª.
i) A expressão nem um nem outro leva o verbo, de preferência, para o plural.
j) O verbo transitivo indireto permanece na 3ª pessoa do singular quando a indeterminação do sujeito é caracterizada pela partícula **se**, como índice de indeterminação do sujeito.

6. c) Já são seis horas da tarde.
e) O vencedor fui eu.
g) Daqui até o metrô são dois quilômetros.
h) Oito quilos de carne é pouco para o nosso churrasco.
i) A maioria era menor de idade. / A maioria eram menores de idade.

7. c) O verbo **ser** concorda com a palavra a que refere na questão de tempo (hora).
e) Concorda com pronome pessoal reto, estando no sujeito ou no predicativo.
g) Concorda com a palavra que se refere a distância (dois quilômetros).

h) Sujeito indicando peso, seguido da palavras "é pouco", "é muito", determina o verbo no singular.
i) Sujeito representando coletivo e predicativo no plural leva o verbo a concordar com o predicativo.

8. a) O proprietário do imóvel sou eu.
b) Agora já são duas e meia.
c) Estados Unidos é um país de primeiro mundo.
d) Os ganhadores do sorteio somos nós.
e) Três horas de viagem é muito.
f) Tudo são preocupações.
g) Hoje é / são treze de abril.
h) Nossas esperanças são o novo treinador.
i) A alegria da casa são os gêmeos.
j) Quem são os novos moradores do sétimo andar?

9. a) será dispensado
b) Compram-se obras de arte
c) ... nós que ficaríamos prejudicados
d) ... um milhão de pessoas iriam à passeata
e) A multidão agitava as mãos
f) Foram meus alunos que venceram
g) O relógio da sala bateu dez horas
h) ... que haviam sobrado bolo e refrigerante
i) Choveram reclamações
j) Um e outro se machucaram

10. Pronome relativo **quem** como sujeito. Há duas possibilidades de concordância: o verbo permanece na 3ª pessoa do singular ou concorda com o antecedente.
a) correta. **Quem** na 3ª pessoa do singular.
b) incorreta. Somos nós **que** receberemos (**que** – pronome relativo – concorda com o antecedente nós). O emprego do verbo na 3ª pessoa do plural: receberão está incorreto.
c) correta. **Quem** concorda com o antecedente nós.
d) correta. **Quem** concorda com o antecedente eu.
e) correta. **Que** concorda com o antecedente eu.

11. a) Faz dez dias – verbo impessoal
b) Havia vários livros – verbo impessoal
c) Não se usavam calças compridas – verbo pessoal
d) Ainda existem concursados – verbo pessoal
e) Amanhã será primeiro de abril – verbo impessoal
f) Tu e ela formais um bonito casal – verbo pessoal
g) Mais de oito pessoas estavam – verbo pessoal
h) Ela soube que houve muitas demissões – verbo impessoal
i) Aconteceram várias contratações – verbo pessoal
j) Pode haver mudanças – verbo impessoal

12. a) Consertam-se relógios aqui.
b) Precisa-se de marceneiros com urgência.
c) Vendem-se bicicletas novas.
d) Ocorreram assaltos na rua de cima.
e) Necessita-se de doadores de sangue.
f) Admitem-se funcionários com experiência.
g) Fizeram-se contratos de aluguel.
h) Houve erros de digitação no documento.
i) Existem fraudes comprovadas.
j) Deveria haver novas rodadas de negociação.
k) Cancelaram-se reservas para o cruzeiro.
l) Não se constroem mais aqueles tipos de veículos.

13. d 14. b

15. a) <u>Faz</u> meses que não <u>acontecem</u> brigas no colégio.
b) Nem tudo <u>são</u> surpresas agradáveis.
c) <u>Pode</u> existir mais de um interessado naquela vaga.
d) <u>Deve</u> fazer dois dias que eles não dão notícias.
e) Alguns de nós <u>resolvemos/resolvem</u> as equações mais difíceis.

Questões de vestibulares
1. e **2.** e **3.** b
4. a) O segmento em que se encontra a infração é: nos deixou. Pode-se considerar como causa da infração às normas gramaticais a posição do núcleo do sujeito "denúncias" na frase. Está distante do verbo "deixou" com o qual deveria concordar. Além disso, outras palavras como "comportamento" e "Ministro", no singular, podem contribuir para dificultar o emprego da concordância adequada.
b) As denúncias não suficientemente esclarecidas quanto ao comportamento ético do Ministro da Fazenda nos deixaram ainda mais constrangidos, não só a mim, mas a companheiros do governo.
5. b **6.** c
7. a) O verbo permanece no singular porque o sujeito é o pronome relativo "quem".
b) O verbo fica no plural porque concorda com o antecedente do pronome relativo e sujeito "que": "cantos dos poetas".
8. a **9.** c **10.** b **11.** a
12. e **13.** d
14. a) Sois vós que deveis pensar e querer por mim.
b) Tu e ele ides/vão pescar no lago.
c) Já deve fazer dois meses que ela partiu.
15. d **16.** e **17.** b
18. a **19.** d **20.** d
21. a) Havia jardins e manhãs naquele tempo: existia paz em toda parte.
b) Se houvesse mais homens honestos, não existiriam tantas brigas por justiça.
22. b **23.** a **24.** e **25.** d **26.** e
27. c (deixam) **28.** c **29.** a

Regência nominal

Exercícios
1. a; c; d; g; i; j
2. a) O rapaz não estava <u>apto àquele</u> novo emprego. / para aquele novo emprego.
c) O produto mais vendido na farmácia era <u>nocivo à saúde</u>.
d) Não estava <u>habituado a caminhar</u> muito.
g) A sua <u>falta à reunião</u> foi muito comentada.
i) É <u>preferível</u> falar a verdade <u>a mentir</u>.
j) As atitudes dela eram <u>incompatíveis com as minhas</u>.
3. a) Estava atenta a todas as explicações. / atenta em / para
b) Seu tênis é idêntico ao meu. (ao – a + o)
c) Continuava insensível a qualquer apelo nosso.
d) A confiança do filho no pai era imensa. (no – em + o)
e) Ainda não estava apta a dirigir. / apta para dirigir
f) Não se sentia capaz de assumir o controle das vendas.
g) Era responsável pela finalização do projeto. (pela – por + a)
h) Aquela comida estava imprópria para consumo. / ao
i) A união entre os participantes do torneio parecia improvável. /

com os participantes / dos participantes.
j) Não parecia contente com o resultado.

4. I. As crianças ficaram felizes em patinar no gelo. (c)
II. Estava propenso a adiar a viagem. (b)
III. O animalzinho não estava acostumado com noites frias. (b)
IV. Tinha aversão por lugares altos. (c)
V. Estavam fartos de tanta mentira. (a)
VI. Mantinha-se alheio a tudo. (a)
VII. Mostrava empenho em agradar aos familiares. (a)
VIII. Chegaram curiosos de conhecer o local da competição. (c)
IX. Queria a oportunidade de trabalhar fora do país. (a)
X. Era contrário a qualquer mudança de planos. (b)

Questões de vestibulares
1. d 2. c 3. c 4. d 5. a
6. b 7. a 8. d 9. a 10. a

Regência verbal

Exercícios
1. a) Só não o chamei de louco porque é meu amigo.
e) Ela prefere cinema a televisão.
f) A colocação a que aspiramos é muito disputada.
g) Todos os pais prestigiaram o campeonato escolar.
i) Ele se esqueceu das regras da boa educação naquela hora.

2. a) ... assistir sempre a boas apresentações teatrais.
b) ... se esqueceram das nossas advertências.
c) ... desobedeciam aos regulamentos disciplinares.
d) Os aposentados que a previdência assiste merecem mais atenção.
e) O perfume que aspiramos era delicioso.
f) ... não perdoou o erro à funcionária.
g) Agradeceu aos participantes a colaboração.
h) ... de perdoar aos amigos.
i) ... esqueceu o celular na gaveta.
j) Não avisaram aos alunos que haveria aula...
(também: não avisaram os alunos de que haveria aula...)

3. I. a) A filha não quis lhe obedecer.
II. c) Visou o alvo e fez o disparo.
III. c) Chegou a São Paulo.
IV. b) Todos o/a esperavam para o almoço.
V. a) Ensinou-o a jogar gamão.

4. a) I; b) TD; c) TD; d) TI; e) TI; f) TDI; g) TI; h) I; i) TD; j) TD

5. a) Ele é uma pessoa que devemos admirar.
b) ... mas este é o de que mais gostei.
c) ... homem em quem não se podia confiar.
d) A pasta de que se esqueceu...
e) Os amigos a que/a quem me referi deixaram saudades.
f) ... a cidade em que você reside.
g) ... uma proposta em que ninguém acreditaria.
h) ... as palestras a que assistimos ...
i) ... os credores a que/a quem precisava pagar...
j) ... as regras a que devíamos obedecer.

6. a) Entregou-lhe a correspondência...
b) Conduziram-nas para uma sala...
c) Esqueceu-se de visá-los no intervalo do almoço.
d) A equipe médica que a assistiu foi excelente.
e) Não lhes enviou a encomenda de tecidos.

7. a) Visitava-o/a todos os fins de semana.
c) Nós os/as criticamos injustamente.
d) Perdoei-lhe as críticas que me fez.
e) Ela foi obrigada a obedecer-lhe.

8. a) Os garotos não assistiram ao filme do Homem-Aranha.

b) O funcionário contratado recentemente aspira a um cargo de chefia.
c) As crianças querem muito aos seus avós.
d) A apresentação musical não agradou ao grande público.
e) O gerente chamou alguns trabalhadores para uma reunião.
f) Duas horas não chegam para fazer o percurso.
g) Eles o chamaram líder da classe.
Eles chamaram-no líder da classe./de líder da classe
Eles chamaram-lhe líder da classe. / de líder da classe
h) Alguns dos diretores visavam à presidência da empresa.

9. a; c; e; f; h; i
10. a) Esquecemos os presentes de Natal./Esquecemo-nos dos presentes de Natal.
c) O perfume que aspiramos é delicioso.
e) Alguém se lembra do dia da prova?
f) Ontem eu o/a vi no *shopping*.
h) Quero muito bem aos meus amigos.
i) Eu o conheço de algum lugar.
11. a) visa – pretender, ter em mente
b) queria – desejar
c) aspirava – sorver, inalar
d) assistiu – prestar socorro ou assistência
e) informaram – notificar, esclarecer
f) implicava – antipatizar
g) custava-me – ser custoso, difícil
h) atendem – levar em consideração
12. Sugestões:
a) Assistimos a uma aula de Matemática.
b) Eu não me lembrava daquele colega da faculdade.
c) Todos aspiram a um futuro melhor.
d) Chegou ao Rio ontem à tarde.
e) Ele não informou aos funcionários a hora da reunião de hoje.
f) Nós nos esquecemos de trazer um lanche.
g) Obedeça à sinalização de trânsito.

h) Prefiro ficar em casa a ir à balada.
i) Queria muito bem aos pais.
j) O homem visava a um emprego mais bem remunerado.
13. a) As leis da natureza são obedecidas pelos índios.
b) As ordens do patrão foram desobedecidas por eles.
c) Os cadernos não foram visados pela professora.
d) O ar poluído de nossa cidade é aspirado por nós.
e) O regulamento do clube foi desobedecido pelo associado.
f) Várias pessoas com intoxicação alimentar foram atendidas pelo médico.
14. c) A pessoa a quem me refiro mora na mesma avenida na qual você morou.
15. d) Os recursos de que dispomos não são compatíveis às nossas ambições.

Questões de vestibulares
1. e 2. c 3. c 4. b
5. b 6. c 7. a 8. e
9. a) Este é o filme a que todos assistiram.
b) Este é o filme em que todos acreditaram.
10. e 11. d 12. e 13. c 14. a
15. a 16. d 17. d 18. e 19. b
20. b 21. c 22. b 23. c 24. a

Sintaxe de colocação

Exercícios
1. a) ordem direta – sujeito – a máquina; verbo – falava; adjuntos adverbiais
sujeito – (a máquina); verbo – estava; complementos e adjuntos adverbiais
b) ordem indireta ou inversa – verbo – suportou-a; sujeito – ele
c) ordem indireta ou inversa – sujeito – o pranto; verbo – fez-se

Caderno de respostas **645**

d) ordem indireta ou inversa – verbo – podiam ser; sujeito – aqueles olhos vivíssimos e aquelas mãos enérgicas
e) ordem direta – sujeito – Fabiano, Sinhá Vitória, os meninos; verbo – atravessaram

Respostas:
I. Ordem direta é a ordem usual da disposição dos termos da oração: sujeito / verbo / complementos e adjuntos adverbiais. Ordem indireta ou inversa é aquela que foge da ordem comum: o sujeito não introduz a oração.
II. A ordem direta é a escolhida para transmitir clareza e a ordem indireta é a ideal para realçar alguma palavra ou expressão.

2. a) Sabia que nos receberiam com alegria e cordialidade.
b) Voltarei a visitá-lo no mês que vem.
c) Nunca mais a encontrei depois daquela noite.
d) Tinha-o guardado por vários anos em uma gaveta.
e) Alguém lhe devolveu os livros de inglês?
f) Sentir-me-ia mais tranquilo se ele voltasse logo.
g) Você me pediu que tudo fosse feito em sigilo. (Você pediu-me que...)
h) Em se tratando de problemas conjugais, o melhor é não interferir.
i) Contar-te-ia quem seriam os dispensados se soubesse.
j) Em silêncio, devolveu-nos os projetos não aprovados.

3. a) próclise – nas orações subordinadas com conjunção subordinativa (integrante).
b) ênclise – quando não há razão para próclise.
c) próclise – quando o sujeito é palavra de sentido negativo.
d) ênclise – quando não há palavra que exija a próclise.
e) próclise – quando o sujeito é pronome indefinido.
f) mesóclise – o verbo está no futuro do pretérito do indicativo.
g) ênclise – preferencialmente, de acordo com a norma culta. Porém, no português falado no Brasil, opta-se pela próclise; portanto, admite-se a próclise na linguagem coloquial.
h) próclise – quando o verbo se apresenta no gerúndio precedido de **em**.
i) mesóclise – o verbo está no futuro do pretérito do indicativo.
j) ênclise – quando há vírgula separando o advérbio ou locução adverbial do verbo.

4. a) saudaram-<u>no</u>
b) entregá-<u>las</u>
c) Realizá-<u>los</u>-ia
d) Jamais <u>se</u> repetiria
e) Pedi-<u>lhe</u> desculpas
f) de que <u>a</u> levaram
g) Você devia ter-<u>lhe</u> devolvido
h) estava machucando-<u>o</u>
i) Aplaudiram-<u>no</u>
j) não <u>os</u> vão convencer/não vão convencê-<u>los</u>

5. a) E; b) C; c) C; d) E; e) E

6. a) Todos o julgavam culpado pelo acidente.
d) A garota tinha-o conhecido na academia.
e) Quando me lembrei da reunião, já havia passado da hora.

7. a) Vou me candidatar / vou candidatar-me
b) Haviam-na localizado
c) Não te puderam avisar / não puderam te avisar / não puderam avisar-te
d) A espera estava se tornando / estava tornando-se
e) do que havia se passado / do que se havia passado
f) ia me esquecendo / me ia esquecendo / ia esquecendo-me
g) Ninguém mais lhe vai fazer / vai lhe fazer / vai fazer-lhe

h) estava se escondendo / estava escondendo-se
i) Quis me levantar / quis levantar-me
j) Tentamos procurá-las

8. a) forma coloquial
b) norma escrita culta
c) forma coloquial
d) norma escrita culta
e) norma escrita culta

9. I. b; II. a; III. a; IV. b; V. a

10. a) P; b) E; c) P; d) M; e) E; f) P

11. a) É isto o que te aconselho hoje, dia de tua maturidade.
– Creia que lhe agradeço; mas que ofício, não me dirá?
– Nenhum me parece mais útil e cabido que o de medalhão. Ser medalhão foi o sonho de minha mocidade; faltaram-me, porém, as instruções de um pai, e acabo, como vês, sem outra colocação e relevo moral, além das esperanças que deposito em ti. Ouve-me bem, meu querido filho, ouve-me e entende.
b) São obrigatórias porque conjunção subordinativa integrante e advérbio de negação atraem o pronome para antes do verbo.
c) "Nenhum me parece", a próclise é obrigatória, porque pronomes indefinidos atraem o pronome para antes do verbo.
d) A colocação pronominal que ocorre é a ênclise, porque são frases iniciadas por verbo.
e) Não, a preferência hoje é pela colocação proclítica: Me ouve bem, meu querido filho, me ouve e entende. (Ou me ouça bem, me ouça e entenda.)

Questões de vestibulares

1. d 2. e 3. e 4. c 5. b
6. Ana, amanhã lhe farei uma visitinha e contar-lhe-ei tudo o que sei a respeito dele. Espere-me às nove horas e não me faça esperar muito.
7. c 8. e
9. a) A máquina fá-lo-á por nós.
b) A máquina no-lo fará.

10. e 11. b 12. a
13. a 14. b 15. d

Emprego das palavras que, se e como

Exercícios

1. a) pronome interrogativo
b) partícula de realce ou expletiva
c) conjunção integrante
d) advérbio
e) pronome relativo
f) interjeição
g) preposição
h) conjunção subordinativa comparativa
i) conjunção coordenativa aditiva
j) pronome adjetivo indefinido

2. Sugestões:
a) substantivo – Tinha um **quê** de mistério em seu sorriso.
b) conjunção subordinativa consecutiva – Trabalhou tanto **que** ficou cansado.
c) conjunção coordenativa explicativa – Entre **que** está esfriando.
d) pronome relativo – Aquele rapaz **que** estava aqui é meu irmão.
e) preposição – Você tem **que** acompanhar o telejornal pela televisão.

3. a) A casa em **que** morávamos... – adjunto adverbial
b) A criança **que** é indefesa... – sujeito
c) Devolva-me o livro **que** lhe emprestei. – objeto direto
d) **Que** casaco... – adjunto adnominal
e) Foi perdida a chave de **que** tínhamos tanta necessidade. – complemento nominal
f) O carro a **que** nos referimos... – objeto indireto
g) Gostaria de lembrar o **que** faziam lá. – objeto direto
h) Na rua, **que** estava alagada, não se conseguia entrar na rua. – sujeito
i) A saída **que** procurávamos... – objeto direto

j) Não era mais o homem **que** foi no passado. – predicativo do sujeito
4. a) índice de indeterminação do sujeito
   b) pronome apassivador
   c) pronome reflexivo recíproco
   d) pronome reflexivo
   e) conjunção subordinativa integrante
   f) partícula integrante do verbo
   g) partícula de realce ou expletiva
   h) índice de indeterminação do sujeito
   i) pronome apassivador
   j) pronome reflexivo
5. a) Eles **se** correspondem... – objeto direto
   b) As pessoas deixaram-**se** ficar... – sujeito
   c) Aquela moça dava-**se** uma importância... – objeto indireto
   d) A gente **se** vê... – objeto direto
   e) Reserva-**se** o direito... – objeto indireto
   f) Julgava-**se** responsável – objeto direto
   g) Fez-**se** ficar... – sujeito
   h) Olhavam-**se**... – objeto direto
   i) Deixou-**se** abraçar – sujeito
   j) Queriam-**se** como irmãos. – objeto indireto
6. a) preposição
   b) advérbio de modo
   c) conjunção subordinativa conformativa
   d) conjunção subordinativa causal
   e) conjunção subordinativa comparativa
   f) interjeição
   g) advérbio de intensidade
   h) conjunção subordinativa conformativa
   i) preposição
   j) conjunção subordinativa causal
7. e – advérbio de intensidade – gritava muito
8. c – serve-se um café – voz passiva sintética
   um café é servido – voz passiva analítica

9. d – pronome relativo – refere-se ao antecedente **nada**
10. b – zangar-se – verbo pronominal – partícula integrante do verbo

Questões de vestibulares

1. c 2. c 3. a 4. d 5. b 6. d
7. *Estudos recentes indicam ser o riso um dos melhores remédios para os males da alma. Os cientistas descobriram que ele é um dos principais processos deflagradores da produção de serotonina, substância responsável pela sensação de bem-estar. Gargalhadas e sorrisos francos provocam o aumento da quantidade de serotonina liberada pelo organismo, podendo evitar que as pessoas entrem em estados depressivos.*
8. b 9. d 10. d 11. b 12. b
13. b 14. c 15. d 16. b 17. a
18. d 19. b 20. d 21. a 22. e
23. e 24. a

Emprego de mais algumas palavras e expressões

Exercícios

1. a) por que   d) porque
   b) por quê?   e) porquê
   c) Por que
2. a) Escreve-se separado e sem acento em frases interrogativas diretas.
   b) Escreve-se separado e com acento circunflexo quando estiver em final de frase interrogativa.
   c) Escreve-se junto e sem acento quando empregado como conjunção subordinada causal e pode ser substituído por **como**, **uma vez que**.
   d) Escreve-se separado e sem acento em frases interrogativas indiretas quando indicar razão ou motivo.
   e) Escreve-se junto e com acento circunflexo quando for substantivo antecedido de artigo definido como sinônimo de causa, razão ou motivo.

f) Escreve-se separado e sem acento quando empregado em explicações, como conjunção coordenativa sindética explicativa.
3. e
4. a) mais – advérbio de intensidade em oposição a menos.
b) mas – conjunção coordenativa adversativa; indica oposição ou adversidade.
c) mais – advérbio de intensidade; indica quantidade.
d) mas – conjunção coordenativa adversativa que indica oposição ou adversidade.
e) mais, mas – advérbio de intensidade em oposição a menos e conjunção coordenativa adversativa indicando oposição ou adversidade.
5. d
6. a) há; b) a; c) A; d) há; e) a; f) há; g) a
7. (a) mas; (b) mal; (c) há; (d) meio; (e) onde.
8. a) senão; b) se não; c) senão; d) senão; e) se não; f) senão
9. a) ... ao encontro do professor.
b) ... em vez de sair.
c) ... ao invés de falar.
d) ... de encontro à mesa.
e) ... em vez de acampar.
f) ... de encontro às do produtor.
10. a) ... curiosos demais
b) ... nada de mais
c) ... falam demais
d) ... gente de mais
e) ... perguntas de mais
f) Esperou demais
11. a) (E) ... há cerca de duas horas.
b) (C)
c) (C)
d) (E) ... acerca da utilização...
e) (C)
12. a) meio; b) a fim; c) mal; d) a par; e) mais

Questões de vestibulares
1. a 2. c 3. e
4. a 5. d
6. a) Por que; b) por quê; c) porque; d) por que

Semântica
Relação de significado entre as palavras

Exercícios
1. c, e, a, d, b
2. a) Com paciência e perseverança, pouco a pouco, consegue-se o que se quer.
b) É preciso escolher bem os amigos, pois seus atos serão sempre comparados aos deles.
c) É preferível contentar-se com pouco a perder tudo.
d) Quem se dispõe a fazer alguma coisa deve assumir futuras responsabilidades.
e) O trabalho bem organizado e em grupo trará melhores resultados.
3. Respostas pessoais.
4. a) espiar: observar; expiar: sofrer
b) cerrar: fechar; serrar: cortar
c) incerto: impreciso; inserto: inserido
d) estático: imóvel; extático: encantado
e) censo: recenseamento; senso: juízo
5. a) flagrante   d) delatar
b) mandado   e) infligiu
c) iminente
6. Respostas pessoais.
7. Respostas pessoais.
8. a) desumano   d) irresponsável
b) imoral/amoral   e) impossível
c) infeliz
A formulação de frases é pessoal.
9. a) sortido   d) infringido
b) discriminados   e) deferidos
c) extrato
10. a) hipótese: suposição
benigno: suave, brando, agradável
enigma: mistério
desastre: desgraça, sinistro, fatalidade
assolou: verbo assolar – arrasar, devastar
b) fogo que alimentará: chama que incentivará

queimará: estará aceso
jornada: viagem
conter multidões interessadas: controlar a grande quantidade de pessoas curiosas
louvá-lo: exaltá-lo
atacá-lo: criticá-lo

Questões de vestibulares
1. c 2. a 3. c
4. "encadeamento de decepções" sugere que uma decepção está interligada à outra, uma provoca a outra (relação causa/consequência).
"série de decepções" sugere uma sequência de decepções, uma ocorrendo após a outra, sem que necessariamente estejam relacionadas entre si.
5. b 6. e 7. d 8. a 9. d 10. b
11. c 12. d 13. e 14. e 15. d

Estilística

Funções da linguagem

Exercícios
1. a) função poética
   b) função referencial
   c) função poética
   d) função conativa
   e) função poética
   f) função emotiva e poética
   g) função referencial
   h) função referencial
   i) função fática
   j) função conativa
2. a) A mensagem é o destaque nos textos que enfatizam a função poética. A disposição e a sonoridade de cada palavra compõem a mensagem, evidenciando a imagem da garota, comparando o seu caminhar ao balanço das ondas do mar.
   b) O referente é o destaque. A intenção é transmitir a informação de maneira objetiva. O trecho apresentado faz referência à importância da propaganda por meio de um texto técnico.
   c) O enfoque está na mensagem na função poética. O poeta evidencia o seu propósito na escolha adequada e organizada das palavras nos versos do poema.
   d) O interlocutor ou receptor é o foco na função conativa ou apelativa. No trecho em questão, a função é convencer o destinatário a rever seu comportamento por meio de argumentos esclarecedores.
   e) O enfoque está na mensagem na função poética. O poeta evidencia o seu propósito na escolha adequada e organizada das palavras nos versos do poema.
   f) O emissor é o destaque na função emotiva. O texto em primeira pessoa apresentado pela escritora demonstra impressões pessoais.
   g) A função referencial é o destaque. O enfoque está centrado em informações objetivas relacionadas aos avanços científicos e tecnológicos.
   h) O enfoque está na função referencial. A intenção é transmitir a mensagem de forma clara e precisa, sem outra possibilidade de interpretação.
   i) O destaque, na função fática, está no canal de comunicação. A intenção é confirmar a interação entre emissor e receptor por meio do diálogo entre as personagens.
   j) A função destacada é a conativa. O recebimento de uma mensagem deve levar o receptor a algum tipo de reação ou mudança de comportamento. No caso em questão, na leitura do horóscopo, convencê-lo de que o seu dia será como previsto.

Questões de vestibulares
1. a – o que significa a teoria do poeta sórdido (metalinguagem); verbos na 3ª pessoa, forma impessoal (referencial).

2. d   3. a
4. a) Sobre a palavra "passa" recaem duas funções gramaticais: adjetivo e verbo. Como verbo "passar" no sentido de envelhecer e como adjetivo caracterizando a uva (uva passa).
   b) Na primeira oração, a leitora é comparada a uma uva; na segunda, a palavra "uva" é associada à "uva-passa" (enrugada) com o emprego do verbo "passa", provocando uma sensação desagradável, o envelhecimento com o passar do tempo. Portanto, a leitora deve se preocupar com o processo de envelhecimento que transformará sua pele jovem de hoje em pele seca e enrugada, e usar o produto anunciado na propaganda.
   c) A função predominante da linguagem é a conativa ou apelativa, própria dos textos publicitários ao procurar convencer o leitor a mudar o seu comportamento.
5. c   6. e   7. d
8. A função predominante é a metalinguística. Orientação para elaboração do texto: Na linguagem cotidiana, pouco se percebe a diferença entre postergar e procrastinar. Com as expressões "ao encontro" e "de encontro" acontece o mesmo. No entanto, "ao encontro" significa aproximar-se de e "de encontro" tem sentido contrário e significa chocar-se contra, colidir.

Figuras de linguagem

Exercícios

1. a) metáfora – mar salgado e lágrimas
   b) metáfora – amor e laço
   c) comparação – amor como um grão
   d) comparação – gato e uma segunda-feira (preguiça – termo para comparação)
   e) metáfora – Pão de Açúcar e teorema geométrico
   f) comparação – muda que nem a lua
2. a) elemento de comparação – esperança e urubu pintado de verde. semelhança – o pássaro de penas pretas pintado de verde porque verde é a cor da esperança.
   b) elemento de comparação – favelas transbordam sobre Niterói. semelhança – as favelas nos morros cariocas parecem avançar sobre a cidade de Niterói, alcançando-a pelo mar.
   c) elemento de comparação – coração é um pórtico partido. semelhança – o coração como um portão de entrada partido, no sentido de estar ferido por tanto sofrimento.
   d) elemento de comparação – mãos molhadas como ondas entreabertas.
   semelhança – mãos ainda molhadas pelas águas azuis do mar (ondas entreabertas) – mãos na expectativa de próximos acontecimentos.
   e) elemento de comparação – miséria com um mar largo. semelhança – a miséria tão extensa como o mar e talvez infindável.
3. a) sinestesia – palavras duras (sensação tátil) e amargas (sensação gustativa).
   b) metonímia – mãos (uma parte pelo todo) – os desassistidos pedem socorro.
   c) metonímia – com suor e com cimento – o efeito: o suor que escorre pelo rosto – a causa: o trabalho que pratica para conseguir seu sustento.
   d) perífrase/antonomásia – a designação para Pelé.
   e) metáfora – a chuva cai suavemente como se acariciasse alguém.
4. 2, 4, 3, 1, 5

5. a) anáfora
   b) polissíndeto
   c) hipérbato
   d) elipse
   e) zeugma
   f) inversão/hipérbato
   g) personificação/prosopopeia
   h) eufemismo
   i) anacoluto
   j) pleonasmo
6. a) ... depois (apareceu) a mãe.
   b) (eu) não enxergo/nem (ouço) os rumores
   c) sobre as carteiras, (estavam) livros...
   d) ... (não havia) nenhuma alma pelas ruas...
   e) (eu) cheguei/(tu) chegastes/(tu) vinhas?
7. a) e o casal esqueceram – silepse de número.
   b) o estádio aplaudiam – silepse de número.
   c) os portugueses somos – silepse de pessoa.
   d) gente – furioso – silepse de gênero.
   e) convidados – chegamos – silepse de pessoa.
8. b) figura de pensamento – paradoxo ou oxímoro
9. a) A lua foi ao cinema – personificação ou prosopopeia
   b) ironia
   c) longo/curta – antítese
   d) o bonde vacilava – personificação ou prosopopeia
   e) hipérbole
   f) eufemismo
   g) ironia
   h) Ó, Deus terrível – apóstrofe
   i) imortal/chama – infinito/dure – paradoxo
   j) gradação (..., e se despedaça, e morre.)
10. a) aliteração e assonância – **si**n**o**/**si**n**o**/**s**i**lênci**o**/**s**o**m**/**e**n**s**i**n**o**
    b) onomatopeia – bate **bem**, **bem**, **bem**
    c) aliteração e assonância – **P**e**dro p**e**dr**e**iro p**e**ns**e**iro** **e**sp**e**rando
    d) onomatopeia – **bang-bang**
    e) aliteração – **b**risa/**B**rasil/**b**eija/**b**alança
11. a) solecismo (me/na escola): Avise-me assim que você chegar à escola.
    b) solecismo (haviam); barbarismo (mendingo): Havia vários mendigos na praça.
    c) pleonasmo vicioso (pisou com os pés).
    d) cacofonia (explique-me já (**mejá**)); solecismo (aonde você estava): Explique-me agora onde você estava até essa hora.
    e) estrangeirismo – chance (oportunidade); chofer (motorista).
12. a) As pessoas viram o acidente com um ônibus e estavam fora desse ônibus. / As pessoas estavam dentro do ônibus e viram um acidente do lugar onde estavam.
    b) João foi embora com a bicicleta dele próprio. / João conversou com o amigo e pegou a bicicleta do amigo para ir embora.
    c) O policial encontrou o ladrão dentro da casa dele, policial. / O policial encontrou o ladrão na casa do próprio ladrão.
    d) O homem estava parado perto do carro. / O homem estava perto de um carro que estava parado há algum tempo.
    e) O jogo foi adiado três vezes em um mesmo mês. / O jogo será adiado pela terceira vez agora neste mês, porque foi adiado outra vezes em meses anteriores.
13. a) apóstrofe – Ó mar salgado
       metáfora – semelhança – mar salgado – lágrimas de Portugal
    b) anáfora – foge/foge/passa/passa/passa
       assonância – repetição da vogal a
       repetição – foge/passa
    c) repetição – mudam-se/mudam-se/muda-se/muda-se
       anástrofe – mudam-se os tempos/os tempos mudam-se/o ser muda-se

f) paronomásia e assonância – **ara-ra/rara/para/caçá-la**

d) anáfora – de repente
antítese – riso – pranto/calma – vento
e) gradação – sem ar/sem luz/sem Deus/sem fé/sem pão/sem lar
anáfora – sem/sem...
repetição – sem/sem...
antítese – viver/morreu
14. a) c; b) e; c) b; d) a; e) d
15. b) comparação – a noite é como um olhar...
d) pleonasmo – com os olhos quis ver...
e) metáfora – semelhança – teia – ideia de cruzamento de ruas e avenidas
f) anástrofe – se me pergunta alguém (se alguém me pergunta)
h) gradação – arde, arqueja e morre
i) polissíndeto e .../ e .../ e .../ e – repetição – e os minutos passando

Questões de vestibulares

1. b
2. A ironia presente no trecho está no fato de o amor de Marcela ter durado apenas o tempo em que o narrador-personagem tinha dinheiro (quinze contos de reis). O efeito irônico é obtido através da relação entre o tempo que o amor durou (quinze meses) e o dinheiro que ele desperdiçou nesse período com um amor não verdadeiro.
3. a 4. d 5. e 6. e 7. a
8. b 9. d 10. b 11. d

Noções de versificação

Exercícios

1. a) São chamados de "versos livres" porque não apresentam métrica. A estrofe é irregular, composta de dois versos mais curtos e um verso bem longo, e não há rima.
b) A figura de linguagem que se destaca é a anáfora – figura de sintaxe ou construção – que repete intencionalmente palavras no início do período.
Exemplo: *Do lirismo bem comportado*
Do lirismo funcionário público...
c) Prevalece a função emotiva da linguagem, destacando-se a primeira pessoa, o subjetivismo e o aspecto emocional do emissor.
2. a) II; b) III; c) I; d) IV; e) V
3. a) Não / bai / xa / va a / que / la es /
       1   2   3   4   5   6
   tre / la
    7
b) Quan / do o / som / dos / vio /
      1   2   3   4   5
   lões / vão / so / lu / **çan** / do
    6   7   8   9   10
c) vo / cê / que é / sem / **no** / me,
    1   2   3   4   5
d) bus / co a al / vo / **ra** / da
     1   2   3   4
e) Em / tre / ga / va / -se ao / sol /
     1   2   3   4   5   6
   a / te / rra / co / mo es / **cra** / va
   7 8   9   10   11   12
4. a) O nome é haicai, um poema de origem japonesa.
b) Es / voa / ça a / li / **bé** / lu / la
    1   2   3   4   5
   Es/pon/já/ver/de. U/ma/**con**/cha.
    1   2 3   4   5 6   7
   O / la / go é u / ma / **pé** / ro / la.
   1   2   3   4   5
c) O haicai é composto de dois pentassílabos e um heptassílabo.
5. Respostas pessoais.
6. a) rimas alternadas ou cruzadas
b) rimas mistas ou misturadas
c) rimas emparelhadas
d) rimas interpoladas, intercaladas, opostas

Questões de vestibulares

1. b 2. c 3. c

Bibliografia

ACADEMIA BRASILEIRA DE LETRAS. *VOLP – Vocabulário Ortográfico da Língua Portuguesa.* São Paulo: Global, 2009.

ALMEIDA, Napoleão Mendes de. *Gramática metódica da língua portuguesa.* 45. ed. revista. São Paulo: Saraiva, 2005.

AZEVEDO, José Carlos de. *Fundamentos de gramática do português.* Rio de Janeiro: Jorge Zahar, 2000.

BECHARA, Evanildo. *Gramática escolar da língua portuguesa.* 2. ed. ampliada e atualizada. Rio de Janeiro: Nova Fronteira, 2010.

_____. *Moderna gramática portuguesa.* 37. ed. revista e ampliada. Rio de Janeiro: Nova Fronteira, 2009.

CÂMARA Jr., J. Mattoso. *Estrutura da língua portuguesa.* 40. ed. Petrópolis: Vozes, 2001.

CUNHA, Celso; CINTRA, Luís F. Lindley. *Nova gramática do português contemporâneo.* 5. ed. Rio de Janeiro: Lexikon, 2008.

HOUAISS, Antônio; VILLAR, Mauro de Salles; FRANCO, Francisco Manoel de Mello. *Dicionário Houaiss da língua portuguesa.* Rio de Janeiro: Objetiva, 2009.

FERNANDES, Francisco. *Dicionário de verbos e regimes.* 45. ed. Rio de Janeiro: Globo, 2003.

HENRIQUES, Claudio Cezar. *Fonética, fonologia e ortografia*: conceitos, estruturas e exercícios com respostas. 2. ed. Rio de Janeiro: Elsevier, 2007.

_____. *Morfologia*: Estudos lexicais em perspectiva sincrônica. 3. ed. revista e atualizada. Rio de Janeiro: Elsevier, 2007.

_____. *Sintaxe*: Estudos descritivos da frase para o texto. Rio de Janeiro: Elsevier, 2010.

LAPA, Manuel Rodrigues. *Estilística da língua portuguesa.* 3. ed. São Paulo: Martins Fontes, 1991.

ROCHA LIMA, Carlos Henrique da. *Gramática normativa da língua portuguesa.* Rio de Janeiro: José Olympio, 2010.

LUFT, Celso Pedro. *Dicionário prático de regência nominal.* 5. ed. São Paulo: Ática, 2009.

_____. *Dicionário prático de regência verbal.* 9. ed. São Paulo: Ática, 2009.

_____. *Grande manual de ortografia.* 2 ed. Rio de Janeiro: Globo, 2013.

RYAN, Maria Aparecida. *Conjugação dos verbos em português.* 17. ed. São Paulo: Ática, 2011.

TRAVAGLIA, Luiz Carlos. *Gramática e interação*: uma proposta para o ensino de gramática no 1º e 2º graus. 4. ed. São Paulo: Cortez, 1998.

Impressão e Acabamento
VOX gráfica
www.voxgrafica.com.br